O SHOWMAN

O SHOWMAN

OS BASTIDORES DA GUERRA QUE ABALOU O MUNDO E FORJOU A LIDERANÇA DE VOLODYMYR ZELENSKY

SIMON SHUSTER

Tradução
Marta Chiarelli

1ª edição

EDITORA RECORD
RIO DE JANEIRO • SÃO PAULO
2024

CIP-BRASIL. CATALOGAÇÃO NA PUBLICAÇÃO
SINDICATO NACIONAL DOS EDITORES DE LIVROS, RJ

S565s Shuster, Simon
O showman : os bastidores da guerra que abalou o mundo e forjou a liderança de Volodymyr Zelensky / Simon Shuster ; tradução Marta Chiarelli. - 1. ed. - Rio de Janeiro : Record, 2024.

Tradução de: The showman : inside the invasion that shook the world and made a leader of Volodymyr Zelensky
ISBN 978-65-5587-707-6

1. Zelensky, Volodymyr, 1978-. 2. Presidentes - Ucrânia - Biografia. 3. Ucrânia - Política e governo - Séc. XXI. 4. Ucrânia - História - Invasão russa, 2022.5. Ucrânia - Relações internacionais. I. Chiarelli, Marta. II. Título.

CDD: 947.7086
23-87167 CDU: 94(477)"20"

Meri Gleice Rodrigues de Souza - Bibliotecária - CRB-7/6439

Título em inglês:
The showman: inside the invasion that shook the world and made a leader of Volodymyr Zelensky

Revisão de tradução: José Roberto O'Shea
Mapas: Adaptados dos originais de Lon Tweeten

Texto revisado segundo o Acordo Ortográfico da Língua Portuguesa de 1990.

Direitos exclusivos de publicação em língua portuguesa somente para o Brasil adquiridos pela
EDITORA RECORD LTDA.
Rua Argentina, 171 – Rio de Janeiro, RJ – 20921-380 – Tel.: (21) 2585-2000,
que se reserva a propriedade literária desta tradução.

Impresso no Brasil

ISBN 978-65-5587-707-6

Seja um leitor preferencial Record.
Cadastre-se no site www.record.com.br
e receba informações sobre nossos
lançamentos e nossas promoções.

Atendimento e venda direta ao leitor:
sac@record.com.br

para Nina e Marie

SUMÁRIO

1° de abril de 2022

A UCRÂNIA APÓS O AVANÇO INICIAL DA RÚSSIA

1° de dezembro de 2022

DEPOIS DE EXPULSAR AS FORÇAS RUSSAS E RETOMAR TERRITÓRIO

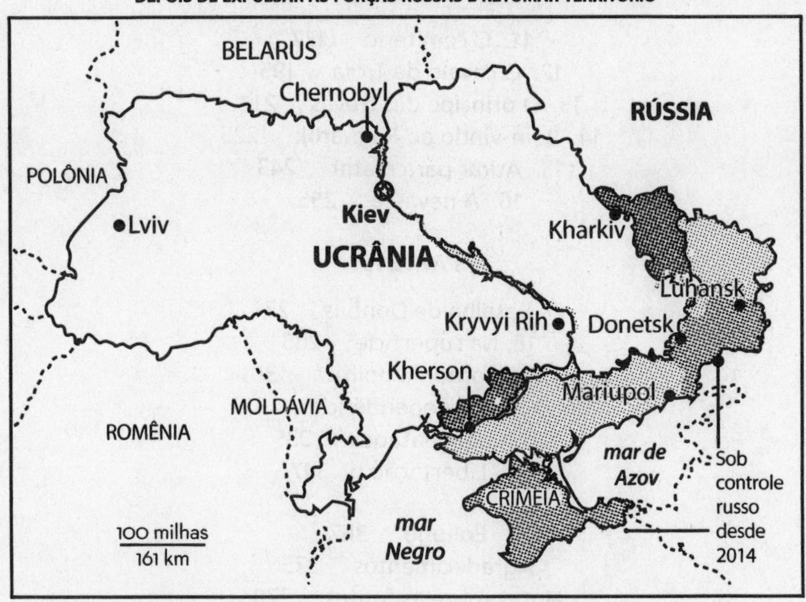

Controle e avanços russos   Ofensivas ucranianas

Prólogo

Na noite em que nos conhecemos, nos bastidores de seu show de comédia na primavera de 2019, Zelensky parecia mais nervoso do que eu o veria em muito tempo. Não era só medo de palco, que com frequência o deixava nervoso antes de uma apresentação. Ele parecia mudo de medo naquela noite, mordendo o lábio, os olhos fixos no chão enquanto andava de um lado para o outro em seu terno, ignorando o barulho e as pessoas ao redor. Sua campanha para se tornar o próximo presidente da Ucrânia tinha três meses àquela altura, e a estreia de seu novo programa de variedades estava para começar dali a uma hora. Zelensky seria o protagonista, o mestre de cerimônias em seu tipo peculiar de *vaudeville*, e milhões de pessoas assistiriam à transmissão na televisão, sua mídia preferida.

Para os eventos ao vivo no Palácio da Ucrânia, a maior sala de espetáculos em Kiev, os melhores assentos foram vendidos por um valor mais elevado que o salário mensal de um ucraniano médio, e a entrada do local estava repleta de pessoas quando cheguei. Não era apenas a alta sociedade de Kiev que fazia fila diante dos detectores de metal à entrada. Havia muitos aposentados, hipsters e funcionários de empresas, casais jovens esbanjando dinheiro, toda a gama da classe média que se formara na Ucrânia desde o colapso da União Soviética. Todos eram fãs de Zelensky. Logo se tornariam seus eleitores.

Na frente da multidão, uma assessora de comunicação de Zelensky, Olha Rudenko, que surfaria no sucesso de Zelensky e chegaria ao parlamento naquele verão, me fez entrar e me mostrou o caminho até os bastidores, onde a maioria dos artistas já estava vestida para entrar em cena. Alguns eram rostos familiares dos filmes, embora fosse difícil reconhecer alguém entre a massa de produtores e dançarinas, atores apinhados na entrada do palco, maquiadores e técnicos de iluminação, o coro de garotas com cabelos frisados e vestidos brancos. Os membros mais velhos da trupe sabiam que não deveriam incomodar o astro antes do show. "Dê um tempo a ele", disse Rudenko, ao me ver indo da direção de Zelensky. "Eu apresento vocês quando tudo estiver terminado."

Ele tinha muito no que pensar, muito mais do que na noite anterior. Cedo, naquele dia, por meio de uma chamada telefônica, alguém fizera uma ameaça de ataque a bomba ao teatro. A voz anônima disse que os explosivos tinham sido espalhados pelo prédio e estavam preparados para ser detonados no meio da apresentação. Parecia uma farsa, e Zelensky disse aos artistas que não entrassem em pânico. Provavelmente, ele imaginou, era um apoiador ardoroso de um dos outros candidatos na corrida presidencial tentando sabotar sua grandiosa estreia. Mesmo assim, por lei, era preciso tomar precauções. A polícia chegou com uma unidade de cães para farejar a área dos guarda-volumes e os estandes de vendas. Não encontraram nada suspeito, mas ainda assim recomendaram a evacuação, apenas por medida de segurança. Naquela tarde, Zelensky conversou com a equipe e com a direção da sala, e decidiram manter a apresentação. Nem sequer anunciaram o perigo aos espectadores. Mais de 3 mil pessoas estavam na plateia, o suficiente para causar uma debandada caso Zelensky subisse ao palco e revelasse a ameaça de bomba. Então, fingiram que estava tudo bem e permitiram que o público desfrutasse do show na ignorância do que poderia acontecer.[1]

Nem todos os artistas estavam cientes da ameaça de bomba. Nos bastidores, sentavam-se sobre baús de figurinos, consumindo os lanches que encomendaram pelo telefone e fazendo brindes de incentivo mútuo. Muitos deles vinham se apresentando com Zelensky por décadas, e aquele seria seu último grande show antes que as eleições o puxassem, através do espelho, da sátira para a política. Sabiam que talvez nunca mais retornasse, e se perguntavam se ele os levaria ao gabinete presidencial. "Não é que eu almeje algum cargo específico", disse Oleksandr Pikalov, depois de me servir uma dose de uísque num copo de plástico. "Mas acredito que eu seria um ministro da Defesa muito bom."

No monólogo de abertura, Zelensky se deteve no absurdo que era sua campanha e admitiu que dessa vez não tinha sido fácil para ele escrever piadas. Advogados tinham examinado o roteiro em busca de violações da lei eleitoral. Havia limites para o que dissesse na televisão, sendo ele o favorito na corrida presidencial. Não era permitido "incitar" abertamente seus espectadores para que votassem de certa maneira, embora os limites da legislação fossem confusos quanto ao uso de ironia e humor. "Nada de campanha", Zelensky disse à plateia, com uma piscadela e uma risada. "É só um show. Justo e digno. Além disso, vocês pagaram pelo ingresso." Depois de uma pausa para respirar e deixar a estranheza daquilo tudo pairando no ar, ele acrescentou: "O mundo nunca ouviu falar de uma coisa dessas."

A plateia achou aquilo hilário. Comediante ou candidato, não importava. Parecia amá-lo em qualquer uma das funções. Quando o show acabou, Zelensky ficou quase uma hora com os fãs após o espetáculo, tirando fotos e recebendo buquês de flores. Ele parecia cansado, mas feliz, a ansiedade sumindo de seu rosto antes que seu assessor pudesse nos apresentar. Os amigos me contariam mais tarde que aquele era o vício dele: o aplauso, a adulação. Tinha acabado de receber mais uma dose, e isso estava escrito no seu sorriso fácil e na postura relaxada de seus ombros. "Subir no palco me dá duas emoções", disse ele certa vez sobre esses momentos. "Primeiro vem o medo, e, só quando o medo é superado, o prazer chega. É o que me faz voltar sempre."[2] Durante a maior parte da vida, havia perseguido essa sensação, desde os tempos de adolescência, e agora me parecia estranho que abandonasse tudo o que tinha conquistado.

A política teria seus bons momentos, mas a reação que Zelensky estava habituado a obter das multidões nos espetáculos, dos soldados que ele entretinha na frente de batalha, de jornalistas que o convidavam a participar dos programas matinais para falar sobre seus filmes – nada disso o seguiria na presidência. A vida se tornaria muito menos divertida e muito mais complicada. Ele não seria mais um astro do cinema. Por mais que Zelensky tentasse resistir à metamorfose, o cargo haveria de transformá-lo, cedo ou tarde, naquilo que ele alegava desprezar: um político.

Para começar, a mídia o questionaria e depois se voltaria contra ele. Haveria gafes e escândalos, protocolos e cerimoniais. Pior de tudo, havia uma guerra a ser enfrentada. No início de 2019, quando Zelensky iniciou a campanha para a presidência, a Ucrânia estava em guerra contra a Rússia havia cinco anos pelo controle da região leste do país. Soldados mortos voltavam para casa dentro de caixões quase toda semana. Mais de 10 mil pessoas já haviam sido mortas quando Zelensky entrou na política. Será que ele realmente queria aquele emprego? Será que estava remotamente preparado para ele? Ainda que estivesse, por que renunciaria à vida de ator e se afastaria ainda mais das pessoas que amava – da esposa, dos amigos, da empresa que construíram juntos? Era o poder que ele queria? Estaria entediado?

Zelensky não tinha respostas inteligentes ou convincentes para tais indagações quando voltou para o seu camarim para conversarmos naquela noite. Ele olhou para o próprio reflexo no espelho iluminado, à sua direita. À esquerda, o cabideiro estava cheio de ternos formais, que ocupavam a maior parte do espaço do pequeno camarim, deixando-nos sem lugar para nos sentarmos. Então, ele se recostou na bancada de maquiagem e respondeu à minha pergunta com outra pergunta. “Eles são todos esnobes, é isso?”, disse ele, referindo-se aos líderes do mundo. “Nenhum deles é divertido?”

Parecia piada, mas ele insistiu que estava falando sério. Ele só se encontraria com os divertidos e enviaria “profissionais” para lidar com os demais. “Não quero mudar a minha vida”, disse ele. “Não quero me tornar politicamente correto. Não é o meu estilo.” Talvez fosse arrogância, talvez ele ainda fosse ingênuo. Ainda assim, parecia crer que a liderança não exigiria que ele mudasse. Sua vida de artista tinha lhe ensinado o necessário para que desempenhasse o papel de presidente, e ele pretendia continuar sendo a pessoa que sua experiência tinha forjado. “Se a gente se distancia daquilo que é”, disse ele, “afunda no pântano.”

Já era tarde. Ele parecia exausto, e os amigos ainda esperavam por ele na festa do elenco. Antes de nos despedirmos, perguntei sobre a ameaça de bomba. O que ele achava daquilo? “Bem, aí está a resposta à sua primeira pergunta”, disse ele, referindo-se àquela sobre os motivos para concorrer à presidência. A classe política de Kiev se transformara num bando de debochados e vândalos, disse ele. Estavam a caminho de detonar a economia dentro de alguns anos. A guerra sem sentido no leste estava exaurindo o país. Ele prosseguiu, por algum tempo, com piadas e metáforas sobre a necessidade de salvar a Ucrânia dos líderes atuais, assinalando que os erros por eles cometidos eram uma ameaça a tudo o que ele passara a vida criando. "Se eu não concorrer, tudo isso pode acabar logo", disse ele, acenando para o espelho e o cabideiro. "Exatamente assim", disse ele. "Acabar."

Naquela noite e nos meses seguintes jamais me ocorreu um dia escrever um livro sobre Zelensky. Agora parece óbvio que nosso encontro no Palácio da Ucrânia abriu-me a porta para escrever este livro. Foi a primeira vez que a equipe de Zelensky admitiu-me à coxia e propiciou meu contato com as pessoas que o cercavam. Mais tarde, na primavera, quando ele venceu as eleições, continuei a cobrir sua administração para a revista *Time*. Pude acompanhá-lo enquanto lutava para governar, para administrar as relações com a Casa Branca sob comando de Donald Trump e para negociar uma paz duradoura com a Rússia de Vladimir Putin. Pude acompanhá-lo quando as conversações com Putin fracassaram e os russos prepararam a invasão em larga escala, e mantive-me o mais próximo possível de Zelensky após o início da invasão.

No decorrer daquele período de vários anos, as pessoas costumavam perguntar quando eu retornava de uma viagem de trabalho em Kiev: como é ele? Minhas respostas evoluíram com o tempo, assim como a personalidade dele. Durante a campanha ele me parecia um galante ingênuo preparando-se para ingressar em um mundo de cínicos, oligarcas e bandidos que o consideravam alvo fácil, e com razão. Quando voltamos a nos encontrar, no complexo presidencial, no outono de 2019, ele tinha absorvido um pouco do veneno daquele mundo e se livrado de boa parte da própria inocência. Mas a experiência do poder não o tornara um homem implacável, não até aquele momento, de modo a prepará-lo para confrontar Putin.

As maiores mudanças observáveis em Zelensky, aquelas que se tornaram o foco deste livro, ocorreram nos primeiros meses da invasão da Ucrânia pela Rússia, quando ele se tornou presidente em tempo de guerra, algo singular em nossa era de informação constante. Teimoso, confiante, vingativo, impolítico, destemido a ponto de ser imprudente, resistente a pressões, e severo com os que atravessavam seu caminho, ele canalizou a indignação e a resiliência do seu povo e as expressou ao mundo com clareza e propósito, tornando-se um símbolo do tipo de vigor que todo líder gostaria de possuir quando chamado a cumprir seu dever. Mas foi a capacidade de ser um showman, desenvolvida ao longo de mais de vinte anos como ator em palcos e produtor da indústria cinematográfica, que tornou Zelensky tão eficiente naquele combate bélico – um combate que exigiu da Ucrânia não apenas captar a atenção do mundo, mas também conquistar a simpatia de povos e governos mundo afora. A tecnologia ensejou a Zelensky meios para realizar tal trabalho. Em público, amigos e colaboradores afirmavam que Zelensky sempre possuíra as qualidades necessárias para um bom desempenho da tarefa. Em particular, admiravam-se diante da nova personalidade dele. A maioria dos ucranianos não acreditava que ele tivesse o estofo necessário para tanto. Nem eu.

Na posição de líder, o sucesso por ele alcançado nas primeiras horas da invasão dependeu do fato de que a bravura é um atributo contagioso. Tal bravura difundiu-se nas fileiras políticas da Ucrânia à medida que todos se davam conta de que o presidente não arredava o pé. As demais autoridades responsáveis pela manutenção da integridade do Estado logo se alinharam a ele. Em vez de fugirem para salvar a própria pele, muitos ucranianos agarraram toda e qualquer arma disponível e correram para defender seus vilarejos e suas cidades contra uma força invasora armada com tanques de guerra e caças de combate.

Quanto crédito Zelensky merece pela referida defesa? Ele foi informado, no início da invasão, que os russos pretendiam capturar Kiev e derrubá-lo, e expediu ordens para que os invasores fossem detidos a todo custo. Mas as Forças Armadas da Ucrânia não necessitavam da ordem do presidente para defender a capital. O esquema de resistência já havia sido acionado, e Zelensky não estava no comando. Durante meses, ele havia subestimado o risco de uma guerra generalizada, mesmo quando agências de inteligência norte-americanas alertavam para o conflito iminente. Quando o combate começou, Zelensky deu carta branca aos escalões militares para comandarem a luta no campo de batalha, enquanto ele próprio se concentrava no aspecto da guerra no qual era capaz de fazer uma contribuição mais efetiva: manter a Ucrânia no noticiário e convencer o mundo a ajudar o país.

Tais objetivos o impeliram durante os primeiros meses da invasão, e ainda moldaram a maneira como ele respondeu aos meus planos para a elaboração deste livro. Zelensky mostrava-se ambivalente. Em plena guerra, era necessário que sua mensagem alcançasse o mundo em questão de segundos, e as mídias sociais lhe conferiam tal poder. Assim como a televisão. Livros demoravam tempo demais para ser escritos, e ele deixou claro para mim, em mais de uma ocasião, que meu livro lhe parecia um tanto prematuro. Com apenas três anos na presidência e somando pouco mais de 40 anos de idade, pensava que não tinha vivido nem realizado o suficiente para se tornar objeto de uma biografia. "Ainda não estou tão velho", disse-me ele, certa vez, com um sorriso. Além disso, enquanto durasse a guerra na Ucrânia, ele dizia ser difícil prever o desfecho do livro. Em Kiev, na primavera de 2022, no 55º dia da invasão russa, primeira ocasião em que conversamos sobre a obra, ele perguntou quando eu pretendia concluí-la, e respondi que minha intenção era registrar o primeiro ano da guerra e publicar o trabalho. Quando ouviu minha resposta, seu semblante se abateu. "Acha que a guerra vai durar mais de um ano?"

No fim das contas, foi necessário bem mais do que esse tempo para concluir o livro, e a guerra seguiu, contumaz. Ao cabo de um ano, o conflito já havia causado centenas de milhares de baixas, deslocado milhões de ucranianos, bem como destruído as ilusões do mundo quanto à permanência da paz na Europa, três décadas depois do fim da guerra fria. Embora Zelensky e eu esperássemos que a guerra terminasse com uma vitória decisiva da Ucrânia, e que as tentativas por parte da Rússia de subjugar ou aniquilar a nação vizinha resultassem na condenação dos criminosos de guerra em Moscou, Zelensky sabia, assim como qualquer outra pessoa, que o equilíbrio de forças não estava a favor. Em todo caso, ele permitiu que eu desse continuidade ao meu trabalho.

Se o epicentro da guerra pudesse ser apontado por meio de coordenadas, a indicação provavelmente designaria o gabinete de Zelensky, no centro administrativo, em Kiev, o complexo presidencial situado à rua Bankova, nº 11, cujo acesso se dava através de portões protegidos por barricadas e cujo interior era mal iluminado e mal decorado. O presidente e sua equipe permitiram que eu passasse ali o tempo necessário no decorrer do primeiro ano da

O que as narrativas revelam sobre Zelensky nem sempre é motivo de lisonja. Às vezes, as qualidades mais elogiáveis do presidente, por exemplo, sua bravura, colocam-no em situação mais perigosa do que o esperado, levando-se em consideração a causa em que estava engajado. Outras vezes, enquanto o acompanhava, desejei que ele demonstrasse mais daquele receio que percebera em seu semblante naquela noite no Palácio da Ucrânia. O medo pode nos proteger. Mas também é capaz de nos afugentar, e a capacidade demonstrada pelo presidente, no sentido de controlar o medo, superá-lo, tem muito a ver com o modo como a Ucrânia sobreviveu a essa ameaça à sua existência. É possível que algum outro caminho pregresso houvesse preparado melhor Zelensky para liderar seu país em tempos de guerra. Mas agora, em retrospectiva, não tenho tanta certeza disso.

PARTE I

1. Amanhecer

Volodymyr Zelensky não tinha nenhum apego especial à casa que abandonara assim que a invasão começou. Durante um ano e meio, a propriedade tinha sido um lugar conveniente para ele e sua família morarem, incluindo um anexo no terreno destinado aos guarda-costas e alguns hectares por onde os cachorros corriam até se cansar. Num dia normal, o trajeto do trabalho para casa do presidente levava menos de trinta minutos desde o centro de Kiev até ele se distanciar o bastante para escapar do barulho da cidade e respirar ar puro antes de dormir. Mas, para ele, a casa em si — com uma fachada neoclássica de pedra amarela, situada no lote nº 29 do condomínio fechado Koncha-Zaspa — parecia excessivamente grande para o ex-comediante, quase ostentosa. Era, por assim dizer, presidencial demais para Zelensky.

Também lhe conferia a imagem de hipócrita. Quando assumiu o poder, na primavera de 2019, aos 41 anos, o presidente fez a promessa de não residir nas propriedades reservadas aos governantes oficiais da Ucrânia, especialmente aquela em Koncha-Zaspa, uma das mais palacianas de todas. A planta baixa destacava um salão de bilhar, um home theater e uma ala separada com piscina interna sob um elegante domo de vidro. Antigos chefes de Estado fizeram uso da mansão e encheram-na de mobília suntuosa.[1] Zelensky, em sua carreira de comediante, ridicularizava-os por isso. "Pessoal, que tal a gente deixar alguns jovens morando nessas propriedades, sabe; poderiam ser acampamentos de verão", disse ele durante a campanha. "Quando viajamos pela Europa, costumamos fazer aquelas excursões e visitar residências antigas que pertenceram a alguns reis ilustres", ele disse. "E agora, o que são essas residências? São todas para excursões."[2] No entanto, lá estava ele, não apenas visitando esses cômodos, mas vivendo neles, chegando em casa todos os dias pela entrada ladeada por um par de leões sentados, esculpidos em pedra, de tamanho real, a cor combinando com as colunas dos pórticos. Lá estava ele cumprimentando os filhos na entrada imponente e subindo a escadaria de mármore em direção ao seu quarto.[3]

Para quem sempre tinha sido ator, capaz de alternar papéis com a mesma rapidez com que mudava o cenário para seu novo número, Zelensky se aborrecia diante do grande e majestoso papel de presidente. Aquilo minava a persona que ele cultivara nas telas e nos palcos: o piadista sorridente, o carismático incansável, aquele que bate nas costas do outro e acredita que, afinal, tudo vai dar certo. Medindo algo em torno de 1,65 metro, olhos atentos que se arregalam um pouco sob as sobrancelhas escuras, Zelensky sabia que seu sucesso tanto na comédia quanto na política dependia da habilidade de representar aquele papel, de parecer um cidadão comum, normal, como qualquer outro. Milhões de pessoas na Ucrânia viram aquele personagem amadurecer com o passar dos anos e se tornar o maior sátiro de sua geração, aquele cuja sagacidade conquistava qualquer plateia ao censurar os políticos. Em se tratando de preservar tal imagem, a residência em Koncha-Zaspa não favorecia Zelensky. Tinha sido construída para políticos, não para comediantes politizados, e o presidente dificilmente a considerava o seu lar. "Para mim é como se fosse um hotel. De outro modo eu não faria uso da casa", disse ele, desculpando-se, depois que a família se mudou para lá no verão de 2020.[4]

A imprensa jamais lhe perdoou por isso. Até o dia em que ele se tornou presidente em tempos de guerra, virtualmente imune à crítica, jornalistas adoravam lembrar Zelensky de suas mais famosas falas durante a carreira na televisão. Na cena decisiva de sua sitcom mais célebre e que lhe serviu de caminho para a presidência, o personagem de Zelensky, um professor de história do ensino médio, faz um discurso sobre a ganância das elites políticas e, em particular, de suas residências suntuosas:

> Esses filhos da puta chegam ao poder, e o que mais sabem fazer é roubar e falar merda, falar merda e roubar. É sempre a mesma coisa, e todo mundo está cagando! Você está cagando. Eu estou cagando. Todo mundo está cagando, ninguém se importa. Mas se eu tivesse

uma semana no cargo, só uma semana, eles veriam só. Que se fodam as carreatas! Que se fodam as mordomias! Que se foda a porra dos chalés! Fodam-se todos vocês, seus filhos da puta! De uma vez por todas, vamos deixar que um simples professor viva como presidente, e deixar que uma porra de um presidente viva como professor.[5]

Essa fala, que foi ao ar na Ucrânia pela primeira vez em 2015, foi o choro de recém-nascido da carreira política de Zelensky. Levou-o à presidência e o assombrou mais tarde; e explica por que ele não foi um líder popular durante o terceiro inverno de sua presidência, quando as tropas russas cercaram a Ucrânia ao norte, leste e sul. Era um líder frustrado que tinha prometido paz e havia fracassado. Era um brincalhão que pensara que poderia governar uma nação de 44 milhões de pessoas do mesmo modo que tinha administrado seu estúdio cinematográfico. Era o reformador que prometera expulsar políticos de suas mansões e induzi-los a ir de bicicleta ao trabalho. Mas naquela noite terrível, quando o som das bombas russas acordou os moradores de Koncha-Zaspa, lá estava Zelensky em sua mansão, iluminado pela luz suave de um candelabro.

No andar de cima, a casa estava tranquila quando começou o bombardeio. Os primeiros a mostrar perturbação foram os animais. O pastor-alemão ficou nervoso e começou a andar de um lado para o outro. E o mesmo aconteceu com o papagaio da família, um pássaro sensível chamado Kesha que vivia numa janela próxima à cozinha no andar térreo. Por volta de 4h30 da manhã de 24 de fevereiro de 2022, a inquietação dos animais de estimação chegou até o quarto do presidente, onde a primeira-dama, Olena Zelenska, ainda dormia. Demorou alguns minutos até que ela registrasse os sons abafados que entravam pelas janelas. No início, pareciam fogos de artifício. Então seus olhos se abriram e, tateando no escuro, ela descobriu que o lado da cama onde seu marido dormia estava vazio. O presidente, no cômodo ao lado, preparava-se para ir para o trabalho, já vestido com um terno cinza-escuro. Quando ela o encontrou, seu olhar desnorteado fez Zelensky lhe dizer uma palavra em russo, a língua que costumavam falar em casa. "*Nachalos*", disse ele. *Começou.*[6]

Ela entendeu o que ele quis dizer. Durante meses, os noticiários na Ucrânia tinham alertado sobre a guerra iminente. Programas de entrevistas promoveram debates a respeito de quais funcionários e parlamentares eram mais propensos a fugir. Um programa dava sugestões sobre o que colocar na mala em caso de emergência, caso fosse necessário fugir. Algumas das previsões mais graves vieram dos aliados ocidentais da Ucrânia, especialmente serviços de inteligência dos Estados Unidos, que concluíram que a Rússia planejava atacar em três direções, e era provável que invadisse a capital em questão de dias. O objetivo russo, segundo eles, era apropriar-se da maior parte do país e destituir o poder do governo de Zelensky.

Para muitos ucranianos, essas previsões pareciam absurdas, impossíveis. Se o ataque ocorresse, não se esperava que fosse além das regiões fronteiriças no leste. Durante oito anos, aproximadamente, Ucrânia e Rússia vinham travando uma disputa prolongada por duas regiões separatistas no leste da Ucrânia. Eram poucos em Kiev os que acreditavam que a recente escalada se espalharia muito além daquelas regiões. Menos ainda eram os que acreditavam que poderia atingir seus lares. Até as horas derradeiras, Zelensky também não acreditava nisso. Nem sequer avisou à esposa para se preparar. Somente na véspera da invasão, a primeira-dama fez uma anotação para arrumar a mala ou pelo menos reunir os passaportes e outros documentos da família. Mas seguiu adiante. O dia passou muito depressa, como de costume, numa correria de rotinas e afazeres. Fez tarefas e deveres de casa com as crianças. Jantaram e assistiram à TV.

O presidente chegou em casa bem depois da meia-noite, e não disse nada que sugerisse à esposa que corriam perigo. Tinha certeza de que a casa estaria a salvo, e o estilo dele jamais fora o de preocupá-la. Quase sempre disfarçava suas inquietações com piadas e sorrisos, e logo se desculpava quando ela percebia o subterfúgio. Naquela noite, foram se deitar sem fazer planos relacionados à guerra, e dormiram apenas algumas horas antes de o bombardeio começar. Agora, pelo olhar dele, a primeira-dama entendeu que a situação era bem pior do que ela imaginara.

"Emocionalmente", disse ela mais tarde, "ele parecia a corda de um violão", os nervos tensionados, quase se rompendo. Mas não se lembrava de nenhum sinal de confusão ou medo na sua fisionomia. "Estava completamente equilibrado, concentrado." Tão concentrado, parece, que perdeu a chance de acordar as crianças e se despedir delas. Somente olhou para aqueles rostos adormecidos e pediu à sua mulher que lhes contasse o que tinha acontecido, e ele prometeu telefonar mais tarde com instruções sobre o que fazer em seguida. "Ainda estávamos processando tudo", disse ela. "Jamais pensamos que algo assim aconteceria, porque toda conversa sobre a guerra não passava disso, de uma conversa." O som das explosões do lado de fora empurrou-os para uma nova realidade, e eles precisaram de mais que um breve momento no topo da escada para assimilar tudo. "Não tinha mais nada a dizer", ela me contou depois sobre essa conversa, uma das últimas que teriam em particular, durante meses. "E eu não sabia o que perguntar."

Do lado de fora, o presidente desceu os poucos degraus até a via de acesso à garagem e embarcou no comboio. O portão de metal se abriu, e seu motorista entrou na rua ladeada de árvores ao longo de Koncha-Zaspa, na direção norte. Poucos carros se dirigiam para a cidade àquela hora, mas na direção oposta o trânsito se intensificava. Muitos daqueles que tiveram a sorte de aprontar as malas e encher o tanque de gasolina tentaram sair de Kiev assim que as explosões começaram. Ao meio-dia, todas as vias fora da cidade ficaram congestionadas.

Até ali, Zelensky passava pelo cenário costumeiro de seu trajeto para o trabalho ao longo da rodovia E40: o campo de futebol à sua direita, uma capela com as cúpulas douradas à esquerda, os outdoors em todas as saídas anunciando condomínios. Era a última vez, em muitos meses, que ele teria essa visão pacífica: todas as pontes intactas, livres de postos de controle militar, estradas que não estivessem forradas de armadilhas para tanques e metal retorcido. Dentro de um ou dois dias, Kiev mais uma vez se assemelharia a uma fortaleza, retornando ao estado de sítio que tinha formado grande parte de sua história. Durante um milênio e meio, os impérios da Europa lutaram por essa antiga cidade às margens do rio Dnipro. Vikings, otomanos, mongóis, lituanos e poloneses reivindicaram Kiev, seus centros de comércio e estudo, mosteiros e catedrais. Os russos saquearam a cidade pela primeira vez no século XII. Agora faziam outra tentativa.

No banco de trás do carro, Zelensky mantinha-se quieto, o olhar fixo no celular. Chegava uma enxurrada de chamadas e mensagens enquanto a comitiva seguia pela escuridão. Uma das primeiras ligações naquela manhã veio de seu amigo Denys Monastyrsky, ministro encarregado da polícia nacional e do serviço de guarda de fronteira. Dois anos mais jovem que Zelensky, parecia mais velho e mais troncudo, com um porte de lutador. Nos últimos três dias, Monastyrsky tinha dormido em seu escritório no Ministério do Interior, aguardando sinais do ataque russo, e agora cabia a ele informar o presidente que a invasão começara.[7]

Zelensky lhe perguntou onde e qual direção de ataque exatamente o Kremlin havia escolhido.

"Todas", respondeu Monastyrsky.

Ao longo das fronteiras oriental e norte, as forças inimigas atacaram as posições ucranianas por meio de artilharia, lançadores de múltiplos foguetes e bombas aéreas. Caças russos desceram sobre as principais cidades, com o objetivo de derrubar as defesas aéreas da Ucrânia e dominar os céus. Houve um silêncio na chamada telefônica. O presidente precisava de um momento para processar a informação. Então ele disse uma frase da qual Monastyrsky se lembraria por muito tempo: "Detenha-os."[8]

Esse tipo de confiança, mesmo diante de possibilidades remotas, sempre foi um dos pontos fortes de Zelensky. Mas naquele momento ele parecia deslocado, quase delirante. Sabia que a Ucrânia não dispunha de meios para derrotar os russos. Na melhor das hipóteses, poderia segurá-los por alguns dias, talvez tempo suficiente para que as lideranças militares e políticas se orientassem, mobilizassem recursos e protegessem as regiões do país que não seriam invadidas na primeira onda do ataque. Por meio de suas ações antes da invasão, Zelensky assumiu pelo menos parte da responsabilidade pelo estado frágil das defesas da nação. Passara semanas minimizando o risco de uma invasão em grande escala e garantindo ao povo que tudo se resolveria. Recusou o conselho dos comandantes militares de reivindicar todas as reservas disponíveis e usá-las para fortificar a fronteira. Além da calamidade da própria invasão, o presidente teria de enfrentar seu próprio fracasso por não a ter previsto. Mas isso seria mais tarde. No momento, precisava lidar com o que estava por vir, com os tanques e aviões de guerra russos, os mísseis sobrevoando as cidades ucranianas, colidindo com as casas de civis, deixando-os enterrados sob os escombros.

Ele se recordaria que os primeiros minutos da guerra foram como uma série de sons e imagens desarticulados, muitos deles fracos ou dúbios. Fragmentos, Zelensky os considerou: "Lembro de algumas coisas de forma fragmentada." Ele nunca assumiu o volante do carro naquela manhã, mas parecia que estava dirigindo a uma velocidade tão alta que o mundo ficara embaçado aos seus olhos. Fez o possível para ignorar. "É uma questão de foco", contou-me mais tarde. "Se a pessoa se distrai com alguém que passa correndo na frente do para-brisa, com luzes intensas, gritos, acenos, música alta ou um jingle tocando no rádio, se a pessoa permitir que tudo isso a distraia, então as chances de chegar aonde pretende – o objetivo provisório, digamos – serão poucas. Não serão nulas, mas serão poucas."

O objetivo naquele momento era chegar ao escritório na rua Bankova, embora não fosse o lugar mais seguro para ele. O complexo presidencial situa-se no centro de um bairro atravancado, cercado por prédios de apartamentos, cafés movimentados e ruelas de paralelepípedos ladeadas por butiques. Alguns apartamentos eram tão próximos do gabinete de Zelensky que alguém poderia atirar uma granada pela janela e atingir o prédio oficial. Quando ele chegou, por volta das 5 da manhã, havia movimento nas ruas, considerando o horário. As pessoas se preparavam para fugir, levando malas e animais de estimação, ajustando os cintos de segurança dos filhos. Os guarda-costas de Zelensky não tinham como saber se qualquer um dos carros estacionados na calçada teria sido armado com explosivos por sabotadores russos. Em torno da residência em Koncha-Zaspa, havia pelo menos um perímetro de segurança e um portão de metal. O complexo presidencial no centro de Kiev, contudo, não tinha tais defesas, mas Zelensky insistiu em ir até lá, antes de tudo. É a sede do poder presidencial, e a mensagem dele era a mesma para os altos assessores e ministros que ligaram ou enviaram mensagens para ele naquela manhã: *Vá ao gabinete. Eu o encontrarei lá.*

Para Oleksiy Danilov, secretário do Conselho de Defesa e Segurança Nacional, não era necessário que o presidente lhe dissesse aonde ir. Ele estava entre os poucos oficiais do círculo de Zelensky que acreditavam nos avisos de uma invasão iminente. Às vezes, a perspectiva parecia fascinar Danilov, tanto quanto o aterrorizava. Ele confiava em seu instinto, ou seja, que os ucranianos montariam uma defesa implacável, e ele mesmo queria estar na vanguarda. Figura mal-humorada, com uma barriga saliente e um par de óculos na ponta do nariz, Danilov, aos 59 anos, era uma década mais velho e muito mais experiente em assuntos de Estado do que a maioria dos conselheiros de Zelensky, que muitas vezes reviravam os olhos diante dos conselhos de Danilov, como faz alguém pelas costas de um tio falastrão. Não se podia culpá-los por agir assim. Embora não tivesse patente, Danilov gostava de se portar como um comandante de guerrilha já idoso, mesmo trajando um uniforme por ele mesmo projetado, todo preto, com uma tarja no peito, exibindo seu sobrenome.

Na manhã da invasão, já estava vestido quando o primeiro míssil russo atingiu uma base aérea perto de sua casa, nos arredores de Kiev, fazendo as janelas sacudirem. O ataque, como ele mais tarde lembrou, deu-lhe uma sensação de alívio. Sua esposa e o filho já haviam deixado a cidade, antecipando-se à guerra, e para Danilov era angustiante ficar sozinho, na expectativa de que um ataque ocorresse a qualquer momento. Agora a espera tinha terminado, e ele sabia o que fazer, quais mecanismos de defesa pôr em prática. O tempo em Kiev estivera bom naquela semana, muito fora do esperado em se tratando do final do inverno na Ucrânia. Mas quando Danilov se dirigiu para o complexo presidencial em seu Land Cruiser blindado, a névoa deu lugar à chuva, e ele acionou os limpadores de para-brisa com um sorriso. Os ucranianos costumam dizer que o tempo chuvoso traz boa sorte.

Quando parou na rua Bankova, Danilov anotou o horário – 5h11 – e subiu as escadas em direção ao escritório de Zelensky. Ficou surpreso ao ver o presidente impecável, trajando uma camisa branca. A escolha parecia inadequada e fora do normal. Zelensky era conhecido por trabalhar usando seu blusão cáqui e preto, que fazia lembrar uma convenção de fãs de *Jornada nas estrelas*. Mas naquele dia específico ele decidiu não optar pelo estilo casual. Estava vestido como se fosse subir ao paleo. Outra surpresa foi o comportamento de Zelensky. Estava calmo, a voz firme, pálpebras baixas. Ao se dirigir a Danilov, o primeiro comentário que fez sobre a guerra foi o mesmo que tinha feito à sua esposa cerca de uma hora antes: "Começou."

Então fez uma pergunta indecente, difícil de traduzir do russo. Grosseiramente, significa: "Vamos barbarizar?"*

Nessa altura, eram os russos que estavam barbarizando. A fase inicial da invasão envolveu cerca de 70 mil soldados e 7 mil veículos blindados avançando na direção de Kiev pelo norte, ao longo de ambas as margens do rio Dnipro, que atravessa a cidade. Parecia um ataque-surpresa, semelhante àqueles que o Kremlin havia lançado no decorrer dos anos e que tiveram efeito devastador. Durante a Operação Furacão, em 1956, as forças soviéticas levaram menos de quatro dias para ocupar a capital da Hungria e derrubar o governo, cujo líder, na ocasião, foi preso, torturado, considerado culpado de traição num julgamento secreto e, dois anos depois, executado na forca. Na invasão soviética à Tchecoslováquia, em 1968, foram necessários dois dias para invadir o país e capturar Praga, ao passo que as forças especiais soviéticas precisaram de apenas algumas horas, na noite de 27 de dezembro de 1979, para invadir um palácio fortemente guarnecido em Cabul e assassinar o líder do Afeganistão.[9]

Danilov, um ávido leitor de história militar, manteve esses precedentes em mente enquanto tentava imaginar qual seria o plano do Kremlin para a conquista da Ucrânia. Ele não acreditava que os russos pudessem tomar o país inteiro. É um território muito grande, quase duas vezes maior que a Alemanha, e a disposição de seu povo, no sentido de resistir, não permitiria uma ocupação rápida. O que preocupava Danilov era o cenário de Cabul, um ataque-surpresa ao complexo presidencial a fim de capturar ou matar o chefe de Estado. Dias antes do início da invasão, os serviços de inteligência da Ucrânia rastrearam três grupos de assassinos encarregados de matar Zelensky. Todos vieram da região da Chechênia, no sul da Rússia, lar de alguns dos soldados mais impiedosos e leais das forças de comando de Putin. "Nós os observávamos já havia algum tempo", disse Danilov mais tarde. "E dispúnhamos de informações específicas de que eles haviam sido designados para eliminar nosso presidente." O relatório diário de inteligência que Danilov recebeu em 22 de fevereiro, dois dias antes da invasão, incluiu avisos detalhados sobre a trama, e Danilov levou o documento secreto ao

---

* No idioma original, ele perguntou "будем хуячиться?", expressão típica de arruaceiros.

gabinete de Zelensky naquela noite para avisá-lo do perigo. Mas o presidente preferiu ignorar. Recusava-se a acreditar que, no século XXI, três décadas após o fim da guerra fria, assassinos tentariam caçar um chefe de Estado europeu. Nem poderia imaginar que Putin iniciaria uma guerra em grande escala, uma invasão de terra numa proporção que durante gerações a Europa não havia mais presenciado.

"Na época, achamos que não passavam de ameaças", disse Zelensky à BBC. "Conversamos com as agências de inteligência, as nossas e as de nossos parceiros. Cada um enxergava de modo diferente."[10] Alguns dos aliados na Europa, incluindo os líderes da França e da Alemanha, garantiram-lhe que as previsões norte-americanas de uma invasão foram exageradas. "Eles retornaram minha ligação e me disseram: 'Conversamos com Putin. Ele não pretende invadir.'"

Estavam enganados. Exatamente às 5 horas da manhã, horário de Kiev, o Kremlin divulgou um vídeo em seu site anunciando o início da invasão. A filmagem mostrava Vladimir Putin sentado num escritório forrado de painéis de madeira, seus olhos vermelhos e a boca seca, ambas as mãos segurando a borda da mesa como se precisasse se firmar. A lista de inimigos e queixas que ele expôs para justificar a guerra remetia a décadas atrás, e em momento algum pronunciou o nome de Zelensky nesse discurso. Putin também não indicou a Ucrânia como alvo final. Nos primeiros vinte minutos da declaração de guerra, preferiu se concentrar nos Estados Unidos, nas guerras que os norte-americanos tinham deflagrado na Iugoslávia, na Líbia e no Iraque, e nas "ameaças fundamentais" que representavam para a Rússia.

Desde a queda da União Soviética, afirmou, os Estados Unidos acolheram mais e mais nações europeias na aliança da Otan, expandindo o que Putin descreveu como um "império de mentiras" cada vez mais próximo das fronteiras da Rússia. As bases militares da organização agora pontilhavam regiões da Europa que Putin via como seu legítimo domínio, e ele não permitiria que a Ucrânia seguisse tal caminho e alcançasse seu objetivo de se juntar a ela. "Em nosso território histórico", disse ele, referindo-se à Ucrânia, os Estados Unidos e seus aliados criaram "um território hostil à Rússia". Cedo ou tarde, os norte-americanos se utilizariam da Ucrânia para deflagrar uma guerra contra a própria Rússia, e seria uma atitude "irresponsável", disse ele, da parte dos militares russos, não atacar primeiro para neutralizar a ameaça.

O discurso, como muitos dos que foram proferidos por Putin contra o Ocidente durante anos, estava repleto de falsidades e ideias paranoicas. Na realidade, os Estados Unidos e os aliados europeus durante muito tempo tinham se recusado a oferecer à Ucrânia meios óbvios para que o país se juntasse à aliança. Os líderes da Otan passaram uma década e meia bloqueando os pedidos de adesão da Ucrânia, e o receio de antagonizar Putin os impedia de fornecer a Kiev armamentos necessários para a defesa. Parte desse receio era, sem dúvida, justificável. Se o caminho de Zelensky para o poder em 2019 havia contado com sua fama como comediante, a ascensão de Putin, duas décadas antes, havia se apoiado em sua vitória na guerra contra a Chechênia, um Estado separatista no sul da Rússia cujas cidades ele bombardeou até a aniquilação, em 1999 e 2000, matando dezenas de milhares de civis no processo. Essa subjugação cruel do povo da Chechênia, juntamente com o assassinato de seus líderes, deu o tom para grande parte do domínio de Putin, e prenunciou sua tentativa de fazer o mesmo na Ucrânia. Enquanto os líderes ocidentais se preocupavam e calculavam os riscos de uma escalada no conflito, Putin decidiu atacar Kiev, e seu discurso não deixou espaço para que o mundo questionasse suas intenções. A liderança na Ucrânia, disse ele, consistia num bando de neonazistas genocidas, e ele visava derrubar o governo a fim de "desmilitarizar e desnazificar" o país. Para qualquer nação estrangeira que tentasse se colocar no seu caminho, Putin emitiu um alerta velado de que reagiria com armas nucleares. "Quem tentar nos impedir", disse ele, "ou ameaçar nosso país, ou nosso povo, deve saber que a resposta da Rússia será imediata e haverá consequências jamais enfrentadas na história. Estamos prontos para qualquer imprevisto. Todas as decisões necessárias a esse respeito foram tomadas. Espero que eu seja ouvido."[11]

Nas primeiras horas da invasão, ninguém saberia dizer se Zelensky e sua equipe permaneceriam juntos. Os serviços militares e de inteligência passaram meses considerando hipóteses diante da invasão, mas as projeções jamais resolveriam a questão. O presidente entraria em pânico? O medo da morte perturbaria sua capacidade de liderar? "É o único fator que não se pode calcular", disse Danilov mais tarde. "Até que a situação se apresente, não é possível determinar o modo que alguém vai reagir."

O precedente histórico favoreceu os pessimistas. Apenas seis meses antes da invasão da Ucrânia, Ashraf Ghani, presidente do Afeganistão e líder muito mais experiente do que Zelensky, abandonou a capital do país quando os combatentes talibãs se aproximaram. Um dos predecessores de Zelensky, Viktor Yanukovych, fugiu de Kiev quando manifestantes se aproximaram de seu gabinete durante a revolução de 2014. No início da Segunda Guerra Mundial, os líderes de Albânia, Bélgica, Tchecoslováquia, Grécia, Polônia, Holanda, Noruega e Iugoslávia, entre outros, fugiram do avanço da Wehrmacht e passaram a guerra no exílio. Mesmo Ivan, o Terrível, o primeiro governante russo a se denominar tsar, fugiu de Moscou quando os otomanos e seus aliados regionais atacaram a cidade, em 1571.

De acordo com a biografia de Zelensky, quase nada sugeria que ele fizesse o contrário. Jamais servira ao Exército ou mostrara muito interesse no assunto. Seus instintos profissionais derivavam de uma vida inteira como ator, no palco, especialista em comédia de improviso e produtor nos ramos de TV e cinema. Sua experiência como estadista somava cerca de dois anos e nove meses, menos que o tempo necessário para se obter um diploma de bacharel em assuntos internacionais. Para qualquer um ocupando sua posição, o desejo de fugir seria tão natural quanto o desejo de viver. Um punhado de bombas russas, do tipo que caiu em bases militares ucranianas naquela manhã, seria suficiente para destruir grande parte do quarteirão do governo, demolindo as casas do Parlamento e os gabinetes de ministros, todos situados na mesma rua do complexo presidencial. Nunca foi fácil defender essa parte da cidade, às vezes chamada de Triângulo. Os manifestantes que perseguiram Yanukovych em 2014 conseguiram tomar partes dessa área valendo-se de quase nada além de escudos e pedaços de pau. Agora as autoridades lidavam com a perspectiva da existência de tanques de guerra russos circulando pela cidade. Danilov começou a ligar para funcionários do governo e não se surpreendeu ao saber que alguns haviam desligado seus celulares, feito as malas e seguido para a fronteira ocidental assim que o bombardeio começou. "Muitos entraram em pânico", disse ele.

As piores deserções afetaram a principal agência de inteligência ucraniana, conhecida por SBU. "Especialmente nos escalões superiores e intermediários, houve muitos problemas", disse-me outro conselheiro de segurança de Zelensky. "Muita gente nas estruturas de segurança afirmou: 'Vamos embora. Resistir é inútil. Os russos vão nos derrotar.'" O êxodo minou os escalões superiores e intermediários da agência. Dezenas de oficiais passaram para o lado dos invasores, entregando, efetivamente, as chaves para a entrada no sul da Ucrânia. Mas, de modo geral, a liderança em Kiev manteve-se firme, e Danilov não teve dificuldade de obter quórum no Conselho de Segurança uma hora depois de sua chegada à rua Bankova.

Um dos primeiros funcionários que ele conseguiu contactar foi Ruslan Stefanchuk, presidente do Parlamento, cujo desempenho seria fundamental nessas primeiras horas. Se Zelensky fosse morto, Stefanchuk seria o próximo a assumir o comando. Ele também estava encarregado de convocar a legislatura nacional, a Verkhovna Rada, lar da democracia que a Rússia pretendia destruir. Homem alto e corpulento, pesando mais de 130 quilos, Stefanchuk chegou esbaforido à rua Bankova, depois de deixar sua casa. Era a pessoa que mais conhecia o presidente desde o início da administração. No circuito de comédia na década de 1990, Stefanchuk se apresentou como parte da trupe chamada Os Três Gordões, que esteve nos mesmos palcos que Zelensky. Quando se cumprimentaram no gabinete do presidente, Stefanchuk ficou impressionado com o olhar do velho amigo, como se fosse um reflexo de seu próprio espelho. "Não era medo", disse-me mais tarde. "Era uma indagação: 'Como isso é possível?'" O presidente da Câmara e Zelensky reconheceram que uma guerra de grande proporção havia começado, mas nenhum deles entendia o que aquilo significava. "Talvez essas palavras tenham um sentido vago ou pomposo", disse Stefanchuk. "Mas sentimos o mundo em colapso."

Por volta das 6 horas da manhã, o Conselho de Segurança reuniu-se no gabinete de Zelensky, no quarto andar do complexo, tendo o presidente sentado à cabeceira da mesa de conferência, de frente para a porta. Um breve relatório dos comandantes militares forneceu dados da escala da invasão. Tudo indicava que o principal alvo era Kiev, onde mísseis tinham atingido um posto de comando militar, um depósito de munição, um destacamento da Guarda Nacional e outros locais. De todos os esquemas possíveis para a invasão, a Rússia escolheu o mais agressivo, e Zelensky percebeu que não tinha escolha a não ser impor lei marcial em todo o país. O Conselho de Segurança rapidamente concordou. Ninguém fez objeção alguma. Diante das circunstâncias, parecia mera formalidade, mas a decisão teria enormes consequências nos meses seguintes. Os termos da lei marcial, conforme estabelecidos na Constituição da Ucrânia, concedem ao presidente amplos poderes para governar por decreto, suspendendo as eleições e outros direitos democráticos e as liberdades dos cidadãos ucranianos durante a guerra. Toques de recolher seriam impostos, e todos os civis em idade de combate, ou seja, entre 18 e 60 anos, eram obrigados a se alistar e proibidos de deixar o país. As funções normais do Parlamento seriam suspensas e os bens de companhias e de todas as propriedades privadas estariam sujeitos a requisição, conforme o interesse da defesa nacional.

Tão logo Zelensky aprovou essas medidas, Stefanchuk desceu depressa a rua para promulgá-las durante uma sessão de emergência do Parlamento. Ele havia considerado vários locais em que os legisladores deveriam se reunir naquela manhã. O edifício do Parlamento, com sua icônica cúpula de vidro, parecia particularmente vulnerável a um ataque aéreo russo. Quanto às alternativas, havia um auditório abaixo do Monumento da Pátria, uma estátua colossal da era soviética que tinha mais de 100 metros e que poderia pelo menos absorver o impacto de um míssil. Mas Stefanchuk decidiu descartar essa ideia. Não pretendia dar a impressão de que os parlamentares tinham abandonado seus postos; então, convocou todos a se reunirem na sala do plenário, o mesmo lugar onde normalmente discutiriam projetos de lei orçamentária e política educacional.

Alguns deles já haviam deixado a cidade. Outros tiveram problemas para chegar de carro ao prédio do Parlamento. Ao redor do distrito governamental, soldados e voluntários começaram a erguer barricadas, bloqueando algumas estradas com caminhões de lixo e ônibus públicos. Em toda a cidade, longas filas se formaram em torno dos bancos e postos de gasolina, e a estação ferroviária central estava abarrotada de gente tentando escapar. Todos os voos de ida e volta foram cancelados. Passageiros e funcionários das companhias aéreas foram orientados a evacuar o principal aeroporto de Kiev. O pânico se espalhava, e Zelensky considerou que esse sentimento haveria de dominar a capital muito mais depressa que os tanques russos. Era preciso dizer às pessoas que permanecer em casa seria seguro, e ele fez a primeira tentativa por volta das 6h30 da manhã.

Sentado à sua mesa, posicionou o celular à sua frente e pressionou a tecla gravar. A mensagem, com 66 segundos de duração, não revelou a confiança que mais tarde, ao longo da guerra, ele transmitiria nos vídeos. Lendo rapidamente os comentários que tinham sido preparados, informou à nação que as forças de Putin haviam invadido, que explosões tinham sido ouvidas em todo o país, e que os aliados estrangeiros da Ucrânia já estavam preparando uma reação em nível internacional. Então baixou a voz e um esboço de sorriso apareceu em seu rosto. "O que se espera de cada um de vocês, hoje, é que fiquem calmos", disse olhando para a câmera. "Entrarei em contato novamente, em breve. Não entrem em pânico. Somos fortes. Estamos preparados para qualquer coisa."

A parte escrita do discurso era verdadeira; o restante, não. Zelensky sabia, melhor que ninguém, que dizer às pessoas que deveriam se sentir a salvo permanecendo em casa não era o certo. Alguns de seus assessores já tinham enviado familiares para fora da cidade, despedindo-se deles como se fosse a última vez. Naquela manhã, Andriy Sybiha, principal conselheiro de política externa do presidente, segurou a mão de sua esposa e explicou-lhe que poderiam perder o contato quando ela e os três filhos se afastassem. "Olhamos um para o outro e dissemos: 'É isso. Temos nossos filhos, tivemos bons momentos.' Foi nesses termos que nos despedimos."

Os pais de Zelensky, ambos na casa dos 70 anos, logo precisariam ser evacuados também. Sua cidade natal, no sudeste da Ucrânia, ficava no caminho das forças russas que avançavam para o norte, partindo da região da Crimeia. Em seu primeiro telefonema naquela manhã, Zelensky tentou tranquilizar a mãe, ou talvez a si mesmo, dizendo que tudo ficaria bem. "Você é a mãe do presidente", disse ele, de acordo com um assessor que testemunhou a conversa. "Nenhum mal pode lhe acontecer."

Após a declaração de lei marcial, a maioria dos membros do Conselho de Segurança, incluindo os líderes militares e os serviços de inteligência, deixou o complexo presidencial para assumir o comando em suas respectivas sedes. Tinham missões claras para monitorar o campo de batalha, reunir a inteligência e comandar as tropas. O papel do presidente não era tão definido. Embora sua posição de comandante em chefe lhe conferisse autoridade máxima em relação às Forças Armadas, ele não tinha experiência nem inclinação para liderá-las. Confiou aos generais a função de lutar, e se concentrou na tarefa da diplomacia, na necessidade de reunir os líderes mundiais. O primeiro número de telefone que digitou enquanto zanzava pelo escritório naquela manhã foi o de Boris Johnson, primeiro-ministro britânico. Ainda estava escuro em Londres naquela data, por volta das 4h40, mas Johnson atendeu à chamada e cumprimentou Zelensky como um amigo. Nos meses que antecederam a guerra, os dois tinham se aproximado; Johnson se esforçou mais do que a maioria de seus colegas para tranquilizar os ucranianos e prometer apoio. Nas semanas anteriores à invasão, o governo britânico enviou à Ucrânia uma das maiores remessas de armas, incluindo foguetes antitanque. "Vamos lutar, Boris! Não vamos desistir", gritou Zelensky no celular.[12] A poucos passos de distância, Danilov considerou a cena tão comovente que gravou um vídeo em seu celular.

Quando amanheceu na Europa Ocidental, outros líderes estrangeiros começaram a contactar Zelensky – de Washington, Paris, Berlim, Ancara, Viena, Estocolmo, Varsóvia, Bruxelas e outros locais. As chamadas iluminavam o celular de conexão segura, em sua mesa, a cada dez ou vinte minutos. Nenhum deles parecia tão otimista quanto Johnson, e alguns ofereceram ultimatos velados para advertir Zelensky quanto ao perigo que ele enfrentava. "Naquele primeiro dia houve ameaças ao presidente", disse Sybiha, que elaborou pontos que deveriam ser abordados naquelas chamadas e se inclinou sobre a mesa do presidente para ouvir. "O ponto crucial era: aceite as exigências da Rússia, ou você e sua família serão mortos", disse-me Sybiha. Entre os líderes estrangeiros, vários se ofereceram para atuar como mediadores para a Ucrânia negociar os termos da rendição. "Houve ofertas desse tipo: Aceite os termos! Veja o que está enfrentando!"

O Exército russo, cujo contingente era estimado em 900 mil soldados ativos, aproximadamente, era pelo menos quatro vezes maior do que a força militar da Ucrânia. Os russos tinham cinco vezes mais veículos de combate blindados e dez vezes mais aeronaves. O orçamento de Defesa da Ucrânia, em torno de 4,5 bilhões de dólares, representava um décimo do que a Rússia investe todos os anos nas Forças Armadas.[13]

Todos os aliados de Zelensky entendiam a questão do equilíbrio de forças e o que ela significava. Então continuaram a perguntar, desde o início, e em todas as conversas telefônicas, se ele planejava deixar Kiev, visando à sua própria segurança, e como poderiam ajudar. Os guardas presidenciais dispunham de uma relação de lugares seguros aos quais ele poderia se dirigir, se necessário. Bunkers foram preparados nos arredores da capital. Mais a oeste, perto da fronteira com a Polônia, várias instalações do governo dariam ao presidente a liberdade de liderar sem a ameaça iminente de assassinato ou cerco da parte das forças russas. Diversos líderes europeus se ofereceram para ajudá-lo a fugir, com sua família e equipe. Entre todas, a opção mais segura seria liderar a defesa da Ucrânia a partir de uma instalação no leste da Polônia, sob o guarda-chuva nuclear da aliança da Otan. Funcionários dos Estados Unidos, incluindo o presidente Joe Biden, ansiavam por ajudar a Ucrânia a estabelecer um governo temporário no exílio.

Zelensky agradecia esses convites, ao mesmo tempo que os considerava ofensivos, como se os aliados o tivessem descartado. "Eu estava cansado daquela situação", disse mais tarde sobre as ofertas que recebeu para empreender a fuga, que, em suas palavras, "jorravam de todos os cantos".[14] Tentava redirecionar cada conversa para a questão do que a Ucrânia precisava em termos de defesa – armas em grande quantidade, fechamento do espaço aéreo – e ficava cada vez mais irritado quando em resposta ouvia mais ofertas para obrigá-lo a fugir. "Desculpe-me", dizia ele, "isso é falta de educação."

A frustração ficou ainda mais evidente quando ele conversou naquela manhã com Emmanuel Macron, presidente da França, que colocou a chamada telefônica em viva-voz para que seus assessores pudessem ouvir Zelensky descrever o início da invasão. "É guerra total", disse Macron. "Sim", veio a resposta. "Guerra total." Zelensky respirou fundo. Se os russos pretendiam capturar Kiev em questão de dias, ele não poderia contar com um influxo de armas que chegasse rapidamente do Ocidente para aumentar suas chances de sobreviver. Ele também entendeu que os Estados Unidos e a Europa não arriscariam uma guerra nuclear com a Rússia, enviando suas próprias tropas no intuito de salvar a Ucrânia. Líderes ocidentais, incluindo o presidente Joe Biden, deixaram isso claro para os ucranianos. Zelensky sentia que sua única esperança, por mais ingênua que fosse, era que o Ocidente convencesse o Kremlin a cancelar o ataque e retirar suas forças. "É muito importante, Emmanuel, que você fale com Putin", disse a Macron. "Temos certeza de que os líderes europeus e o presidente Biden podem se unir. Se eles telefonarem para lhes dizer que detenha o ataque, ele vai aceitar. Ele vai ouvir."[15]

Na residência da família em Koncha-Zaspa, a chamada do presidente era esperada. As crianças já estavam acordadas quando Olena foi até o quarto para ajudá-las a se aprontar. Ela não sabia como dar a notícia sobre uma invasão ao filho de 9 anos e à filha de 17 anos, e quanto a isso Zelensky não lhe fizera qualquer sugestão. "Ele não recomendou que eu fosse ou não sincera com as crianças", disse sobre a última conversa que tiveram em casa. "Apenas que eu deveria explicar tudo." Nenhum deles fez muitas perguntas. Kyrylo, menino brincalhão e sensível, fácil de ser entretido, obedeceu à mãe tranquilamente, colocando alguns pertences numa pequena mochila: canetas hidrográficas, um livro de quebra-cabeças, peças de um conjunto de Lego parcialmente montado. Oleksandra, a quem a família chama de Sasha, ficou em contato com amigos nas redes sociais, tentando ter uma ideia melhor do que estava acontecendo. A partir dos feeds de notícias e transmissões de TV, era difícil avaliar a escala do perigo. As manchetes se concentravam em fatos imediatos – o impacto causado por um foguete, o avistamento de um tanque – e deixavam que as pessoas fizessem suposições sobre questões mais sérias, como as chances que o país tinha de reagir.

Das janelas da casa, a família de Zelensky ouvia os estrondos das baterias antiaéreas ao tentar derrubar mísseis, aviões e helicópteros russos. Em dado momento, quando a primeira-dama se aproximou da janela, um caça de combate rasgou o céu, voando tão baixo que ela sentiu o som dentro de sua caixa torácica. O guarda-costas avisou-lhe que precisavam levar as crianças para o porão. Havia o risco de os russos lançarem bombas do alto.* O menor dos cães de estimação, um schnauzer miniatura, tinha pavor de

* No início de março, na segunda semana da invasão, partes de um míssil foram encontradas no terreno da residência presidencial em Koncha-Zaspa. Zelensky postou uma foto do míssil nas redes sociais. Ao lado, ele escreveu: "Você errou o alvo."

fogos de artifício e trovões, e agora se achava quase em estado de choque devido às explosões. Olena segurou-o nos braços e o levou para baixo. Eles repetiriam esse trajeto várias vezes naquela manhã, esperando no porão até que os guardas dissessem que era seguro sair e voltar para o andar de cima, quando então preparavam uma chaleira para o chá, que fervia tão logo o próximo alerta de ataque aéreo os forçasse a voltar para o porão. Mesmo assim, Olena não queria sair de Koncha-Zaspa. Quando o presidente finalmente ligou, disse-lhe que se sentia mais segura em casa do que em algum local não revelado, e eles não queriam abandonar os animais de estimação. (Além do papagaio e dos dois cães, havia na casa um porquinho-da-índia e um gato chamado Lyova, que costumava ficar, a maior parte do tempo, no quarto de Sasha.) "Tentamos argumentar, mas ele nos disse que era inútil." O endereço residencial de Zelensky tinha sido divulgado na imprensa havia muito tempo, e era preciso admitir que nos mapas russos existia um círculo em volta de Koncha-Zaspa.

Sem saber para onde iriam, ou por quanto tempo estariam fora da casa, Olena reuniu os documentos da família e arrumou a mala de rodinhas para ela e para as crianças. Os animais de estimação foram deixados aos cuidados da empregada e dos guardas de segurança, alguns dos quais permaneceram na propriedade. No trajeto de saída, via-se a cidade e os subúrbios em pânico. O trânsito ultrapassava as rodovias e já alcançava as estradas vicinais. Enormes filas se formaram nos postos de gasolina, e eles puderam ver as primeiras barricadas sendo montadas nas imediações do centro da cidade em antecipação à chegada dos tanques russos. Na rua Bankova, os guardas os conduziram até a suíte executiva no andar de cima, onde a situação era tensa, mas não caótica. Ninguém gritava ou demonstrava muita emoção. O barulho mais forte vinha do detector de metais no quarto andar, acionado cada vez que um soldado corria, armado com um fuzil de assalto. Caso contrário, o som era abafado. Funcionários se amontoavam perto de um par de vasos de samambaias próximos às janelas, ou olhavam atentamente para as telas de seus laptops ou celulares, redigindo despachos, enviando mensagens, monitorando notícias.

Relatos do ataque foram chegando mais depressa do que qualquer um poderia processar. No oeste da Ucrânia, perto da fronteira com a Polônia, vários aeroportos estavam em chamas. Dezenas de soldados tinham desaparecido e supunha-se que foram mortos após um ataque de mísseis na base fora de Kiev. Assessores presidenciais tentavam fazer a triagem de todas essas informações, levando notícias para Zelensky quando exigiam atenção imediata. Mas cada revelação parecia mais alarmante que a anterior. "É difícil estar pronto para isso", disse Andriy Yermak, chefe de gabinete do presidente, que estava ao seu lado desde o início da manhã. "Só tínhamos visto coisas assim nos filmes, lido sobre elas em livros."

Como vários dos conselheiros do presidente, Yermak tinha sido um profissional da indústria do entretenimento; tinha o rosto redondo e mal barbeado, os pulsos adornados com pulseiras folclóricas de couro e contas de madeira. No âmbito da produção cinematográfica, dois filmes de gângsteres levavam seus créditos, ambos carregados de sangue cenográfico e diálogo machista, os quais Yermak continuava a citar muito tempo depois que as películas saíram de circulação. (Uma de suas frases favoritas era: "Tudo a seu tempo.") Antes de seu amigo se tornar presidente, Yermak trabalhou como advogado da produtora de Zelensky. Agora estava encarregado de gerenciar uma guerra, atendendo chamadas de generais na linha de frente e da Casa Branca. A certa altura naquela manhã, Yermak olhou para seu celular tocando e viu um nome familiar aparecer na tela. Era Dmitry Kozak, um alto funcionário do Kremlin, que ele conhecia bem das suas primeiras rodadas de negociações de paz. Durante semanas, eles travaram um diálogo secreto, tentando em vão encontrar uma série de concessões que pudessem convencer Putin a cancelar o ataque. Essas conversas falharam. Desta vez, Kozak estava na linha com uma mensagem diferente, incitando os ucranianos a se render nos termos da Rússia. Yermak o ouviu, em seguida o xingou e desligou o celular.[16]

Se ele sentiu algum medo naquele momento, não foi por sua própria segurança, lembrou mais tarde. "Mas pela dos nossos entes queridos." Um solteirão de 50 anos, Yermak não tinha família que precisasse sair de Kiev, e decidiu ficar ao lado de Zelensky, fossem quais fossem as circunstâncias. Para muitos de seus colegas não foi tão fácil fazer essa escolha. Alguns chegaram à rua Bankova naquela manhã com família e bagagem nos carros, esperando do lado de fora uma evacuação organizada pela equipe presidencial. Zelensky não os impediu. Quando esses funcionários pediram permissão para que seus entes queridos saíssem da cidade, receberam autorização. "Somos todos seres humanos", disse ele. "E algumas decisões rápidas tiveram de ser tomadas."

De sua parte, o presidente decidiu que sua família precisava fugir. O risco de haver bombardeios era muito alto, e ele estabeleceu requisitos mais rigorosos quanto à segurança da família do que em relação à sua própria. As despedidas naquele dia não foram sentimentais. A família do presidente nem sequer pôs os pés numa sala particular para conversar. Abraçaram-se no corredor, trocando algumas palavras apressadas enquanto Zelensky corria de uma reunião para outra. Sua esposa não se lembrava de outra ocasião em que ele lhe oferecera tantas garantias. Depois de quase duas décadas de vida matrimonial, a rapidez da despedida não surpreendeu Olena. Ela sabia por experiência própria que o marido colocaria o trabalho acima de tudo. Ali no corredor, Zelensky não prometeu que tudo se resolveria. "Ele sabia que isso só me deixaria apavorada", disse Olena mais tarde. O perigo ainda parecia abstrato para ambos, e a reação da primeira-dama foi simular equilíbrio. "Não poderíamos nos despedir de modo exagerado", disse ela. "As crianças não precisavam disso." A atitude do casal diante dos filhos tornou o momento menos grave do que era. "Foi como se eu fosse sair de férias", disse ela, "uma conversa absolutamente normal, calma, antes de partir."

Na realidade, Olena e as crianças tinham pressa. Na estação central de Kiev, um trem estava pronto para levá-los para fora da cidade, e o destino era sigiloso, mesmo para os assessores mais próximos do presidente. O serviço ferroviário estatal tinha ordens da guarda presidencial para manter a locomotiva acionada, preparada para partir, caso Zelensky decidisse deixar a capital. De vez em quando, um grupo de seguranças percorria os vagões e os inspecionava, receando ameaças em antecipação à chegada do presidente. Mas Zelensky não foi. O trem partiu sem ele, saindo da estação com sua esposa, seus dois filhos, a equipe de guarda-costas e uma única mala.[17]

presidente Zelensky que os impediu. Quando esses tipos de episódios [illegible] ram permissão para que os outros que [illegible] sem discussão, receberam autorização. "Somos todos seres humanos", disse ele. "E algumas decisões tinham de ser tomadas."

2. O alvo

Às 11h20, na manhã da invasão, Zelensky e seus guarda-costas foram até o térreo da sede da presidência, onde os assessores tinham reunido um grupo de repórteres numa sala de reuniões sem janelas. O presidente ainda vestia o terno formal e camisa de gola, mas sua mensagem tinha evoluído naquelas primeiras horas da invasão. Quando subiu ao púlpito, os ucranianos já não viram o sorriso tenso e um tanto condescendente de um líder que lhes pedia para ficar calmos, em casa, aguardando instruções. Zelensky agora pedia ao povo para se levantar e se juntar à luta de todas as maneiras possíveis. Todos os veteranos deviam se apresentar nos centros de recrutamento e se alistar imediatamente. Qualquer pessoa saudável, apta a doar sangue, deveria comparecer ao hospital de sua localidade. Qualquer indivíduo que quisesse um rifle de assalto, disse Zelensky, poderia obter a arma num dos pontos de distribuição que estavam sendo montados na cidade. "Já estamos fornecendo armas, e vamos continuar a fornecê-las a todos que se disponham a defender nossa terra."

Nem mesmo os jornalistas ali reunidos estavam isentos daquele chamado às armas. O fluxo de propaganda russa se intensificou em seguida ao início do ataque, e relatórios falsos sobre o colapso do governo ucraniano começaram a ser divulgados na mídia. Zelensky queria que todos os veículos de imprensa na Ucrânia o ajudassem a travar a guerra da informação e a "mobilizar o espírito de luta" do país. "Divulguem a notícia de que nossos soldados destemidos estão lutando", disse ele do púlpito. "Eles precisam do apoio dos cidadãos."

Minutos após o término da coletiva de imprensa, o uivo das sirenes de ataque aéreo recomeçou. Os primeiros sons foram ouvidos em Kiev mais cedo naquela manhã, e a equipe presidencial ignorou-os e continuou trabalhando. Mas dessa vez era diferente. Por volta do meio-dia, os guardas presidenciais receberam avisos de um ataque aéreo na rua Bankova e se dispersaram pelo complexo para iniciar a evacuação. Os guarda-costas de Zelensky lhe informaram que era hora de ir para o bunker.

Dois anos antes, perto do início do seu mandato, o presidente tinha feito uma visita guiada às instalações e lembrava-se da porta, uma enorme placa de metal sólido com isolamento de borracha nas bordas. Abria-se para um conjunto de escadas, corredores e elevadores que conduziam ao subsolo. O trajeto para baixo levava menos de dez minutos, mas naquela primeira descida pareceu muito mais demorado, e vozes e passos ecoavam através dos túneis que seguiam por baixo de alguns quarteirões da cidade.

Estavam a caminho de uma instalação que datava do auge da guerra fria, projetada e construída para ser utilizada no caso de um ataque nuclear em Kiev. Muitas cidades do Bloco Oriental estavam equipadas com tais instalações. A União Soviética jamais conseguiu produzir um automóvel competitivo no mercado global, mas tinha a capacidade de construir bunkers, recorrendo aos melhores especialistas. Para a Ucrânia, essa herança tinha vantagens e desvantagens. Como o abrigo havia sido construído no tempo da União Soviética, a Ucrânia só precisava pagar por sua manutenção, não por sua construção, que era robusta, prática e profunda, apta a suportar o impacto direto de um míssil nuclear. A desvantagem era que o bunker tinha sido planejado e projetado em Moscou. Em algum lugar nos arquivos da KGB, os russos provavelmente tinham as plantas do projeto, e saberiam até a posição do vaso sanitário presidencial.

Quando chegaram ao bunker, alguns assessores de Zelensky acharam o lugar familiar, o que era estranho. Partes do bunker assemelhavam-se ao sistema do metrô de Kiev, que havia sido construído na mesma época, fazendo uso da mesma tecnologia, de modo geral. A tinta nas paredes tinha o brilho e a textura que se poderia observar no escritório do chefe de uma estação no metrô. O layout do local também parecia um túnel gigante de metrô, dividido em dois andares e adaptado no estilo de um prédio de salas comerciais. Era capaz de abrigar centenas de pessoas no enorme corredor que se estendia ao longe. À esquerda e à direita havia pequenos cômodos que serviam para dormir ou trabalhar; alguns eram bem menores que uma cela de prisão. No lugar das camas existiam apenas colchões estreitos, no chão, semelhantes àqueles que se veem nos beliches de um acampamento de verão para jovens. Banheiros e chuveiros eram coletivos, bem como uma cafeteria com lugares suficientes para algumas dezenas de pessoas se alimentarem ao mesmo tempo.

Além de algumas atualizações e reformas – a TV de tela plana afixada no refeitório, por exemplo –, pouco mudou no bunker desde sua construção. As antigas lâmpadas amareladas foram substituídas pelas LEDs e halógenas, brancas e frias. As portas antigas dos cômodos, de madeira, foram trocadas por outras, novas, feitas com painéis de material plástico barato e de isolamento precário. Danilov, chefe do Conselho de Segurança, havia inspecionado o local meses antes da invasão e se certificou de que as conexões da internet eram eficazes. Quanto à questão que mais preocupava a equipe do presidente, respondeu: "Sim, existe wi-fi no bunker."[1]

Zelensky ficou impressionado. Não era Koncha-Zaspa, porém, na época das turnês, ele tinha se hospedado em albergues e, por isso, em comparação ao típico chefe de Estado europeu, era pouco exigente quanto a acomodações. Além disso, seus aposentos no bunker eram bons – com certeza mais confortáveis do que os demais, reservados para a equipe. A cama era pequena, pouco maior que um berço. Mas no piso inferior ele tinha sua própria cozinha, uma cafeteira elétrica, espaço para refeições com mesa para acomodar sete pessoas, oito no máximo. Dispunha de banheiro privativo com chuveiro e, no piso da suíte, bem como no escritório situado no andar de cima, havia passadeiras. Tanto nos seus cômodos quanto nos demais o piso era de cerâmica fria e marrom.

Após dar uma volta, Zelensky se encontrou com os assessores na sala de reuniões e pediu-lhes que fizessem uma escolha. "A partir de amanhã", disse ele, "pode ser que não tenhamos mais a oportunidade de fugir." Kiev poderia ser sitiada. As tropas russas poderiam cercar o complexo presidencial e bloquear as saídas. "Cada um é dono de sua própria vida e lhe cabe tomar decisões", disse Zelensky aos assessores. "Ou seja, optar por ficar aqui ou ir para algum local mais seguro." Davyd Arakhamia, um antigo amigo do presidente, teve dificuldade para decidir, receando influenciar aqueles que resolvessem permanecer no complexo. Mais tarde, lembrou-se dessa conversa como se fosse um sonho. Quando a reunião terminou, foi para outro cômodo e ligou para a esposa. "Ela me respondeu com muita clareza, até um pouco bem-humorada", revelou Arakhamia mais tarde ao *Washington Post*. "Disse que preferia dizer aos nossos filhos que eu uma vez tinha sido um herói do que muitas vezes um desertor."[2]

Naquela tarde, quando retornaram ao andar superior, Zelensky e Yermak encontraram os corredores repletos de soldados e equipamentos de combate. Não existiam protocolos para situações de cerco no interior do complexo presidencial, então os guardas precisavam improvisar, criando barricadas em cada entrada, utilizando tudo que encontrassem. Levaram sacos de areia para vedar as janelas. Perto de um dos portões estacionaram um caminhão velho no qual deixaram minas, prontas para explodir se alguém tentasse movê-lo. Algumas fortificações mais pareciam montes de lixo. Uma entrada para o prédio da rua Bankova foi bloqueada com uma mesa, dois bicicletários e alguns escudos de metal, objetos que na realidade não resistiriam a um projétil, nem mesmo a um empurrão forte. Na melhor das hipóteses, bloqueariam a visão do agressor na entrada do prédio. Mas isso era tudo de que dispunham.

Por toda parte do complexo, oficiais de segurança abriram os depósitos de armamentos de onde retiraram quantidade suficiente de rifles de assalto para Zelensky e seus assessores. A maioria não sabia como operar essas armas. Um dos poucos que tinham conhecimento era Oleksiy Arestovych, porta-voz presidencial que atuara no serviço de inteligência militar da Ucrânia. "Era uma loucura generalizada", disse-me. "Armas automáticas para todos." Os armamentos empilhados no chão ao lado de coletes à prova de bala não contribuíam para minimizar o pânico crescente entre funcionários. Dezenas de indivíduos se acotovelavam nos escritórios ou andavam às pressas pelos corredores, tentando ter uma noção do combate que ocorria do lado de fora, até onde os russos tinham avançado e se a Ucrânia dispunha dos meios para detê-los. Nas instalações, corriam rumores provenientes das redes sociais, mesclados com fragmentos de informações veiculadas por fontes militares e agências de inteligência estrangeiras. Um aviso persistente sugeria que uma tropa de paraquedistas russos poderia pousar no coração da capital a qualquer momento.[3]

Na metade da cidade, Arestovych me disse, "não havia defesa, nem sequer um bloco de concreto nas ruas, nem uma armadilha para tanque. Nada". Na qualidade de porta-voz do presidente para assuntos militares, coube a ele comparecer à sala de reuniões e garantir ao público que tudo estava sob controle, que os russos tinham cometido um erro absurdo e logo seriam repelidos e humilhados. "Eu me tornei, digamos, o sedativo nacional", disse Arestovych. O papel lhe caía bem. Durante mais de uma década, atuara no teatro Black Square, em Kiev, numa companhia conhecida por suas produções de improvisação. Além disso, tinha a aparência e a arrogância de um agente secreto, com uma voz suave e tranquila que logo se tornou símbolo da noção de calma que a equipe de Zelensky tentava transmitir em meio aos eventos terríveis que aconteciam ao seu redor.

"É isso que precisam entender", disse Arestovych ao povo da Ucrânia durante um de seus comunicados à imprensa naquele dia. "Os 200 mil soldados que Putin reuniu nas fronteiras da Ucrânia não são suficientes para atacar, ocupar o país e tudo mais. Eles contam é com o medo." Em Kiev, o medo reinava. O prefeito mais tarde estimaria que metade dos moradores – quase 2 milhões – tinha fugido da cidade. Os que não podiam ou não desejavam fugir buscavam abrigo no sistema do metrô, em bunkers e porões. Nas ruas do bairro onde ficava a sede do governo, soldados ucranianos saíram de porta em porta à procura de sabotadores russos, exortando os moradores a abandonar suas casas. Se os vidros de um carro estacionado perto da rua Bankova tivessem película muito escura, as forças de segurança quebravam-nos para procurar explosivos ou armas escondidas no interior do veículo,

A despeito da autoconfiança que o presidente e os porta-vozes tentavam aparentar, a equipe se preparava para o pior. Um dos assessores jurídicos de Zelensky, Andriy Smyrnov, alertou que as forças russas poderiam sequestrar o sistema judicial da Ucrânia e começar a emitir decisões para legitimar sua ocupação ou minar a autoridade do presidente. Para evitar isso, Smyrnov e um oficial das forças de segurança se dirigiram às pressas a um tribunal no centro de Kiev, entraram e arrancaram os cabos dos servidores informáticos – o equivalente judicial a explodir uma ponte para frustrar o avanço de tanques inimigos. "Em termos de separação de poderes, provavelmente não seria o indicado", disse-me Smyrnov mais tarde. "Mas aqueles eram tempos de exceção."[4]

Sob ordens do presidente, as forças militares e policiais em Kiev começaram a esvaziar seu arsenal, distribuindo rifles de assalto aos moradores. A intenção era preparar a cidade para o combate de guerrilha. Ao mesmo tempo, os comandantes temiam que os estoques de armas caíssem nas mãos do inimigo. "Se não tivéssemos distribuído as armas", disse Denys Monastyrsky, ministro do Interior, "os russos as teriam apreendido imediatamente." De fato, um arsenal nos subúrbios ao norte de Kiev foi esvaziado logo que as forças russas chegaram àquele perímetro urbano.

Do outro lado da cidade, a pouco mais de 3 quilômetros a oeste da rua Bankova, nuvens de fumaça se erguiam das fogueiras no pátio do Ministério da Defesa e do Estado-Maior. Líderes veteranos ordenaram a destruição de documentos sensíveis armazenados na sede do ministério, um complexo de edifícios neoclássicos pintados de azul-pastel. A única maneira de se livrar de tantos arquivos em poucas horas era incinerá-los. Mas não havia qualquer plano nem equipamento determinado para a execução da tarefa. O alto escalão não esperava que os russos fossem diretamente para Kiev no primeiro dia da invasão. Agora ocorria-lhes que os escritórios poderiam ser invadidos, e registros e arquivos seriam apreendidos. Por todo o complexo, equipes de burocratas e soldados começaram a esvaziar armários de arquivos, colocar o conteúdo em caixas e levá-las para o pátio, onde teve início a incineração. Durante o resto do dia, a fumaça penetrou pelas janelas do ministério, e as cinzas circundaram o terreno como se fossem folhas de outono. Alguns dos pedaços maiores ainda mostravam linhas tênues do texto secreto.[5]

Enquanto isso, o ministro da Defesa, Oleksiy Reznikov, corria pela cidade com seu grupo de guardas, mantendo-se em contato com o gabinete do presidente. "Por motivos de segurança, eu não podia permanecer num só lugar", disse-me ele. "Havia grupos de sabotagem e reconhecimento em Kiev. Todos nós estávamos cientes disso." Acreditava-se que esses grupos funcionavam como células inimigas adormecidas, compostas por unidades das forças especiais russas e dos colaboradores locais. Zelensky e seu governo acreditavam que muitos deles haviam chegado a Kiev com bastante antecedência, atacando alvos e escondendo armas pela cidade. "Um ano atrás, esses indivíduos já estavam alugando apartamentos e casas em diversas localidades", disse Zelensky. "Estavam prontos a iniciar o trabalho dos ocupantes."

Na tarde da invasão, relatos desse trabalho de base começaram a chegar a Zelensky de várias fontes, e a sensação era de que o inimigo já estava na capital e apertava o cerco. Poderia ser esse o objetivo, disse Reznikov. Mesmo que não assassinassem ou capturassem Zelensky, as unidades de sabotagem russas poderiam apavorá-lo e provocar sua fuga. "A tática russa era empurrar o presidente para fora de Kiev", disse ele. "Estavam testando nossos nervos."

Em determinado momento, uma saraivada de balas atingiu a fachada norte da sede do Ministério da Defesa, espalhando cacos de vidro das janelas pelo piso de taco. O atentado parecia vir das torres do condomínio Manhattan City, um trio de edifícios em fase de construção, do outro lado das linhas ferroviárias. Na época, as torres estavam desprotegidas. Qualquer um poderia ter entrado no canteiro de obras e subido as escadas até os andares superiores, escolhendo uma posição que permitisse a um atirador ter uma visão clara do Ministério da Defesa. Quando os tiros foram disparados, os funcionários no interior do edifício esconderam-se imediatamente sob as mesas ou atrás das paredes. Vários oficiais agarraram seus fuzis Kalashnikov e começaram a atirar na direção das torres. "Eu gritava para eles: 'Pelo menos abram as janelas!'", lembra uma funcionária, Lyudmila Dolgonovska, que temia o vento de fevereiro entrando pelas janelas quebradas. Durante vários minutos, balas cruzaram o campo do estádio de futebol do ministério, local do Clube de Futebol do Exército Central. A sede próxima do Ministério da Infraestrutura, na avenida Victory, estava na linha de fogo. O prédio foi atingido por algumas balas perdidas, e janelas foram quebradas no quarto e no quinto andares. Ninguém se machucou. Mais tarde, forças especiais ucranianas fizeram uma busca nas torres e não encontraram o menor sinal da presença de sabotadores russos ou de suas posições de tiro. O incidente, porém, aumentou o clima de paranoia em Kiev.

Relatos de tiroteios com agentes russos perto do centro da cidade surgiram nas redes sociais no decorrer do dia. Uma reportagem afirmava que um atirador solitário tinha disparado contra soldados do lado de fora de uma estação de metrô. Outra alegava que um caminhão repleto de sabotadores tinha sido alvo de tiros e destruído na periferia da cidade. Embora incidentes desse tipo não chegassem a ser confirmados, muito menos investigados na época, os guardas presidenciais não podiam se arriscar. Nem os militares. Ao amanhecer do segundo dia da invasão, as Forças Armadas da Ucrânia emitiram um alerta em sua página no Facebook, divulgando aos habitantes de Kiev que as formações inimigas já estavam na cidade. "Preparem coquetéis molotov", foi a determinação. "Neutralizem os invasores!"

Ao meio-dia, cerca de sete horas após a invasão, o impacto inicial diminuiu, e Zelensky teve uma noção mais nítida de qual seria seu papel em tempo de guerra. Sua breve carreira como estadista pouco lhe oferecera para enfrentar aquele momento, mas os instintos de ator davam-lhe algumas vantagens. Zelensky era adaptável, treinado para não vacilar diante da vibração de uma grande plateia. Percebia agora que seu público era grande parte do mundo, toda a Ucrânia, todos que ele conhecia ou que haveria de conhecer. Sabia que, se cedesse ao pânico e entregasse a capital aos russos, a vergonha o perseguiria pelo resto da vida, e o receio dessa indignidade pareceria superar o medo de ser morto ou capturado durante o processo de defender seu país. Recorda-se de dizer a si mesmo o que estimularia sua mente pelo resto do dia. "Eles estão assistindo", disse a si mesmo. "Você é um símbolo. Precisa agir como um chefe de Estado."

À medida que o dia avançava, os assessores percebiam que a postura de Zelensky enrijecia. Seu tom de voz se tornou seco, e ele começou a disparar uma série de ordens do bunker e de seu escritório no quarto andar. A maioria das decisões não se baseava em experiência ou planejamento. Zelensky não dispunha de nenhum desses recursos para orientá-lo na época, mas isso não lhe importava. Seu consentimento em assumir a presidência, sendo egresso do mundo da comédia, não teria sido possível se ele não tivesse um talento especial para projetar confiança, mesmo que ela lhe faltasse. Agora esse talento tinha se intensificado, e Zelensky tornou-se o que um de seus assessores descreveu como um "gerador de decisões".

"Em muitos aspectos, os russos tiveram má sorte", disse Mykhailo Podolyak, que esteve na companhia de Zelensky durante todo o dia. "Este foi um deles." Ao atacar a Ucrânia de várias direções, talvez acreditassem que a estrutura de comando em Kiev racharia, sobrecarregada pelo volume de ameaças que exigiam resposta imediata. Qualquer lapso de autoridade, mesmo uma pausa para fazer um balanço de quais eram as opções do país, deixaria os oficiais da linha de frente entregues a si mesmos para se defender e, em muitos casos, fugir. No entanto, jamais houve períodos de ausência de transmissão no rádio, logo que o presidente começou a emitir ordens. Algumas repercutiram mal e tiveram consequências trágicas, quando, por exemplo, Zelensky ordenou que armas fossem distribuídas a praticamente qualquer adulto com passaporte ucraniano e um dedo para apertar um gatilho. O excesso de armas logo transformou setores de Kiev em áreas de tiro.

Ainda assim, nas primeiras horas da guerra, quando a sobrevivência da Ucrânia como país estava em jogo, Zelensky não teve tempo para pesar riscos e analisar dados, e não necessitava de muito incentivo para disparar instruções para sua equipe, muitas vezes temperadas com palavrões. Como resultado, afirma Podolyak, "as pessoas de todas as hierarquias não tiveram tempo de questionar". Durante a primeira entre várias discussões com governadores regionais naquele dia, alguns pareciam entorpecidos de tanto medo, incapazes de responder ou mesmo compreender as perguntas que Zelensky lhes fazia sobre a situação em suas regiões. Não era justo responsabilizá-los por isso. O avanço russo ameaçou devastar várias regiões em poucas horas, e os governadores precisavam pesar as chances de ser mortos, a menos que fugissem ou concordassem em colaborar com os invasores. Percebendo isso, Zelensky emitiu diretrizes firmes, embora um pouco vagas: permaneçam em seus postos, coordenem-se com os militares e respondam às necessidades do público. "Foi o que acalmou as pessoas", disse Podolyak. "Eles pararam de pensar e se dispuseram a trabalhar."*

Logo após o chamado, começaram a chegar ao conhecimento de Zelensky relatos de um ataque aéreo russo perto da fronteira de Kiev, a cerca de 15 quilômetros de distância, ao norte do complexo presidencial. Ele reconheceu

* No fim das contas, as deserções entre os líderes regionais foram muito mais raras do que o esperado. Apenas um deles passou para o lado russo. Os que tinham laços históricos mais próximos e simpatias em relação a Moscou, como o prefeito de Kharkiv, bem próxima à fronteira com a Rússia, acabaram permanecendo entre os defensores mais veementes da Ucrânia.

o alvo, um importante aeroporto na cidade de Hostomel. Algumas semanas antes, Zelensky havia recebido um alerta da CIA sobre esse aeroporto, considerado pela agência uma das principais vulnerabilidades da Ucrânia. William Burns, diretor da CIA que visitou Kiev em meados de janeiro para fornecer as últimas informações dos Estados Unidos sobre os planos de guerra de Putin, explicou que a estratégia russa dependia do desembarque, em Hostomel, de forças cujo número seria suficiente para capturar Kiev.[6] Na ocasião, Zelensky não se convenceu. Para ele, o plano dos russos não contava com soldados suficientes para ocupar uma cidade de 4 milhões de habitantes. Esperava que muitos cidadãos iriam se rebelar e resistir. Além disso, acreditava que a inteligência dos Estados Unidos era inconclusiva. Parecia indicar uma das opções da Rússia, talvez a mais agressiva, mas não a mais provável. Putin se referia a Kiev como a "mãe das cidades russas", o berço da civilização que ele afirmava estar defendendo. Só a loucura poderia levá-lo a atacar aquela cidade, a bombardear suas igrejas e subjugar o povo. Em todas as suas interações ao longo dos anos, telefonemas, discussões e negociações de paz, Putin pareceu a Zelensky frio e calculista, amargo e ressentido, mas não insano, não genocida. "Como é possível", perguntou ele a um repórter mais tarde, "que eles torturem pessoas e que esse seja o seu objetivo? Ninguém acreditou que seria assim."[7]

No fim das contas, a CIA estava certa, pelo menos sobre a linha de ataque principal de Putin. Por volta das 11 horas da manhã, pelo menos trinta helicópteros de ataque russos despontaram perto do reservatório ao norte de Kiev, voando perto da superfície da água para evitar defesas aéreas. Os ucranianos abateram um dos helicópteros que se aproximavam de Hostomel. Mas os outros conseguiram desembarcar uma força de centenas de soldados, em número suficiente para pegar o aeroporto de surpresa. À medida que a batalha se desenrolava, Zelensky e os assessores se amontoavam em torno de seus laptops e celulares e observavam as imagens e atualizações que chegavam sobre Hostomel.[8] A resposta do presidente surpreendeu alguns assessores. Jamais o tinham visto com tanta raiva. "Deu as ordens mais duras possíveis", lembrou Podolyak. "'Não tenham piedade. Usem todas as armas disponíveis para acabar com tudo que for russo por lá.'"[9]

No entanto, os ucranianos não dispunham de forças militares para defender o aeroporto. Apesar dos avisos da CIA, o ataque russo a Hostomel pegou o Exército desprevenido. Muitos soldados estacionados naquela área tinham sido enviados para reforçar a frente oriental, onde seus comandantes esperavam que a invasão tivesse início. Aqueles que permaneceram no aeroporto ficaram sem munição em poucas horas, e não tiveram escolha a não ser se retirar sob fogo pesado. Uma vez no controle das pistas, as forças de comando russas se prepararam para a chegada de reforços em aviões gigantes de transporte militar, cada um deles repleto de soldados e veículos blindados. "Eles pousaram dezenas dessas aeronaves", disse Monastyrsky, o ministro do Interior, "e logo teríamos 5 mil soldados russos marchando nas ruas de Kiev."

Naquela noite, enquanto se travava a disputa pelo aeroporto, Zelensky apareceu num link de vídeo numa cúpula de emergência dos líderes europeus. Alguns deles se reuniram por videoconferência, formando um tabuleiro de xadrez de rostos preocupados nas telas uns dos outros. Os presidentes da Polônia e da Lituânia tinham visitado Kiev no dia anterior à invasão para demonstrar solidariedade a Zelensky, e a primeira onda de bombardeios forçou-os a fugir rapidamente. Naquele momento, enquanto tentavam reunir seus companheiros de ação, não chegavam a um consenso quanto à punição que a Rússia merecia. O pior ato de agressão militar na Europa desde a Segunda Guerra Mundial não era em si suficiente para unir a União Europeia.

Os líderes de Alemanha, Áustria e Hungria, entre outros, não queriam cortar os laços com o sistema bancário russo, porque isso dificultaria o comércio de petróleo e gás. Olaf Scholz, na época havia menos de três meses à frente da chancelaria alemã, chegou ao ponto de sugerir que, antes de concordar com quaisquer novas sanções, a Europa deveria implementar aquelas impostas à Rússia antes da invasão. De acordo com esse parecer, estava implícita a ideia de que nada tinha mudado. Durante algum tempo, o debate andou em círculos, seguindo as regras costumeiras de ordem e decoro. Ninguém podia invocar a questão de consciência que o momento parecia exigir, pelo menos até Zelensky surgir on-line. Pálido e cansado, com os primeiros pelos de sua barba de tempo de guerra começando a aparecer no queixo, o presidente surgia em seu bunker, sentado à frente de uma pequena mesa que logo se tornaria o epicentro de sua vida. Não tinha muita fé na capacidade dos estrangeiros para salvá-lo, e o pessimismo transparecia.[10]

"Esta pode ser a última vez que vocês me veem vivo", disse Zelensky aos europeus.[11] Em vez de pedir para ser salvo, ele exigiu uma resposta para a pergunta que a Ucrânia vinha fazendo havia décadas: será que o país teria um dia permissão para aderir à União Europeia? Teria permissão para aderir à aliança da Otan? Nenhum dos outros líderes deu uma resposta direta. Mas as observações dele, que duraram não mais que cinco minutos, tiveram um impacto maior na decisão dos líderes do que muitos meses, se não anos, de debates em Bruxelas sobre a Rússia. Ali, em tempo real, podiam ver o presidente de uma democracia europeia, escondido num bunker, preparando-se para enfrentar a própria morte e a derrocada de seu país, tudo por causa das ambições imperiais de seu vizinho do leste. Os debates intermináveis sobre a ameaça que a Rússia representava para a Europa não haveriam de parecer teóricos. Não se falava mais sobre dissuasão e provocação, porque o crime de agressão havia ocorrido diante dos olhos de todos. Podiam assistir à vítima pedindo ajuda. Viram que Putin, no vigésimo terceiro ano de seu governo, deflagrou a maior guerra que a Europa tinha visto em gerações. Enviou tropas para matar ou capturar Zelensky pelo simples motivo de ele ter se recusado a ceder ou fugir. Zelensky deixou isso claro para os europeus. Então o sinal caiu e ele voltou ao andar de cima para transmitir da sala de reuniões outro comunicado ao seu povo. As autoridades estrangeiras com quem ele falou naquele dia não expressaram vontade de se erguer e lutar ao lado da Ucrânia. "Deixam-nos sozinhos para defendermos nosso Estado", disse Zelensky do púlpito. Mas isso não significa que o povo da Ucrânia deva se retrair ou se render. "Não temos medo", ele disse. "Não temos medo da Rússia."[12]

Ao menos em público, eles se recusavam a demonstrar medo. Mas todos o sentiram nas horas seguintes. Denys Monastyrsky permaneceu na superfície, andando pela sede do governo para coordenar o trabalho da polícia e da Guarda Nacional. No segundo dia de invasão, enquanto as batalhas aconteciam nos arredores de Kiev, o ministro usou seu telefone para gravar a primeira de duas mensagens de despedida para sua família. Ele queria que estivessem prontas para envio no momento em que ele percebesse que estava prestes a ser morto. "Meus raios de sol", disse ele para a câmera, "vou ser breve. Tomei a decisão de ficar na cidade." Se os russos a tomassem, seus subordinados tinham ordens de deixar Kiev e estabelecer uma base de operações no oeste da Ucrânia, de onde sua família já havia fugido. "Não há o que temer", disse ele. "Estamos trabalhando de todas as formas para defender Kiev. Estamos preparados para todos os cenários, até os mais trágicos. Nós vamos lutar." Então sua voz ficou embargada ao se dirigir aos dois filhos crianças. "Vocês precisam seguir com a vida", disse ele, "da forma que a sua essência os guiar. Essa essência está dentro do coração de vocês, do coração de cada um. Eu amo vocês." Antes de desligar a câmera, ele se forçou a sorrir e acrescentou: "Estou pronto."[13]

Mais ou menos ao mesmo tempo, na rua Bankova, Zelensky transmitiu uma mensagem semelhante a toda a Ucrânia. Ele decidiu naquela noite, pela primeira vez, deixar a relativa segurança do complexo desde que a invasão começou. Os guarda-costas iluminaram o caminho com lanternas enquanto ele caminhava pelos corredores escuros, passando pelas barricadas improvisadas na porta e em seguida na direção do pátio. Os seguranças, usando capacetes e levando rifles, formaram um círculo ao redor do presidente, correndo os olhos pelas janelas e telhados. Um dos assessores teve a sensação terrível de estarem expostos aos bombardeiros russos vindos do alto. Mais tarde ele me contou sua impressão: "Foi como se estivéssemos nus naquele lugar." A respiração subia como vapor sob os postes de iluminação da rua, que lançavam uma luz amarelada em seus rostos. Com a mão esquerda, Zelensky segurou seu celular afastado do corpo e pressionou "gravar". Quatro dos seus assessores mais íntimos ficaram atrás dele, preenchendo o quadro. O presidente mencionou seus nomes antes de transmitir uma fala que se espalharia pelos quatro cantos do mundo naquela noite. "Estamos todos aqui", disse ele, "defendendo nossa independência, nosso país. É assim que vai ser."[14]

3. Cidade de bandidos

Nos primeiros dias da invasão, Olena Zelenska quase não teve tempo de se desesperar. Tudo era tão surreal e confuso. Ela conseguia manter a imagem de equilíbrio e alegria, em parte por causa dos filhos. Mas a ansiedade era visível em seu olhar, no modo como girava a aliança de casamento no dedo ou se preocupava com as mechas que se soltavam de seus cabelos. Os músculos do rosto começavam a doer devido ao sorriso forçado que ela exibia. Algumas vezes, em meio à estranheza daqueles dias durante a fuga com os filhos, ela se sentia fora da realidade, disse mais tarde, como se estivesse presa num videogame, seus movimentos comandados pelo controle remoto de alguma força externa. Outros momentos faziam-na lembrar de uma fala de *Alice através do espelho*, um de seus livros infantis preferidos: "É preciso correr o mais depressa possível, para ficar no mesmo lugar."

A primeira providência na fuga de Kiev foi o isolamento em relação às redes de comunicação. Os guardas presidenciais insistiram em recolher seus smartphones, que permitiriam aos russos detectar sua localização. Olena e a filha enviaram algumas mensagens de despedida para familiares e amigos antes de entregar os aparelhos, escrevendo que estariam incomunicáveis por algum tempo e que não se preocupassem. A primeira-dama também entrou na sua conta do Facebook e postou a última mensagem às 17h13 no primeiro dia da invasão. Era endereçada ao povo da Ucrânia, mas trechos da mensagem podiam ser interpretados como um apelo a si mesma. "Hoje não vou me desesperar, nem chorar. Ficarei calma e confiante", escreveu. "Meus filhos estão olhando."

Naquela noite, quando o trem de evacuação partiu de Kiev, Olena desconhecia o destino. Vários governos europeus ofereceram exílio ao presidente enquanto durasse a guerra, e os convites, claro, estendiam-se à família. Mas Olena e os filhos não se afastaram do país. Muito menos ficaram trancados num bunker. Permaneceram na Ucrânia, mudando de um local para outro a fim de evitar ameaças à sua segurança. Os cuidados com a família do presidente eram mais rígidos do que aqueles em relação às autoridades oficiais, e os riscos eram bem mais sérios. Se os russos conseguissem localizar e sequestrar Olena e os filhos, a crise resultante da captura dos reféns afetaria o curso da guerra, e a primeira-dama estava ciente de tal risco. Não queria que o marido se visse diante da necessidade de optar entre proteger seus filhos ou se submeter às exigências do inimigo. Para evitar esse cenário, ela sabia que precisaria aceitar os protocolos da segurança, mesmo pensando que muitos eram sufocantes.

Para Olena Zelenska, a presença de guardas de segurança tinha sido um problema muito antes de seu marido tomar posse. Ela sempre valorizara sua privacidade, e sua postura natural antes da guerra, antes da política, tinha sido tranquila e desapegada. Para os estranhos, essa atitude podia parecer fria e distante, quem sabe um tanto esnobe, não fossem as piadinhas que Olena gostava de fazer, lacônicas e francas, cujo alvo geralmente era ela própria. Ao longo da vida, o senso de humor serviu como escudo protetor e muleta, ao menos até que as exigências do papel por ela desempenhado junto à presidência a obrigassem a mitigar o sarcasmo e aceitar a lenta erosão da liberdade. A necessidade de planejar as saídas, ser conduzida por motoristas armados, frequentar restaurantes cercada por guardas, os mesmos que iam buscar seus filhos na escola – esses aspectos decorrentes do perfil elevado de Zelensky sempre a incomodaram, e mais, comprometiam a tranquilidade e espontaneidade que tinham sido características de sua vida e de seu grupo de amigos no final dos anos 1990, desde que começaram a escrever e a representar comédias depois de terem concluído o ensino médio. Zelensky, astro e líder da trupe, estivera sempre em destaque, posando para fotos ao lado dos fãs e dando autógrafos. Olena era dotada de beleza e sagacidade suficientes para contracenar com ele nas comédias românticas, mas preferia trabalhar como uma das redatoras da equipe. Criava piadas e esquetes, elaborava roteiros para os filmes, e a função lhe era adequada. Permitia-lhe que permanecesse nos bastidores e, no seu entender, era melhor ficar na retaguarda, passar despercebida num ambiente movimentado, sem receio de ser reconhecida.

A primeira vez que se viu obrigada a conviver com o serviço de segurança foi em 2014, quando alguém bombardeou o carro de seu marido. Para Olena, o incidente foi mais estranho que assustador, mesmo no contexto de toda a violência que a Ucrânia estava vivendo naquele ano. Nos noticiários e nas ruas, ela e o marido acompanharam durante aquele inverno a revolução em Kiev, cuja praça principal se transformara em campo de batalha entre os manifestantes e a polícia. Nenhum de seus amigos figurava entre os inúmeros manifestantes que acabaram mortos na rebelião, a maioria dos quais abatida por atiradores a serviço do governo. Mas a violência, assim como a reação russa, deixou o casal abalado. Poucos dias após o início da revolução, logo que os líderes do regime anterior fugiram, Putin ordenou às tropas que ocupassem a região da Crimeia, a joia ucraniana ao sul do país. Zelensky e sua esposa tinham uma casa de veraneio naquela mesma península. De uma hora para outra, a área ficou sob ocupação russa. Foi a primeira de várias regiões da Ucrânia de que a Rússia tentou se apropriar, na primavera e no verão de 2014. No entanto, naquele momento, o início da história, nos primeiros dias da guerra que haveria de varrer toda a Ucrânia, Olena tentou se afastar da política. Ela e o marido mantiveram-se próximos do mundo da comédia e do entretenimento. Ainda que fizessem piadas quase sempre de cunho político e patriótico, por que alguém haveria de querer lançar bombas contra o carro deles?

Aconteceu no centro de Kiev, naquele mês de dezembro, durante uma apresentação feita por Zelensky na maior sala de espetáculos da cidade, o Palácio da Ucrânia. Seu Range Rover estava estacionado do lado de fora, perto da entrada de serviço, quando uma garrafa cheia de líquido inflamável se espatifou no capô do veículo. Ninguém se feriu, e Olena não acreditou que o marido tinha sido alvo de uma tentativa de assassinato. Ele estava no meio da apresentação quando o carro foi incendiado. Ela também não acreditava no motivo do crime. Naquele outono, Zelensky tinha ofendido um oficial russo chamado Ramzan Kadyrov, governador da Chechênia, região ao sul da Rússia, que se autodenominava um dos protegidos e apoiadores mais leais de Putin. A piadinha criada por Zelensky, na realidade, não foi de bom gosto: ridicularizava Kadyrov por ele ter chorado no funeral do pai. A indignação suscitada na Chechênia espantou Zelensky. Ameaças de morte continuaram mesmo depois que ele se desculpou publicamente. No Parlamento russo, um dos representantes da Chechênia disse ao comediante que se preparasse para o próprio funeral. Na Ucrânia, os investigadores nunca encontraram a pessoa que lançou o explosivo no carro de Zelensky. Dois meses mais tarde, disseram apenas que o incidente provavelmente se relacionava à anedota sobre Kadyrov. "Tentavam nos convencer disso", disse-me Olena. "Mas não sabíamos o que tinha acontecido na realidade. Podia ter sido qualquer coisa. Conduziram uma investigação e não pegaram ninguém. É estranha a ideia de que uma pessoa incendiaria o carro durante uma apresentação. Obviamente, Zelensky estava no interior do palácio naquele momento, e não sentado no banco do carro, do lado de fora, próximo à porta de entrada da equipe. Por isso, não se pode nem dizer que foi, de fato, tentativa de assassinato."

Depois do atentado, Olena não viu por que introduzir mudanças radicais no estilo de vida da família. Definitivamente não queria homens musculosos com pontos eletrônicos nos ouvidos andando atrás dela no supermercado. "Mas todos ficaram apreensivos", disse Olena. Amigos e colegas a alertaram: "As crianças são pequenas. Temos que fazer alguma coisa." Os resmungos a desgastaram, e ela concordou em experimentar os serviços de uma empresa de segurança particular. O esquema não durou muito. "Tolerei aquela situação durante dois meses, e então dispensei-os."

Oito anos mais tarde, a bordo de um trem secreto de evacuação, acompanhada dos filhos e de um grupo de guardas armados, Olena já não podia mais pedir para ser deixada em paz. Ela estava num beco sem saída. Pelo menos, durante os dois primeiros anos do mandato de Zelensky, Olena se acostumara com a presença do principal guarda-costas, Yaroslav, que a seguia como se fosse sua sombra, a todos os lugares, e algumas vezes até mesmo esperava por ela do lado de fora do banheiro. Austero, alerta e gigantesco, parecia o deus mítico dos leões de chácara escandinavos. Mas tinha uma expressão meiga por trás da carranca, e era gentil na presença das crianças.

Elas o apelidaram Yarik, abreviando o nome. Na véspera da invasão, em 23 de fevereiro, todos tinham festejado o aniversário de Yarik na residência em Koncha-Zaspa, como se fosse uma tradição familiar. Ninguém imaginava que no dia seguinte estariam em fuga, Yarik substituindo o pai-protetor que ficara para trás no bunker presidencial e mandara-os embora.

Parecia que tudo tinha acontecido repentinamente. "Um fato inusitado", como definiu um dos assessores de Zelensky. Mas também fazia parte de um *continuum* originado anos antes. A nação da Ucrânia assim como a família de Zelensky começaram a perder sua sensação de segurança em 2014, e agora o processo estava chegando ao ápice. Não era mais possível voltar-se para si mesmo e ignorar o perigo. Olena não podia, simplesmente, pedir para ficar sozinha. Quando os guardas diziam a ela que havia um alerta de ataque aéreo, era preciso levar os filhos para o porão. Quando diziam para apagarem as luzes, significava ficar no escuro. Quando diziam que era hora de fugir, ela e os filhos tinham que fazer as malas e se aprontar para seguir para o abrigo mais próximo e seguro.

Jamais houve um momento em que o perigo parecesse iminente; os russos jamais aparentaram estar em seu encalço. "Ninguém estava me caçando com uma pistola na mão", disse Olena, sorrindo, quando lhe perguntei sobre o assunto. Mas o medo nunca se apagava de sua mente. Durante os primeiros dias da invasão, mudaram de casa com tanta frequência que ela não tinha como saber onde passariam a noite. Logo aprenderam a aproveitar ao máximo as comodidades de cada esconderijo, porque era impossível saber se no próximo haveria um chuveiro razoável.

Diariamente, nos esconderijos, Olena fazia de tudo para manter as crianças ocupadas. Algumas vezes os seguranças brincavam com Kyrylo, e um dos abrigos tinha cães para lhe fazer companhia. O menino também passava horas fazendo desenhos que inquietavam a mãe. Em vez dos esboços de Batman e Homem-Aranha, ele desenhava cenas de guerra e destruição. Sua irmã mais velha, Oleksandra, que a família chama de Sasha, encarou a estranheza do momento com maturidade. "Acho que crianças não são tão ingênuas como gostaríamos que fossem", disse-me sua mãe. "Compreendem tudo." Oleksandra ajudava a preparar as refeições da família quando se escondiam e, quando Kyrylo não estava por perto, ela e Olena conversavam francamente sobre a guerra. A proibição de usar redes sociais não foi tão difícil para a menina de 17 anos, ao contrário do que receava a mãe. "Deu tudo certo", disse Olena. "Afinal, a dependência do celular não era tão séria."[1]

Um dos assessores do presidente me disse que Zelensky visitou a família num desses esconderijos, deixando o celular no acampamento, para que o inimigo não pudesse se valer do sinal para localizá-los. Mas ninguém confirmou tais visitas. Olena afirmou que eles não tinham permissão de se comunicar com o presidente por meio de chamadas de vídeo. Linhas telefônicas de segurança, que precisavam ser ativadas com antecedência, eram o único meio de comunicação disponível para eles durante semanas. A família assistia à transmissão dos pronunciamentos diurnos e discursos noturnos do presidente voltados à nação, o que constituiu um alento para os filhos, segundo Olena me disse. "Podiam ver que papai estava bem e trabalhando." De certo modo, a situação era conhecida. Durante muito tempo, correu na família a piada de que era pela televisão que os filhos conheciam o rosto de Zelensky.

Zelensky já era uma celebridade quando a primeira filha nasceu, em 2003. Naqueles anos, Olena quase sempre estava na casa de seus pais, com a filha no colo, vendo o marido atuar na TV. Naquela época, viviam a maior parte do tempo separados. Ele residia em Kiev. Ela ficou com os pais na cidade natal, Kryvyi Rih, que Zelensky mais tarde afirmou ter forjado seu caráter. "Minha grande alma, meu grande coração", disse ele uma vez. "Tudo que eu tenho veio de lá."[2] A tradução do nome da cidade é "chifre torto", e nas conversas Zelensky e a esposa diziam *Krivoy*, referindo-se a ela no idioma russo – "lugar torto" –, onde ambos nasceram durante o inverno de 1978, com a diferença de duas semanas entre eles.

Poucos lugares na Ucrânia tinham pior reputação de violência e decadência urbanas do que Kryvyi Rih. A principal fonte de empregos da cidade era a Companhia Siderúrgica Lênin, cujos altos-fornos gigantescos haviam despejado mais aço incandescente do que qualquer outra instalação congênere na União Soviética. Durante a Segunda Guerra Mundial, a usina foi posta abaixo pela Luftwaffe, quando os nazistas deram início à ocupação da Ucrânia. Foi reconstruída nos anos 1950 e 1960, e milhares de veteranos de guerra foram trabalhar lá, assim como prisioneiros libertados dos campos de trabalho soviéticos. A maioria desses indivíduos se estabeleceu em blocos de moradias industriais, cortiços de concreto armado que ofereciam quase nada em termos de lazer, cultura ou possibilidade de evolução pessoal. Não havia salas de cinema suficientes, ginásios ou instalações desportivas para atender aos jovens. Quase no final dos anos 1980, quando a população atingiu a marca de 750 mil habitantes, a cidade se tornou o que Zelensky mais tarde descreveu como *banditsky gorod* – cidade de bandidos.

Olena tem lembranças mais afetivas. "Ao meu ver a cidade não era repleta de bandidos", disse-me ela. "Pode ser que meninos e meninas frequentem lugares diferentes à medida que crescem. Mas, sim, é verdade. Houve um período, nos anos 1990, em que se praticavam muitos crimes, especialmente no meio dos jovens. Havia gangues." Os jovens que integravam essas gangues, na maioria adolescentes, eram chamados *beguny* – literalmente, "fugitivos" –, porque os grupos saíam em fuga, correndo pelas ruas, agredindo rivais, dando facadas, virando carros e quebrando janelas. Algumas gangues eram conhecidas por usar explosivos artesanais, armas de fogo improvisadas, anzóis. "Alguns acabavam mortos", disse Olena. De acordo com reportagens locais, as fatalidades chegaram a dezenas em meados dos anos 1990. Muitos fugitivos ficaram mutilados depois de agredidos com bastões ou feridos por estilhaços de bombas caseiras. "Todos os bairros estavam naquela situação", disse a primeira-dama. "Quando jovens de certa idade circulavam pela vizinhança errada, logo eram questionados: de que lado da cidade você é? E então começavam os problemas." Ela disse que era quase impossível deixar de se juntar a uma das gangues. "Mesmo que alguém estivesse caminhando para casa, no próprio bairro, eles se aproximavam para perguntar a qual gangue ele pertencia e o que estava fazendo ali. Só o fato de estar sozinho era assustador. Não se podia andar sozinho."

As gangues atingiram o ápice nos últimos anos da década de 1980, quando havia dezenas de grupos de arruaceiros espalhados pela cidade, e milhares de fugitivos. Muitos dos que sobreviveram até a década de 1990 viriam a se diplomar no crime organizado, que naquela época floresceu em Kryvyi Rih durante a súbita transição para o capitalismo. Alguns setores da cidade se transformaram em terrenos baldios frequentados por malfeitores e alcoólatras. Mas Zelensky, graças, especialmente, à família, resistiu ao apelo das ruas.[3]

Seu avô paterno, Semyon Zelensky, tinha sido oficial da polícia municipal, investigando o crime organizado ou, conforme seu neto diria mais tarde, "prendendo bandido". Relatos de ações do avô durante a Segunda Guerra Mundial causaram profunda impressão no jovem Zelensky, assim como os traumas do Holocausto. Ambos os lados da família são de origem judaica, e muitos integrantes pereceram na guerra. O lado materno sobreviveu, em grande parte, por ter se retirado para a Ásia Central no início da ocupação alemã, em 1941. No ano seguinte, quando ainda era adolescente, Semyon Zelensky alistou-se no Exército Vermelho e acabou no comando de um pelotão de morteiros. Seus três irmãos lutaram na guerra e nenhum sobreviveu. Nem mesmo seus pais sobreviveram, bisavós de Zelensky, que, pelo menos segundo relato da família, foram baleados e mortos durante a ocupação nazista da Ucrânia, assim como milhões de outros judeus ucranianos, no que ficou conhecido como "Holocausto das Balas".

Ao redor da mesa da cozinha, os parentes de Zelensky costumavam falar sobre essas tragédias e os crimes cometidos pelos invasores alemães. Mas pouco se comentava sobre os tormentos impostos por Josef Stálin à Ucrânia. Zelensky se lembra de ouvir, durante a infância, as avós falarem vagamente sobre os anos em que soldados soviéticos vinham confiscar alimentos produzidos na Ucrânia, vastas colheitas de cereais e trigo, sendo tudo levado à força. Era parte do esquema de Stálin implementado no início da década de 1930 para reconstruir a sociedade soviética, e a iniciativa causou uma escassez catastrófica na Ucrânia, chamada de Holodomor – "morte por fome" – que matou pelo menos 3 milhões de pessoas na Ucrânia. Nas escolas soviéticas, o assunto era considerado tabu, inclusive naqueles estabelecimentos de ensino em que as avós de Zelensky eram docentes, uma delas professora de ucraniano, outra de russo. Em se tratando da fome, Zelensky disse: "Elas falavam no assunto com toda cautela, dizendo que houve um período em que o Estado se apropriava de tudo, de todos os alimentos."

Caso se ressentisse das ações das autoridades soviéticas, a família de Zelensky sabia que era melhor não expor tal frustração em público. O pai de Zelensky, Oleksandr, homem troncudo e de princípios rígidos, recusou-se a vida inteira a se filiar ao Partido Comunista. "Era categoricamente contrário ao partido", disse-me Zelensky, "embora isso, sem dúvida, atrapalhasse sua carreira." Na condição de professor de cibernética, Oleksandr Zelensky trabalhou a maior parte da vida no setor de mineralogia e geologia. A esposa, Rymma, engenheira por formação, era bastante ligada ao filho único e carinhosa, preferindo tratá-lo com gentileza em vez de severidade.

Em 1982, quando Zelensky tinha 4 anos, o pai aceitou um convite para se dedicar a um projeto de desenvolvimento de mineração no norte da Mongólia, e a família mudou-se para Erdenet, cidade fundada oito anos antes, onde se pretendia explorar um dos maiores depósitos de cobre do mundo. (O nome da cidade, em mongol, significa "tesouro".) O trabalho era bem-remunerado, segundo padrões soviéticos, mas obrigava a família a suportar a poluição que circundava as minas, além de lidar com as dificuldades da vida na cidade fronteiriça. A comida era estranha e insossa. Leite de égua fermentado era o alimento básico, e a dieta da família se restringia a carne de carneiro e, no verão, melancia, obrigando Zelensky e a mãe a ficar na fila durante horas para obtê-la.

Rymma, que era esguia e frágil, de nariz comprido e feições bonitas, viu sua saúde se deteriorar por causa do clima severo e logo decidiu voltar para a Ucrânia. Zelensky era aluno da primeira série numa escola na Mongólia e tinha começado a compreender o idioma local quando embarcaram no avião, de volta para casa, em 1987. O pai não os acompanhou, e, nos quinze anos seguintes – praticamente toda a infância de Zelensky –, Oleksandr dividiu seu tempo entre Erdenet, onde continuava a desenvolver o sistema automatizado para gerenciar minas, e Kryvyi Rih, onde ensinava ciência da computação na universidade local. Os pais de Zelensky ficaram separados durante aqueles anos por cinco fusos horários e, aproximadamente, 6 mil quilômetros de distância. Apesar da distância, o pai continuou a ser presença marcante na vida de Zelensky.[4]

"Meus pais não me deixavam ficar à toa", disse ele mais tarde. "Sempre me inscreviam em alguma atividade." O pai matriculou Zelensky num dos cursos de matemática que ministrava na universidade e começou a preparar o menino para a carreira de ciência da computação. A mãe levava-o às aulas de piano, dança de salão e ginástica. Para se certificar de que estaria apto a enfrentar os valentões do lugar, os pais também o matricularam num curso de luta greco-romana. Nenhuma dessas atividades foi escolha sua, mas ele as levou adiante pelo senso de dever aos pais. "Eram sempre atentos em termos de disciplina", disse ele. A abordagem de seu pai em relação à educação era rígida. Zelensky denominava-a "maximalista". Pode-se dizer que era característica das famílias judaicas na União Soviética, que julgavam que superação fosse a única saída para se conquistar uma chance justa num sistema montado contra elas. "Você tem que ser o melhor de todos", disse Zelensky sintetizando a abordagem dos pais quanto à educação. "Então haverá um espaço para você entre os melhores."[5]

Muitas instituições da União Soviética, inclusive universidades e empresas estatais, estabeleciam limites ao número de judeus na ocupação de cargos elevados. Não importava que a maioria dos judeus soviéticos não fosse religiosa. A família de Zelensky não observava o sábado nem celebrava o Yom Kippur, o Dia do Perdão. Também consumiam carne suína. Mas seus passaportes soviéticos ainda exibiam a infame "quinta linha", que assinalava a nacionalidade do indivíduo logo abaixo do nome e da data de nascimento. Tal linha, nos passaportes da família de Zelensky, incluía a palavra *evrey* – "judeu" –, que os colocava à mercê dos preconceitos de qualquer burocrata que verificasse os documentos da família. O pai de Zelensky, com grande esforço, conseguiu superar esses obstáculos, chegando ao ápice de sua profissão, e sua intenção era ajudar o filho a fazer o mesmo. Acima de tudo, queria que o menino se destacasse em matemática e seguisse carreira naquela área, mas não foi fácil. "Ele tinha dificuldades com aritmética", disse mais tarde o pai de Zelensky a respeito do filho. "Uma vez eu bati nele, e depois disso ele resolveu as equações em três ou quatro dias."[6] Mas o velho Zelensky se ressentia de ter sido agressivo. Tal atitude de nada adiantaria para influenciar as ambições do menino.

Zelensky era produto de uma época de mudança, jovem demais para vivenciar a União Soviética como a gerontocracia estagnada e repressiva que seus pais tinham conhecido. Tinha 8 anos quando retornou à Ucrânia com a mãe, em 1987. Nessa época, o palco vinha sendo montado para o colapso do império, apenas quatro anos mais tarde. Moscou estava enfraquecida. A grandiosa experiência com o socialismo fracassara. Mikhail Gorbachev, o reformador relutante, com ligeiro sotaque sulista, estava no segundo ano de seu mandato de secretário-geral do Partido Comunista, e suas tentativas de abrir o sistema sem desmantelá-lo prosseguiam com todo o ímpeto. Mesmo para alguém na idade de Zelensky, essas mudanças não passavam despercebidas. Eram evidentes nas prateleiras vazias dos supermercados, nas filas intermináveis para se conseguir itens essenciais, tais como linguiça e papel higiênico. E ele podia ver tudo isso, claro como o dia, na televisão.

Nos últimos anos da década de 1980, os censores da televisão soviética ficaram bem mais permissivos, refletindo o impulso mais amplo de Gorbachev, visando enfraquecer o controle estatal dos meios de comunicação. Um dos programas mais famosos da televisão daquela época chamava-se *KVN*, sigla para "Clube dos Divertidos e Criativos". Era um programa cômico, mas não no formato conhecido pela maioria das pessoas nos Estados Unidos e na Europa. Não era o tipo de comédia em que os atores, como Richard Pryor ou Eddie Murphy, contam piadas para o público. Nesse caso não havia minimalismo, nenhum sujeito insolente, sozinho diante do microfone, pronto para quebrar tabus.

O *KVN* mais parecia uma liga esportiva para jovens comediantes. Tratava-se de uma competição entre grupos de artistas, normalmente universitários, que encenavam esquetes e improvisações diante de um painel de jurados, os quais, no final do programa, escolhiam a equipe mais engraçada. Na metade dos anos 1990, todas as universidades e mesmo as escolas de ensino médio no mundo da língua russa tinham pelo menos uma equipe do *KVN*. Muitas cidades grandes tinham uma dúzia dessas equipes, todas se enfrentando em competições locais e disputando uma vaga no campeonato nacional. O material utilizado era quase sempre precário, e havia muitas piadas boas e tiradas extraordinárias. Também se esperava que os integrantes das equipes soubessem cantar e dançar. Apesar do estilo piegas, o *KVN* era um programa divertido. Para Zelensky e seus amigos, tratava-se de uma obsessão.

A maioria deles frequentava a Escola nº 95, situada a um quarteirão de distância do mercado central de Kryvyi Rih, não muito longe da universidade, onde o pai de Zelensky trabalhava como professor. Entre uma aula e outra, e depois do horário da universidade, o grupo ensaiava esquetes, fazendo adaptações do que assistiam na liga profissional em programas da televisão. "Gostávamos de tudo, do *KVN*, do humor, e o que nos motivava era o espírito da atividade, o divertimento", disse Vadym Pereverzev, que conheceu Zelensky durante as aulas de inglês da sétima série. As melhores competições realizadas em Moscou também ofereciam um passe para o estrelato que era bem mais acessível a eles do que Hollywood, e mais divertido que as carreiras disponíveis aos jovens de uma cidade empobrecida. "Era um lugar modesto, frequentado pela classe operária, e cada um de nós estava em busca de uma válvula de escape", disse-me Pereverzev. "No meu entender era uma das nossas principais motivações."

As apresentações amadoras do grupo no auditório da escola logo atraíram a atenção de uma trupe de comédia local que atuava no teatro para estudantes universitários. Um deles, Oleksandr Pikalov, jovem bonito com sorriso cativante e covinhas no rosto, foi à Escola nº 95 a fim de descobrir talentos. Por acaso, assistiu ao ensaio em que Zelensky representava um ovo frito, com algo por baixo da camisa, simbolizando a gema. A interpretação o impressionou e, pouco depois, eles começaram a atuar juntos. Dois anos mais velho, e já cursando a universidade, Pikalov apresentou Zelensky a alguns expoentes da área da comédia local, incluindo os irmãos Shefir, Boris e Serhiy, que naquela época tinham por volta de 30 anos. Eles perceberam o potencial de Zelensky e se tornaram seus amigos de toda a vida, mentores, produtores e, eventualmente, conselheiros políticos.[7]

Na vizinhança, na década de 1990, a equipe de Zelensky destacou-se desde o começo. Em vez das calças de jogging e jaquetas de couro que os bandidos e fugitivos usavam para ir à escola, o estilo deles aludia aos anos 1950: blazer de tecido xadrez e gravata com *pois*, calça com suspensórios, camisa branca bem passada e cabelo longo penteado para trás, com bastante gel. Zelensky usava um brinco de argola na orelha. Numa época em que a banda Nirvana estava presente nas estações de rádio, ele e os amigos interpretavam canções dos Beatles e escutavam o rock-and-roll de outros tempos. Para eles, era uma forma de rebeldia, especialmente por se tratar de ideia deles – ninguém se comportava assim na cidade, e essa atitude nem sempre dava certo.

Certa vez, nos últimos anos da adolescência, Zelensky decidiu tocar guitarra numa passagem subterrânea. Tinha visto uma cena parecida no cinema. Parecia romântico. Mas a cidade era Kryvyi Rih, e Pikalov alertou-o que antes de chegar a tocar a segunda canção alguém apareceria para lhe dar um pontapé no traseiro. "E, de fato, meia hora se passou", disse-me Pikalov. "Alguém se aproximou e quebrou a guitarra dele." Mas Zelensky achou graça. Ganhou a aposta. "Disse que chegou até a terceira canção."

Mesmo assim, a arte dramática não parecia uma carreira viável para Zelensky. Seus pais o pressionavam a se dedicar a um assunto prático e a continuar morando perto de casa. Quando ele ganhou uma bolsa para viajar para Israel, seu pai não concordou, resultando em outra desavença, e mais sapatos foram arremessados pelo apartamento. Zelensky saiu de casa e por algum tempo morou com amigos do *KVN*.[8] A rebeldia não durou muito. Admirava o pai, mas não tinha intenção de seguir o mesmo caminho que ele escolhera e uma noite, finalmente, após alguns drinques e um cigarro, esclareceu a questão. "Tomamos uns tragos, e eu falei: 'Pai, o senhor precisa me entender. Eu quero ser o melhor na minha profissão. Nunca vou superar o senhor. E ser pior que o senhor, na sua profissão, não é o que pretendo. Entende? Quero ser o melhor.' Aquilo deixou o papai triste. Sabe, os homens costumam economizar lágrimas. Por fim, ele deixou que eu fosse embora, como quem deixa um peixe escapar das mãos."[9]

Ao concluir o ensino médio, Zelensky aceitou um acordo mediado por sua mãe: concordou em se matricular no curso de Direito da universidade de Kryvyi Rih, tendo a vaga ideia de tornar-se diplomata, envolvido em negociações internacionais de grande importância. Pereverzev, seu amigo e colega de classe, decidiu se dedicar à mesma área de estudos. Mas seus sonhos ainda eram os mesmos. No primeiro ano de universidade, juntaram-se a alguns colegas de turma para iniciar o próprio time do *KVN* e começaram a atuar na liga local. A atração do palco tinha sido irresistível para Zelensky, desde a infância, embora ele jamais tivesse facilidade de atuar diante de grandes plateias. "Subir no palco provoca em mim duas emoções", disse ele mais tarde. "Primeiro, vem o medo, e só quando a gente supera o medo é que surge a satisfação. Foi isso que sempre me fez voltar ao palco, para cantar, atuar ou qualquer outra coisa."

Nessa época as apresentações de Zelensky atraíram a atenção de sua futura esposa. Na Escola nº 95, eles tinham se esbarrado várias vezes nos corredores.

Mas suas turmas eram rivais – "como os Montéquio e os Capuleto", disse ela uma vez – e foi somente depois da graduação, quando Zelensky trilhava o caminho para se tornar uma celebridade local devido às suas atuações, que eles começaram a se gostar.[10] Olena também estava envolvida no cenário do *KVN*. Para aproximá-los, Pikalov, um amigo em comum, pediu emprestado a ela um VHS, uma cópia de *Instinto selvagem*, e Zelensky aproveitou a oportunidade para ir até a casa dela e devolver-lhe a fita. "Então nos tornamos mais que amigos", disse-me ela mais tarde. "Éramos também colegas criativos." Os quadros por ele montados passaram a vencer competições em Kryvyi Rih e outras regiões da Ucrânia. "Estávamos sempre juntos", disse Olena. "E tudo foi acontecendo mais ou menos ao mesmo tempo."

Foi em 1997 que surgiu a grande oportunidade, quando se apresentaram no concurso internacional do *KVN* em Moscou. Mais de duzentas equipes da antiga União Soviética participaram, e a equipe de Zelensky, que se chamava Transit, empatou em primeiro lugar com um time da Armênia. Foi uma estreia sensacional para Zelensky, mas ele se sentiu roubado. Em um vídeo da época, vê-se um galã adolescente com voz rouca, esfregando as mãos nos joelhos enquanto demonstra diante da câmera a sua raiva. O mestre de cerimônias trapaceou, disse ele, ao impedir que os juízes resolvessem o empate. Apesar de ter lidado com tais contratempos esboçando um sorriso cativante, Zelensky não estava nem um pouco disponível a dividir a coroa. Era preciso vencer. Anos mais tarde, ao relembrar suas atuações na infância e competições no palco, Zelensky admitiria que, para ele, "perder é pior que morrer".[11]

Embora o campeonato em Moscou não tenha sido uma absoluta vitória para Zelensky, ele atingiu o estrelato. Uma das integrantes do time, Olena Kravets, contou que jamais imaginaram que teriam uma oportunidade como aquela. Para comediantes jovens provenientes de um lugar como Kryvyi Rih, disse ela, a principal liga do *KVN* "não era somente o pé do monte Parnaso" – morada das musas na mitologia grega –, "era o próprio Parnaso". Seu cume situava-se ao norte de Moscou, nos estúdios e salas verdes em torno da torre de televisão Ostankino, sede dos maiores locutores no mundo da língua russa. Era onde ficava a sede das principais produções do *KVN*, na qual Zelensky logo ingressou.

No ano seguinte ao desempenho decisivo em Moscou, a equipe de Zelensky competiu pela primeira vez com o nome de Kvartal 95 – ou Distrito 95, um aceno para a vizinhança da qual fizeram parte durante a infância. Com os irmãos Shefir, os principais redatores e produtores da equipe, Zelensky alugou um apartamento no norte de Moscou, e não mediu esforços para se tornar campeão. Para todas as equipes do *KVN*, isso requeria cair nas graças do perene mestre de cerimônias da liga, Alexander Maslyakov. Senhor elegante com um sorriso do gato de Cheshire, Maslyakov tinha sido o apresentador de todas as principais competições. Seu apelido no meio dos atores era Barão, e ele e a esposa, a Baronesa, administravam a liga como se fosse uma empresa de família. "O *KVN* era o império deles", disse-me Pereverzev. "Era o espetáculo deles."

De início, o Barão simpatizou com Zelensky e sua equipe, concedendo-lhes acesso ao principal palco moscovita e à fama decorrente disso. Mas havia centenas de outras equipes disputando atenção, e a competição era acirrada. "Todos viviam em constante estresse", disse-me Olena Zelenska. "Sempre lhe indicavam qual era o seu lugar. Sempre que atuávamos em Moscou, eles nos diziam: 'Lembrem-se de onde vocês vieram. Aprendam a segurar o microfone. Aqui é a Televisão Central. Vocês devem se considerar pessoas de sorte.' Assim é que as equipes viviam, mas com os sortudos de Moscou era diferente. Eram amados."

Na liga principal do *KVN*, Zelensky deu de cara com um tipo de chauvinismo russo que, de forma bem mais negativa, se manifestou cerca de duas décadas depois na invasão da Ucrânia pela Rússia. Conforme Olena colocou quando conversamos sobre a liga *KVN*: "Aqueles que não eram de Moscou eram sempre tratados como se fossem escravos."* A hierarquia informal, disse ela, correspondia à visão de que Moscou era uma capital

---

* O termo por ela empregado – *kholopy* – tem um registro doloroso na Ucrânia. Refere-se ao status de escravizado que os governantes russos impunham a alguns de seus súditos na Idade Média, inclusive na área de Kiev. Durante vários séculos, *kholop* era uma pessoa que podia ser comprada ou vendida por seu senhor, forçada a trabalhar e usada para pagar dívidas. A língua ucraniana moderna resgatou o termo e o desvinculou da sua história opressiva. Hoje em dia, a palavra *khopets* ou "pequeno *kholop*", é um modo informal de se referir a uma pessoa, especialmente um homem, normalmente em tom amigável ou brincalhão.

imperial. "As equipes da Ucrânia estavam, é claro, ainda mais abaixo na escada, em relação a todas as cidades russas. Eles toleravam, por exemplo, Ryazan", cidade da Rússia Ocidental, "mas um lugar como Kryvyi Rih era outra história. Eram incapazes de situá-la no mapa. Por isso precisávamos provar que éramos bons."

As regras internas não escritas refletiam o papel que o *KVN* desempenhava no mundo de língua russa. Em meio às ruínas da União Soviética, o *KVN* se destacava como uma rara instituição cultural que ainda ligava Moscou a seus antigos Estados vassalos. A instituição propiciava aos jovens um motivo para permanecer na matriz cultural russa, em vez de gravitar na direção do ocidente, de Hollywood. A liga tinha postos avançados em cada canto do antigo império, da Moldávia ao Tajiquistão, e em todos esses lugares representavam em russo. Até as equipes dos Estados bálticos, os primeiros países a romper com o governo de Moscou em 1990 e 1991, faziam parte do *KVN*; o principal encontro anual era realizado na Letônia, no litoral do mar Báltico. De um ponto de vista favorável, as competições poderiam ser consideradas um veículo para o *soft power* da Rússia, da mesma forma que os filmes norte-americanos decidem como devem ser retratados mocinhos e bandidos aos olhos dos espectadores mundo afora. Sendo menos condescendente, a liga poderia ser interpretada como um programa de colonialismo cultural apoiado pelo Kremlin. Em ambos os casos, o centro de gravidade do *KVN* era sempre Moscou, e a nostalgia voltada para a União Soviética era um critério a ser observado por cada equipe desejosa de vencer. A equipe de Zelensky não foi exceção – sobretudo porque seu melhor momento, no início de 2000, coincidiu com uma troca de poder no Kremlin. Com a eleição de Vladimir Putin, em 2000, o Estado russo abraçou os símbolos e ícones do passado imperial e incentivou a população a não mais se envergonhar da União Soviética. Um dos primeiros atos oficiais de Putin foi alterar a melodia do hino nacional russo, recuperando a versão soviética.

Quanto ao *KVN*, Putin sempre fora um apoiador entusiasmado. Ele costumava comparecer aos campeonatos e gostava de subir ao palco para apoiar os artistas. Em resposta, faziam dele o foco das piadas, embora nenhuma fosse muito direta. Uma das primeiras, quando ele ainda era primeiro-ministro, em 1999, fez troça de seus crescentes números nas pesquisas após o início do bombardeamento da Chechênia naquele verão: "Em termos de popularidade, ele já ultrapassou o Mickey", disse o comediante, "e está se aproximando de *Beavis and Butt-Head*." Sentado no salão ao lado do segurança, Putin reagiu com uma risadinha sem graça e se afundou na cadeira. Menos de um ano depois, ele deixou claro que piadas indiscretas, dirigidas à sua pessoa, não seriam admitidas. Em fevereiro de 2000, durante sua primeira campanha presidencial, um programa de TV satírico chamado *Kukly*, ou *Fantoches*, retratou-o na pele de um gnomo cujo feitiço fazia as pessoas acreditarem que ele era uma linda princesa. Vários partidários da campanha solicitaram que os autores russos do esquete fossem detidos. O programa foi logo cancelado, e a rede de televisão que veiculou o show foi assumida por uma empresa estatal.

Zelensky, à época residindo e trabalhando em Moscou, observava o retorno do autoritarismo na Rússia com a mesma preocupação de todos os seus companheiros da indústria de entretenimento, e, assim como os demais, precisou se adaptar. Para se manter no topo, a equipe compreendeu que não era sensato ridicularizar o novo líder da Rússia. Durante um esquete em 2001, o personagem de Zelensky declarou que Putin haveria de decidir "não apenas o meu destino, mas o de toda a Ucrânia".[12] Um ano depois, em uma performance repleta de nostalgia pela União Soviética, um membro da equipe de Zelensky disse que Putin "acabou se tornando um cara decente".[13] Mas referências tão diretas ao presidente russo eram raras na comédia no início da carreira de Putin. Ele costumava brincar mais sobre a frágil relação entre Ucrânia e Rússia, como no seu esquete mais famoso de 2001, apresentado durante o campeonato ucraniano do *KVN*.

Intitulado "Homem nascido para dançar", o esquete apresentava Zelensky no papel de um russo que não consegue parar de dançar enquanto discorre sobre a sua vida a um ucraniano. O roteiro é fraco, e o humor, juvenil. Zelensky toca a própria virilha, no estilo Michael Jackson, e imita a mímica do indivíduo preso dentro de uma caixa, popularizada por Marcel Marceau. No final da cena, o russo e o ucraniano se alternam, como se estivessem transando um com o outro, por trás. "A Ucrânia está sempre ferrando a Rússia", diz Zelensky. "E a Rússia sempre ferra a Ucrânia." Essa piada ficava muito aquém do que a Rússia de Putin precisava e merecia. Mas, como exemplo de comédia física, o esquete foi memorável, até mesmo genial. Os gestos de Zelensky, bem mais do que as palavras, transmitiam à plateia uma alegria contagiante, enquanto ele dançava e dava chutes para o alto, no meio das falas, usando calça colante de couro. O que havia de mais cativante no esquete era ele próprio, o sorriso estampado em seu rosto, a evidente satisfação que obtinha em cada segundo no palco. Os jurados adoraram, e naquela noite, diante da audiência de milhões de telespectadores, o time de Zelensky se tornou o campeão da liga na sua Ucrânia natal. Mas, nos maiores palcos de Moscou, a vitória continuaria a escapar deles.

4. "Sr. Zeleny"

O estrelato de Zelensky na liga principal não durou muito. Depois de competir e perder nos campeonatos internacionais por três anos seguidos, ele juntou sua trupe e deixou Moscou em 2003. Integrantes do seu time concordam que a partida não foi nada amigável, apesar de cada um se lembrar do episódio de forma distinta. Um deles me disse que o ponto crucial de ruptura com o *KVN* foi um deboche antissemita. Durante um ensaio, um produtor russo surgiu no palco e perguntou em voz alta, referindo-se a Zelensky: "Onde está aquele judeuzinho?" Segundo a versão de Zelensky, a direção do *KVN*, em Moscou, ofereceu a ele a função de produtor e redator na televisão russa. Teria de desmontar sua trupe e despachá-la de volta para a Ucrânia, sem ele. Zelensky se recusou, e todos voltaram juntos para sua terra.[1]

Agora, com 20 e tantos anos de idade, eram artistas estabelecidos e até celebridades na Ucrânia. Mas ainda era difícil para os pais de Zelensky aceitarem que ele fizesse da comédia uma carreira. "Sem dúvida", disse o pai, anos mais tarde, "nós o aconselhamos a fazer algo diferente, e pensamos que seu interesse no *KVN* fosse algo passageiro, que ele se modificaria, que acabaria escolhendo uma profissão – afinal, ele é advogado. Concluiu o curso no nosso instituto."[2] De fato, Zelensky tinha concluído os estudos e recebido o diploma de Direito enquanto atuava no *KVN*. Mas não tinha intenção de atuar como advogado. Considerava a atividade entediante. Quando voltou para casa, em Kryvyi Rih, Zelensky e seus amigos realizaram uma série de casamentos, três sábados seguidos. Olena Kiyashko casou-se com Volodymyr Zelensky em sua cidade natal no dia 6 de setembro de 2003, e Pikalov e Pereverzev se casaram com as respectivas namoradas. No fim daquele ano, quando Olena estava grávida, esperando a filha do casal, Zelensky mudou-se sozinho para Kiev, a fim de montar sua nova produtora, Estúdio Kvartal 95.

Mesmo nessa fase inicial da carreira, a confiança de Zelensky superava a arrogância típica de um jovem encantado com o sucesso precoce. Ele não deixava transparecer a menor dúvida quanto à capacidade de a equipe fazer sucesso – se tinha algum receio, escondia isso de todos, inclusive da esposa. Para um pai de família que aos 20 e poucos anos passava por um aperto financeiro, o emprego oferecido em Moscou deve ter sido mais tentador do que ele admitia. Além do dinheiro, a nova posição o colocaria entre celebridades, produtores e mandachuvas no maior mercado do mundo de língua russa. No entanto, assumiu o risco e optou por um cenário bem menor, confiando nos amigos que o consideravam um líder e faziam com que ele se sentisse à vontade onde quer que fosse.

Ao chegar a Kiev, Zelensky conseguiu uma reunião com um dos maiores executivos de comunicação do país, Alexander Rodnyansky, chefe da emissora que produzia e transmitia a liga do *KVN* na Ucrânia. O executivo conhecia Zelensky do circuito como um "jovem judeu brilhante", disse-me ele. Mas não esperava que o jovem fosse entrar em seu escritório com uma proposta ousada. Acompanhado dos irmãos Shefir, que eram dez anos mais velhos e mais experientes na indústria, Zelensky tomou a palavra. Queria aparecer com sua trupe no maior palco de Kiev para uma apresentação televisionada em rede nacional, e precisava que Rodnyansky desse a ele o tempo de tela e bancasse a produção, o marketing e outros custos. "O atrevimento desse cara, é o que me lembro", contou o executivo. "Ele acreditava cegamente em si mesmo, os olhos brilhavam." Muitos anos depois, Rodnyansky perceberia o perigo escondido nessa qualidade. Ela levaria à falsa crença de que, no cargo de presidente, ele conseguiria dar a volta em Putin e evitar uma guerra na base da negociação. "Acho que a confiança dele o traiu, no final", disse ele. Mas à época, o charme de Zelensky se impôs nas negociações com Rodnyansky, que concordou em arriscar aquela apresentação.

Provou-se um sucesso tão grande que, pouco tempo depois, seu time no Kvartal 95 fechou um contrato para fazer uma série de shows de variedades que seriam transmitidos na Rússia e na Ucrânia. Seu tom se afastou do estilo saudável e escandaloso do *KVN*. As piadas assumiram um tom mais crítico, voltadas para a política. Pereverzev, redator dos programas, disse-me que o objetivo era fazer uma versão do *Saturday Night Live* com elementos de *Monty Python*. Era um conceito que não fora testado na TV ucraniana. Não havia como saber se a audiência estava preparada. "Era esse o estilo do Zeleny", disse ele, usando o apelido de Zelensky. (Tanto em russo como em ucraniano, *zeleny* significa "verde".) "Essa era a sua principal qualidade de líder. Ele dizia: vamos fazer desse jeito. Então ficávamos com medo, e ele dizia que confiássemos nele. Era assim a nossa vida. E, em certo momento, começamos a confiar nele, porque quando dizia que ia dar certo é porque dava mesmo." Da sala dos roteiristas em Kiev, eles logo viram a história se voltar a favor deles, que jamais poderiam ter escolhido melhor momento para lançar uma nova espécie de comédia política.

No final de 2004, uma revolta popular que ficou conhecida como Revolução Laranja irrompeu na Ucrânia, e as personalidades envolvidas pareciam talhadas sob medida para a sátira. Durante meses, essa revolução ocupou as manchetes do noticiário em toda a Europa, em parte porque os personagens eram um prato cheio para a mídia. Havia o vilão estúpido, Viktor Yanukovych, um bode expiatório do Kremlin, cuja vitória controversa na corrida presidencial havia deflagrado a revolta. Havia a heroína, Yulia Tymoshenko, que comandava os protestos da Praça da Independência, usando uma trança dourada em torno da cabeça como se fosse uma coroa. E ainda o fotogênico líder da revolução, Viktor Yushchenko, vítima de uma trama de envenenamento envolvendo ex-agentes do KGB que deixou seu rosto desfigurado. Os acontecimentos foram tão dramáticos que era difícil manter o foco no que representavam para a Ucrânia: uma rejeição popular à influência russa e uma guinada significativa em direção ao Ocidente.

Era isso que os manifestantes reivindicavam na Revolução Laranja, e era isso que o Kremlin tentava impedir. Para Vladimir Putin, que naquela ocasião estava quase no final do seu primeiro mandato presidencial, a rebelião representava um grave desafio. Um dos assessores de Putin referiu-se à revolta como "o nosso 11 de Setembro".[3] Se o Kremlin permitisse que a Ucrânia rompesse definitivamente com a Rússia e passasse a integrar a Otan e a União Europeia, não haveria esperança de restaurar o poder e a influência perdidos pela Rússia com a dissolução da União Soviética. No início do mandato, Putin descreveu o colapso soviético como "a maior catástrofe geopolítica do século XX", e seus planos para retificar a situação dependiam da salvaguarda dos elos entre Kiev e Moscou. A Revolução Laranja ameaçava romper tais elos, e Putin estava determinado a desbaratar a rebelião.

Dez anos mais tarde, em 2014, essa mesma dinâmica resultou num segundo levante, muito mais sangrento, na Praça da Independência de Kiev. Oito anos depois culminaria com a invasão da Rússia. Porém, nessa primeira manifestação, tal impasse sobre língua e história, corrupção e prestação de contas levou a crer que a Rússia deixaria a Ucrânia seguir o próprio caminho, pacificamente, sem necessidade de derramamento de sangue. Não houve sangue na Praça da Independência durante a Revolução Laranja. Havia somente um mar de pessoas, mais de 100 mil, de prontidão durante semanas, em pleno inverno, entoando canções patrióticas, fazendo discursos e escutando-os, acenando bandeiras laranja, símbolo da campanha presidencial de Yushchenko, ao lado de bandeiras da Ucrânia e da União Europeia.

Também aconteceu algo muito raro em toda a vida política da Ucrânia: um final feliz, ao menos para os que eram favoráveis à ocidentalização. Em janeiro de 2005, dois meses após a comoção em Kiev, a Suprema Corte anulou os resultados da votação então questionados e ordenou um novo pleito. De nada adiantaria todo o suporte do Kremlin para evitar a derrota de Yanukovych na nova eleição. Apesar dos efeitos do envenenamento em seu rosto, Viktor Yushchenko foi em frente e tomou posse naquela primavera, com a promessa de integrar o país com o Ocidente e romper definitivamente com a Rússia.

Mas não foi uma vitória esmagadora. Mesmo depois que a mídia internacional glorificou sua causa durante meses, Yushchenko obteve somente 52% dos votos, com maior eleitorado nas regiões ocidental e central da Ucrânia. Yanukovych, mesmo com o carisma de um saco de batatas, ainda conseguiu o apoio de 44% do eleitorado. Maiorias sólidas no sul e leste da Ucrânia, assim como o povo da Crimeia, apoiaram o candidato preferido da Rússia. Para o Kremlin, o racha do eleitorado foi um sinal de que a Ucrânia ainda não estava perdida. Extensas áreas do país, sobretudo a região industrial de

Donbas, no leste, demonstravam pouco interesse nos planos de Yushchenko para se unir à Otan e à União Europeia. Milhões de pessoas na referida região falam russo, assistem à televisão russa, acompanham noticiários russos e obtêm seu sustento por meio de negócios feitos com a Rússia. Se Putin conseguisse motivá-las a resistir à tendência ocidentalizante do país, seria capaz de alcançar a influência desejada na Ucrânia – e mediante ação política, sem precisar recorrer à violência.

No círculo de amigos de Zelensky e na sua própria família, o apoio à Revolução Laranja e seus líderes era inviável. Os pais dele tinham votado em Yanukovych, ao passo que a trupe de Zelensky encarava a cisão entre as regiões oeste e leste como um preocupante dilema profissional.[4] Tinham se comprometido a estrear a nova série de variedades, *Evening Kvartal*, nos meses seguintes à Revolução Laranja, e o humor político seria central. Não poderiam correr o risco de alienar ou insultar qualquer um dos lados da nação dividida. O projeto tinha o apoio financeiro de sócios na Rússia e na Ucrânia, e eles queriam que a audiência abrangesse os dois países. Quando o programa estreou em 2005, o primeiro episódio demonstrou que os políticos retratados por Zelensky não eram tão diferentes dos pais dele. Ele também tinha sido criado falando russo numa cidade de classe operária. Nos anos em que atuou em Moscou, embora tenha se deparado com discriminação e preconceito contra ucranianos, Zelensky ainda acreditava que os dois países estavam ligados, para o que desse e viesse, pela cultura e pela história que compartilhavam.

Em sua primeira atuação como comediante em resposta à Revolução Laranja, ele cutucou os dois lados, embora não com a mesma intensidade. A estreia de seu novo espetáculo apresentou a imitação primorosa de Yanukovych feita por Pikalov – o modo de falar cantado, rústico, o olhar estático para indicar que as engrenagens estavam girando em seu cérebro. Mas a abordagem era suave, quase generosa, quando comparada à derrubada de Yulia Tymoshenko, ícone da Revolução Laranja, que tinha sido recentemente indicada para o cargo de primeira-ministra da Ucrânia. O próprio Zelensky personificou-a. Logo depois de fazer a abertura rotineira de apresentador, ele e três outros membros da trupe "vestiram-se" de Tymoshenko: tranças nas cabeças, surradas e pendentes, e listras laranja subindo pelos braços com a palavra "Revolution", em inglês. "Não posso viver sem você, Putin", eles entoavam. "Mas sem o seu amor vou me unir à Otan."[5]

O humor era grosseiro, mas também inteligente no sentido de que caminhava sobre a corda bamba política. Os comediantes não se posicionavam, de jeito algum, quanto aos propósitos da Revolução Laranja. Em vez disso, miravam na heroína da revolução, retratando-a como oportunista de duas caras, disposta a alterar suas alianças de leste a oeste e vice-versa. Quinze anos mais tarde, Tymoshenko ainda se lembrava da ofensa quando, para sua profunda surpresa, enfrentou Zelensky numa eleição presidencial – e perdeu. Quando a performance foi ao ar, no entanto, não foi uma afirmação de propósito político. Deixou claro, apenas, que Zelensky, na sua comédia, não pouparia os políticos, ainda que estivessem no poder e em voga. "Sempre reagimos aos acontecimentos políticos, mas nos baseávamos no ponto de vista do público", disse-me Olena. "Não éramos especialistas em política. Fazíamos graça dos assuntos que as pessoas comentavam na cozinha. Nossa perspectiva era sempre voltada para fora, e bem superficial."

A maioria do material do *Evening Kvartal* exibido aos sábados no horário nobre, em todo o país, não era voltado para a política. Havia também palhaçadas, piadas picantes, personificações de celebridades. Mas os esquetes em destaque quase sempre eram do tipo que caçoava dos poderosos. Ninguém era poupado. Um esquete representou todas as principais figuras da Revolução Laranja acometidas de amnésia, incapazes de lembrar qual delas era o presidente. Baseava-se numa fórmula tão antiga quanto a própria sátira: políticos não têm princípios, somente ânsia de poder. Assistindo àquelas piadas na televisão, no velho apartamento em Kryvyi Rih, os pais de Zelensky ficaram preocupados com a possibilidade de que tal irreverência pudesse comprometer seu filho junto às autoridades. "Ficamos com medo, com muito medo", relembraria mais tarde Rymma, mãe de Zelensky. "Meu marido era contrário àquilo, muito contrário. Ele dizia: 'Vova, pare com isso. Pare de debochar do presidente!'"[6]

Para telespectadores mais jovens, livres do sentimento de reverência tipicamente soviético diante do Estado, a sátira era empolgante. O programa fez tanto sucesso que em poucos anos a produtora de Zelensky se tornou a inveja da indústria televisiva ucraniana. Produzia sitcoms e séries românticas, reality shows e programas de culinária, especiais de stand-up e concursos de canto. Zelensky trabalhou na versão ucraniana de *Dancing with the Stars*, primeiro como competidor (e ele venceu), depois como produtor. Fora o trabalho na tela, a trupe levou seus shows de variedades por toda a Ucrânia e Rússia, apresentando-se para multidões em teatros e salões, sempre com ingressos esgotados. "Quase morremos duas ou três vezes na estrada", Pikalov me contou. O ônibus da turnê enguiçou no meio do nada e a temperatura –40 graus Celsius. Em outra ocasião, na cidade russa de Nizhny Novgorod, uma briga de faca irrompeu no meio da multidão e a trupe acabou envolvida no conflito. "De um jeito ou de outro, sempre saíamos ilesos", disse Pikalov. Mas ele se lembra de dizer a Zelensky: "'Você tem uma boa estrela. Cuide para que ela um dia não se afaste de você.' Só nos restava pedir a Deus – que não seja hoje, quem sabe amanhã."

O sucesso do estúdio tornou Zelensky um homem rico aos 30 anos, em 2008. Nessa época, ele e seus sócios, os irmãos Shefir, começaram a depositar seus ganhos *offshore*, em Chipre, paraíso fiscal favorito das elites russa e ucraniana. Milhões de dólares fluíram para suas empresas *offshore*, fora do alcance dos inspetores fiscais da Ucrânia, e a maior parte do capital era proveniente de oligarcas que controlavam as redes de televisão que transmitiam e financiavam as produções de Zelensky.[7]

Quanto mais capital ele acumulava, mais reservado se tornava em relação ao assunto. "Não comento sobre os meus ganhos", disse ele certa vez. "Fico um tanto envergonhado." Perturbava-o a ideia de que, sendo uma celebridade, e rico, arriscava-se a perder o contato com seu público. A maioria das pessoas que assistiam aos seus programas e compravam entradas para seus filmes era pobre, pelo menos segundo os padrões ocidentais. A Ucrânia tem um dos índices mais altos de pobreza da Europa. A mãe de Zelensky, depois de quarenta anos de trabalho como engenheira e contadora, passou a receber uma pensão típica de 1.600 hryvnia por mês, o equivalente a 200 dólares, na época em que se aposentou. "Tem gente que está na pior", disse Zelensky, quando um entrevistador lhe perguntou sobre sua fortuna. "Não quero esfregar na cara de ninguém o que eu ganho. Essa gente já tem problemas de sobra."[8]

Em 2001, quando os detalhes da sua fortuna no paraíso fiscal foram revelados em consequência de um vazamento de dados conhecido como Pandora Papers, Zelensky, no segundo ano de sua presidência, foi obrigado a dar algumas explicações desconfortáveis. Sobre os milhões de dólares que ganhou no ramo do entretenimento, negou ter lavado dinheiro ou sonegado impostos, mas admitiu ter utilizado paraísos fiscais para "proteger" seu patrimônio da ação do Estado. "Todas as redes tinham companhias *offshore*", disse ele, "porque isso dava a elas uma chance de evitar controle político."[9]

À medida que a audiência atingia índices de milhões de telespectadores, Zelensky passou a sofrer pressão por parte de políticos por ele satirizados, e a situação piorou depois das eleições presidenciais de 2001, que se desenrolaram como uma revanche da Revolução Laranja. A candidata mais cotada era Yulia Tymoshenko, que prometeu dar continuidade à integração da Ucrânia com o Ocidente. Contudo, Yanukovych também concorria, e dessa vez o Kremlin intensificou seu apoio, valendo-se de um grupo de bilionários simpatizantes para azeitar o caminho até o poder. Um deles contratou uma equipe de pesquisadores e marqueteiros para aprimorar a mensagem de Yanukovych, enquanto outros utilizaram suas redes de televisão na Ucrânia para veicular tal mensagem ao eleitorado. Em seus discursos e aparições em programas de televisão, Yanukovych argumentava que a Ucrânia havia se perdido desde a Revolução Laranja, que a nação precisava entrar nos eixos, restaurar os vínculos com a Rússia e respeitar os direitos dos falantes de russo que viviam no leste e no sul do país. A mensagem era obviamente separatista, envidando poucos esforços para contemplar as regiões ocidentais do país, onde a maioria das pessoas fala ucraniano e não quer saber da Rússia. Por meio de extensas pesquisas de opinião, os apoiadores de Yanukovych calcularam que a promessa de crescimento econômico e os apelos ao tribalismo russo conseguiriam votos suficientes no leste e no sul para inclinar a balança a seu favor. A estratégia foi bem-sucedida.

Quando vieram os resultados, o mapa eleitoral estava dividido ao meio, levando em conta que as regiões ocidentais do país tinham votado maciçamente em Yulia Tymoshenko. Entretanto, os distritos mais populosos, no leste e no sul, concederam a Yanukovych uma vitória apertada numa eleição considerada justa e transparente por observadores internacionais. No entendimento de Putin, havia sido um triunfo. Tudo que precisava para reverter a humilhação que a Rússia sofrera durante a Revolução Laranja era de alguns anos de paciência e investimentos engenhosos dos oligarcas que integravam sua corte. O candidato predileto do Kremlin agora governava toda a Ucrânia, tendo chegado ao poder sem derramamento de sangue e, ao mesmo tempo, de forma leal e legítima. Como Putin expressou durante uma de suas reuniões daquele verão, as relações entre a Rússia e a Ucrânia "adquiriram o caráter de uma parceria estratégica", enquanto seus militares passaram a desfrutar de uma "atmosfera de cooperação". Para a manutenção de sua popularidade em casa, Yanukovych contava com o apoio dos maiores magnatas das redes sociais ucranianas, cujos canais de notícias continuaram em conluio com ele e, em parte, com a Rússia.[10]

Uma dessas emissoras, a Inter TV, era também empregadora de Zelensky à época e fazia pagamentos à sua produtora, bem como depósitos em suas contas *offshore*. Depois da eleição, Yanukovych até premiou o proprietário do canal com um dos cargos mais seletos de sua administração, a direção do Serviço de Segurança da Ucrânia, a principal agência de espionagem do país. No ano seguinte, Zelensky tornou-se produtor-geral da Inter TV, encarregado de toda a programação, exceto o noticiário. "Sempre tive conflitos com o jornalismo na TV", disse ele.[11] Eles insistiam que Zelensky moderasse a sátira no *Evening Kvartal* e se afastasse da política. Um dos aliados de Yanukovych chegou a tentar comprar sua lealdade. A oferta, conforme ele mais tarde declararia, foi de 100 milhões de dólares. "Não entrei nessa. Não sou maluco", disse ele. "Minha vida, minha reputação e minha família valem muito mais que aquela soma."

No segundo ano da presidência de Yanukovych, Zelensky resolveu transferir suas produções para outro canal. A política na Inter TV, disse ele, tornou a situação "fisicamente inviável" para sua permanência. Mas sua trupe continuou a se apresentar para as elites políticas, inclusive para Yanukovych e membros de sua comitiva, que pagavam mais de 20 mil dólares por uma exibição particular numa de suas festas. Zelensky não gostava de fazer esses eventos. Queria ouvir a multidão vibrar durante as performances, não o bater de talheres e facas na porcelana fina.

Mesmo diante dos padrões espalhafatosos dos plutocratas do Leste Europeu, a riqueza amealhada por Yanukovych se destacava. Promotores concluiriam mais tarde que, durante os quatro anos em que esteve no poder, ele e seus aliados canalizaram para contas bancárias *offshore* recursos governamentais que somavam 100 bilhões de dólares – montante que correspondia, aproximadamente, à metade do total da produção econômica ucraniana no ano anterior ao que Yanukovych foi deposto.[12] Seu apoio no leste do país resultou numa corrida de investimentos. Donetsk, a maior cidade em Donbas, ganhou um novo aeroporto internacional bem a tempo de sediar o Campeonato Europeu de Futebol de 2012, propiciando a Yanukovych o sabor do prestígio e do reconhecimento internacionais. Seus aliados assumiram cargos importantes por todo o país, preenchendo os escalões mais altos da polícia, do serviço secreto e dos tribunais, o que resultou na imediata prisão de sua oponente, Yulia Tymoshenko, acusada de traição e abuso de poder. Tantos oficiais vinham da base de Yanukovich em Donbas que uma piada começou a circular sobre um homem dormindo nas ruas do leste da Ucrânia. A polícia aparece e o recolhe em uma van. "Para onde estão me levando?", grita o homem. "Para o oeste da Ucrânia", dizem os policiais. "Um cargo de prefeito está vago." No verão de 2012, Yanukovych sentia-se tão seguro no cargo que consentiu em conceder entrevista à imprensa ocidental. Numa tarde de junho, seus assessores levaram-me para um encontro com ele no gabinete presidencial, localizado na rua Bankova, nos mesmos aposentos onde mais tarde eu me encontraria com o presidente Zelensky. "Lembro-me do seu rosto", disse-me Yanukovych. Tínhamos nos encontrado durante a campanha eleitoral, dois anos antes. "Especialmente desse sorriso. O sorriso norte-americano."

Nenhum fotógrafo tinha me acompanhado naquele dia. Mas, por precaução, o presidente tinha aplicado uma camada de maquiagem no rosto e usava um terno empapelado que refletia ligeiramente a iluminação dos lustres. O recinto à nossa volta, com detalhes em ouro e marfim, e a tapeçaria heráldica, com a representação de um guerreiro e um leão, se adequavam a Yanukovych. Somando-se à gravata acetinada e ao topete armado com fixador, eram esses os acessórios do poder que o presidente queria ver no espelho. O que mais me interessava saber na época era sobre a decisão que ele tomara de prender Tymoshenko. Excetuando-se a óbvia violação de direitos, o caso não tinha sentido político. Ela não representava ameaça ao governo. As acusações contra ela demonstravam ser uma vingança mesquinha. Será que ele não enxergava o precedente que se estabelecia? Eventualmente, sua equipe deixaria o cargo, e os inimigos se vingariam. "Claro que isso é possível", respondeu, com um suspiro. "Agora estamos tentando interromper o ciclo."

Mas ele não parecia muito preocupado. Tinham se passado apenas dois anos do seu primeiro mandato presidencial. Contava com o apoio do Kremlin, e seu poder parecia absoluto. "Quando esses processos terminarem", disse, referindo-se às acusações contra seus oponentes, das quais muitas estavam em andamento naquela época, "então iremos interromper essa prática. Não deverá se repetir." Logo, um assessor me pediu para concluir a entrevista, e perguntei a Yanukovych sobre as notícias. No dia anterior, seu partido tinha feito pressão para impor uma lei que oficializasse a língua russa no leste da Ucrânia. Nacionalistas e apoiadores ucranianos da Revolução Laranja contestaram a lei, fora e dentro do Parlamento. Para eles, parecia uma mesura de lealdade a Moscou. Durante um debate na semana anterior, tinham bloqueado o púlpito no plenário e houve pancadaria. Dezenas de parlamentares se agrediram, distribuindo socos e pontapés, no mesmo local em que Yanukovych tinha feito seu juramento ao assumir o cargo, dois anos antes. Quando terminou o tumulto, um deputado da oposição precisou ser levado ao hospital, com sangue escorrendo pelo rosto.

E tudo isso para quê? Ucranianos sempre tiveram a liberdade de falar russo, se quisessem. O programa de maior sucesso, o *Kvartal 95*, produzia filmes e programas de TV em russo, transmitidos para todo o país. Por que Yanukovych precisava transformar tal projeto em lei? O presidente respondeu, valendo-se de uma pergunta. "Se eu fico satisfeito quando isso acontece no Parlamento? Claro que não", disse, referindo-se à violência. "É um nível inferior de cultura. É a linguagem dos ultimatos e da força. Mas acontece de ambos os lados. Primeiro, um lado agride o outro; depois, o outro lado agride de volta. Em dado momento, isso também vai acabar. Precisamos acreditar nisso."[13]

[illegible] "Agora estamos [illegible]"

[illegible] No dia anterior, [illegible] Para ele, poderia [illegible] Depois de [illegible]

[illegible] Por [illegible]

5. Anexação

A revolução seguinte começou como uma vigília. Ninguém esperava que seria mais que isso. Nos anos após a Revolução Laranja, ser político de rua na Ucrânia, particularmente na capital, tinha se tornado um passatempo, com protestos e manifestações que serviam de antídoto para o cinismo e de vitrine para as muitas frustrações dos jovens, dos pobres, dos ambiciosos ou dos que não tinham voz. Aconteciam quase toda semana, e o protesto que evoluiria para uma insurreição parecia modesto para os padrões dos de Kiev, especialmente quando comparado ao conflito que iria ocasionar.[1]

Naquela primeira noite, no final de novembro de 2013, cerca de mil manifestantes reuniram-se na Praça da Independência, nas esquinas conhecidas por Maidan. A maioria deles era de estudantes das universidades da cidade, e naquela noite todos se sentiam enganados e traídos. Durante vários meses, o presidente Victor Yanukovych tinha prometido assinar um pacto econômico com a União Europeia. O pacto não oferecia à Ucrânia grandes esperanças de ingressar em breve no bloco econômico, mas, pelo menos, a proposta encerrava alguma promessa de uma mudança brusca para o Ocidente, visando aos tipos de reformas pelos quais a Polônia, os Estados Bálticos e outros antigos satélites de Moscou tinham passado desde a queda da União Soviética, tendo deixado bem para trás a Ucrânia em termos de padrões de vida e estado de direito.

Naquele outono, Yanukovych tinha prometido assinar o pacto durante uma reunião da União Europeia na Lituânia. Mas, depois de um encontro com Putin no começo de novembro, mudou de ideia. O Kremlin ameaçou um bloqueio econômico se a Ucrânia persistisse nessa integração europeia.

Também prometeu um empréstimo de 15 bilhões de dólares para afastar Yanukovych do Ocidente. Para os estudantes reunidos na praça, a reviravolta era dolorosa, em parte pelo fato de ter acontecido tão repentinamente. Eles consideravam que tinham muito a perder em virtude da decisão de Yakunovych de integrar-se à Rússia. Significava ter que passar os anos mais produtivos de suas vidas na mesma Ucrânia que seus pais conheceram. Chamavam-na de *sovok*, a gíria que se aplicava a todos os vestígios miseráveis da existência soviética – a economia letárgica, a burocracia corrupta, a complacência e a estagnação ineptas que Yanukovych representava aos olhos deles. Então se reuniram em Maidan e armaram um acampamento de protesto empunhando bandeiras, entoando canções e gritando palavras de ordem, determinados a não abandonar o local até que o presidente deixasse o cargo e assinasse o acordo europeu.

O tamanho da demonstração rapidamente cresceu para dezenas de milhares e se espalhou para outras cidades do país. De início, o clima era mais festivo do que de insurgência ou tensão, e assim se manteve durante uma semana até que as tropas de choque chegaram. Na noite de 30 de novembro, invadiram o acampamento, brandindo cassetetes, e destruíram as tendas e as bandeiras. Foi o primeiro de uma série de pontos de inflexão naquele inverno. As aglomerações na praça começaram a se multiplicar depois do ocorrido, mais revoltadas diante do tratamento que o primeiro grupo de manifestantes recebeu do que em relação a qualquer assunto abstrato que envolvesse a Europa *versus* a Rússia. O acampamento foi reconstruído e protegido com barricadas feitas de qualquer coisa que se achasse e pudesse empilhar – pneus velhos, lixeiras, troncos e tijolos. Gente de diversas cidades e de todas as esferas da sociedade chegava à praça gritando palavras de ordem e entoando canções, e dormia nas barracas cobertas com as bandeiras da Ucrânia e da União Europeia. O hino nacional era cantado a cada hora. A revolução estava em curso.

Era a segunda onda de manifestações no país em uma década e, mais uma vez, a família de Zelensky ficou à margem, observando. Muitos artistas entre os mais famosos da Ucrânia, e alguns da Rússia, participaram dos shows para apoiar os manifestantes na Praça da Independência naquele inverno, ou ao menos demonstraram seu apoio. Zelensky, no entanto, se manteve distante. Durante a revolta, passou a maior parte do tempo em Moscou, no escritório de sua produtora, onde se dedicava a dois grandes projetos: uma comédia romântica e uma sitcom, e ambas dispunham de atores e patrocinadores russos. A sitcom, chamada *Casamenteiros*, estrearia em 2014, na emissora pertencente ao Kremlin, Rossiya-1, cujo setor de notícias se encarregava de descrever a revolução na Ucrânia como se fosse um golpe contra a Rússia orquestrado pela CIA.

Essa ligação colocava Zelensky numa situação constrangedora, mas ele permaneceu firme. Certa vez, durante uma coletiva para promover a comédia romântica, uma repórter perguntou o que ele pensava sobre o levante em Kiev, que tinha chegado ao segundo mês. A pergunta pareceu incomodar Zelensky. "Estamos com o povo", disse sem muita convicção, lembrando à repórter que o objetivo da coletiva era falar de um filme, não sobre política. "Convenhamos", disse ele, "é uma comédia."[2]

Zelensky não pôde recorrer a tais evasivas durante muito tempo. No final de 2013, o movimento revolucionário estava à sua volta. Era o principal tópico de todos os principais programas de entrevistas, tanto na Rússia quanto na Ucrânia. Era destaque em cada noticiário, e o assunto surgia em quase todas as conversas durante o jantar. Zelensky e os amigos debatiam a questão em particular. Mas, ao assistir aos seus programas cômicos, os fãs não conseguiam identificar de que lado eles estavam. "Não significava que não simpatizávamos com os apoiadores da revolução", disse-me Olena. Mas a agitação era bastante familiar, como um reinício da Revolução Laranja. Na comédia, Zelensky e sua equipe procuravam ficar no mesmo meio de campo ocupado anteriormente. Ridicularizavam os políticos, todos eles, tentando ao mesmo tempo não ofender as pessoas de cada lado do racha político. Nem sempre alcançavam o resultado esperado. No último dia de 2013, Zelensky foi o apresentador do especial de fim de ano da TV ucraniana, e incluiu uma piada que viria a assombrá-lo. Durante o esquete de abertura, um dos personagens sugeriu que o movimento de cassetetes da polícia batendo em manifestantes poderia ser usado como fonte de energia alternativa, substituindo turbinas eólicas. Alguns líderes da revolução mais tarde rechaçaram a piada, considerando-a um insulto às vítimas da brutalidade policial. Além desse deslize, Zelensky e a equipe evitavam comentários sarcásticos sobre os manifestantes.[3]

Alguns integrantes da trupe estiveram na Praça da Independência durante a revolução. Pikalov, mais conhecido por satirizar Yanukovych, tinha muitos fãs entre os manifestantes, e muitos amigos seus estavam acampados na praça. Ele e outros do *Kvartal 95* apoiaram a manifestação. Mas não se envolviam abertamente. "Não agimos assim para aparecer nas fotos, nem para atender às relações públicas", disse Yevhen Koshovy, o comediante que fez a piada sobre os cassetetes de polícia. "Boas ações devem ser discretas."[4]

Eles dispunham também de um motivo de natureza financeira para evitar a Praça da Independência durante a revolução: cerca de 85% da renda do estúdio provinha do mercado russo. O sucesso dependia dos sócios de Zelensky e da audiência na Rússia, e aliar-se à revolução seria correr o risco de afastar sócios e espectadores. Além da questão financeira em prol da neutralidade, Zelensky se decepcionara com os líderes do levante. A energia que circulava na Praça da Independência derivava do ativismo de base – que os ucranianos chamavam de "auto-organização". Mas muitos políticos estabelecidos tentaram se beneficiar dessa energia, como acontecera na Revolução Laranja. Entre os líderes mais proeminentes do levante, em 2014, estava Petro Poroshenko, antigo funcionário do Banco Central e ministro do Comércio que acumulara grande fortuna comercializando balas e doces. Era proprietário de uma das principais redes de televisão da Ucrânia, o Canal 5, que havia apoiado a Revolução Laranja em 2004-2005. Uma década mais tarde ele se tornou porta-voz do que se convencionou chamar Revolução da Dignidade. Outros líderes incluíam Vitali Klitschko, ex-campeão mundial de boxe, e uma mescla de políticos e demagogos panfletistas oriundos da extrema direita.

Em decorrência de sua carreira na sátira política, Zelensky tinha uma desconfiança intuitiva quanto a populistas que alegavam falar em favor do povo, e muitos líderes da revolução se adequavam a tal qualificação em 2014. Porém, à medida que o confronto em Kiev se tornava mais violento, ficou mais difícil manter a atitude de imparcialidade artística. Dois meses após o início da revolução, a Praça da Independência parecia um campo de batalha medieval. Embates violentos eclodiram entre manifestantes e policiais. As tropas de choque, chamadas Berkut, dispararam canhões de água em pleno inverno, cobrindo a praça com camadas de gelo. Os manifestantes reagiram com fogos de artifício e coquetéis molotov. Alguns tinham construído catapultas de madeira para atirar projéteis na polícia. Quando os policiais se aproximavam, os manifestantes ateavam fogo às barricadas, pilhas altas de pneus embebidos com gasolina, projetando torres flamejantes e fumaça espessa e negra no céu. Naquele inverno, cenas parecidas foram vistas em todo o país. Manifestantes, armados de porretes, escudos e capacetes, invadiram prédios do governo. A polícia tentou reprimi-los com cassetetes, gás lacrimogênio, bombas de efeito moral e balas de borracha. Na maioria dos casos, tal reação não surtiu efeito.

Para Yanukovych, os conflitos logo geraram uma situação insustentável. A sede do governo em Kiev ficou paralisada. A rua Bankova ficou sitiada. O presidente foi bastante pressionado pelo Ocidente para evitar a violência, negociar com os manifestantes e fazer concessões. Do lado oriental, o Kremlin exortava-o a debelar a rebelião. Determinado a manter o poder, o governo apressou-se em baixar um conjunto de leis, no mês de janeiro, que restringia as liberdades de expressão e de manifestação popular. Uma provisão criminalizou o bloqueio de ruas nas imediações dos prédios governamentais, com atribuição de pena até cinco anos de detenção. Mas a repressão foi contraproducente. O acampamento não parava de crescer, e os confrontos com a polícia transformaram-se num ajuste de contas, não mais impulsionados por objetivos políticos por parte dos oponentes, mas pelo desejo de vingança. Bombas incendiárias eram muitas vezes lançadas contra os soldados agrupados, cobrindo-os de combustível incandescente. Muitos manifestantes foram arrancados das ruas, espancados e torturados sob custódia. Alguns desapareceram.

Na rua Bankova, a sensação de pânico em torno de Yanukovych cresceu à medida que a violência se intensificou, e seus aliados começaram a desertar. O primeiro-ministro deixou o cargo no final de janeiro e seu gabinete inteiro logo renunciou. O presidente agarrou-se ao posto durante mais algumas semanas enquanto tentava chegar a um acordo com os líderes da revolução. Estava prestes a convocar eleições antecipadas e conceder anistia a todos os manifestantes. Mas era tarde. Para seus oponentes, muito sangue tinha sido derramado e eles não aceitavam mais negociar. Os manifestantes tomaram várias cidades do oeste da Ucrânia, apreenderam arsenais dos postos policiais e ameaçavam entrar marchando na capital. Mesmo se a oposição política em Kiev estivesse pronta para fazer um acordo, seus aliados mais radicais no movimento revolucionário exigiam que Yanukovych concordasse em entregar o poder. O impasse permaneceu nos dias mais frios do inverno, e só foi resolvido devido a um surto de violência.

Em 18 de fevereiro de 2014, uma turba de manifestantes ateou fogo ao escritório do partido de Yanukovych e tentou novamente tomar a sede do governo. As tropas de choque e forças de segurança responderam com um ataque com força total em Maidan, queimando a Casa dos Sindicatos, que serviu de quartel-general dos revolucionários. Ao menos sete policiais e quase uma dúzia de manifestantes foram mortos na confusão. Dois dias depois, a violência chegou a um clímax horripilante quando franco-atiradores da polícia abriram fogo contra os manifestantes nos arredores da praça, matando dezenas deles na rua. Foi um massacre que a Ucrânia não vivenciava desde a Segunda Guerra Mundial. Fileiras de corpos jaziam em Maidan, seus rostos cobertos com lençóis e cobertores, em frente ao hotel onde eu estava hospedado. No lado oposto da praça, o saguão de outro hotel se transformara num hospital de campanha improvisado, o sangue espalhado pelo piso, tornando-o escorregadio. Mais adiante, na rua, o mosteiro de São Miguel deu abrigo aos manifestantes que fugiam dos projéteis. Os monges, no interior, alguns usando capacetes e coletes à prova de bala, conduziam funerais e vigílias. No total, treze policiais foram mortos naqueles dias de confronto furioso. Entre os manifestantes, o número de feridos fatalmente chegava a cem.[5]

Durante semanas, a revolução tinha se encaminhado para uma catástrofe. Quando enfim aconteceu, a reação mais comum foi o sobressalto. Ninguém conseguia acreditar que a polícia tinha usado armas de fogo contra pessoas munidas de pedaços de pau e escudos improvisados. Era o ponto da virada final da rebelião e parecia que até Yanukovych se dava conta de que depois disso não sobreviveria. Na noite seguinte ao massacre, embarcou no seu helicóptero para a capital, primeiro para a Ucrânia oriental, e em seguida cruzou a fronteira para a Rússia, o único país que poderia lhe oferecer asilo. A revolução tinha alcançado seu propósito. A Rússia logo exigiria um preço.

Eram poucos os que prestavam atenção à região da Crimeia nos dias que se seguiram à revolução. Em todo lugar havia turbulência. Manifestantes invadiram a residência suntuosa de Yanukovych nos arredores de Kiev, e as fotos de seus estranhos objetos viralizaram ao redor do mundo: um cercado com avestruzes, um pão de forma revestido de ouro, um restaurante particular decorado no estilo de navio pirata, pisos num complexo de saunas incrustados com pedras semipreciosas. (Para a decepção dos manifestantes, constatou-se que os rumores sobre o vaso sanitário de ouro que pertencia à residência eram inverídicos.)

Do exílio na Rússia, Yanukovych tentou engendrar o retorno ao poder. Seis dias depois que foi deposto, concedeu uma fantasiosa coletiva de imprensa na cidade de Rostov, na Rússia. "Ninguém me derrubou", disse, inicialmente. "Fui forçado a deixar a Ucrânia devido a uma ameaça imediata à minha vida e às vidas daqueles que eram próximos a mim." Os indivíduos que usurparam o poder, disse ele, são "gângsteres nacionalistas e pró-fascistas que representam a minoria dos residentes da Ucrânia". Yanukovych requereu uma nova votação presidencial para aquele ano. Solicitou reformas urgentes na Constituição. Solicitou uma investigação do massacre de manifestantes na Praça da Independência.

Não se sabia a quem ele pretendia ludibriar. Para ele não havia retorno. Aos olhos da maioria dos ucranianos, nas mãos dele estava o sangue dos insurgentes, tivesse ou não, ele próprio, dado ordens explícitas de abrir fogo. A maioria das regiões do país tinha abraçado a revolução. Apoiadores assumiram o controle das instituições estatais, legislaturas regionais e delegacias policiais.

As principais exceções foram as regiões sul e leste da Ucrânia, os bastiões de Yanukovych. Naquelas regiões, principalmente na Crimeia, uma contrarrevolução tinha sido deflagrada. Poucos dias depois da queda do regime em Kiev, um grupo de indivíduos fortemente armados invadiu o edifício do parlamento regional da Crimeia. Pareciam profissionais e agiam como tal, usando máscaras e equipamentos idênticos aos das forças especiais russas. Só faltavam os distintivos. Todas as insígnias tinham sido removidas dos uniformes. Os soldados desarmaram os guardas de segurança do Parlamento e assumiram as posições no interior e exterior do plenário.

Naquela manhã, enquanto os homens armados permaneceram nas alas, munidos de fuzis semiautomáticos e granadas lançadas por foguetes, a câmara dos legisladores realizou duas votações, ambas consideradas unânimes. A primeira exigiu um referendo para decidir se a Crimeia deveria romper com a Ucrânia. A segunda indicou um novo primeiro-ministro da Crimeia, Sergei Aksyonov, separatista linha-dura. Seu partido político, Unidade Russa, tinha apenas quatro entre as cem cadeiras na Câmara. Era o bastante para Aksyonov assumir o controle. No dia seguinte, ele emitiu um apelo público ao Kremlin: "Convoco o presidente russo Vladimir Putin a prestar assistência, no sentido de garantir a paz e a tranquilidade no território autônomo da República da Crimeia."

O apelo não passava de um pretexto; as tropas russas já estavam lá. Tinham tomado o principal aeroporto da Crimeia e se espalhado por toda a península. Putin mentiu para o mundo a respeito dos combatentes, dizendo que eram integrantes das "forças locais de autodefesa", milicianos em prontidão para defender a região dos "neonazistas" de Kiev. Na realidade eram militares das forças especiais de combate, e não tinham vindo de longe. Muitos estavam baseados na Crimeia, integrando a frota russa do mar Negro, e tinham cercado todas as bases militares da Ucrânia na Crimeia. Os invasores chegaram com informações detalhadas sobre os militares naquelas bases. Sabiam os nomes dos oficiais ucranianos, os nomes de seus familiares e onde residiam.

"Não imaginávamos que nossos vizinhos, nossos irmãos, pudessem bater à nossa porta de armas em punho", disse Oleksandr Polishchuk, na época o vice-presidente do Conselho de Segurança da Ucrânia, e que mais tarde assumiu um alto cargo no governo do presidente Zelensky. "Mas chegaram e disseram: 'Você não vai a lugar nenhum. Sabemos onde está sua mulher. Sabemos onde estão seus filhos. Pode até bancar o soldado valente, mas iremos lá e mataremos todos.' Era isso que estava acontecendo na Crimeia." Um punhado de oficiais superiores da Ucrânia decidiu trocar de lado e se unir aos russos. Outros se prepararam para reagir, mas as ordens de Kiev nunca chegaram. "O principal motivo era psicológico", disse Polishchuk. "Soldados ucranianos não estavam mentalmente preparados para atirar nos russos naquela época." [6]

Em poucos dias, a ocupação russa da Crimeia foi efetivada. As tropas de Putin assumiram a sede do governo e entregaram as chaves a Aksyonov. Aproximadamente uma semana depois do início de seu mandato de novo líder da Crimeia, fui encontrá-lo, num dos prédios do governo que ele ocupava. Quando cheguei, vi as janelas vedadas com sacos de areia, e dois guardas em trajes de combate, sentados, um de cada lado da porta, olhando para mim através dos orifícios de suas balaclavas. Aksyonov estava no segundo andar, acompanhado de uma equipe de conselheiros políticos egressos de Moscou, que pretendiam fazê-lo parecer menos um bandido e mais um político. Aksyonov, um bloco de músculos dentro de um terno largo demais para ele, não se adequava a esse papel. Antes de ingressar na política, tinha circulado com um grupo de contrabandistas e bandidos que o conheciam por seu codinome, Goblin. Agora, com o apoio de Moscou, ele havia assumido o cargo de primeiro-ministro e se preparava para se encontrar com Putin no Kremlin. "Fui escolhido para gerenciar a crise", disse ele, quando nos sentamos. "Compreendo o meu papel histórico."

Quando eu o pressionava sobre a maneira como ele havia assumido o poder, protegido pelo cano de uma arma russa, Aksyonov sempre voltava à mesma digressão. Se os revolucionários em Kiev puderam fazer o que fizeram, por que ele não poderia? Se puderam recorrer à força para se apropriar de prédios do governo, o que havia de errado se seus homens fizessem o mesmo na Crimeia? Se o levante contou com o apoio dos governos ocidentais, por que não solicitar à Rússia que viesse em sua defesa? Ele não se importava com as sanções que os Estados Unidos e a Europa haviam imposto contra a sua pessoa e contra uma longa lista de indivíduos envolvidos na tomada do poder na Crimeia. "No que a América se baseia para nos dizer o que fazer?", ele indagou. "A independência é o que desejamos. É o que o povo da Crimeia deseja!"[7]

Na semana seguinte, ele e seus apoiadores russos organizaram às pressas um plebiscito para testar essa hipótese. A votação não dava aos eleitores a opção de permanecer na Ucrânia. Eles podiam concordar com a independência total da Crimeia ou com a unificação com a Rússia. Por toda a região, cartazes de campanha prometiam aumentos maciços de salários e pensões, caso a Crimeia decidisse se tornar uma província russa. Os canais de propaganda do Kremlin advertiam que, sem a proteção das tropas russas, gangues de fascistas viriam da Ucrânia para subjugar a Crimeia. Em meio a essa atmosfera, os resultados do plebiscito não surpreenderam. A contagem oficial foi quase unânime: 97% dos votos a favor da anexação russa da Crimeia.

No dia seguinte, Aksyonov e alguns de seus companheiros separatistas viajaram ao Kremlin para a cerimônia de anexação. Centenas de integrantes da elite russa se reuniram sob os arcos imponentes do Palácio de São Jorge para ouvir um dos discursos que definiram o reinado de Putin. A ocasião até hoje representa um momento singular de triunfo para o presidente russo, e um ponto alto da admiração que ele desfruta entre seu povo. A ação para ocupar a Crimeia foi considerada ilegal e condenada em todo o mundo. Os Estados Unidos e a Europa impuseram sanções à economia russa e colocaram na lista negra dezenas de autoridades e oligarcas russos. Mas a grande maioria dos cidadãos da Rússia comemorou a apropriação do território. A investida foi rápida e quase não houve derramamento de sangue. Acrescentou cerca de 2 milhões de pessoas à população em declínio da Rússia e expandiu o território russo, com a anexação de uma área do tamanho da Bélgica.

Desde a Segunda Guerra Mundial uma potência europeia não recorria à força para expandir suas fronteiras. No panteão dos líderes do Kremlin, a incursão fez Putin se sentir mais próximo dos legados de Pedro, o Grande, e de outros "colecionadores de terras", e o efeito causado nas ambições do líder russo ficou evidente no discurso que ele proferiu naquele dia. Para começar, disse que já passava da hora de os norte-americanos serem desafiados quanto à hegemonia. "Eles passaram a crer em sua própria excepcionalidade, em ser os escolhidos", disse ele. "Acham que podem comandar o destino do mundo." Quanto ao campo de batalha mais amplo da Ucrânia, Putin prometeu jamais aceitar o resultado da revolução. "Os principais perpetradores do golpe eram nacionalistas, neonazistas, russófobos e antissemitas."[8] Não tardaria, alertou Putin, até que todos fossem punidos.

Quando a ocupação da Crimeia se desencadeou, Zelensky foi visto na televisão de um jeito diferente por seus admiradores. Os acontecimentos políticos na Ucrânia tinham se tornado tão dramáticos e perigosos que não mais se prestavam à sátira. O país estava à beira de uma guerra contra a Rússia, e Zelensky reconhecia que sua voz tinha poder suficiente para mudar o modo de pensar das pessoas, inclusive na Crimeia e nas regiões a leste do país. Mais do que qualquer político que tinha assumido o poder em Kiev naquele inverno, Zelensky podia influenciar os habitantes daquelas regiões. Aquela gente havia acompanhado sua carreira, assistido aos seus filmes e apreciado sua determinação em falar russo sempre que entrava em cena. Depois de usar naquele inverno a máscara irônica da neutralidade durante a revolução, ele decidiu que tinha chegado a hora de assumir uma postura política.

Essa atitude se traduziu numa fala de três minutos para um dos principais telejornais ucranianos. Zelensky estava sentado diante da bancada, ao lado de uma jornalista que parecia um tanto desnorteada com a presença do comediante no seu programa de notícias. "Agora o homem que não precisa de apresentação", disse a mulher, virando-se para ele. Por trás do sorriso, o comediante sentia-se ansioso. "Nada de piadas desta vez", disse, olhando para a câmera. A primeira parte do apelo era dirigida a Yanukovych. "Você não é mais o presidente da Ucrânia", disse Zelensky, em russo. "Foi isso que o povo do nosso país decidiu. Acredite, no oeste, no leste, na minha amada Kryvyi Rih, todos estão cientes de que não existe mais presidente Yanukovych na nossa história. Afaste-se. Acima de tudo, não permita qualquer chance de separatismo. Pare de aparecer em coletivas de imprensa. Deixou de ser interessante. É entediante. Sinto muito. Vá embora."[9]

Era de se concluir, a partir dessa introdução, que Zelensky apoiava os líderes revolucionários. Mas seu apelo seguinte foi direcionado a eles. Suas primeiras decisões se relacionavam à língua que ele mesmo falava. Na semana anterior, após a tomada de poder, decidiram revogar a lei que Yanukovych promulgara a fim de tornar o russo a língua oficial no leste da Ucrânia. Tal decisão, disse Zelensky, somente incitaria divisões no país quando ele mais precisava se unir. "No leste, na Crimeia, se querem falar russo, que falem", disse aos líderes do levante. "Deixem-nos em paz. Deem a eles o direito de falar russo. A língua jamais vai dividir nossa pátria. Tenho sangue judeu, falo russo e sou cidadão da Ucrânia. Amo este país e não quero fazer parte de outra nação."

Com a ocupação da Crimeia, Putin tinha recorrido a questões de idioma e etnicidade como pretextos para o uso da força militar. Zelensky percebia a falsidade dessa desculpa para o uso de violência, porque sabia que não haveria ameaça aos seus direitos enquanto falante de russo na Ucrânia – certamente nenhuma ameaça que justificasse uma intervenção por parte do Kremlin.

Na terceira parte da fala, Zelensky pediu que Putin parasse. "Caro Vladimir Vladimirovich, não ouse sugerir um conflito militar. Rússia e Ucrânia são, de fato, nações fraternas", disse. "Temos a mesma cor. O mesmo sangue. Nós nos entendemos, independentemente do idioma." Então ele gaguejou e, por um instante, hesitou, antes de deixar de lado seu orgulho. "Se quiser, eu lhe imploro de joelhos", disse a Putin. "Mas por favor, não ponha nosso povo de joelhos."

Tal afirmação colocava Zelensky num papel que ele jamais representara antes e marcou o momento em que sua sátira de cunho político se transformou em ativismo político. Em vez de distorcer comicamente as imagens dos poderosos, ele passou a empregar a força de sua própria fama para influenciar as atitudes desses indivíduos e, assim esperava, moldar os eventos. Oito anos depois, com Kiev sitiada, Zelensky faria uma declaração semelhante no interior dos salões cercados por barricadas do complexo presidencial. Ele haveria de se referir à sua comédia como o meio de fazer as pazes com a Rússia e Belarus, cujos povos, dizia, sempre admiraram seus filmes. "Tenho uma noção perfeita da mentalidade dessas nações", disse ele na primeira semana da invasão em grande escala. "Sei o que temos em comum e quais são nossas diferenças para evitar que nos lancemos às guerras, podendo assim viver em paz."[10]

A carreira de Zelensky na indústria do entretenimento lhe propiciara um modo de atravessar fronteiras, de apelar aos russos em sua própria língua, de convencê-los, ainda que não conseguisse convencer também seus líderes, de que a Ucrânia não representava ameaça à sua segurança. Quando ele se valeu desse poder pela primeira vez, em 2014, não houve repercussão no curso da história. A Rússia deu continuidade à invasão da Crimeia com ataques muito mais mortíferos no leste da Ucrânia e oito anos depois deflagrou uma guerra generalizada que buscava nada menos que sua aniquilação. Mas Zelensky nunca abandonou a crença de que sua popularidade pudesse ajudá-lo a ser um pacificador. Tendo aprendido a fazer os russos rirem, pensou, talvez também pudesse fazê-los ouvir.

PARTE II

6. Batalha de Kiev

No bunker, as noites eram sempre mais difíceis para Zelensky. Encostado na parede do seu quarto, no andar inferior, não havia espaço no estrado para se virar de um lado para o outro. O cômodo estava silencioso, e no subsolo o uivo das sirenes durante os ataques aéreos em Kiev não chegava aos ouvidos do presidente. Mesmo que uma bomba aérea atingisse diretamente a rua Bankova, ele não sentiria o abalo naquela profundidade. Mas o celular estava sempre ao seu lado, e o zumbido raramente parava por muito tempo. Quando ele usava o aparelho, seu rosto no escuro parecia o de um fantasma, correndo os olhos pelas manchetes e contagens de vítimas, vídeos curtos e fotos da devastação, um noticiário interminável do pesadelo que seu país vivia. Tudo aquilo cabia a ele resolver.[1]

Mais tarde, durante a guerra, quando conversamos sobre aquelas noites, ele se lembrou do mesmo pensamento que não saía de sua cabeça: "Consegui pegar no sono, mas e agora? Alguma coisa está acontecendo neste instante." Em algum lugar na Ucrânia bombas explodiam, regiões inteiras estavam cedendo à ocupação russa, milhares de soldados estavam presos em trincheiras, sangrando e morrendo, ondas de estilhaços passando sobre suas cabeças. Em muitos lugares, especialmente no oeste da Ucrânia, os mísseis eram a forma predominante do terror russo. Um deles atingiu a face lateral de um bloco de apartamentos em Kiev na terceira manhã da invasão, abrindo um buraco nos andares superiores. Imagens do ataque ilustraram as notícias ao redor do mundo, e veio gente de todas as regiões de Kiev para ver os danos, estremecendo ao dar de cara com móveis pendurados nas janelas, cômodos à vista de estranhos, e ainda saber que os ocupantes estavam desaparecidos ou mortos. Outro foguete caiu na praça central de Kharkiv, no leste, e logo o bombardeio daquela cidade transformou grande parte de seu centro histórico em escombros. Os ataques tornaram-se tão comuns que foram condensados em estatísticas: 160 mísseis no primeiro dia, 400 na primeira semana.

Zelensky nada podia fazer para impedir esses ataques, mas o desejo de se informar sobre eles era compulsivo. "Naqueles primeiros dias, eu acordava todo mundo", ele disse. "Eu não tinha o direito de dormir antes de saber onde os ataques tinham ocorrido." O bunker não tinha luz natural, o que significava que não era o sol nascente que marcava o início de qualquer dia. Mas as lâmpadas no teto continuavam a zumbir durante a noite na Sala de Planejamento no andar superior, enquanto os funcionários ficavam acordados para monitorar o avanço dos invasores. Às 4h50 da manhã, Zelensky já estava de pé, com o celular na mão, solicitando uma atualização ao comando militar. "Meu dia sempre começa com uma chamada para Valery Zaluzhny, para que ele me passe o relatório", disse-me. "Sempre."

O general Zaluzhny, comandante em chefe das Forças Armadas da Ucrânia, atendia a essas chamadas dentro de seu próprio complexo de bunkers, localizado a mais de 70 metros abaixo do quartel-general do Estado-Maior, a pouco mais de 4 quilômetros de distância, na direção sudoeste da rua Bankova. A instalação não era ligada àquela situada abaixo do complexo presidencial, mas tinha as mesmas lajotas marrons no chão, a luz fria de sempre e a tinta brilhante das paredes. O bunker militar era um pouco maior e, desde o início, muito mais lotado. Centenas de pessoas, incluindo as famílias de oficiais do alto escalão, viveram lá durante as primeiras semanas da invasão. A maioria do alto escalão trabalhava no centro de comando, onde Zaluzhny passava grande parte de seu tempo. Asseada, com o leve cheiro de fumaça de cigarro eletrônico, a sala continha uma longa mesa coberta de mapas de batalhas, vários telefones amarelos de linha segura, um tubo de ventilação que corria ao longo do teto e pouco mais que isso. Para fazer ligações matinais para o presidente, Zaluzhny se dirigia para uma sala menor, onde era possível manter a privacidade. "Não gosto de compartilhar esse momento com ninguém", disse Zelensky. "Começamos o dia com seu relatório tête-à-tête."[2]

Os dois homens se encontraram pela primeira vez no início do mandato de Zelensky, na primavera de 2019, quando coube a Zaluzhny informar à administração sobre questões militares. Cerca de 10 centímetros mais alto que o presidente e cinco anos mais velho, o general tinha causado forte impressão em Zelensky quanto à sua autoconfiança como comandante e seu relacionamento fácil com as tropas. Quando era mais jovem, o sonho do general tinha sido, como ocorrera com Zelensky, participar do circuito *KVN*, mas o serviço militar não lhe deu tempo, disse mais tarde, de desenvolver os dons para a comédia. Ao evoluir nas fileiras, trouxe seu senso de humor para as guarnições. "Estou sempre brincando, sempre fazendo piadas", disse Zaluzhny. "Assim me divirto."

Zelensky simpatizou com ele, mas os meses que antecederam a invasão dificultaram o relacionamento. Zaluzhny defendeu uma mobilização em larga escala de reservas e a fortificação das fronteiras da Ucrânia com a Rússia com vistas a se preparar para um ataque iminente. O presidente o conteve, temendo que tais medidas espalhassem o pânico entre a população e dessem aos russos motivo para atacar. O desacordo pairou no ar no início da invasão, mas eles superaram a questão.

No primeiro dia do ataque, Zaluzhny informou que milhares de soldados inimigos haviam cruzado a fronteira norte. No segundo dia, assumiram o controle da usina nuclear de Chernobyl, onde um colapso acidental em 1986 causou o pior desastre nuclear da história. O pequeno destacamento de Guardas Nacionais estacionados na instalação rendeu-se aos invasores sem revidar. Os russos então começaram a montar acampamentos, cavar trincheiras e dispor grande quantidade de armamento pesado em torno de Chernobyl, espalhando poeira radioativa e tornando refém o pessoal da usina. De lá, pretendiam avançar na direção da capital, e Zaluzhny tinha um plano para detê-los.[3]

Nas conversas telefônicas com o presidente, explicou que aquilo custaria caro. "Estávamos perseguindo dois objetivos estratégicos", disse o general. "Não podíamos permitir a captura de Kiev. E, em todos os outros vetores, tínhamos que fazê-los sangrar, mesmo que isso acarretasse perda de território." O Exército não dispunha de equipamento nem mão de obra suficientes para enfrentar as forças russas. Sua melhor defesa seria montar uma série de armadilhas para o inimigo. "É uma situação típica", disse Zaluzhny. Se as colunas russas continuarem a se mover em direção a Kiev, suas linhas de abastecimento logo vão se esgotar. Os tanques sem combustível vão bloquear a passagem dos veículos atrás deles. "Em alguns lugares perderemos território", admitiu Zaluzhny. "Vamos deixar suas colunas avançarem." Mas assim que os motores deixassem de funcionar, disse ele, os ucranianos teriam a oportunidade de cercar as colunas e acabar com elas.

Embora mantivesse o presidente informado sobre a estratégia, Zaluzhny evitou lhe passar muitos detalhes. O risco de ocorrer vazamentos e de haver espiões na liderança política preocupava o general, e as decisões tomadas no período que antecedeu a invasão não foram esquecidas. Nesse momento, era óbvio para todos os altos funcionários envolvidos na defesa nacional que naquele inverno a liderança militar estava certa ao exigir maior planejamento. Mas Zaluzhny não deixou a critério do presidente tomar decisões. Entre eles, o tom era respeitoso e um pouco formal ao telefone. Usavam os primeiros nomes e sobrenomes, e nessas conversas iniciais não se detinham em erros do passado. Embora Zaluzhny mantivesse o presidente informado, ambos tinham ciência de quem estava no comando dos assuntos militares.

"Meu objetivo não era arrastá-lo para assuntos de cunho militar", disse-me o general em outra ocasião. "O que mais repudio no Exército é quando uma patente inferior transfere parte da responsabilidade aos seus superiores. Sob meu comando, tal coisa pode acabar com o indivíduo. E, quanto ao presidente, não era o que eu pretendia fazer, porque sou o comandante em chefe das Forças Armadas da Ucrânia. Estou no comando da operação." Zaluzhny pediu paciência a Zelensky. Levaria tempo até avaliar se a estratégia defensiva impediria a coluna russa de chegar a Kiev. "Com certeza, aqueles primeiros dias foram um pouco difíceis", disse o general. "Tínhamos que entender como se desenvolvia a operação, se havia chances de sobreviver ou não."

Para alívio dos generais, Zelensky parecia contente durante essa fase inicial da invasão e concordou em deixar Zaluzhny assumir a liderança nas decisões relativas ao campo de batalha. O presidente não pretendia ser um sábio em questões táticas. Em vez disso, concentrou-se no que ele poderia ser mais eficaz no âmbito da guerra, ou seja, incentivando os ucranianos a resistir e pressionando o Ocidente a ajudar. Suas perguntas mais frequentes ao comando militar naqueles primeiros dias foram pragmáticas: Do que necessitam? Como podemos apoiá-los? As Forças Armadas solicitavam armamentos, precisavam de mais armas todos os dias, e a lista de desejos se expandiu rapidamente, passando a incluir equipamentos que o Ocidente se recusava a fornecer: jatos de combate, tanques, lançadores de múltiplos foguetes, artilharia pesada.

Zelensky fez de sua missão tornar urgentes essas reivindicações, e seus dias se caracterizavam por uma sucessão de telefonemas com líderes estrangeiros. A maioria dessas conversas era frustrante. "Eles não acreditavam em nós", lembra Oleksiy Danilov, o conselheiro de segurança nacional. "Receavam que as armas caíssem nas mãos dos russos." Joe Biden rejeitou os apelos de Zelensky para impor uma zona de exclusão aérea sobre a Ucrânia, pois isso exigiria que as forças dos Estados Unidos ou da Otan derrubassem aeronaves russas. Mas Zelensky continuou exigindo mais armas para seu Exército e mais sanções contra a Rússia. Logo sua mensagem começou a surtir efeito.

Em 27 de fevereiro, quarto dia da invasão, a União Europeia fechou o espaço aéreo para aviões russos, incluindo jatos particulares de oligarcas russos. No dia seguinte, os Estados Unidos e seus aliados concordaram em congelar cerca de 300 bilhões de dólares em reservas russas de ouro e moeda estrangeira, bloqueando o acesso do Kremlin a uma grande parte de seus fundos de guerra. Naquela semana, alguns dos maiores credores da Rússia foram cortados do sistema bancário global, enquanto a União Europeia deixou de lado o regulamento contra o envio de armas para zonas de conflito e concordou em municiar a Ucrânia.

Zelensky não foi responsável pelo único impulso na direção dessas decisões. Muitos outros fatores estavam em jogo. Os franceses, por exemplo, ficaram furiosos com Putin por ter feito o presidente Emmanuel Macron de bobo – Macron acreditou nas promessas do Kremlin e até divulgou que não haveria invasão. Qualquer gesto de apaziguamento em relação aos russos também traria sérios riscos políticos para os líderes europeus. Tanto quanto Zelensky, os cidadãos comuns, em seus países, os pressionavam a ajudar a Ucrânia. Segundo pesquisa, no primeiro mês da guerra, nove entre dez europeus simpatizavam com os ucranianos e acolhiam refugiados, e dois terços aprovavam que fosse fornecido à Ucrânia equipamento militar para sua defesa.[4] Os Estados Unidos vivenciaram uma onda ainda mais forte de indignação contra a Rússia. Os norte-americanos queriam que o governo de Biden fizesse mais pela Ucrânia, mesmo correndo o risco de provocar uma guerra mais ampla. Três quartos dos norte-americanos afirmaram, numa pesquisa no início de março, que os Estados Unidos e a Otan deveriam impor uma zona de exclusão aérea para deter bombardeios russos, e quatro em cada cinco pessoas eram a favoráveis à punição da Rússia por meio de sanções mais severas.[5]

Muitos líderes ocidentais teriam preferido ficar à margem. A Europa depende da Rússia quanto à grande parte do petróleo, gás, metais e minerais que alimentam a economia. Mas as ações de Zelensky e a força de seus apelos envergonhavam os políticos que se recusavam a ajudá-lo. A determinação do presidente de morrer pela independência de seu país desafiou o resto do mundo democrático e levantou a questão de quanto eles se sacrificariam pelos valores que professavam. A falta de apoio à Ucrânia naquele momento demonstrava que eram hipócritas e covardes. Sua inação indicava cumplicidade, e Zelensky deixava claro que, se ele morresse, seu sangue estaria nas mãos dos líderes aliados. "Provem que estão do nosso lado", disse ele durante um discurso ao parlamento europeu no final da primeira semana da invasão. "Provem que não nos deixarão. Provem que são realmente europeus, e então a vida vencerá a morte, e a luz vencerá as trevas." Enquanto ouviam através de seus fones de ouvido, os legisladores europeus percebiam que o intérprete reprimia as lágrimas ao traduzir as palavras de Zelensky.

Até a Suíça aquiesceu, deixando de lado sua tradição de neutralidade quanto a apoiar sanções da União Europeia contra a Rússia. O chanceler da Alemanha, Olaf Scholz, decidiu nos primeiros dias da invasão deixar de lado o etos do pacifismo que havia moldado o papel de Berlim no mundo ao longo de três décadas. Em discurso ao parlamento alemão em 27 de fevereiro, prometeu armar a Ucrânia, isolar a Rússia e investir 100 bilhões de euros para reativar o Exército alemão que tinha sido negligenciado. "Entramos numa nova era", disse o chanceler. Nas cidades ucranianas, "indivíduos não estão apenas defendendo a pátria. Estão lutando pela liberdade e pela democracia, por valores que com eles compartilhamos".[6] Grandes multidões se reuniram em Berlim naquele dia para denunciar Putin e exigir mais apoio à Ucrânia. Scholz não podia ignorá-los; o povo estava do lado de fora do prédio, próximo às janelas do parlamento, enquanto ele falava. E também não podia ignorar Zelensky, que das primeiras páginas de jornais e revistas alemães dirigia-lhe seu olhar. "O presidente entendeu bem, e instintivamente", disse um dos conselheiros de Zelensky. "Ele precisava mostrar ao mundo que o governo mantém sua posição, que vamos lutar. Isso fez superar o impacto inicial nos Estados Unidos e na Europa."

Em meio a todos os apelos visando ao apoio do Ocidente, era fácil naqueles dias ignorar os sinais mais sutis que Zelensky tinha enviado para os russos, no leste. Queria negociar e estava disposto a fazer concessões. A indignação que o presidente sentia naqueles dias não chegou a influenciá-lo no sentido de abandonar a esperança de argumentar com Putin e encerrar a guerra mediante a diplomacia. "Não temos medo de falar com a Rússia", disse ele no segundo dia da invasão. "Precisamos conversar sobre o término dessa invasão. Precisamos falar sobre um cessar-fogo."[7]

A primeira resposta a essas propostas chegou dois dias depois, quando Aleksandr Lukashenko, o ditador de Belarus, fez um convite a Zelensky. Ex-líder de uma fazenda comunitária, com um bigode caído, Lukashenko era o aliado mais próximo de Putin na Europa e cúmplice voluntário da invasão. Tinha permitido que as forças russas se reunissem e se preparassem no território de Belarus, que serviu de trampolim para o avanço de Moscou em direção a Kiev. Agora estava ao telefone, oferecendo-se para desempenhar o papel de mediador. Ele disse a Zelensky que uma rodada de negociações de paz poderia ser providenciada logo no dia seguinte. Algumas horas depois, Zelensky surgiu na Sala de Planejamento para anunciar que havia aceitado a oferta. "Eu realmente não acredito que essa reunião trará resultados, mas vamos aceitar a oportunidade", disse ele, "para que nenhum cidadão da Ucrânia possa ter qualquer dúvida de que eu, como presidente, não tentei interromper a guerra quando surgiu a chance, apesar de remota."[8]

O homem que Zelensky escolheu para liderar a delegação foi seu velho amigo Davyd Arakhamia, que vivia no bunker presidencial desde o primeiro dia da invasão. Para muitos observadores, a escolha foi peculiar. Arakhamia era membro do Parlamento, líder de maioria do partido de Zelensky, mas sem experiência em assuntos internacionais. Sua formação profissional tinha sido no setor tecnológico, onde lançara uma cadeia de fliperamas antes de fundar a startup TemplateMonster, que construía ferramentas para a criação de sites. Na comitiva de Zelensky era conhecido como um falante astuto e solucionador de problemas, e Arakhamia não duvidava de sua própria capacidade para negociar uma trégua, tão bem como qualquer diplomata profissional. "Durante toda a minha vida ouvi as pessoas dizerem que eu poderia fazer acordo com qualquer um, até mesmo com um cadáver", disse-me Arakhamia. "Logo, eu era talhado para a missão."

O primeiro desafio foi chegar ao local. Todos os aviões civis estavam detidos no solo, e as estradas para o norte de Kiev, em direção a Belarus, atravessavam algumas das áreas mais intensas do combate. No final, Arakhamia e sua equipe perceberam que era mais seguro fazer um desvio até a fronteira com a Polônia, onde dois helicópteros Blackhawk, poloneses, os aguardavam para transportá-los até Belarus. Zelensky lhe deu instruções simples. "Não importa o que você diga", lembrou Arakhamia, "o principal é que eles nos ouçam, captem o sinal de que podemos negociar."[9]

No final da tarde de 28 de fevereiro, quinto dia da invasão, os representantes se reuniram em um local no sudeste de Belarus que não deixou os ucranianos exatamente à vontade. A sala de negociações ficava dentro do antigo palácio de um marechal do Império Russo, o conde Pyotr Rumyantsev, que havia conquistado e governado as terras da Ucrânia no final do século XVIII. O contraste entre os dois lados da mesa era óbvio. Os russos apareceram usando ternos formais e gravatas. Arakhamia tinha na cabeça um boné de beisebol preto, ligeiramente inclinado para o lado. "Nosso estilo era antidiplomático, a começar pelo código da vestimenta", disse mais tarde. "Eles começavam com o juridiquês, e eu dizia: 'Não preciso dessa baboseira, falem em termos normais.'"

A sessão terminou com uma promessa mútua de dar continuidade à conversa – e pouco mais que isso. Arakhamia voltou para casa pelo mesmo caminho e deu a Zelensky um resumo detalhado do que tinha acontecido. O objetivo principal de "estabelecer contato" com os russos, disse ele, fora alcançado. Agora se propunham a organizar uma equipe mais profissional de diplomatas, advogados e oficiais militares que deveriam começar a elaborar os termos de um acordo. Ao longo das semanas seguintes, apresentaram uma lista de propostas ligadas à ideia de "neutralidade permanente". A Ucrânia concordaria em renunciar aos planos de se juntar à Otan ou quaisquer outras alianças militares em troca de "garantias de segurança" da Rússia e uma lista de "Estados garantidores", incluindo Estados Unidos, Reino Unido, China, França, Alemanha, Israel e outros. De acordo com uma cópia das propostas que mais tarde vazou para um jornalista russo independente, o lado ucraniano pediu a Putin que se encontrasse com Zelensky e negociasse um tratado para dar fim à guerra.[10]

Na primeira semana da invasão, relatos e imagens de devastação continuavam a chegar toda hora até Zelensky. Dezenas de mortos, inclusive crianças, quando os russos lançaram bombas de fragmentação em bairros residenciais em Kharkiv, a segunda maior cidade da Ucrânia. Houve ainda cinco mortos quando um par de mísseis atingiu a torre de televisão de Kiev. O bombardeio de um jardim de infância ao norte de Sumy causou a morte de cinco adultos e duas crianças, além de deixar dezenas de feridos. Pelo menos quatro pessoas foram mortas por bomba aérea nos subúrbios de Mariupol, no sul. Um morteiro atingiu uma maternidade perto da capital.

Mas para cada relato de atrocidade russa vinha a notícia de que os ucranianos mantinham suas posições. Na cidade de Chernihiv, no nordeste de Kiev, as Forças Armadas repeliram o ataque terrestre russo, capturando veículos inimigos e levando os primeiros prisioneiros russos da guerra. Dois dias após, a atuação dos civis foi decisiva para a defesa do sul da Ucrânia, ao servir de observadores para os militares, guiando o fogo de artilharia para seus alvos. Poucos dias depois, quando os russos se aproximaram da maior usina nuclear da Ucrânia, na cidade de Enerhodar, multidões permaneceram nas estradas para detê-los, enfrentando tanques com bandeiras ucranianas e barricadas improvisadas. Cenas semelhantes ocorriam no sul do país, na cidade de Melitopol, que havia sido ocupada nos primeiros dias da guerra. Moradores reuniram-se nas ruas daquela cidade cantando palavras de ordem para que os ocupantes dessem meia-volta "e fossem à merda". O moral entre os ucranianos cresceu à medida que as notícias desses confrontos se espalharam nas redes sociais, cada relato destruindo o mito da indomável Rússia. Mas nenhum dos primeiros confrontos importava mais para a sobrevivência da Ucrânia do que aquele do aeroporto de Hostomel, perto da fronteira ocidental de Kiev. No primeiro dia da invasão, a retirada ucraniana do aeroporto significou uma vitória crucial para as forças aéreas russas. Eles só precisavam ter permanecido tempo suficiente até a chegada de reforços nos aviões de carga militar, que logo decolaram das bases na Rússia, lotados de soldados e armas para marchar em Kiev no dia seguinte. Mas os aviões nunca chegaram.[11]

Assim que as forças ucranianas se retiraram do aeroporto, os comandantes pediram às reservas de artilharia que bombardeassem o local, de várias direções, tornando impossível o pouso de aeronaves russas. O contra-ataque durou vários dias e envolveu um conjunto heterogêneo de forças ucranianas sem comando ou coesão definida. Além das unidades militares profissionais – como a 72ª Brigada Motorizada, que deslocou pesados canhões para a luta –, a Guarda Nacional desembarcou no aeroporto, assim como tropas especiais, policiais, oficiais do serviço de inteligência militar e muitos voluntários civis. "A teoria militar não leva em conta os caras normais usando calças esportivas e rifles de caça", disse o general Zaluzhny, que do posto de comando monitorava a batalha. Um de seus auxiliares no bunker obteve o número do celular de alguém que morava em Hostomel, "amigo de um amigo", que concordou em se aproximar tanto quando possível do aeroporto para observar se os projéteis ucranianos acertavam o alvo. Essas informações foram passadas por telefone. Dezenas de paraquedistas inimigos acabaram mortos na batalha pelo aeroporto, e corpos se espalharam no meio dos destroços carbonizados dos helicópteros.

Para a liderança em Kiev, a coragem dos civis nessa batalha, e de muitos outros em toda a Ucrânia, revelou uma das falhas fundamentais no plano bélico russo. Putin contava que pelo menos parte da sociedade ucraniana recebesse seus soldados como se eles fossem libertadores, ou se afastariam para permitir que a ocupação prosseguisse. "Havia a expectativa de que seríamos recebidos com flores", admitiu mais tarde um general russo.[12] Em vez disso, um grande número de cidadãos ucranianos juntou-se à resistência de todas as maneiras possíveis, correndo muitas vezes grande risco pessoal e dispondo de pouco ou nenhum treinamento. Em Kiev e em muitas outras cidades, do lado de fora dos escritórios de recrutamento longas filas se formaram, com pessoas que tinham aceitado o chamado de Zelensky para se alistar. "Avós preparavam coquetéis molotov", disse Oleksiy Reznikov, ministro da Defesa. "E seus netos estavam prontos para lançá-los."[13] Um setor das Forças Armadas, conhecido como Forças de Defesa Territorial, relatou ter aceitado 100 mil novos recrutas nos primeiros dez dias da invasão.

Em muitos pontos da frente de batalha, os russos estavam em desvantagem numérica. O fracasso em assumir o controle de quaisquer aeroportos próximos a Kiev obrigou os invasores a adotar uma estratégia mais simples – um ataque terrestre que dominasse as defesas de Kiev com uma ação de pinça, de leste a oeste. Em 28 de fevereiro, quinto dia da invasão, satélites comerciais avistaram uma vasta coluna de material militar russo movendo-se para o sul em direção a Kiev, a partir de Belarus. A coluna media mais de 65 quilômetros de comprimento e incluía milhares de veículos militares – artilharia rebocada e sistemas antiaéreos, tanques e veículos blindados, caminhões de combustível e hospitais ambulantes, ou seja, toda a maquinaria de aço bélica avançando numa cadeia que se estendia até o horizonte. As notícias da coluna levaram muitos a acreditar que Kiev logo seria cercada. O general Zaluzhny encarou isso de forma diferente: a coluna estava, na verdade, indo direto para a armadilha que ele preparara.

Para retardar o avanço, os ucranianos detonaram as principais pontes sobre o rio Irpin, que flui ao longo da borda ocidental de Kiev, e desencadearam uma série de explosões na barragem que detém o reservatório da cidade, liberando água suficiente para inundar as margens do Irpin e criar pântanos intransitáveis no caminho da coluna. As formações russas deram continuidade ao avanço do norte, mas os tanques e veículos blindados logo ficaram sem combustível, e uma fila gigantesca de alvos fáceis se formou nas rodovias ao norte de Kiev. Para Zaluzhny, significava uma virada. "A despeito do que acontecesse a seguir", disse ele, "nosso plano tinha funcionado."

Equipes móveis das forças especiais ucranianas se aproximavam a pé da coluna, lançando foguetes e desaparecendo na floresta. O clima estava do lado deles. O solo não havia congelado até o final de fevereiro, e os tanques russos não puderam sair facilmente das estradas na direção dos campos e das florestas. Os que tentassem ficariam presos na lama, e, caso não fossem rebocados por outros veículos, seriam abandonados. A frota de drones de combate ucranianos Bayraktar TB2, comprados da Turquia no período que antecedeu a invasão, começou a despejar foguetes sobre os veículos russos, impedindo ainda mais seu avanço. Imagens aéreas dos ataques com drones se propagaram nas redes sociais e levantaram o ânimo dos ucranianos.

Enquanto monitorava a operação do bunker, o general Zaluzhny custava a acreditar na extensão das falhas da parte do lado russo. Ele havia estudado os escritos de seu oponente, o general Valery Gerasimov, comandante das Forças Armadas russas, dezessete anos mais velho que ele. Inclusive, mantinha em seu escritório uma cópia da coleção de obras de Gerasimov. "Entre todos é o mais inteligente, e em relação a ele minhas expectativas eram imensas", disse-me Zaluzhny. "Fui criado segundo a doutrina militar russa, e ainda penso que a ciência da guerra, de modo geral, está localizada na Rússia." Mas as Forças Armadas russas não tiveram o desempenho esperado. Sua maior falha foi a falta de imaginação, a incapacidade de se adaptar às mudanças no campo de batalha. A estrutura de comando ainda seguia o modelo soviético, que não contava com a cultura de iniciativa no meio dos oficiais inferiores. Eles só faziam o que lhes era determinado e eram criticados por reagir aos eventos sem a devida permissão. Confrontados com uma forte resistência ou incapacidade de reabastecimento, não recuaram nem mudaram a abordagem diante das condições impostas pela guerra. "Apenas conduziram seus soldados para o matadouro", disse Zaluzhny. "Escolheram as circunstâncias que mais bem me convinham."

A ideia de que a Ucrânia seria capaz de resistir à invasão logo deixou de parecer fantasiosa para os aliados mais importantes de Zelensky. No início de março, as lideranças dos Estados Unidos e da Otan perceberam que os militares russos não eram o colosso que haviam imaginado. Militares das forças aéreas de Putin foram massacrados em toda a periferia de Kiev. As perdas aumentavam rapidamente e dificultavam qualquer contagem. Números oficiais do Ministério da Defesa russo informavam que entre seus soldados quase quinhentos foram mortos e mil e quinhentos feridos nos primeiros dez dias da invasão, um número alarmante segundo padrões da guerra moderna. Estimativas independentes situavam as perdas russas numa ordem de maior magnitude, incluindo milhares de soldados, centenas de veículos blindados e dezenas de aeronaves perdidas durante a primeira semana da guerra.[14]

O comando militar nas capitais ocidentais observava as batalhas, fazendo ajustes quanto ao seu entendimento sobre a ameaça russa. De seus aposentos no bunker militar, Zaluzhny manteve contato próximo com um colega norte-americano, o general Mark Milley, chefe do Estado-Maior Conjunto. Por coincidência, um novo intérprete tinha sido designado para Milley nessa ocasião, e as traduções dos comunicados por telefone tornaram-se mais demoradas e confusas, dando margem a mal-entendidos entre os dois comandantes. Enquanto tentavam criar estratégias e compartilhar informações, alguns comentários de Milley pareciam ofensivos no entender de Zaluzhny. "Milley fez perguntas pertinentes, querendo saber se eu planejava uma retirada em algum lugar", lembrou. "Eu respondi: 'Não entendo você.'" Zaluzhny comandava tropas contra os russos desde 2014, quando Putin enviara suas forças pela primeira vez com o objetivo de ocupar a Crimeia e se apropriar do leste da Ucrânia. Do ponto de vista de Zaluzhny, a guerra estava acontecendo havia oito anos. "Agora tinha se tornado mais ampla", disse ele a Milley. "Eu não fugi na época, e não vou fugir agora. Nós vamos lutar até o fim." (Um oficial dos Estados Unidos que participou dessas chamadas disse-me que Zaluzhny fez essa declaração em termos ainda mais contundentes: "Ele disse algo assim: 'Eu vou morrer aqui. Estou pronto para morrer.'")

Quando discutiram a respeito da batalha por Hostomel e o fracasso russo quanto a apoderar-se de Kiev em menos de uma semana, Milley não atribuiu o sucesso à esperteza do planejamento ucraniano. Parecia-lhe um milagre militar. "Ele me falou: 'Filho, você teve sorte'", disse Zaluzhny. O comentário o feriu. Uma série de fatores imprevisíveis, começando pelo clima, favoreceu a Ucrânia na Batalha de Kiev. Mas a defesa não foi mera questão de sorte. Zaluzhny supervisionou os preparativos, desenvolveu uma estratégia e a colocou em ação. Um aspecto crítico de seu plano considerava deslocar e esconder os sistemas de defesa aérea e aeronaves militares da Ucrânia nos dias que antecederam a invasão. Quando esses sistemas sobreviveram à barragem inicial de mísseis e bombas aéreas, a força aérea russa perdeu a chance de dominar os céus. Agora a invasão tinha entrado em nova fase, com as forças terrestres russas se aproximando de Kiev, e Zaluzhny precisava de ajuda para permanecer vivo. Durante um telefonema com Milley, em 1º de março, ele explicou que as forças ucranianas só poderiam aguentar por mais algumas semanas sem um influxo maciço de apoio dos Estados Unidos. "Daqui a um mês", disse ele, "eu vou cair."

Em particular, a Ucrânia precisava de aeronaves. Seus pilotos nunca haviam operado aviões da Otan, mas tinham anos de experiência pilotando o MiG-29, um modelo soviético com o qual vários países europeus ainda contavam em suas frotas. A Polônia concordou em entregar esses jatos aos ucranianos, desde que os Estados Unidos compensassem a força aérea polonesa com um suprimento de F-16. O governo de Joe Biden recusou-se a fazer esse acordo. Temia um ciclo de escalada que poderia levar a Otan à guerra contra a Rússia ou incitar Putin a usar armas nucleares na Ucrânia. Milley também temia que os modernos caças russos superassem os antigos MiGs poloneses, que não haviam sido projetados para o que a Ucrânia mais precisava: fornecer cobertura aérea para as tropas no solo e bombardear as forças russas.

Quando Zaluzhny tentou insistir no assunto em seu telefonema, Milley ponderou que a Ucrânia ainda tinha um número suficiente de aviões em sua frota. Zaluzhny sabia que não era verdade. "Eu disse a ele: 'Não, general, se eu lhe disser que só restaram dois bombardeiros, então a situação é essa.' E ele respondeu: 'Negativo. De acordo com nosso serviço de inteligência, você tem setenta.'" Zaluzhny ficou sem palavras. Tinha que enfrentar uma guerra, e essas chamadas tomavam horas preciosas de seu dia. "Minha vontade era cuspir no chão e dizer 'basta, chega de conversas!'." Os norte-americanos recusavam-se a ceder aos pedidos de fornecer outros tipos de armas pesadas, como artilharia de longo alcance que correspondesse ao que os russos estavam usando para bombardear a distância as cidades ucranianas. Zaluzhny afirmou: "Mais que depressa vamos precisar reabastecer os estoques de munição e dinheiro. Duas ou três vezes perguntei a Mark Milley sobre o assunto, mas compreendi que ele não estava bem-assessorado pelo seu setor de inteligência."

Quando desligou o telefone, Zaluzhny sentiu que estava ficando sem opções. Na primeira semana de combates, os russos tomaram cerca de um quinto do território da Ucrânia. Cercaram as cidades de Mariupol e Kherson no sul, enquanto as cidades que a Rússia tentou capturar e não conseguiu, como Kharkiv, no leste, e Chernihiv, no norte, enfrentavam ataques implacáveis e bombardeios aéreos. A linha de frente agora se estendia por mais de 2.500 quilômetros, e as Forças Armadas ucranianas não tinham condições de resistir, a menos que o Ocidente fornecesse as armas necessárias. Zaluzhny, contudo, num momento de indignação, tinha acabado de cortar o contato com seu aliado mais influente e se recusava a atender suas chamadas. Naquele momento, disse ele: "Eu não sabia a quem mais recorrer além de Zelensky."

No dia seguinte, o general deixou seu posto de comando e passou por Kiev para ver o presidente. A cidade estava deserta. Mais de 1 milhão de moradores tinham fugido. Bloqueios de estradas feitos de lajes de concreto e sacos de areia estavam nos principais cruzamentos. Nem tudo ali poderia dificultar o avanço de um tanque inimigo, mas tratava-se de uma questão de orgulho para os combatentes voluntários, em todos os bairros, construir e manter essas barricadas, incendiando entulho e hasteando a bandeira nacional.

Ao chegar à rua Bankova, Zaluzhny foi saudado pela equipe presidencial, que lhe deu as boas-vindas dignas de um herói. Todas as esperanças de derrotar os russos repousavam nas Forças Armadas da Ucrânia, e ali estava seu comandante, uniformizado, curvando-se para passar pela porta do bunker. Normalmente, os guardas não permitiam fotos nos porões. Mas alguns dos assessores de Zelensky pediram ao general que posasse para uma foto com eles na sala de conferências. Quando se sentaram, de frente um para o outro, em torno de uma mesa de madeira laqueada, Zaluzhny contou ao presidente sobre suas conversas com os norte-americanos e sua decisão de interromper o contato com Milley. "Ele reagiu muito mal", disse-me Zaluzhny mais tarde. O mesmo aconteceu com alguns membros da equipe de Zelensky, especialmente os responsáveis pela diplomacia, que temiam que o general pudesse comprometer o relacionamento da Ucrânia com seu aliado mais importante. Mas Zaluzhny não se deixaria dissuadir. Estava cansado de pedir ajuda aos norte-americanos e ainda receber lições sobre as necessidades de suas próprias forças militares. O presidente teria de encontrar outra maneira de garantir a aquisição de armas para o combate. "Dentro de um mês", disse para Zelensky, "estaremos realmente muito ferrados, ou seja, precisamos fazer algo agora."

De onde estava, nos confins de seu bunker, Zelensky não podia fazer muita coisa. Tinha apelado aos líderes mundiais, pelo menos àqueles com quem podia se comunicar com segurança. A equipe precisava ajustar suas táticas, tornar suas demandas mais insistentes e incisivas, mesmo que isso significasse assumir riscos adicionais e violar regras da cortesia diplomática. Para começar, os guarda-costas do presidente tiveram de reconsiderar os termos de seu confinamento para que ele começasse a receber convidados e encontrar-se com jornalistas. Era necessário que ele se mantivesse nas manchetes para moldar o entendimento do público quanto à guerra. Além das conversas de Zelensky com líderes estrangeiros, ele precisava encontrar maneiras de se dirigir às pessoas que o elegeram, para cativá-las e mantê-las envolvidas.

"Para nós, é realidade, mas, para milhões de pessoas ao redor do mundo, é um reality show", me disse algum tempo depois o ministro das Relações Exteriores da Ucrânia, Dmytro Kuleba. "Não em termos de diversão, mas é algo que você vê através de uma tela." Em uma época de vídeos virais e feeds de notícias infinitos, os espectadores podem se sentir imersos nas tragédias em andamento na Ucrânia mesmo a milhares de quilômetros de distância. O objetivo do presidente, disse Kuleba, era manter a imersão por quanto tempo fosse possível, para quantas pessoas fosse possível, enquanto tudo era feito para manter esses espectadores do seu lado. "É preciso seguir certas regras se quiser que a pessoa do outro lado da tela continue a assistir você e ser solidária", disse ele. "São as mesmas regras que funcionam em todo lugar, em estratégias de marketing e militares. É preciso vencer, porque as pessoas amam os vencedores. É preciso impressioná-las com algo grande e inesperado de tempos em tempos, porque ninguém acompanha uma rotina", continuou. "Em terceiro lugar, é preciso um personagem bem-definido associado à história e que esteja visível para o público o tempo todo, e, no nosso caso, este é o presidente Zelensky. Por último, é preciso uma boa história para contar. É a história da nação menor dando porrada na nação maior que a invadiu. São os caras maus atacando os caras bons, e os caras bons vencendo. É isso que as pessoas amam."

Em 3 de março, o dia depois do encontro de Zelensky com o general Zaluzhny no bunker, seus guarda-costas cederam, e os assessores do presidente foram autorizados a organizar a primeira entrevista coletiva desde o início da invasão. Repórteres de Estados Unidos, Alemanha, Israel, Turquia e de outros países foram trazidos em caminhonetes pelo labirinto de postos de controle militares e barricadas até a entrada dos fundos do complexo presidencial, onde foram minuciosamente revistados. No interior do complexo os corredores estavam às escuras, as janelas cobertas com sacos de areia, e os soldados faziam uso de lanternas para indicar o caminho que levava à sala de reuniões no primeiro andar. Zelensky logo chegou com alguns de seus assessores, vestidos com os trajes de combate, camisetas e agasalhos cáqui do Exército. Em vez de ficar no púlpito, o presidente pegou uma cadeira e colocou-a próximo aos repórteres na primeira fila, atraindo olhares temerosos dos guarda-costas que circulavam pela sala com rifles de assalto.

Zelensky pediu desculpas por não estar no seu normal. "Temos dormido três ou quatro horas por noite." Mas parecia animado, apesar da palidez, e comandou a reunião com energia e espontaneidade, surpreendendo alguns participantes. Muitas perguntas provocaram lampejos de raiva, a maioria voltada aos líderes ocidentais que se recusavam a fornecer à Ucrânia as armas de que o país necessitava. "Quantas pessoas têm que ser destroçadas, quantos braços, pernas, cabeças precisam ser arrancados para chegarmos até vocês?" Todos os dias, desde o início da invasão, ele fazia vinte ou trinta ligações aos líderes estrangeiros, sobretudo seus aliados, e eles ainda rejeitavam seus apelos quanto a impor uma zona de exclusão aérea sobre a Ucrânia. "Se vocês não têm a força, a coragem de fechar o céu, deem-nos aviões!" Ele mencionou o acordo provisório para a Polônia fornecer os MiGs-29. "Deem para nós!"

Às vezes, parecia petulante, até mesmo rancoroso. Mas o tempo de boas maneiras tinha passado. Para sobreviver à guerra, Zelensky e sua equipe precisavam agarrar e manobrar a atenção do mundo, fazer com que tantas nações quanto possível experimentassem a invasão do mesmo modo que a Ucrânia, ou seja, como uma ameaça a suas vidas, seus valores, sua existência como democracia. Pensamentos e preces pela tenacidade de Kiev não eram suficientes. Governos estrangeiros e, fundamentalmente, seus cidadãos, precisavam agir, fazer sacrifícios, senão em termos de sangue, que fosse para renunciar a uma ou duas benesses. Os métodos que Zelensky utilizava para transmitir essa mensagem eram muito mais sofisticados do que o megafone que a Rússia levava para a batalha. No front da propaganda, a Ucrânia tinha de saída uma vantagem. Era o azarão, e a Rússia, o agressor. No entanto, isso não garantia o nível de apoio que a Ucrânia precisava para permanecer na luta. Guerras passadas tinham demonstrado que a simpatia do mundo pouco significava no campo de batalha. Putin, ao longo dos anos, bombardeou a Chechênia e a Síria, invadiu a Geórgia e anexou a Crimeia, sempre provocando uma onda de revolta internacional, e a cobertura da mídia, inevitavelmente, desapareceria. Os russos tinham motivos para esperar que não seria diferente no caso da Ucrânia. Eles tendiam a enxergar os adversários dessa guerra como um bando de comediantes e impostores. Mas calcularam mal. Zelensky e sua equipe de produtores e artistas compreenderam o poder das percepções, tanto quanto qualquer propagandista do Kremlin, e ainda melhor. Desde o período de experiência no setor de entretenimento, eles sabiam como provocar emoções, inspirar e cativar o público, e consideravam isso uma das suas tarefas mais importantes, talvez o modo mais eficaz de apoiar os valorosos esforços dos militares. Enquanto o general Zaluzhny se concentrava nos combates, o presidente se conscientizou de que sua missão era pressionar o Ocidente para obter ajuda, e essa sinergia em suas relações duraria vários meses até que fissuras começassem a aparecer.

Naquele momento, Zelensky não tinha conquistado confiança ou experiência suficiente de líder de guerra, capaz de revogar decisões do comando militar. Seu papel tinha menos a ver com a guerra em si do que com a maneira como ela era percebida, e tinha condições de atuar bem. Ao mesmo tempo, ele parecia valorizar a oportunidade não só de testemunhar a história, mas de também moldá-la. Muitos de seus assessores sentiam o mesmo; um deles me disse que Zelensky obteve de sua vida no bunker uma espécie de "prazer masoquista" devido às condições vantajosas que o local lhe proporcionava quanto à possibilidade de moldar os acontecimentos mundiais. Zelensky raramente falava sobre esses sentimentos. Mas também considerava gratificante o fato de estar nessa posição singular de poder e influência. Apesar do perigo e do estresse, da separação da família, do peso da responsabilidade que carregava e dos horrores que presenciava todos os dias, o presidente se sentia privilegiado, até feliz, em realizar o trabalho que lhe fora destinado. Mesmo nos dias mais difíceis conferia-lhe um profundo senso de propósito, e o fazia sentir-se vivo.

"Minha vida hoje é linda", disse ele no final da coletiva de imprensa, quando um repórter perguntou como ele estava lidando com a situação. "Sinto que sou necessário."[15] A semana anterior, mesmo tendo sido terrível e trágica para ele e seu país, também se situava entre as mais emocionantes e gratificantes de sua vida. Ele não trocaria a atual situação pelo conforto e pela segurança que tinha conhecido em sua antiga vida de astro do cinema. "Penso que o principal objetivo na vida é ser útil, não apenas alguém vazio que respira, anda e come. Mas viver, saber que certas coisas dependem de você estar vivo, e sentir que sua vida é importante para os demais."

7. O bunker

Certa noite, no início de março, enquanto dois assessores do presidente ficaram acordados até tarde na sala de conferências do bunker, bebendo uísque com Coca-Cola e monitorando notícias, um relatório da frente sul chamou a atenção. Os russos tinham iniciado o bombardeio à maior central nuclear da Ucrânia – na verdade, a maior de toda a Europa. Situada em Enerhodar, a aproximadamente 100 quilômetros de distância da cidade natal de Zelensky, a instalação tinha seis reatores nucleares que produziam energia para grande parte do sudeste da Ucrânia. Poucos dias antes, os moradores das cidades vizinhas tinham reagido ao avanço das tropas russas, valendo-se de bandeiras e barricadas, e por um tempo os invasores se mantiveram na retaguarda. Mas agora tinham retornado mediante ordens de tomar as instalações.

"Usaram os tanques para explodir as instalações", disse Kyrylo Tymoshenko, o primeiro assessor de Zelensky a se deparar com as notícias naquela noite. As câmeras de segurança da fábrica alimentaram imagens ao vivo durante o ataque numa rede de computadores do governo, e Tymoshenko exibiu o vídeo na tela grande da sala de conferências. As balas de metralhadoras apareciam como riscos brancos na escuridão, atingindo o prédio administrativo da central. Bombas incendiárias deflagraram um incêndio na estação. Um pequeno destacamento da Guarda Nacional tinha sido implantado para proteger a instalação, e os soldados travaram uma luta violenta. Tymoshenko contactou o comandante pelo telefone, disse-lhe que permanecesse na linha e foi buscar seus superiores no bunker. "Eu estava andando pelos corredores, procurando por eles, e me deparei com o presidente. Ele parecia que tinha acabado de se exercitar quando eu o avisei: 'Tanques estão atacando a usina nuclear. Está havendo uma batalha.'"

Os administradores da central utilizavam alto-falantes para transmitir mensagens aos agressores: "Parem de atirar imediatamente! Vocês estão ameaçando a segurança do mundo inteiro!" Não surtiu efeito. Nenhuma unidade militar se achava disponível para reforçar a defesa da usina. Todas estavam atuando em outros setores da frente de batalha, restando a Zelensky apenas um meio de interferir na situação. Sentado diante do laptop, preparou uma declaração e a leu em voz alta. "Europeus, por favor, acordem! Pela primeira vez na nossa história, na história da humanidade, um Estado terrorista recorreu ao terrorismo nuclear. Há seis reatores nucleares lá. Seis!"[1]

Naquela noite, a tela do meu celular iluminou-se com mensagens de uma assessora de Zelensky, implorando-me que relatasse a história. "Um possível início do inverno nuclear", escreveu ela. "Putin perdeu completamente a cabeça." A notícia do ataque espalhou-se por todo o mundo quando o sol nascia em Kiev. Amplos protestos contra a invasão ocorreram no dia seguinte em diversas cidades europeias, e o chefe da agência nuclear da ONU alertou que o ataque da Rússia à usina criava "um perigo sem precedentes" de um acidente nuclear.

Nada disso teve qualquer efeito perceptível sobre as forças russas. Elas assumiram o controle da instalação e tomaram o pessoal como refém, forçando-os a trabalhar sob a mira de uma arma. Os ocupantes mais tarde se valeram da usina para armazenar munições, combustível e veículos de combate, sabendo que a Ucrânia não lançaria bombas na direção da usina nuclear. As cidades próximas eram alvo de intenso bombardeio da artilharia russa baseada na usina, e Zelensky não podia fazer nada para impedi-los. Os gerentes da fábrica disseram-lhe que, em caso de um colapso, a devastação poderia ser muito pior do que o desastre de Chernobyl em 1986. "O pior de tudo", disse mais tarde, naquela noite, Andriy Yermak, chefe de gabinete de Zelensky, "é que, por mais que se faça algo, fisicamente é impossível alterar o que está acontecendo."

Apesar da sensação de impotência, ninguém no bunker se entregou ao desespero durante aquela fase inicial da invasão. Havia muito que fazer, muitos incêndios para combater e crises para gerir. Zelensky e vários de seus assessores descreveriam mais tarde a primeira semana da invasão como um dia sem fim. Eventualmente, todos sucumbiram – a adrenalina passou e a tensão começou a aparecer. Naquele momento, não havia muito para comer no bunker. Alguns doces embalados foram servidos nas reuniões; havia apresuntado em lata e pão dormido na cozinha coletiva. Um ministro me disse que sobreviveu durante dias à base de barras de chocolate e, no processo, ganhou alguns quilos. De modo geral, porém, a ansiedade superava a fome da equipe presidencial, e começou a desgastá-los. Zelensky ficou mais pálido; ele reclamava da ausência de luz solar e da impossibilidade de respirar ar puro.

Quando ele subia de elevador até os andares principais do complexo, geralmente ficava apenas tempo suficiente para fazer uma declaração diretamente da sala de reuniões ou gravar uma mensagem de vídeo, mostrando ao mundo que não havia abandonado seu posto. Parecia bem nesses clipes, sorrindo e erguendo um punho no ar. Mas quase não descansava, e alguns de seus funcionários ficaram preocupados com sua saúde. Certa manhã, quando entrou na sala de conferências do bunker, uma de suas assessoras jurídicas achou que ele parecia um cadáver ambulante. “Uma pessoa viva não pode ter essa aparência”, disse mais tarde a assessora, Liliia Pashynna. O presidente murmurou um bom-dia a ninguém em particular. “Nem consegui responder”, disse Pashynna. “Eu jamais tinha visto alguém naquele estado.”

O restante da equipe não estava muito melhor. Oleksiy Reznikov, ministro da Defesa, sentiu suas forças sendo drenadas na segunda semana da invasão. Aos 55 anos, era saudável e atlético. Ávido mergulhador e paraquedista, fez uma série de curtas-metragens sobre seu outro hobby – dirigir veículos em todo tipo de terreno. Em março, porém, percebeu que a exaustão poderia matá-lo antes que os russos o fizessem. “Fiz uma sessão de autopsicoterapia, um diálogo interno no qual me perguntei: O que mais te atormenta?” Era o ciclo de acordar por volta das 5 da manhã, depois de uma ou duas horas de sono, e se forçar a conferir as notícias e começar a responder às mensagens. “A minha mente estava me dizendo que eu não resistiria àquela situação.” Precisava conservar energia – preparar-se, como ele disse, “não para um sprint, mas para uma maratona”.

Zelensky chegou à mesma conclusão, e sua vida no bunker logo se estabeleceu numa rotina mais gerenciável. A primeira videoconferência em sua agenda diária mudou para as 7 da manhã, o que lhe dava tempo para fazer a refeição matutina - ovos fritos, como sempre - antes de percorrer o refeitório e subir as escadas de seus aposentos para chegar à sala de conferências. Seguindo orientações da equipe, seus dias se tornaram uma série mais estruturada de declarações, reuniões e entrevistas, geralmente realizadas através da tela de um laptop ou celular. De acordo com a nova estratégia de comunicação, Zelensky ampliou seu público-alvo muito além do círculo de parceiros nas capitais ocidentais. Em 4 de março, dia do ataque russo à usina nuclear, ele apareceu ao vivo, via link de vídeo, diante de grandes multidões que se reuniram para apoiar a Ucrânia em sete cidades europeias, entre elas, Frankfurt, Praga, Viena e Vilnius (Lituânia), onde o cão de guarda nuclear da ONU está baseado. No dia seguinte, forneceu um link de vídeo para mais de duzentos membros do Congresso dos Estados Unidos. Uma semana depois, concedeu outra extensa coletiva de imprensa, a segunda em dez dias, a uma sala repleta de jornalistas do mundo inteiro.

À noite, ainda tinha dificuldade para dormir, em parte devido ao hábito adquirido de olhar para sua agenda diária, mesmo ao final do dia. "É inútil", disse-me ele. "É a mesma agenda. Constato que por hoje acabou, mas olho para ela várias vezes e percebo que algo está errado." Enviava mensagens de texto ou chamava seus assessores para saber mais a respeito de planos ou promessas, muitas vezes tirando-os da cama. Não era a ansiedade que o mantinha acordado nesses momentos. "É a minha consciência que me incomoda", disse ele. Eram tantas as demandas, tantas reuniões e ligações telefônicas, tantas solicitações das Forças Armadas e de membros do seu governo, tantos acontecimentos trágicos que pareciam exigir sua atenção, sua resposta. Seu chefe de gabinete fazia o melhor possível para selecionar prioridades sem negligenciar alguma tarefa crucial ou de emergência. "Além das vidas humanas, a coisa mais preciosa que temos é o tempo", escreveu Yermak no bunker no início de março. "É o que sempre temos que economizar. Cada decisão precisa ser tomada o mais rápido possível. O que era para hoje deveria ter sido feito ontem. Nesse ritmo, sob esse tipo de pressão, somente uma equipe confiável pode funcionar. Essas pessoas não estão aqui por acaso."

Além dos guardas de segurança e soldados, cerca de duas dúzias de assessores e conselheiros do presidente viviam no bunker nessa época. Pashynna, a assessora jurídica, era uma das poucas mulheres. Sendo uma jovem advogada no escritório do chefe de gabinete, seus deveres em tempo de paz incluíam a revisão da legislação e outros documentos antes de serem enviados para o presidente assinar. Agora ela atendia às chamadas sobre carregamentos de armas e coordenava a distribuição de ajuda humanitária. O papel não tinha sido imposto; era inteiramente sua escolha. Na manhã da invasão, quando chegou ao trabalho e encontrou os escritórios repletos de soldados, resolveu pedir a um deles uma arma para se defender caso os russos atravessassem os portões. O soldado concordou em lhe mostrar como se usava o rifle de assalto. Pashynna então enviou uma mensagem de texto para Yermak, seu chefe, dizendo que tinha aprendido a atirar e não pretendia deixar o complexo. Ele respondeu naquela tarde, dizendo-lhe que perguntasse a um dos seguranças qual era o caminho para o bunker. O que ela havia encontrado era bem diferente da atmosfera da administração que conhecera. "Ninguém estava de brincadeira", disse ela. "Não havia risadas."

Observando a condição para viver no bunker, todos da equipe tiveram de assinar acordos de confidencialidade, que os proibiam de deixar vazar quaisquer detalhes sobre a planta, a localização ou as comodidades da instalação. Embora essas restrições tenham sido depois relaxadas, os habitantes do bunker cumpriam a promessa de sigilo, enquanto houvesse o perigo de um cerco russo. Alguns decidiram se armar. O presidente também tinha uma arma, embora jamais a portasse. Mais tarde, na guerra, quando um repórter lhe perguntou sobre a pistola, Zelensky mencionou o risco de ser capturado pelos russos. "É lamentável", disse ele. "Considero lamentável." O repórter quis saber se o propósito da arma seria para se certificar de que os russos não o levariam vivo. Zelensky riu. "Não, por favor. Não faríamos isso a nós mesmos. Mas revidar, sim", argumentou.[2]

Com o passar das semanas, as condições de vida no interior do bunker melhoravam. Refeições quentes preparadas na cozinha do complexo presidencial eram servidas no refeitório duas ou três vezes por dia. De modo geral, era comida típica de cafeteria: salsichas fervidas e bolinhos de batata cozidos, gulache, trigo-sarraceno e salada com maionese. Alguns funcionários reclamavam que as porções eram pequenas e se perguntavam como os robustos guardas presidenciais sobreviviam com tão poucas calorias.

Na parede do refeitório, uma televisão de tela plana transmitia as notícias nacionais dia e noite. Eram as mesmas em todos os principais canais e, dos limites do bunker, o presidente e sua equipe tinham o poder de influenciar a programação. Bastava telefonar ou mandar mensagens por escrito aos diretores do estúdio, que não tinham alternativa a não ser cumprir as ordens da rua Bankova. Conforme os termos da lei marcial, as ondas de rádio fazem parte da infraestrutura crítica, e o Estado tem o direito de fazer com elas o que quiser em nome da defesa nacional. Para alguns dos assessores de Zelensky, era um sonho transformado em realidade. Fazia tempo que tentavam desenvolver um canal de notícias estatal, que fosse porta-voz das autoridades e a que o público realmente assistisse. "Jamais tivemos um canal assim", disse Kyrylo Tymoshenko, o assessor presidencial empenhado no projeto. O mais próximo que conseguiram foi o Telekanal Rada, emissora oficial do Parlamento, que se caracterizava pela exibição de imagens sombrias das sessões legislativas. O nível de audiência era péssimo. Nos meses anteriores à invasão, as autoridades investiram nesse canal, construindo cenários elaborados e dispondo de uma equipe padronizada de âncoras que atuasse em programas de entrevistas e noticiários. Mas o canal não chegou a competir com as redes de notícias estabelecidas na Ucrânia. Todas essas redes eram controladas por magnatas e políticos ucranianos que se opunham a Zelensky, e os programas não perdiam a oportunidade de atacar seu governo.[3]

Agora, com a nação em guerra, o gabinete presidencial solicitou a todos esses canais que deixassem de lado a política e seguissem o presidente. No início, alguns executivos da mídia resistiram. "Disseram que queriam fazer as próprias transmissões para que todos tivessem acesso à maratona de notícias que bem entendessem", disse Tymoshenko, que lidou com essas negociações. "Quanto a nós, propusemos uma transmissão unificada com um conselho editorial unificado. Quando ouviram nossos argumentos, acabaram concordando."

A única resistência foi do Canal 5, que pertencia ao arquirrival de Zelensky, Petro Poroshenko. Ele não concordava em se juntar ao consórcio.

Mas todos os principais concorrentes aderiram à iniciativa do presidente. O resultado ficou conhecido como a Telemaratona, uma transmissão de 24 horas por dia, de notícias e comentários que iam ao ar em todas as principais redes. Fornecia as últimas atualizações sobre os combates e transmitia avisos essenciais sobre onde se abrigar, quando proceder à evacuação e como sobreviver. Também levava a cada família da região a mensagem de desafio e resiliência de Zelensky. Nada semelhante tinha existido na Ucrânia desde a era soviética, e os críticos se queixavam de que se tratava de propaganda bélica. Os produtores da Telemaratona não tinham independência editorial. Tymoshenko participava das sessões de planejamento e estratégia e mantinha-se atento ao que era veiculado.[4] Não hesitava em ligar para o estúdio queixando-se da programação quando a imagem de Zelensky era prejudicada ou quando o conteúdo se afastava muito da direção oficial. Como resultado, o noticiário da televisão passava uma imagem higienizada do presidente.[5]

Os ucranianos não sabiam, por exemplo, que Zelensky e sua equipe mantinham um suprimento de bebidas alcoólicas no bunker, mesmo depois que o governo restringiu a venda em todo o país. Ao redor da pequena mesa em seus aposentos particulares, o presidente ocasionalmente servia vinho à noite para os assessores que se juntavam a ele para uma reunião ou refeição. Ele entendia que a equipe precisava se descontrair e desanuviar seus pensamentos, e tentava preservar o bom humor de todos. "Sem isso, o ânimo estaria no fundo do poço, algo que não é desejável quando se quer vencer", disse-me Zelensky mais tarde. "Nosso objetivo, pelo menos, era não perder. Então não podíamos sucumbir ao tipo de fraqueza e temor que deixa uma pessoa apagada."[6]

Mediante o consentimento do presidente, os assessores logo instalaram uma pequena academia de ginástica no bunker, perto da entrada, que tinha espaço suficiente para acomodar o equipamento: halteres, anilhas e um supino que Zelensky passou a usar, muitas vezes, no meio da noite. Mais tarde, levaram uma mesa de pingue-pongue e começaram a promover torneios. O único que era capaz de derrotar o presidente no tênis de mesa era seu velho amigo Davyd Arakhamia, o parlamentar e negociador de paz. Quando se tratava de levantamento de peso, Yermak, chefe de gabinete, era companheiro frequente, assim como o chefe de segurança de Zelensky, Maksym Donets.

Em algumas ocasiões, o presidente convidava a equipe para assistir a um filme na sala de conferências, onde ficava a maior tela de televisão do bunker. Debates animados ocorriam sobre o que assistir, embora coubesse a Zelensky a última palavra. Entre seus heróis situavam-se cineastas soviéticos, como Leonid Gaidai, cujas obras foram fortemente censuradas na época de seu lançamento, mas ainda eram atraentes e muitas vezes hilárias. Uma delas retratava Ivan, o Terrível, trocando de identidade com o superintendente de um prédio soviético. Esses foram os clássicos da geração de Zelensky, e assistir a eles fora um ritual ao longo da vida. No bunker, porém, o presidente percebia que não tolerava mais as comédias soviéticas que tinham moldado sua identidade desde a infância. "Causam-me revolta", disse ele. A guerra envenenou essas obras. Em vez da alegria e nostalgia de antes, agora causavam em Zelensky um tipo de vazio nauseante.

Como alternativa, a equipe preferia assistir aos últimos lançamentos de Hollywood. Um dos primeiros foi um thriller de ação intitulado *13 horas*, a respeito do trágico cerco do complexo diplomático norte-americano em Benghazi, na Líbia, em 2012. O enredo afetou alguns integrantes do governo. Tratava-se de um grupo de funcionários públicos escondidos num complexo fortificado até serem arrastados para fora e mortos. As cenas de violência assemelhavam-se tanto aos piores temores dos conselheiros de Zelensky que um deles saiu da sala e foi dormir.

Quando precisavam de privacidade, as opções eram limitadas. Apenas alguns altos funcionários tinham quartos particulares. A maioria acomodava-se em beliches, em quartos minúsculos. Os quartos do tipo padrão tinham mesa, luminária, algumas prateleiras e espaço suficiente para duas ou três pessoas se esticarem para dormir. Nos primeiros dias, quando se sentiam exaustos, os funcionários saíam tropeçando pelo corredor até encontrar um quarto onde dormir por algumas horas. Algum tempo depois, cada um deles conseguiu um lugar definitivo, e os colchões encalombados foram substituídos por estrados mais resistentes, ainda estreitos, mas um pouco mais confortáveis. Os dutos de ventilação tinham grades de metal. No mais, os únicos elementos decorativos eram bandeiras ucranianas penduradas nas paredes.

Para as poucas mulheres que viviam no bunker, havia mais alguns inconvenientes quanto à privacidade e à higiene. Pashynna, assessora jurídica, nem sequer levara consigo uma muda de roupa quando foi trabalhar no primeiro dia da invasão, e durante algumas semanas não retornou ao seu apartamento. Enquanto isso, um membro da equipe de limpeza do bunker levou para ela roupas e outros itens essenciais. A equipe de limpeza das instalações, quase toda composta de mulheres, dispunha de banheiro separado, com chuveiro, que Pashynna podia utilizar. Os dias passavam depressa em meio à execução de tarefas urgentes e emergenciais. Diretores do hospital pediam que pacientes fossem retirados. Grupos de voluntários paramilitares ligavam pedindo armas e suprimentos. Pashynna providenciou tantos carregamentos de coletes para esses grupos que seus colegas começaram a chamá-la de Liliia à Prova de Balas. O apelido pegou.

Para ajudar a equipe a lidar com as demandas intermináveis, Zelensky convidou mais funcionários para morar no bunker. Muitos deles se voluntariaram. Entre aqueles que chegaram mais tarde estava Serhiy Leshchenko, proeminente jornalista, comentarista e ex-deputado que atuara como conselheiro durante a campanha presidencial de Zelensky em 2019. Desengonçado e falante, usando um aparelho ortodôntico completo que o fazia parecer muito mais jovem do que era com seus 41 anos, Leshchenko estava no conselho da empresa ferroviária estatal quando a invasão eclodiu. Ele passou os primeiros dias circulando pelo país em trens de reconhecimento improvisados, que afinal se tornaram valiosa fonte de inteligência quanto à posição e ao movimento das tropas inimigas.

Na época, a frota de drones de vigilância da Ucrânia não era suficiente para monitorar toda a frente de batalha, e os militares tinham acesso limitado a imagens de satélite. Mas havia milhares de estações ferroviárias por toda a Ucrânia. Seus funcionários começaram a servir de vigias, detectando a aproximação de tanques e aeronaves russos e relatando o que viam ao sistema de comando. O telefone de Leshchenko tornou-se uma central de despachos, os quais ele encaminhou para os contatos da equipe presidencial. Na segunda semana da invasão, Yermak convidou-o para morar no bunker. Decidiram que sua experiência como jornalista e blogueiro seria útil no combate às narrativas russas sobre a guerra. Em sua primeira incursão ao bunker, Leshchenko não fazia ideia do que esperar. Ficou surpreso ao encontrar uma atmosfera que se assemelhava à de um submarino em águas inimigas. Todos pareciam sérios e vigilantes, motivados pela sensação de perigo. Sendo um chefe exigente, Zelensky era pouco tolerante quanto à ociosidade no bunker. Queria saber o que os membros da equipe estavam fazendo, o que estava agendado, o que podiam ou deveriam fazer.

Aparentemente, as habituais intrigas e políticas de gabinete tinham sido deixadas de lado. Velhas rixas foram temporariamente esquecidas. Mesmo as tarefas mais mundanas – a elaboração de um comunicado para a imprensa, digamos, ou uma lista de tópicos de discussão para um telefonema presidencial – eram levadas com extrema seriedade pela equipe. Gerenciar todo o grupo causou em Leshchenko um nível de estresse que ele raramente tinha sentido na vida, e fez o tempo passar de um modo que parecia alucinatório. Os dias pareciam horas e as horas, dias. O medo, ele me disse, só se tornava crítico antes de dormir. "É quando a realidade te afeta", disse ele. "É na hora de deitar que se pensa nas bombas."

Embora soubessem que as forças russas tinham se aproximado da capital, os combates nos subúrbios às vezes lhes pareciam remotos. O presidente e sua equipe vivenciavam a linha de frente, em sua maior parte, através de telas, considerando que imagens de batalhas e ataques de foguetes muitas vezes surgiam nas redes sociais antes que os militares chegassem a prestar informações detalhadas a Zelensky. Era normal que ele se reunisse com os assessores em torno de um celular ou laptop, amaldiçoando imagens de devastação ou torcendo por um ataque de drone a um tanque russo. "Este vídeo era um dos preferidos", disse Leshchenko, mostrando um helicóptero russo sendo explodido do céu. Alguns vídeos mostravam soldados russos se contorcendo em aparente agonia depois que uma granada ou um projétil explodira perto deles, mas os assessores do presidente não sentiam remorso pelos soldados russos mortos que apareciam nesses vídeos terríveis, nem piedade pelo sofrimento dos invasores. As mortes geravam otimismo no bunker, assim como as baladas de guerra que os ucranianos compunham, gravavam e postavam on-line. Muitas se propagaram e eram tocadas em todo o país. Uma delas era assim:

Veja que nosso povo, toda a Ucrânia
Uniu o mundo contra a Rússia.
Logo todos os russos irão embora
E teremos paz no mundo.[7]

Para os membros da administração que atuavam na superfície, a ação parecia mais próxima, e os riscos, mais graves. Muitos deles passaram a viver como nômades, movendo-se de um lugar para outro, a fim de reduzir as chances de sequestro.

Vários me disseram que o maior perigo na época veio das equipes de ataque russas que se infiltraram em Kiev para caçar Zelensky e seus assessores veteranos. Mas a decisão do Estado de distribuir armas aos cidadãos também tornou perigosa a movimentação na cidade. Somente em Kiev, as autoridades distribuíram 25 mil armas de fogo para cidadãos comuns, que prestavam assistência aos postos de controle ou patrulhavam as ruas. Muitos deles não tinham recebido treinamento e estavam assustados. À noite, muitas vezes abriam fogo contra pessoas que se aproximavam de suas posições, de carro ou a pé, o que resultou em numerosas baixas. Denys Monastyrsky, ministro do Interior, lembrou um incidente em que um general ucraniano foi retirado de seu carro num desses postos de controle improvisados, jogado de bruços no chão e revistado. Logo depois, o ministério ordenou que pelo menos um policial assumisse o comando de cada posto de controle.

Os membros do Parlamento também tinham direito a armas de fogo.[8] Um posto em Kiev distribuiu pistolas para eles, enquanto os deputados receberam rifles de assalto. Ruslan Stefanchuk, orador da Câmara, mantinha contato com os chefes de facções parlamentares e comissões, que se reuniam principalmente por videoconferência. "Todos nós temos que reconhecer", disse ele aos demais, "que nem todas as gerações de ucranianos teriam a honra de morrer pela independência de seu Estado." A observação inspirou alguns dos políticos, mas horrorizou outros. O Parlamento não tinha recursos para lhes garantir segurança. Eles precisavam se defender sozinhos.

Mesmo Stefanchuk teve que se esconder com um de seus assistentes e dois guardas. Sendo o próximo na linha de sucessão do país, o orador não poderia permanecer no mesmo bairro da sede do governo na companhia do presidente. Em vez disso, ele se mudava de um local para outro, hospedando-se na casa de amigos ou em prédios do governo situados no centro da cidade e nos subúrbios. No caminho para um desses esconderijos, sua equipe de segurança recebeu notícias de bombardeios aéreos. Eles então saíram da avenida e seguiram por uma estrada rural que levava a uma fazenda. Quando pararam, o fazendeiro foi cumprimentá-los e se assustou ao ver homens armados. Em seguida, foi preparar uma refeição para os recém--chegados. Stefanchuk, vestido com equipamento militar tamanho grande, decidiu olhar ao redor da propriedade, e o cheiro de esterco saudou-o à entrada do celeiro. No interior, um pequeno rebanho de cabras e vacas, na penumbra, encarou-o, tão confusas quanto ele.

A família de Zelensky permaneceu escondida por mais ou menos dois meses, mas a equipe de segurança gradualmente relaxou as regras, permitindo-lhes acessar a internet e usar seus equipamentos eletrônicos. No início de abril, não eram mais obrigados a se deslocar com a mesma frequência do início da invasão. Suas contas nas redes sociais permitiram que presenciassem os acontecimentos da guerra através das telas, do mesmo modo que a maioria dos ucranianos. "Estávamos todos vivendo nessa condição", lembrou Olena sobre aquele período. "De notícia em notícia."

Mesmo quando a Ucrânia começou a avançar no campo de batalha e ganhar mais apoio do Ocidente, as tragédias diárias da guerra continuavam chegando – ataques aéreos, relatos de estupro e tortura, detenção em massa de civis em campos de "triagem" russos. Para combater crises de desespero enquanto acompanhava esses eventos, Olena manteve uma rotina rigorosa: ajudar Kyrylo a fazer o dever de casa ou suas leituras, cozinhar com Oleksandra, trocar e-mails com amigos e funcionários, e conversar com o presidente quando ele conseguia reservar algum tempo para as chamadas. "As noites eram mais difíceis", disse Olena, "porque todos dormem" – as crianças, os guarda-costas – "e tudo que permanece são esses pensamentos bobos e infelizes, além do hábito desprezível de ler as notícias à noite."

Em dado momento, ela se deparou com um post que na Ucrânia estava se propagando na internet. Várias páginas do diário de um menino de 8 anos chamado Yegor foram publicadas on-line, descrevendo o que ele e sua família sofreram durante o cerco russo a Mariupol, ao sul. Na primeira página, o menino escreve, em letras maiúsculas, *GUERRA*, e então começa sua história: *Eu dormi bem, acordei e sorri.* Mas, nas linhas seguintes, ele relata que seu avô morreu e outros membros de sua família estavam feridos. *Tenho um ferimento nas costas*, escreve Yegor em letra manuscrita de um aluno da segunda série. *A pele foi arrancada. Minha irmã tem um corte na cabeça. Um pedaço de carne foi arrancado do braço da mamãe e ela está com um buraco na perna.* O diário menciona a nova amiga do menino, uma alegre vizinha chamada Vika "que tem bons pais", e as caminhadas que sua avó fazia para buscar água para a família. Mas o que de fato abalou a primeira-dama estava descrito nas últimas páginas publicadas: *Minha avó morreu. Assim como meus dois cães e minha querida cidade de Mariupol.* O autor dessas palavras era apenas um ano mais novo que o filho de Olena, e ele compôs seu diário com as mesmas imagens que Kyrylo desenhava: edifícios em chamas, figuras armadas, tanques, gente sangrando no chão.[9]

"Eu não podia imaginar", disse-me Olena mais tarde, "o que aquela criança sentia depois de viver na sociedade moderna, ir à escola, praticar esportes, ter hobbies, comunicar-se on-line. Provavelmente tinha um herói favorito da Marvel, e agora estava sentada num porão, presenciando a morte dos entes queridos, vendo pessoas beberem água de poças." Yegor tinha sido levado para um local seguro quando seu diário surgiu nas redes sociais. Mas Olena sabia que a experiência o marcaria pelo resto da vida. "Há milhares de crianças e adultos nessa situação, que viram como seus parentes morreram, como suas casas foram bombardeadas", disse ela. "Eles foram salvos, mas carregam a culpa de não poder retornar."

Sua própria culpa tinha a ver com o isolamento. Desse modo, ela se sentia inútil e indefesa. O marido lhe fazia falta, e ela suportava as normas que a impediam de ficar ao lado dele e desempenhar um papel mais importante na defesa de seu país. Ao mesmo tempo, queria fazer o que fosse necessário para proteger seus filhos da guerra, especialmente quando percebeu o fascínio de Kyrylo pelo conflito. Ele tinha completado 9 anos cerca de um mês antes da invasão, e suas antigas distrações, como dançar e tocar piano, já não o interessavam muito. A mudança fez Olena sentir outro tipo de culpa, ou seja, da mãe que luta para proteger o filho. Não importava o quanto ela tentasse distraí-lo com música e desenho, o menino queria praticar tiro e artes marciais. Estava decidido a se tornar um soldado.

Quando conversava com o pai, Kyrylo dava-lhe conselhos militares, sugerindo tipos de armas que a Ucrânia deveria adquirir. O presidente se divertia com essas conversas. Não compartilhava a preocupação da esposa quanto à fixação do menino em relação aos militares. "Ele estuda tudo. Pesquisa on-line. Conversa com os guarda-costas", disse-me Zelensky com evidente orgulho. "É um admirador das nossas Forças Armadas, do nosso Exército, e reconhece profundamente qual é a nossa missão, o que pretendemos libertar, que armas temos e o que nos arriscamos a perder." Se Kyrylo quisesse seguir a carreira militar, seu pai ficaria satisfeito. Mas não sua mãe. Ela queria que o menino voltasse a ser criança, e doía-lhe ver a guerra drenando sua infância, ferindo sua inocência, a despeito de aonde fossem para se esconder ou de quanto tentassem protegê-lo.

8. Tábula rasa

Na primeira semana de março, quando conflitos continuavam acirrados nos arredores de Kiev, o presidente insistiu em deixar o quartel-general para ver a devastação por si mesmo, dirigindo-se às posições russas acompanhado de alguns de seus assessores mais próximos. "Logo tomamos a decisão de ir", disse Andriy Yermak, que foi com eles. Não levaram nenhuma câmera. O chefe da guarda presidencial só consentiria a viagem se fosse realizada em total sigilo. Alguns membros da equipe presidencial só tomaram conhecimento da viagem um mês e meio depois, quando o assunto surgiu durante uma de nossas entrevistas.

Partindo da rua Bankova, Zelensky tomou a direção norte, à margem direita do rio Dnipro, seguindo pela estrada que percorre o topo de uma represa hidrelétrica. À esquerda, as águas cinzentas do reservatório de Kiev estendiam-se ao longe. Apenas duas semanas tinham se passado desde que vários helicópteros de combate russos sobrevoaram o reservatório no caminho de Hostomel. Agora estava tudo quieto, sem falar nos baques surdos da artilharia, que se ouviam a distância, enquanto o presidente continuou seguindo para o leste, além das últimas posições ucranianas, e parou perto de uma ponte estreita que marcava a linha de frente. A ponte havia sido destruída para impedir que os russos alcançassem Kiev. Impossibilitadas de atravessar, as forças inimigas lançaram projéteis acima da ponte, a fim de atingir os abrigos ucranianos do outro lado. Uma explosão tinha causado uma cratera na estrada e Zelensky se deteve naquele local, espantado com as dimensões do buraco. Parecia que uma garra gigante tinha aparecido e escancarado a terra naquele local. Enquanto ficou ali, parado e observando a cena, Zelensky percebeu o nervosismo dos guarda-costas. "Eles quase enlouqueceram", disse o presidente mais tarde. As posições russas estavam tão perto que um atirador capacitado poderia alvejar Zelensky, que não tinha motivos urgentes para estar tão próximo das linhas de frente. Seu objetivo naquele lugar não era comandar as forças de batalha. Queria apenas ter uma noção do que suas tropas estavam vivenciando. "Eu precisava saber quais eram os sentimentos deles", disse-me ele. "O que lhes passava na mente, qual era a situação."

No caminho de volta, pararam num posto de controle comandado por uma mescla de soldados e voluntários. Já era hora do almoço e um morador daquela região acabara de trazer um caldeirão de sopa de beterraba para que todos se servissem. O cozinheiro morava por ali. Já idoso para servir nas Forças Armadas, construir fortificações e marchar portando um rifle, ele decidiu que alimentar os soldados seria sua contribuição para a defesa nacional. A sopa, que combinava carne de porco, tubérculos, repolho e batatas, tinha sido preparada durante a maior parte da manhã, e ele deixou claro que havia o suficiente para os convidados da rua Bankova. O presidente hesitou. "Não posso me servir da comida deles", disse ele. Mas os anfitriões insistiram. Ninguém demonstrava nervosismo com a proximidade do presidente, talvez porque sua presença parecesse tão familiar em razão de seus filmes. Permaneceram ali por um tempo, ao alcance da artilharia russa, e tomaram um prato de sopa com pão, conversando sobre a União Soviética e o que os russos haviam se tornado desde seu colapso.

O cozinheiro ainda tinha familiares na Rússia. Fora atleta profissional décadas atrás, competindo sob a bandeira soviética, e no porta-malas do seu carro apanhou algumas medalhas que havia conquistado no atletismo. Ainda era difícil para ele aceitar o fato de que seus antigos compatriotas pudessem ir até ali para matar e saquear, e ele disse a Zelensky o quanto odiava os russos. Quando se preparava para partir, o presidente lembra-se de ter perguntado aos soldados se precisavam de alguma coisa, de algum apoio adicional que pudesse ser providenciado. Os homens estavam armados com fuzis e granadas lançadas por foguetes. Na outra margem havia um exército com tanques e artilharia. Mas disseram que estavam bem. "Não queriam nada de mim", disse Zelensky. "Não fizeram reclamações. Tudo o que desejavam era a vitória."

A conversa deixou uma profunda impressão no presidente. Fazia tempo que sentia afinidade pelos soldados da frente de batalha, não apenas por sua coragem, mas também por sua franqueza. Oito anos tinham se passado desde que ele os visitara pela primeira vez na zona de guerra. Naquela época, no verão de 2014, Zelensky, ainda um comediante sem ambições políticas, viajou até o front para se apresentar aos soldados. A certa altura, quando o ônibus que transportava a trupe parou em algum lugar no leste, Zelensky saiu para falar com um soldado que estava naquele mesmo posto de controle fazia meses, e morava nas trincheiras próximas. Sua última conversa com um civil ocorrera tanto tempo antes que ele tinha dificuldade de formar frases. Quando Zelensky perguntou como poderia ajudar, o soldado disse: Fale comigo. "Nós nos lembramos de algumas coisas que aconteceram na nossa vida", disse Zelensky mais tarde, referindo-se àquela viagem à frente de batalha, em 2014. "Talvez um fato ocorrido na infância, ou os momentos mais especiais na criação dos nossos filhos, quando eles falam a primeira palavra ou vão para a escola. Aquele foi um desses momentos na minha vida."[1]

Na época, o conflito armado no leste somava apenas alguns meses, mas já havia semeado a violência e a divisão que irromperiam oito anos mais tarde numa guerra em grande escala. Com a anexação da Crimeia, Putin experimentou pela primeira vez o sabor de uma conquista estrangeira, o que para ele foi inebriante. Começou a se referir a outras partes da Ucrânia como *Novorossiya*, ou Nova Rússia. Em uma aparição na televisão naquela primavera, disse que a Rússia havia "perdido esses territórios por razões diversas. Mas o povo permaneceu".[2] E ele pretendia recuperá-los. Seus agentes e aliados em todo o leste e sul da Ucrânia logo começaram a replicar as táticas que a Rússia usou para tomar a Crimeia. Ocupavam prédios do governo, instalavam líderes separatistas, declaravam independência em relação a Kiev e convidavam militares russos para defendê-los.

Em alguns lugares, a fórmula funcionou. No verão de 2014, representantes russos e forças paramilitares assumiram o controle de várias cidades e grandes áreas territoriais na região leste de Donbas. Mas suas vitórias não foram tão rápidas e sem atrito como na Crimeia. Dessa vez os militares reagiram. Milícias armadas foram recrutadas e enviadas de toda parte do país para defender Donbas. Diferentemente da população da Crimeia, os habitantes do leste e do sul não tinham chegado a um consenso quanto a romper com a Ucrânia e apoiar a visão imperialista de Putin de um "mundo russo" que se estendia a todos os países onde a língua russa era falada. Na Ucrânia, Putin encorajou os falantes de russo a resistir ao seu próprio governo, e prometeu-lhes proteção se o fizessem. "Somos essencialmente um povo só. Kiev é a mãe das cidades russas", disse ele em um discurso no Kremlin. "Milhões de russos e pessoas de língua russa vivem na Ucrânia e assim continuarão. A Rússia sempre defenderá seus interesses."[3] A grande maioria das pessoas nessas regiões não queria a proteção de Putin.[4] Muitos organizaram comícios e marchas pela unidade ucraniana naquela primavera. No porto ao sul de Odessa, batalhas de rua entre partidários e opositores do governo revolucionário de Kiev duraram vários dias. Dezenas de ativistas pró-Rússia acabaram mortos num dia particularmente terrível de confrontos, e a maioria foi queimada viva num prédio em que haviam se abrigado.[5]

À medida que esses eventos se desenrolavam, tornou-se mais difícil para Zelensky esquivar-se da guerra. Era comum em Kiev a presença de homens armados, trajando uniformes de camuflagem, adornados com os emblemas dos batalhões de voluntários da Ucrânia recém-recrutados. Indivíduos que pretendiam se alistar formavam filas do lado de fora dos escritórios de recrutamento.[6] Naquela ocasião, nenhum dos famosos comediantes da trupe de Zelensky apresentou-se para servir, e alguns estavam mais preocupados com seu futuro no cinema.

Quando os russos anexaram a Crimeia, a empresa de Zelensky, Studio Kvartal 95, ainda tinha alguns projetos em fase de produção com parceiros russos, incluindo uma sitcom de longa duração e a sequência de uma comédia romântica. Por contrato, ele estava obrigado a concluir tais projetos, mas nesse ínterim sentia-se livre para deixar claros seus sentimentos em relação à Rússia. Durante os últimos meses em Moscou, onde tinha residido por seis anos, Zelensky filmou alguns segmentos de uma paródia de notícias semanais nas imediações da Praça Vermelha. Ele procurou manter o tom leve, mas a mágoa que sentia diante da traição era palpável: "Estou relatando aqui, do coração da Rússia", disse ele, "se é que ainda resta algum coração."[7]

Após a anexação da Crimeia, a produtora resolveu fechar o escritório em Moscou e começou a reduzir as colaborações de parceiros russos. Zelensky havia trabalhado com muitos dos maiores produtores cinematográficos da Rússia. Conhecia os dirigentes das principais redes de televisão. Alguns eram velhos amigos seus. Após os eventos na Crimeia, pararam de falar com ele. “Os sentimentos eram mútuos”, ele disse mais tarde. “Todo mundo sumiu, num estalar de dedos.”[8]

Ao final de 2014, ele deixou de trabalhar na Rússia, por questão de princípios. O efeito que essa resolução teve em seus negócios foi devastador. Mais tarde, ele estimaria que a receita do estúdio encolheu sete vezes após a perda do mercado russo. Para cada hora de programação televisiva produzida, a receita caiu, em média, de 200 mil para 30 mil dólares. Talvez Zelensky pudesse ter mitigado tais perdas. Em Moscou, os censores não tinham imposto quaisquer restrições aos artistas ucranianos. Os shows e os filmes produzidos no estúdio de Zelensky ainda constavam entre os mais populares e lucrativos na Rússia. Para permanecer ativo naquele mercado, bastava Zelensky se omitir em relação à política e se voltar para o entretenimento. Muita gente na Ucrânia o condenaria se ele agisse desse modo. Alguns o considerariam traidor. Mas, sendo um comediante, ele não tinha a menor obrigação de falar sobre a Crimeia. Tinha demonstrado, durante a revolução em Kiev, que era capaz de se defender de perguntas políticas, mantendo segredo sobre suas opiniões.

Mas com a Crimeia foi diferente. Para Zelensky, tinha um caráter pessoal. No seu entender, tanto a Crimeia quanto Kiev pertenciam à Ucrânia. Sua trupe havia se apresentado naquela região durante toda a sua carreira, e era onde sua família costumava passar as férias. Um ano antes da anexação, Zelensky e a esposa até compraram uma casa de verão na Crimeia, e o sofrimento de ver a região destruída foi agravada pelo aplauso e pela adulação que Putin recebeu da maior parte da sociedade russa, inclusive de alguns artistas conhecidos de Zelensky e com os quais ele havia trabalhado desde o começo de sua carreira. A grande maioria dos russos viu a anexação como um ato brilhante e pacífico de retaliação contra os insolentes ucranianos e seus patronos no Ocidente. Zelensky e milhões de seus compatriotas entenderam que a apropriação de suas terras tinha sido um ato devastador e traiçoeiro. Depois desse acontecimento, ele não conseguia se imaginar subindo ao palco em Moscou exibindo um sorriso. Mesmo que tal atitude acarretasse a ruína do empreendimento ao qual ele tinha se dedicado por mais de uma década, Zelensky definiu sua posição quanto à Rússia. "Muitos artistas ainda se apresentam lá", ele disse. "Não me cabe julgá-los. É a vontade deles. É uma questão de princípios e sentimentos. Para mim, machuca. Machuca de verdade." Quando recebeu uma proposta no valor de 250 mil dólares para fazer uma apresentação na Rússia, Zelensky recusou.

Suas relações pessoais também sofreram. Certa noite, em 2014, num restaurante de Moscou, ele discutiu com um de seus amigos mais íntimos, um famoso ator russo. Tinham acabado de rodar juntos um filme, que estava em cartaz nos cinemas. "Era um amigo e tanto", relembrou Zelensky mais tarde. "Então ele começou a falar que a Crimeia pertencia a eles." O bate-boca ficou tão acalorado que Zelensky agarrou um microfone de karaokê e fez um discurso, dirigindo-se aos russos presentes no restaurante. "Escutem aqui", ele se recorda de ter dito, "vocês estão se apropriando da *nossa* Crimeia." Alguém chamou a polícia.

Depois disso, nem mesmo os familiares poderiam convencê-lo a voltar à Rússia. Um parente de Olena em Moscou convidou-os para uma cerimônia de casamento, logo após a anexação da Crimeia. "Não tivemos vontade de ir", contou-me Olena. Seu pai compareceu, representando o lado ucraniano da família, e, conforme Zelensky mais tarde se lembraria, os convidados acabaram discutindo sobre a anexação.

Naquele verão, pouco tempo depois de retornar de Moscou, Zelensky partiu para ver a guerra de perto pela primeira vez. A experiência haveria de marcá-lo. Sua trupe, na qual figuravam muitos amigos de infância, organizou uma excursão à frente de batalha, e a bagagem não era pouca. Um grupo de dançarinos juntou-se a eles a fim de atuar nos números musicais. A equipe técnica levou um palco desmontável e alguns caminhões abarrotados de equipamentos de luz e som, além de cenários e figurinos. Parecia uma daquelas turnês que Bob Hope e sua trupe tinham feito no oceano Pacífico, no verão de 1944, viajando de ilha em ilha, para entreter as tropas norte-americanas. A diferença crucial era que, para Zelensky, a guerra acontecia bem mais perto de casa. Partindo de Kiev, o ônibus que os transportava chegaria à frente de batalha em menos de um dia de viagem. Determinados locais ficavam a poucas horas de distância de Kryvyi Rih, sua terra natal.[9]

Em preparação para a turnê, Zelensky redigiu material novo para apresentar aos soldados. O carro-chefe era uma balada que expressava seus sentimentos ante a revolução e a guerra. Incluía versos de fácil aplauso: "Mandamos a Rússia ir se foder."[10] Mas a letra não era otimista, nem muito patriótica. Expressava o tipo de amor pela Ucrânia que persiste apesar das infindáveis fraquezas e decepções que o país enfrentava. A canção retrata a revolução de 2014, depois de poucos meses de existência, considerando-a mais um ato enganoso em relação às massas, que de nada servia além de gerar ressentimento e mais um "governo de ninguém". Foi uma bofetada na cara do novo presidente da Ucrânia, Petro Poroshenko, que acabara de tomar posse. Mas os soldados na zona de guerra adoraram.

Durante uma apresentação numa base aérea perto de Mariupol, Zelensky observou uma grande multidão, mais de mil pessoas ao todo, pulando, algumas agitando no ar os rifles de assalto, assobiando, gritando e dançando em cima de veículos blindados. Mais tarde elas subiram ao palco para tirar selfies e pedir autógrafos, oferecendo pequenos presentes aos comediantes, em sinal de gratidão. Yevhen Koshovy, que é totalmente calvo, ganhou um frasco de xampu. Oleksandr Pikalov lembra-se de um soldado colocando algo pesado em seu bolso. Descobriu que era uma granada de mão. "É um presente", explicou o soldado com um sorriso; ele não tinha mais nada para oferecer. Entre outros presentes havia um distintivo e uma balaclava que tinham pertencido a um separatista russo, morto em combate. Podia ser macabro, mas os atores aceitaram.

A partir daquele momento, excursionar pela frente de batalha tornou-se uma prática para Zelensky e sua trupe. As plateias conhecidas desde os anos em que atuaram em Kiev eram formadas primordialmente pelas elites mimadas que podiam pagar o preço dos ingressos. Muitas vezes, os auditórios ficavam repletos dos mesmos políticos presunçosos que no palco eram satirizados por Zelensky. Nenhum esquete, por mais cômico ou sentimental que fosse, era capaz de fazer aqueles corpos desanimados reagirem em seus assentos. Mas na frente de batalha tudo parecia mais espontâneo. A proximidade da morte facilitava o surgimento das lágrimas. Aquilo fazia a vida em Kiev parecer fútil, carente de propósito. Zelensky, após visitar o front, jamais se contentaria em se dedicar exclusivamente ao entretenimento. Às vezes, sentia remorso e certa vergonha de não pegar em armas. Mesmo quando não havia guerra, seus pais o protegiam do serviço militar. Receavam que, como judeu, ele fosse ridicularizado ou perseguido por outros soldados. "Mas eu pretendo mandar meu filho para o Exército", disse Zelensky após a primeira excursão, em 2014, quando o menino estava aprendendo a andar.

Naquele verão, ele começou a arrecadar fundos para as Forças Armadas. Os valores advindos de sua própria fortuna não eram imensos. Sua primeira grande doação, no verão de 2014, foi de um milhão de hryvnia, aproximadamente o valor de um dos carros de luxo que Zelensky dirigia em Kiev. Porém, nos meses que se seguiram, ele passou a pressionar seus colegas na indústria para apoiar os militares, contribuindo com dinheiro e visitando os soldados nas frentes de batalha. "Vão até lá, vão até lá e troquem um aperto de mão com eles", ele se lembra de ter dito a outros atores e astros do entretenimento.[11] Quanto às tropas, ele disse ter observado um profundo sentimento de distanciamento em relação ao restante da sociedade ucraniana. Para as elites de Kiev, a guerra no leste ainda parecia distante. "Estão protegendo o nosso futuro", disse Zelensky, referindo-se às Forças Armadas. "E eles têm a impressão de que ninguém se orgulha deles."

Zelensky começou a pensar em concorrer à presidência durante as viagens a Donbas, em 2014. Um de seus companheiros era Yuriy Tyra, amigo de velhos tempos que trabalhava na equipe técnica e era uma espécie de faz-tudo que sempre seguia o grupo quando partiam pela estrada. Embora não fosse artista, Tyra sabia entreter a trupe, horas a fio, com histórias sobre meliantes e contrabandistas que conhecera em suas tantas atividades que incluíam desde logística e turismo até importação de carros de luxo. Era robusto, perspicaz, tinha uma boca suja e fumava um cigarro atrás do outro; era especialmente habilidoso, por meio de suas conexões na alfândega, em transportar mercadorias pela fronteira, e dispunha de uma extensa rede de amigos no Exército, que frequentemente contavam com Tyra para lhes trazer itens sofisticados, como equipamentos de visão noturna, que as Forças Armadas não tinham verba para fornecer. Quando foi pela primeira vez com Zelensky à zona de guerra, Tyra ajudou-o a organizar shows em bases militares, e pôde constatar como as tropas o afetavam. "Os soldados se aproximavam e lhe diziam, na cara: 'Volodya, concorra à presidência.' Não era brincadeira. Aquilo vinha do coração."

Quando, após as apresentações, Zelensky se dirigia às tropas, também absorvia a indignação generalizada quanto à liderança em Kiev, sobretudo em relação ao presidente Poroshenko, que ele passou a considerar não apenas corrupto, mas também inepto e avarento. Alguns daqueles soldados tinham estado na Crimeia durante a ocupação russa, e eles disseram a Zelensky que a Ucrânia teria sido perfeitamente capaz de montar uma defensiva contra os russos na península. "É que as ordens nunca chegaram", afirmou Tyra. "Apenas disseram a eles que fizessem as malas e fossem embora."

Em agosto de 2014, quase no final da primeira excursão feita por Zelensky ao front, as forças ucranianas sofreram mais uma derrota devastadora, cuja culpa seria mais tarde atribuída à imprudência do comando militar, sob as ordens do presidente Poroshenko. Na cidade de Ilovaisk, mais de mil soldados ucranianos se viram cercados por forças russas. Quando os ucranianos concordaram em recuar, os russos abriram fogo contra as colunas em retirada, matando centenas de homens. Foi um dos piores massacres da guerra, e mais tarde as testemunhas diriam a Zelensky e aos seus amigos que aquilo poderia ter sido evitado por uma liderança mais competente. Certa vez, depois de um show perto da frente de batalha, Tyra viu a viúva de um paraquedista aproximar-se de Zelensky e dizer-lhe que concorresse à presidência; como amuleto, ela entregou a ele a boina do uniforme do marido morto.

Ainda seria preciso mais pressão para convencer Zelensky a mudar de carreira. Contudo, poucos meses depois de sua primeira visita à frente de batalha, ele começou a trabalhar no roteiro de uma nova sitcom intitulada *Servo do Povo*, que se tornaria uma porta de entrada na política. A sitcom forçou Zelensky a se imaginar no papel de presidente. No primeiro episódio, um professor de História do ensino médio faz um discurso épico contra a corrupção – "Que se fodam as carreatas! Que se fodam as mordomias! Que se foda a porra dos chalés!" – e um de seus alunos filma a cena e posta no YouTube. O clipe se propaga na véspera de uma eleição presidencial, levando os eleitores a apontarem o professor como candidato postulante. A primeira temporada, tendo Zelensky como protagonista, ressaltou uma fantasia política comum: um idiota qualquer tem a chance de governar um país e acaba sendo melhor e mais honesto do que qualquer egresso das elites indolentes e autocentradas. Funcionou bem na TV, em parte, porque foi catártico. Em determinado episódio, o personagem de Zelensky, em devaneio, disparando duas metralhadoras, elimina todo o Parlamento, no estilo Rambo.[12] No final de 2015, quando foi ao ar, o show atingiu um tópico sensível no corpo político. Na ocasião, fantasias de vingança contra a classe dominante alimentavam a ascensão do populismo em toda a Europa e ajudariam Donald Trump a assumir o Partido Republicano no ano seguinte. Em países como a Ucrânia, onde a corrupção muitas vezes parecia a única habilidade demonstrável do governo, o personagem interpretado por Zelensky em *Servo do Povo* tinha mesmo tudo para fazer dele um ícone.

Olena Zelenska, que trabalhou na redação do programa, insiste que o protagonista não se baseava em seu marido. Ele mesmo concebeu o personagem, disse ela, e se envolveu profundamente no processo de escrita do roteiro. "Foi uma *persona*, absolutamente inventada e fictícia", disse ela. Mesmo assim, não demorou muito para que outros redatores e atores do programa começassem a confundir tal *persona* com o verdadeiro Zelensky. No escritório, em Kiev, a equipe de marketing certa vez chegou a reencenar um episódio, fingindo que era Zelensky que acabara de tomar posse como presidente. "No começo, parecia uma piada para mim", disse Olena. "Era uma ideia que eu nem queria discutir, porque estava absolutamente fora de cogitação." Sempre que qualquer sugestão de candidatura presidencial surgia nas conversas, a equipe de Zelensky se dividia. Olena liderava a oposição. Seu marido sempre fora um *workaholic*, e ainda mais naquela ocasião, quando a segunda temporada de *Servo do Povo* estava sendo produzida e ele tentava lidar com uma grande quantidade de projetos – e quase não tinha tempo para se dedicar a ela ou aos filhos.

"A criação de meus filhos está passando despercebida por mim", admitiu Zelensky, enquanto promovia um de seus filmes.[13] Os únicos momentos que passava com Kyrylo, disse ele, eram tarde da noite, quando voltava para casa e constatava que o menino não tinha conseguido dormir. Olena estava cansada de cuidar das crianças sozinha e sabia que uma segunda carreira na política haveria de consumir ainda mais tempo e atenção do marido do que a indústria de entretenimento. Durante anos, em particular, ela expôs a ele essas frustrações. Quando o problema persistiu, Olena o tornou público, de maneira espetacular, durante a gravação de um dos programas de jogos de Zelensky.

O programa, *Faça um Comediante Rir*, convidava comediantes amadores para se apresentar diante de Zelensky. Cada vez que o faziam rir, os competidores ganhavam prêmios em dinheiro. Olena decidiu, na primavera de 2016, que sua filha participaria do programa. Ela não revelou o plano a Zelensky, e ele quase se retirou de cena quando viu a filha surgir dos bastidores, vestida com um suéter brilhante e rabichos nos cabelos. "Foi sua mãe que mandou você fazer isso?", perguntou ele, aborrecido, olhando para a esposa, que lhe dirigiu um sorriso torto, da plateia do estúdio. Ela escrevera as piadas e, claramente, a mensagem se destinava a um único indivíduo.

"Todo mundo acha que é legal ser filha de Volodymyr Zelensky. Mas não tem nada de legal nisso", disse Sasha. "O papai está sempre trabalhando." O único jeito de passar uma noite na companhia dele, disse ela, era ligando a TV. "Então, é quase como se ele estivesse do meu lado." Quando o programa acabou, Olena e Sasha levaram para casa uma boa quantia como prêmio, mais do que o suficiente para comprar um novo televisor.

Entre os amigos e parceiros de negócios de Zelensky, a ideia de uma corrida presidencial era mais atraente do que para sua família. Aos poucos, eles o venceram pelo cansaço, Tyra me disse. Um dos argumentos mais fortes usados com Zelensky foi o sucesso de *Servo do Povo* e o apelo do protagonista, o presidente acidental que ele interpretou na TV, junto às massas. O ponto determinante, porém, decorreu da própria autoconfiança de Zelensky. Não foi difícil convencê-lo de que poderia fazer um trabalho melhor do que qualquer um dos políticos que disputavam o cargo. As eleições estavam marcadas para a primavera de 2019, e as pesquisas mostravam que seria uma disputa entre dois baluartes da classe política: o titular, Petro Poroshenko, e a irreprimível Yulia Tymoshenko, a mais indicada para vencer a disputa. Por quase quinze anos, Tymoshenko tinha sido alvo da sátira de Zelensky. Ele a descrevia como uma megalomaníaca de duas caras. Agora, a Ucrânia enfrentava a perspectiva de um governo Tymoshenko. "Que seja qualquer pessoa", disse-me Tyra, resumindo o pensamento deles na época. "Desde que aquela vampira não se torne presidente."

Ao todo, demorou cerca de dois anos até que o lado de Tyra no debate convencesse Zelensky. O primeiro indício público dos planos políticos surgiu no final de 2017, quando um dos amigos mais antigos de Zelensky, Ivan Bakanov, registrou um novo partido político, que recebeu o mesmo nome do sitcom: Servo do Povo.[14] Dentro de poucos meses, Tyra sentiu que Zelensky estava começando a ceder. Uma dica foi um livro que Zelensky leu na época sobre a vida e a carreira de Lee Kuan Yew, o líder autoritário de Singapura. Durante suas três décadas no poder, Lee conquistou a independência de sua cidade-Estado e a transformou numa potência econômica. Mas, no processo, ele governou recorrendo ao medo, prendendo e silenciando os críticos. "Você está pronto para fazer isso?", Tyra se lembra de perguntar a Zelensky, quando o viu com o livro, durante uma turnê europeia.

Ele não recebeu uma resposta direta naquele momento. Mas, logo depois, durante uma parada da turnê na Alemanha, Zelensky entrou no banco do carona da caminhonete de Tyra e pediu um cigarro. Era um dos poucos lugares onde ainda podia fumar sem que os amigos o perturbassem. Após algumas longas tragadas, ele deu a notícia a Tyra: "Vou concorrer." Era abril de 2018, mais de meio ano antes que Olena e muitos de seus amigos mais próximos tomassem conhecimento da decisão. No entanto, ficou claro para Tyra que aquilo não era um capricho passageiro. Zelensky avaliara atentamente suas chances.

"Sabíamos o que estávamos enfrentando", disse-me Tyra. Os outros dois candidatos tinham sido oligarcas ricos antes de assumir os cargos. Poroshenko ainda era dono de um dos principais canais de televisão da Ucrânia. Tymoshenko tinha ganhado uma fortuna no comércio europeu de gás, na década de 1990, e conhecia Putin pessoalmente. Desde seus dias nas funções de dissidente e primeira-ministra, exercera influência nas capitais ocidentais. "Eles tinham poder. Eles tinham recursos", disse Tyra. "E ali estava um sujeito de Kryvyi Rih, totalmente inexperiente."

No entanto, havia pelo menos um patrocinador influente a quem Zelensky poderia recorrer para obter apoio. O canal de TV que transmitia sua programação, incluindo *Servo do Povo*, era de propriedade de um bilionário chamado Ihor Kolomoysky, magnata do petróleo e do setor bancário, com uma aparência de oligarca escalado para um longa-metragem. Grosseiro e de péssimo humor, ele certa vez insultou um jornalista da Radio Liberty, chamando-o de "michê" e "frouxo" durante uma coletiva de imprensa.[15] Kolomoysky também desfrutava da rara distinção de ser um fugitivo tanto da lei russa quanto da ucraniana. As autoridades de Moscou o acusavam de supostos crimes de guerra, no leste da Ucrânia, relacionados às ações de uma unidade paramilitar financiada por ele. As autoridades em Kiev o acusavam de crimes financeiros, ligados à suposta liquidação de ativos de seu banco, que exigiu um resgate do governo no valor de 5,6 bilhões de dólares. Kolomoysky sempre negou essas acusações. Para escapar da prisão, mudou-se para a Suíça, em 2016, e depois para Israel, "por questões familiares", conforme declarou. Ele e Zelensky não eram muito próximos. Mas se conheciam, social e profissionalmente, havia anos antes do início da temporada eleitoral, em 2018. Zelensky, certa vez, fez um show particular na comemoração do aniversário de 50 anos do magnata, e seus filmes e programas de TV renderam muito dinheiro para a empresa de mídia de Kolomoysky.[16]

Quando conversaram sobre a ideia de uma campanha política, Kolomoysky ficou feliz em oferecer apoio, embora não por bondade. Ele queria voltar para a Ucrânia e recuperar o controle de seu banco, que o Estado havia nacionalizado após uma injeção de liquidez em 2016. A ideia de apoiar um candidato azarão à presidência obviamente atraiu Kolomoysky. Prometia torná-lo um agente poderoso nas eleições e, dependendo do resultado, dar a ele influência substancial nas questões de Estado. No final do verão de 2018, ele já estava ajudando ativamente Zelensky a preparar o terreno para sua campanha.

A pessoa encarregada do esforço de campanha foi um antigo advogado de Kolomoysky chamado Andriy Bohdan, indivíduo com rosto de querubim e reputação de ser implacável. Como recompensa pela vitória, Bohdan serviria como chefe de gabinete presidencial de Zelensky, cargo dotado de enorme poder. Entretanto, no início, quando os planos políticos ainda eram secretos até mesmo para a família de Zelensky, Bohdan manteve-se discreto, com os olhos cravados nas informações.

"Para ser eleito em nosso país, duas coisas são necessárias", disse-me Bohdan. "Uma rede de televisão e reconhecimento." Kolomoysky tinha o primeiro item; Zelensky contava com o segundo. "O resto é com os caras de relações públicas, os consultores políticos e assim por diante." Em outras palavras, dependia de gente como Bohdan. No intuito de avaliar a elegibilidade de Zelensky, sua equipe realizou uma série de pesquisas nacionais e os resultados foram surpreendentes. Em meados de setembro de 2018, quando Zelensky ainda mantinha discrição quanto aos seus planos políticos e, na maioria das vezes, chegava a rir de tais planos, as pesquisas o colocavam em segundo lugar entre os possíveis candidatos à presidência. Já estava à frente do titular, embora ainda bem atrás da principal adversária, Yulia Tymoshenko.[17]

Bohdan então começou a trabalhar numa estratégia que poderia colocar Zelensky na liderança. De acordo com pesquisas e padrões de votação, a guerra contra a Rússia e seus aliados polarizava o eleitorado na Ucrânia. Nas metades leste e sul do país, os eleitores comuns ainda estavam sob influência da propaganda russa. Tinham desistido do processo político na Ucrânia, ou se posicionado do lado de um dos partidos pró-Rússia, que emergiram das ruínas do regime de Yanukovych. O lado oposto do eleitorado tinha tomado um rumo nacionalista. Queriam que a Ucrânia fosse mais assertiva ao se defender dos russos e não aceitariam fazer concessões a Putin na guerra. "A guerra teve um efeito centrífugo no espectro político", disse-me Bohdan. "Os dois lados foram cada um para um canto e se radicalizaram, e isso criou um vácuo no centro. O nosso candidato foi projetado para preencher esse vácuo."

Para vencer, os conselheiros políticos de Zelensky decidiram que ele não deveria anunciar uma plataforma eleitoral detalhada, nem assumir posições claras. "Se você começa a tomar posições", disse Bohdan, "acaba perdendo um lado ou outro." Seria muito mais eficaz manter Zelensky longe de controvérsias. O plano, em outras palavras, era fazer dele uma tábula rasa, uma tela em branco na qual os eleitores pudessem projetar suas próprias ideias de presidente perfeito.

Em dezembro de 2018, Zelensky estava pronto para fazer o anúncio oficial. Durante uma turnê de seu programa de variedades, ele reservou um tempo nos bastidores para gravar a divulgação de sua campanha presidencial.

O vídeo foi programado para ir ao ar no canal de televisão de Kolomoysky, na véspera do ano-novo. Quando o clipe ficou pronto, Zelensky encerrou a turnê e viajou para a França, a fim de passar férias e esquiar com a família. Olena ainda não sabia que o marido concorreria às eleições e Zelensky se esqueceu de avisá-la. Em vez disso, ele e as crianças foram esquiar naquele dia, enquanto Olena ficou no chalé, ignorando a candidatura à presidência.

"Talvez tenha sido melhor ele não ter me contado", disse ela mais tarde, quando falamos sobre aquele momento do casamento deles. "Foi menos preocupação para mim. Em vez de alguns meses de tormento, foram apenas alguns dias sentindo raiva. Ele tinha se decidido", ela disse, e não havia nada que pudesse fazer para mudar a situação. Zelensky sabia, tanto quanto sua esposa, que a campanha, sem falar da própria presidência, seria dolorosa para sua família. "Tinha consciência de que aquilo seria um tremendo golpe para eles", disse mais tarde. "Mas não falamos sobre o assunto." Embora ouvisse as objeções da esposa, Zelensky tomou sua decisão e não via sentido em remoer o assunto. Mais tarde, isso se tornaria um padrão em sua administração. Aqueles que questionassem ou se opusessem aos planos de Zelensky, muitas vezes, estariam à margem.

Na noite do anúncio, ele não ficou acordado para assistir ao vídeo com a esposa. A gravação foi ao ar durante um intervalo entre os esquetes de seu especial de comédia, transmitido sempre no ano-novo. Olena acordou, na manhã seguinte, em seu quarto de hotel, e viu uma série de mensagens de amigos e colegas. Algumas incluíam links para a declaração política feita por seu marido, que parecia uma verdadeira piada. No vídeo, Zelensky está ao lado de uma árvore de Natal, como se satirizando o discurso anual de fim de ano que Putin e seus predecessores soviéticos sempre fizeram, desde a invenção da televisão em cores. "Faz tempo que as pessoas me perguntam se vou concorrer, ou não", disse ele, passando do russo para o ucraniano, no momento do anúncio oficial: "Vou concorrer à presidência da Ucrânia." Olena assistiu ao discurso de um minuto; então, se virou para o marido e fez a pergunta óbvia. Por que tinha de ser a última a saber? Com um sorriso, ele respondeu: "Ah, esqueci de te contar."

[illegible] foi chamado para ir ao [illegible] Solonovsk na véspera do [illegible] Zalinsky encontra [illegible] para a França [illegible] Olena [illegible] Zalinsky se [illegible] um [illegible] de [illegible].

[illegible] quando [illegible] momento do casamento [illegible] uma mensagem de Irkutsk. [illegible] apenas [illegible] que [illegible] para [illegible] Zalinsky [illegible] esposa, [illegible] que a presidência [illegible] de que [illegible] pelo [illegible] disse [illegible]. "Vamos [illegible] sobre o assunto." [illegible] Zalinsky [illegible] passo em sua [illegible] Zalinsky, [illegible] vezes [illegible].

[illegible] os aspectos de seu [illegible] Zalinsky [illegible].

[illegible]

9. O favorito

O establishment político em Kiev não era propenso a levar Zelensky a sério, pelo menos a princípio. O titular, Petro Poroshenko, descartou seu novo adversário, considerando-o um palhaço e um neófito. Recusava-se a crer que a Ucrânia escolheria um comediante para ser seu comandante em chefe, em plena guerra com a Rússia. Na região leste, no início de 2019, as linhas de frente estavam praticamente estáticas, na iminência das eleições. Mas bombardeios esporádicos e ataques de atiradores prosseguiam, e o número de mortos subia a cada semana. Mais de 10 mil pessoas foram mortas nos primeiros quatro anos de combates e mais de um milhão foram forçadas a fugir de suas casas. Durante o mandato de Poroshenko, a economia encolheu quase pela metade, em grande parte devido ao custeio da guerra. A moeda nacional depreciou cerca de 70%, em 2014, e não se recuperou. Dificilmente se poderia responsabilizar Poroshenko pelos problemas econômicos decorrentes da guerra, mas a situação dificultou seu caminho para a reeleição.

O slogan que ele escolheu, "Exército, Idioma, Fé", caracterizou uma dura guinada para a direita, à medida que as eleições se aproximavam. Poroshenko se apresentava como o presidente indicado para tempos de guerra, o único que teria a coragem necessária para expulsar os russos. Insistia na adoção de novas restrições à língua russa e instava os militares a avançar contra as posições mantidas pelos russos, mesmo quando o sentido estratégico não era claro. Além disso, empreendeu esforços para despojar a Igreja Ortodoxa Russa de suas terras e de sua posição na Ucrânia, processo que Zelensky levaria adiante após a invasão em grande escala conduzida pela Rússia.

Entre os piores problemas que a Ucrânia enfrentou no final do mandato de Poroshenko estava a questão diplomática. Os Estados Unidos e a Europa forneceram um suprimento modesto de armas, programas de treinamento militar e bilhões de dólares em empréstimos e assistência financeira para auxiliar a Ucrânia a se defender. Mas, em particular, fazia tempo que os diplomatas ocidentais falavam sobre uma "fadiga ucraniana", ou seja, a sensação crescente de que o país tinha se tornado uma causa perdida, demasiado corrupto e disfuncional para ser salvo das garras da Rússia. A corrupção não tinha esmorecido desde a queda do antigo regime. De certa forma, parecia piorar. Um dos principais procuradores públicos do país, integrante da administração de Poroshenko, foi gravado orientando indivíduos que eram alvos de investigações de corrupção a se esquivarem da melhor maneira. Outro oficial militar próximo a Poroshenko foi envolvido em um esquema de contrabando de armas da Rússia e venda com superfaturamento para as Forças Armadas da Ucrânia.[1]

Nenhuma evidência surgiu para envolver Poroshenko diretamente nos escândalos, e seus aliados negaram as alegações de corrupção.[2] Mas a frustração no meio dos aliados da Ucrânia era evidente, sempre que Poroshenko viajava para o exterior. No início de 2018, cerca de um ano antes das eleições, ele viajou para a conferência anual de segurança, em Munique, e foi lamentável constatar a recepção de seus colegas. A Ucrânia, já naquela época, era o único país europeu que enfrentava uma guerra em seu território. No entanto, seu líder não conseguia atrair a atenção do público na Europa – nem mesmo numa sala repleta de militares; nem mesmo numa cúpula dedicada a questões de guerra. "Fui eu quem alertou os senhores de que não há limites para a agenda maligna da Rússia", discursou ele, na reunião. "A Ucrânia é o escudo e a espada da Europa."[3] Para ilustrar o argumento, Poroshenko exibiu uma bandeira esfarrapada da União Europeia e a ergueu diante dos delegados. A bandeira era proveniente, disse ele, das linhas de frente no leste da Ucrânia.

A encenação surtiu pouco efeito. Além de algumas fileiras de jornalistas e funcionários diplomáticos, ninguém mais se deu ao trabalho de comparecer ao discurso. Mais tarde, naquele dia, encontrei Poroshenko emburrado, acompanhado de alguns de seus conselheiros, na suíte do hotel onde se hospedava, com as cortinas fechadas, ocultando uma forte tempestade de neve do lado de fora. "Odeio a ideia de que este é um conflito congelado", disse ele, gesticulando para que eu escrevesse: "Não! Isto é uma guerra quente!"

Claro que ele estava certo. Seus soldados continuavam lutando e morrendo. Mas a guerra tinha desaparecido da agenda internacional, e o Ocidente quase não via a urgência de tentar dissipá-la. Outra rodada de negociações de paz entre a Ucrânia e a Rússia deveria acontecer em Munique no dia seguinte. Mas o ministro das Relações Exteriores alemão cancelou o encontro, subitamente, devido a assuntos mais urgentes que exigiam sua presença em Berlim: um jornalista alemão acabara de ser libertado da prisão, na Turquia, e o ministro queria estar presente na repatriação do profissional.[4] Levaria mais quatro meses até que as negociações de paz fossem remarcadas, e o encontro terminaria em outro impasse para Poroshenko.[5]

Na suíte por ele ocupada em Munique, conversamos principalmente sobre tal impasse, e ele me agradeceu por cobrir a guerra, como se meus artigos pudessem fazer muita diferença. O que ele buscava era uma maneira de fazer os europeus vivenciarem aquela guerra como se fosse sua, como uma ameaça à sua própria segurança, não apenas uma disputa territorial nas distantes ruínas da União Soviética. "Por favor, considere-se meu convidado na Ucrânia", disse Poroshenko. "Vá até a linha de frente e veja, com seus próprios olhos, o que está acontecendo por lá. Posso organizar a visita para você, porque isso muito me interessa."

Ele vinha fazendo o mesmo convite a muitos líderes que conhecera em Munique. Não houve muita adesão, e Poroshenko não conseguia entender por que sua mensagem não encontrava respaldo. "Sou um presidente da paz", disse-me ele ao nos despedirmos. "Não sou um presidente da guerra." No entanto, no final de seu primeiro mandato, a maioria dos ucranianos o via de maneira diferente: para eles, tratava-se de um homem que havia prometido garantir uma paz duradoura, mas falhara. Agora estavam prontos para tentar alguém novo.

No início de 2019, quando cheguei a Kiev para cobrir a corrida presidencial, Zelensky já era o favorito. Na maioria das pesquisas ele contava, aproximadamente, com o dobro do apoio oferecido a Poroshenko, embora se recusasse a enfrentar o titular na clássica arena política. Zelensky conduzia a campanha a seu modo, e isso o tornou quase imune aos ataques políticos. Ele não publicou uma plataforma eleitoral detalhada. Nem sequer fez uma pausa em sua carreira de comediante para se concentrar na corrida à presidência. A terceira temporada de *Servo do Povo* foi produzida durante a campanha,[6] e Zelensky continuou a fazer turnês com seu programa de variedades durante o inverno e o início da primavera.

Numa tarde de março daquele ano, algumas semanas antes do primeiro turno das eleições, os assessores de Zelensky me convidaram para visitar os escritórios do Studio Kvartal 95, que eles utilizavam como uma das sedes da campanha. Ocupavam os três últimos andares de um prédio alto próximo ao centro da cidade, com vista para os blocos de apartamentos mais abaixo e, ao longe, para a torre de TV que transmitia as produções do grupo. O local parecia uma grande empresa de contabilidade – tapetes em tons de cinza, tetos rebaixados, cozinhas funcionais –, exceto que as paredes estavam cobertas com cartazes de filmes, muitos deles estampando as loiras e voluptuosas coadjuvantes de Zelensky nas comédias românticas do estúdio.

Numa sala de conferências localizada no 21º andar, o amigo de infância de Zelensky, Vadym Pereverzev, esperava por mim. Tive dificuldade de reconhecê-lo, pois estava bastante diferente do que era antes, nos vídeos antigos em que os dois se apresentavam juntos, no final dos anos 1990. Aquele adolescente cheio de entusiasmo agora parecia exausto, com braços musculosos cobertos de tatuagens que não condiziam com seu novo papel de estrategista de campanha. "Nosso trabalho não mudou muito desde que entramos na política", disse-me ele. "Paramos de escrever piadas e passamos a escrever slogans. A diferença não é tão grande." Algumas promessas que fizera na campanha, disse ele, começaram na forma de piadas na sala dos roteiristas. Uma delas oferecia recompensas em dinheiro a pessoas que delatassem funcionários corruptos à polícia. Se a investigação recuperasse algum dinheiro de suborno, o informante receberia uma parte. Outdoors divulgando tal promessa foram espalhados em todo o país durante a campanha: "Entregue um oficial corrupto, ganhe 10%!" (O presidente Zelensky, fiel à sua palavra, mais tarde assinou uma lei antissuborno que permitia tais pagamentos.)[7] Contudo, além dos estratagemas, era difícil discernir qualquer programa coerente. Essa era a intenção. Uma pesquisa Gallup divulgada durante a campanha constatou que apenas 9% dos ucranianos confiavam no governo, menos do que em qualquer outra nação do mundo.[8] Naquele ambiente, a estratégia de Zelensky parecia óbvia: evitar a todo custo agir como político. Ele não precisava de uma visão política. A comédia era sua campanha.

No canal de televisão de Kolomoysky, o programa cômico e as paródias de noticiários apresentadas por Zelensky foram ao ar durante a corrida eleitoral. Ensejavam oportunidades para ele reagir às críticas ou delas se esquivar, muitas vezes satirizando as pessoas que o atacavam. Os rivais na corrida presidencial reclamavam que tal programação conferia a Zelensky uma vantagem injusta, e estavam certos. De acordo com a lei ucraniana, os canais de televisão são obrigados a conceder aos candidatos presidenciais, basicamente, tempo igual no ar. Mas a lei não se aplicava à programação de filmes, reprises e especiais de televisão que transmitiam a imagem de Zelensky a todos os lares do país. "Nossos oponentes ficam indignados", disse-me na época o coordenador da campanha, Dmytro Razumkov. "Mas, legalmente, isso não vale como campanha."

Também não valeram os episódios finais de *Servo do Povo*, série que constituiu um dos meios de persuasão mais poderosos da campanha. Sendo o programa mais popular da TV ucraniana na época, o seriado convidava o público a confundir Zelensky com o personagem por ele interpretado, um líder eminentemente humilde, simpático e de bom coração que, no mundo imaginário da sitcom, recebe em seus devaneios palavras de incentivo de Abraham Lincoln e Júlio César, antes de obrigar políticos ucranianos desonestos a se corrigirem e irem de bicicleta para o trabalho.

Fora da Ucrânia, a vantagem de Zelensky nas pesquisas gerou ansiedade em muitas pessoas, inclusive burocratas e banqueiros ocidentais que haviam concedido empréstimos emergenciais à Ucrânia. Eles também assistiam a *Servo do Povo* e viram que, em determinado episódio, o personagem de Zelensky diz a um grupo de funcionários do Fundo Monetário Internacional para ir se foder. Na vida real, o candidato foi mais gentil com os aliados estrangeiros da Ucrânia, mas nem sempre os tranquilizou. Concordou em se reunir com um grupo de diplomatas ocidentais pouco tempo antes da votação, e muitos deles saíram do encontro desnorteados e preocupados. "Ele não estava em condições de especificar o que pretendia fazer quando vencesse", disse-me depois um funcionário do Ministério das Relações Exteriores da Alemanha. "Parece claro que o povo quer o presidente do programa de TV", disse ele. "Não sabemos se Zelensky será esse presidente."

No início, a corrida parecia uma vitória fácil para a mulher mais poderosa da Ucrânia. Nenhum outro candidato, muito menos Zelensky, poderia competir com as credenciais de Yulia Tymoshenko: dois mandatos de primeira-ministra, dois anos atrás das grades na condição de prisioneira política e duas revoltas populares nas quais manifestantes carregaram seu retrato pelas ruas como se fosse um talismã contra a corrupção. Quando ela me convidou para visitá-la durante o período da campanha, seu escritório mais parecia um currículo. As paredes estavam cobertas de fotos dela liderando a Revolução Laranja rumo à vitória, em 2004 e 2005. Havia uma vitrine cheia de presentes de emissários da China e uma foto emoldurada na qual ela aparecia ao lado da Dama de Ferro, Margaret Thatcher.

Na mesa de Tymoshenko, ao lado de um retrato de sua filha, havia uma foto de Yulia com Donald Trump, e sua trança loira em forma de coroa de certa forma ofuscava o topete dourado dele. Tymoshenko não tinha nenhuma simpatia especial por Trump. Mas, para um político na Ucrânia, nenhum endosso é mais valioso do que aquele do presidente dos Estados Unidos. Em um dos discursos de Trump durante o National Prayer Breakfast, em Washington, ela ocupou um assento na frente do salão, dentro do enquadramento das câmeras de TV. Em seguida, esperou por ele do lado de fora do banheiro, para uma conversa rápida e uma foto, que emoldurou e dispôs em cima da mesa.[9]

Um ano depois, enquanto observava Zelensky ultrapassá-la nas pesquisas, ela se lembrou de Trump e de como ele tinha vencido Hillary Clinton, em 2016. A história era parecida: uma celebridade da TV superando a mulher mais experiente em política que havia no país, quando ela estava prestes a alcançar a presidência. E isso foi sem dúvida um golpe doloroso. No caso de Clinton, tratava-se da terceira corrida presidencial, provavelmente a última. Mas Tymoshenko eximia os ucranianos por apoiarem Zelensky. "Não podemos culpar as pessoas por isso", disse-me ela, em seu escritório. "A indignação delas é sinal de impotência. Estão decepcionadas, tão insatisfeitas com o sistema que começam a procurar novas saídas. Quando não as descobrem, a ascensão de gente como Zelensky significa um protesto, uma resposta ao sentimento de desesperança."

Tymoshenko via a situação como se fosse parte da onda de vitórias populistas que levou Trump e seus muitos imitadores ao poder naquela época.

"Não é apenas na Ucrânia", disse ela. "É uma tendência no mundo inteiro. É a degeneração total da democracia representativa." Com os estratagemas certos e seguidores suficientes nas redes sociais, "é possível transformar um cavalo num senador", disse-me ela. Ou um comediante em presidente.

A última temporada de *Servo do Povo* foi disponibilizada gratuitamente, no YouTube, no final de março, poucos dias antes do primeiro turno de votação, marcando o ápice da campanha de Zelensky, seu apelo final ao eleitorado.[10] A trama levava o povo da Ucrânia a imaginar um futuro distópico no qual o país não mais existe. Uma série de golpes políticos divide a nação em microestados, todos governados por sultões, fascistas ou cleptocratas esquisitos. O personagem de Zelensky, o presidente imaginário, acaba preso, vítima de um complô. Então, no final da série, ele é solto e começa a unir a Ucrânia. Por meio de trabalho duro e alguns discursos inflamados – "Cada um precisa fazer a sua parte!" –, ele inspira todos os Estados dissidentes ucranianos a se unirem sob sua liderança. A sequência final apresenta uma visão do futuro distante. Os bisnetos dos atuais ucranianos vivem em prosperidade, falando várias línguas, admirados e um tanto confusos ao aprender nas salas de aula limpas e espaçosas sobre o passado conturbado da Ucrânia.

De forma alguma esse foi o melhor trabalho de Zelensky, nem como ator, nem como roteirista. Não foi engraçado, e o final tipo conto de fadas fazia lembrar *agitprop*, o que parecia ser a intenção. O objetivo de Zelensky para a última temporada era conquistar eleitores, não críticos de TV. A ocasião do lançamento permitiu aos ucranianos dois dias, uma sexta-feira e um sábado, para consumir compulsivamente os novos episódios antes de se encaminharem às urnas, e os resultados naquele domingo foram inequívocos. Na primeira rodada de votação havia um total de 39 candidatos, e Zelensky derrotou todos eles, tirando Yulia Tymoshenko da corrida e ainda obtendo quase o dobro de votos do concorrente mais próximo. Três semanas depois, no segundo turno, Zelensky enfrentou Poroshenko e venceu com o índice impressionante de 73% dos votos. Das 24 regiões da Ucrânia que participaram das eleições, todas, exceto uma, optaram por Zelensky. Os mapas eleitorais mostrados na TV pareciam um mar verde, a cor de sua campanha.[11]

Historicamente, não é o melhor resultado de um candidato à presidência da Ucrânia. Poroshenko foi melhor, depois de comandar a revolta de 2014, ganhando a eleição antecipada naquela primavera com ampla vantagem no primeiro turno. A primeira eleição presidencial na Ucrânia, em 1991, também terminou com uma vitória mais significativa para Leonid Kravchuk. Mas o resultado do pleito de 2019 ainda parecia um momento único de consenso na Ucrânia. Ao longo de sua história como um Estado independente, o poder político oscilou de um lado da polarização nacional para outro, de leste para oeste, através de guerra e revolução, e agora os eleitores de quase todas as regiões se reuniram em prol de um único candidato. No processo, expuseram quão vãs eram as mentiras de Putin sobre a Ucrânia, suas alegações de que o país foi um erro histórico, uma colagem de partes incongruentes, incapaz de união e guiado por neofascistas, com milhões de cidadãos e territórios vastos que pertenciam, por direito, à Rússia. Foi precisa a vitória de um judeu que falava russo, vindo de Kryvyi Rih, para mostrar que as teorias de Putin sobre a Ucrânia não eram apenas falsas, mas também ridículas. Nas regiões do leste do país, que Putin costumava descrever como partes do "mundo russo", Zelensky teve quase 90% dos votos.

Mas o vencedor não se deteve nessas lições na noite da eleição. Enquanto os confetes caíam do teto em sua festa televisionada na noite da eleição, ele não usou o momento para expor seus planos para o país ou sua visão da história. "Nós fizemos isso juntos", declarou ele do palco, onde sua esposa estava aplaudindo, com suas dúvidas escondidas atrás de um sorriso fixo. "Obrigado a todos! Agora não haverá discursos pomposos." Ele sabia que não precisava fazer nenhum. Seu *momentum* parecia imparável. Três meses depois, o partido político de Zelensky, Servo do Povo, quebrou outro recorde eleitoral, quando se tornou o único a obter maioria absoluta no Parlamento ucraniano. O partido passou a dispor de assentos suficientes para aprovar legislação e, se quisesse, reescrever a Constituição. "Foi assustador", disse Bohdan, que se tornou chefe de gabinete do presidente. "Eu só dormia três horas por noite, e estava com muito medo." A corrida eleitoral em si pareceu um sonho, uma experiência hilariante no mundo mágico da comunicação de massa, e agora eles despertavam e se viam diante das consequências. Os eleitores confiaram a Zelensky poder suficiente para ele governar como um déspota, se quisesse. "Os nossos erros seriam agora os erros deles", disse-me Bohdan.

10. Não confie em ninguém

A posse ocorreu numa segunda-feira do mês de maio, quando o clima era quente e agradável para as multidões reunidas do lado de fora do Parlamento, usando camisetas e óculos escuros, agitando bandeiras ucranianas, atentas à cerimônia transmitida numa tela gigante.[1] Centenas de parlamentares, diplomatas e delegados de todo o mundo se reuniram no interior do prédio, sob a cúpula de vidro do salão plenário. Na galeria os pais de Zelensky irradiavam orgulho. Rymma vestia um terninho elegante, rosa, e ocupava a mesma fila de assentos dos predecessores de seu filho, os homens sisudos que anteriormente haviam passado por aquele ritual. Havia o "pai fundador", Leonid Kravchuk, antigo propagandista do Partido Comunista Soviético que conquistou a liberdade para a Ucrânia em 1991, e tanto acreditava num futuro pacífico com a Rússia que concordou em desistir do arsenal nuclear ucraniano, na época o terceiro maior do mundo. Ao lado dele, fazendo lembrar um elfo, via-se Leonid Kuchma, chefe da Ucrânia durante os anos do capitalismo gângster, forçado a renunciar depois que seu próprio guarda-costas revelou um plano para matar um jornalista. Em seguida, Viktor Yushchenko, imponente e distante, o rosto ainda marcado pelo veneno que quase o matou durante a revolução que o levou à presidência.

O que Zelensky poderia aprender com esses homens, a não ser uma lição sobre a toxicidade do poder, o modo como tritura uma pessoa, obscurece o seu nome, oferece negócios e esquemas que acabam comprometedores no final? No decurso da campanha, ele demonstrou desdém por tais políticos, e não tinha intenção de imitar sua liderança, nem mesmo buscar seus conselhos. "Quando frequentam os bastidores, são todos amigos", disse-me

Zelensky, "depois entram na arena e se tornam gladiadores." Ele não queria ser esse tipo de líder. "Não pretendo ser amigo deles", zombou. "Já tenho um monte de amigos." Muitos foram ao Parlamento naquele dia para vê-lo segurar o cetro cerimonial, símbolo da presidência ucraniana. Outros foram escolhidos para assumir empregos na sua administração; comediantes e escritores, atores e assessores de imprensa, que seriam transformados em tecnocratas e políticos. Zelensky prometeu que o trabalho deles seria diferente. Sua equipe seria mais jovem. Suas prioridades eram novas.

"Nossa primeira tarefa", disse ele em seu discurso inaugural naquele dia, "é o cessar-fogo em Donbas."[2] Cinco anos após a guerra contra a Rússia e seus aliados, a classe política de Kiev não estava pronta para um cessar-fogo. Temiam que isso custasse caro demais à Ucrânia. Zelensky não parecia se importar: "Muitas vezes me perguntam que preço estou disposto a pagar pelo cessar-fogo. É uma pergunta estranha. Que preço você está disposto a pagar pela vida daqueles que ama? Posso garantir que estou pronto para pagar qualquer preço para impedir a morte de nossos heróis."

O primeiro passo seria obter a libertação dos prisioneiros de guerra ucranianos. Também queria afastar os políticos que permitiram que a guerra se arrastasse durante meia década. No seu discurso, ordenou que o Parlamento demitisse o ministro da Defesa e o chefe do principal serviço de inteligência da Ucrânia. Feito isso, ordenou também que todo o Parlamento se dissolvesse. Novas eleições legislativas seriam realizadas em dois meses.

Mediante essas declarações, Zelensky definiu a agenda para a primeira parte de sua presidência: paz a qualquer custo e uma renovação total do poder. Seus índices de aprovação ao assumir o cargo foram astronômicos nos meses seguintes à eleição, chegando a 80% em algumas pesquisas. A grande maioria dos ucranianos queria que seus líderes buscassem a paz com a Rússia. Portanto, não foi apenas o pacifismo que impulsionou a agenda de Zelensky. Era também uma forma de populismo, e ele precisava mostrar resultados.

Uma das figuras-chave que ele colocou no comando da promulgação dessa agenda foi Andriy Yermak, produtor de cinema e antigo advogado da produtora de Zelensky. Yermak supervisionaria os assuntos internacionais pertinentes à nova administração, incluindo as relações com os norte-americanos, os europeus e quaisquer negociações de paz com os russos. Antes das eleições parlamentares antecipadas, também caberia a ele organizar uma troca de prisioneiros de guerra.

Primeiro, a equipe precisava se estabelecer nos novos escritórios, e foi aí que os problemas começaram. A aparência do lugar não atraiu Zelensky e sua comitiva. O complexo na rua Bankova parecia decadente e ao mesmo tempo espalhafatoso, as cortinas pesadas fazendo lembrar as administrações passadas, que tinham cultivado hábitos dos quais Zelensky havia prometido se livrar. Ficou surpreso ao saber que seus novos cômodos tinham sido projetados para incluir um elevador secreto. O único propósito do elevador, me disse Zelensky, era que as pessoas entregassem subornos sem ser vistas. De que tipo?, perguntei a ele. Malas de dinheiro? "Vamos chamar isso de boato", disse ele com um sorriso, "e assim não ofendo ninguém."

Desde o início, a equipe começou a procurar lugares alternativos para abrigar a administração. Um deles se localizava a poucos quarteirões de distância, um vasto espaço para exposições chamado Casa Ucraniana, na Praça Europeia, local que pretendiam transformar numa paisagem sonhadora e futurista. Andriy Yermak disse-me que queria se inspirar na sede da Apple, em Silicon Valley. Mas os protocolos de segurança atrapalharam. Seria caro e difícil equipar o novo escritório com linhas seguras de comunicação. Depois houve a questão do bunker. Os guardas presidenciais insistiram que o bunker seria essencial em caso de guerra ou alguma outra catástrofe. Zelensky e sua equipe acharam que aquilo seria inútil. Naquela primavera, quando fizeram um passeio pelos túneis, parecia que retornavam ao passado, aos impasses nucleares e às paranoias de outra era. "Era toda a história soviética", relatou Yermak sobre aquela visita ao bunker. "Percebi que nada daquilo seria necessário. Eles tinham construído um bunker, ok. Mas para quê?"

Afinal, os contadores e guardas de segurança venceram a queda de braço: os custos e os riscos eram muito altos para Zelensky se mudar para outro prédio. "É impossível ficar aqui", disse ele a um grupo de jornalistas, enquanto fazia uma visita guiada ao seu escritório. "Isso me deixa furioso."[3] Os velhos telefones amarelos que pareciam peças de museu, as luminárias de cristal que quase chegavam ao teto, as tapeçarias de caçadores e suas presas, as mesas de madeira com pés em formato de garras de tigre, tudo aquilo colidia com a imagem que Zelensky queria projetar. Ainda assim, os repórteres pareciam felizes em vê-lo ocupar aqueles cômodos. O espaço podia ser velho, mas os ocupantes eram novos.

Durante algum tempo, a imprensa se deliciou com a história da Cinderela, dos comediantes que ascenderam ao poder. Mas a lua de mel de Zelensky com a mídia foi breve. No dia de sua posse, 20 de maio de 2019, a lei obrigou-o a declarar todos os seus bens, o que se tornou objeto de um acalorado debate.[4] Todos sabiam que Zelensky tinha feito fortuna na indústria do entretenimento, e os detalhes se prestavam a manchetes deliciosas. Além da casa de verão de sua família na Crimeia, o presidente tinha um apartamento alugado em Londres, uma casa na Itália, uma coleção de relógios de grife e várias empresas *offshore*. As principais redes de notícias da Ucrânia deram ampla cobertura a essas revelações, em particular com o fato de que a propriedade na Crimeia, uma cobertura de três quartos, fora vendida a eles por preço bem abaixo do mercado.[5] Zelensky justificou os termos da venda, mas os críticos se aproveitaram para sugerir que ele era tão corrupto e insensível quanto seus antecessores. Os piores ataques vieram do canal de TV que pertencia a Poroshenko, sendo ele mesmo um bilionário. Sua derrota eleitoral o deixara tremendamente recalcado. Agora, entre os líderes da oposição no Parlamento, manchar a imagem de seu sucessor sempre que possível passou a ser sua missão.

Nada disso deveria ter surpreendido a nova administração. Mas, desde os primeiros dias no cargo, Zelensky demonstrou sensibilidade às críticas. Seus velhos amigos sabiam que ele sofria da doença do ator – a necessidade permanente de ser amado e aplaudido. Entretanto, esperavam que ele se tornasse mais resistente após a transição para a política, na qual os rivais não o poupariam. O primeiro chefe de gabinete de Zelensky, Andriy Bohdan, logo entendeu a importância de manter o presidente longe de suas contas nas redes sociais. Mesmo os comentários que Zelensky recebia de estranhos podiam perturbá-lo. "Basta um post de uma conta sem nome, totalmente falsa, e lá está ele perdendo o sono, tremendo, desabafando com a mãe no celular", disse-me Bohdan. "Na política, as pessoas se acostumam com essas coisas e não deixam que se transformem em tragédia. Faz parte do processo político. Mas para ele era uma tragédia, uma afronta pessoal."

Sua esposa também sofria com a onda de ataques que a família enfrentava na imprensa e na televisão. Ela não estava acostumada a todo aquele controle. A residência de verão na Crimeia foi registrada em nome de Olena, o que a arrastou para o centro do escândalo. Sempre que ela aparecia em público, os tabloides dissecavam o que a primeira-dama usava e como se comportava. "A tensão era constante", disse-me ela. Muitas vezes ficava deprimida ao ler o que os blogs escreviam sobre ela e seu marido, mas não conseguia ignorá-los. "Eu me estressava quando eles o atingiam, quando o criticavam", disse ela. "A gente quer reagir, mas sabe que é inútil." Levando em conta a sensibilidade excessiva do marido, evitava dar-lhe conselhos ou até mesmo conversar sobre seu trabalho quando ele chegava em casa. "O presidente prefere que eu não o critique", disse ela em uma de suas primeiras entrevistas como primeira-dama. "Estraga seu estado de espírito."[6]

Depois de ter tentado convencê-lo a não concorrer ao cargo, Olena agora se via presa com ele e os filhos dentro da bolha presidencial. Ela tentava escapar, agarrando-se à antiga vida de redatora de comédia, e nos primeiros meses de mandato de Zelensky passou mais tempo nos escritórios de sua produtora, o Studio Kvartal 95, do que na administração presidencial. Um dos assessores de Zelensky lembrou-se de pedir à primeira-dama que fizesse a gentileza de ir à rua Bankova para conhecer um importante convidado estrangeiro. O presidente tinha saído para tratar de assuntos oficiais e não pôde ficar para o compromisso. Olena se negou. "Ela estava ocupada redigindo um roteiro", disse o assessor.

Nos últimos quinze anos, a marca registrada do estúdio tinha sido sátira política, e agora Olena se sentia desconfortável escrevendo nesse gênero. Exigiria fazer graça de si mesma, do marido e de muitos amigos que haviam se juntado à administração ou ocupado assentos no Parlamento. O show de comédia por eles produzido, *Evening Kvartal*, tinha ridicularizado cada presidente na história da Ucrânia, mas Olena supunha que os redatores não amenizariam o tom quando se tratasse de satirizar Zelensky. Isso a deixava frustrada. "É difícil não sentir piedade quando se critica um amigo", disse-me ela. "Não queríamos perder nossa marca de indivíduos que sempre disseram a verdade no campo da política, mas é difícil manter a imparcialidade necessária." Um dos atores de *Evening Kvartal* conseguiu fazer uma imitação de Zelensky que Olena achou até engraçada, mas não o suficiente. Para evitar conflitos com os colegas sobre essas questões de orgulho e política, honestidade e amizade, ela decidiu parar de escrever para o *Evening Kvartal* e passou a trabalhar em outras produções no antigo estúdio de Zelensky. Ela não incluía seu nome nos créditos dos programas e filmes que apresentavam seu trabalho porque não queria que os espectadores e críticos a vissem através de um prisma político e procurassem significados escondidos em cenas e esquetes escritos pela esposa do presidente.

Zelensky bem sabia que não devia chamar a atenção para Olena. "No começo, meu marido não me fez sentir obrigada a fazer nada como primeira-dama. Logo me disseram: Você pode fazer as coisas à sua maneira, viver sua própria vida, ninguém precisa vê-la." Com o tempo, ela concordou em se adaptar ao papel, desde que pudesse fazer tudo do seu jeito, não sob os ditames da convenção e do protocolo. "Entendi imediatamente que não seria um acessório para as aparições do presidente, os apertos de mão, permanecendo ao seu lado e sorrindo", disse-me ela. "Não era isso que eu queria fazer", mas muitas vezes era o que o papel exigia. Em junho, Olena acompanhou Zelensky a Paris, numa das primeiras viagens ao exterior, e posou para fotos com o marido, de pé, ao lado dele e sorrindo, durante a recepção formal no Palácio do Eliseu. Mesmo que a rigidez de tudo lhe desagradasse, parte da pompa era estranha e encantadora, a banda militar tocando para recepcioná-los, a guarda cerimonial marchando com plumas vermelhas nos chapéus. Quem mais poderia viver essa experiência em Paris?

Durante a visita, Brigitte Macron, primeira-dama da França, convidou Olena para uma reunião particular e deu-lhe uma noção do que elas poderiam realizar. Cônjuges de líderes europeus raramente têm qualquer título formal ou responsabilidades, e seus deveres são pouco definidos. Isso mudou na França depois que Emmanuel Macron assumiu o cargo em 2017. Sua esposa assumiu status oficial na administração, com sua própria equipe, um orçamento e um escritório. Olena levou a sério tal abordagem e, com o apoio de Zelensky, implantou as mesmas mudanças na rua Bankova, estabelecendo que o Escritório da Primeira-Dama se tratava de uma instituição com recursos próprios. O novo status ajudou a libertar Olena do que ela chamou de função "decorativa" – "parecendo bonita no segundo plano". Ainda era estranho e um pouco humilhante para ela ocupar um papel de coadjuvante que não refletisse suas próprias realizações, mas as de seu marido. Porém, dada a oportunidade, ela queria aproveitar ao máximo.

Para o presidente Zelensky, a viagem a Paris tinha sido uma segunda opção. A prioridade em sua agenda de viagens para o primeiro ano do mandato tinha sido visitar os Estados Unidos, o aliado mais importante da Ucrânia. Sua equipe queria fazer um tour completo, não apenas as paradas habituais em Nova York e Washington, mas passar pelo Texas e pela Califórnia para falar sobre cooperação nos setores de energia e tecnologia. Acima de tudo, Zelensky precisava demonstrar que a aliança da Ucrânia com os Estados Unidos ficaria cada vez mais forte sob sua liderança. As Forças Armadas ucranianas contavam com a assistência norte-americana, e o presidente entendia que qualquer sinal de fraqueza quanto ao apoio dos Estados Unidos levaria a Rússia a ser mais agressiva em Donbas. A viagem não seria apenas para satisfazer a vaidade de Zelensky. As vidas das tropas ucranianas dependiam disso, assim como o sucesso do plano de paz do presidente.

Seus assessores acreditavam que a viagem não seria difícil de organizar. O presidente Donald Trump, então no terceiro ano de seu mandato, ligou para parabenizar Zelensky na noite da eleição e o convidou para ir a Washington. Os enviados de Trump para a posse, em seguida, entregaram um convite por escrito para Zelensky visitar a Casa Branca. Os ucranianos levaram a sério. No entanto, cada vez que eles entravam em contato e tentavam organizar o encontro, os norte-americanos desconversavam. "É ridículo", disse Igor Novikov, conselheiro presidencial encarregado de planejar a viagem. "É difícil explicar, mas algo está errado."

Ninguém na sua equipe, muito menos Zelensky, captou os sinais de que um escândalo de fato estava se formando, do tipo que levaria, apenas sete meses mais tarde, ao impeachment de um presidente dos Estados Unidos. Durante as primeiras semanas em exercício, poucos prestaram muita atenção aos assuntos externos. Estavam totalmente ocupados, montando um governo e pensando no que seria feito para administrar o país. "Foi caótico", disse Novikov, um jovem empreendedor de tecnologia e palestrante motivacional que passou a integrar a administração naquela época. O processo de entrevista e contratação de pessoal, disse ele, se assemelhava a um "experimento político de terceirização [...] Singular, criativo e muito 'californiano', eu diria, em sua abordagem".

Na prática, isso muitas vezes significava que amigos e colegas do presidente foram levados a exercer funções para as quais tinham pouco ou nenhum preparo. Novikov foi um caso importante. Jovem e gentil, fluente em inglês, tendo estudado num internato britânico, era conhecido no cenário tecnológico de Kiev por realizar seminários sobre "futurismo", com foco na maneira como as novas tecnologias mudariam a humanidade. Zelensky participou de uma dessas sessões em 2018, enquanto se preparava para anunciar sua candidatura à presidência. "E nós nos demos bem", disse Novikov. Logo o guru da tecnologia se viu orientando a campanha de Zelensky em questões de energia e inovação. Depois que ganharam a eleição, a comitiva em torno de Zelensky aumentou, atraindo um elenco variado de influenciadores e oportunistas. "É a conhecida janela de oportunidade pós-eleitoral por onde se entra para adiantar alguns passos na carreira", disse Novikov. "Os antigos, os neófitos, as elites corruptas, todos corriam para pegar sua fatia do bolo."

Novikov tentou se engajar, aproveitando todas as oportunidades para ficar nos escritórios da rua Bankova. Certa noite, logo após a posse, estavam no escritório de Zelensky, discutindo como lidar com a administração Trump e organizar a visita à Casa Branca. Novikov demonstrou surpresa ao saber que ninguém da equipe presidencial tinha sido designado para gerenciar a tarefa. Zelensky virou-se para ele e disse: "Você quer fazer isso?" A resposta veio rapidamente: Por que não? Se um comediante entendeu o que deveria fazer para se tornar presidente, um guru da tecnologia poderia entender como seria o relacionamento com os norte-americanos. Mais tarde, naquela noite, quando entrou em seu carro para voltar para casa, Novikov abriu uma página de pesquisa em seu celular e digitou: *Sistema político dos Estados Unidos.* "Tentei aprender por mim mesmo", disse-me mais tarde, "os processos intrincados de como os Estados Unidos realmente operam."

A experiência de Zelensky no assunto não era muito mais sofisticada. Certa vez, no decorrer da campanha em Kiev, ele me pediu que lhe explicasse sobre o caráter de Donald Trump, como se todos os repórteres norte-americanos tivessem alguma visão especial sobre o assunto. "Como ele é?", perguntou Zelensky. "Um cara normal?" A pergunta me fez gaguejar. Mesmo uma noção básica dos pronunciamentos de Trump seria suficiente para identificar seus sentimentos em relação à Ucrânia. Desde o início de seu mandato, em 2017, Trump expressou admiração por Vladimir Putin e minou a Otan. Repetiu as alegações de Putin de que políticos ucranianos, e não espiões russos, interferiram na eleição presidencial de 2016. Também fez ecoar afirmações dos russos sobre a Crimeia, uma vez dizendo que a península pertencia à Rússia porque a maioria de seus residentes falava russo. Zelensky tinha assistido a essas declarações no noticiário, mas não parecia preocupado. Acreditava que suas próprias semelhanças com Trump – seus históricos compartilhados como celebridades de TV, seus status como forasteiros da política – permitiriam que o presidente dos Estados Unidos mudasse de ideia sobre os ucranianos depois de uma piada ou outra e um sorriso. Ele não fazia ideia de onde estava se metendo.

Na Casa Branca, um grupo de conselheiros de Trump liderado pelo advogado pessoal do presidente, Rudy Giuliani, já havia nutrido uma obsessão pela Ucrânia. Giuliani se convencera de que a Ucrânia tinha as chaves para a reeleição de Trump em 2020, e de certo modo estava certo. O principal adversário de Trump na corrida presidencial seria Joe Biden, e qualquer observador que conhecesse bem a carreira de Biden sabia que a Ucrânia era uma de suas vulnerabilidades.

Durante o mandato de vice-presidente, Biden assumiu a missão de ajudar a Ucrânia a se defender das incursões russas na Crimeia e em Donbas. Em nome do governo Obama, ele administrou bilhões de dólares para ajuda financeira e militar dos Estados Unidos para a Ucrânia. Também pressionou o governo de Petro Poroshenko a combater a corrupção, fortalecer instituições e nomear funcionários que, segundo os Estados Unidos, eram honestos e competentes. Ao mesmo tempo, o filho de Biden, Hunter, passou a trabalhar no setor de energia da Ucrânia, notório pântano de corrupção e negociatas. Na primavera de 2014, Hunter Biden aceitou um cargo muito bem-remunerado no conselho da Burisma, empresa de gás natural ucraniana. Tudo indicava que o acerto seria péssimo para os Biden, um caso clássico de tráfico de influência. Mesmo que Joe Biden não tenha feito nada para ajudar a Burisma, o cargo de seu filho no conselho expôs os dois a acusações de corrupção, e não tardaria até que Trump e Giuliani explorassem essa fraqueza. Em 2018, enquanto se preparavam para enfrentar Joe Biden na corrida presidencial, Trump e sua equipe começaram a procurar negócios escusos dos Biden na Ucrânia.

O objetivo na época era pressionar as autoridades em Kiev para que apurassem as ações corruptas de Hunter Biden, e Giuliani fez o pedido explícito numa ligação telefônica para Andriy Yermak. "Deixe essas investigações prosseguirem", disse Giuliani durante a ligação telefônica em 22 de julho de 2019. "Peça a alguém que investigue, que seja honesto, que não se deixe intimidar, e então poderemos obter todos os fatos."[7] Yermak concordou em cooperar. Em troca, pediu apenas que Giuliani ajudasse a marcar uma data para a visita de Zelensky à Casa Branca. Mas o tom da conversa preocupou os ucranianos. Novikov, que ouviu e gravou a chamada, disse que Giuliani parecia um mafioso ao telefone, especialmente quando ele expressou um alerta para Zelensky "ter cuidado".

Três dias depois, o presidente Trump adotou o mesmo tom durante sua ligação para Zelensky. Após algumas gentilezas, sugeriu que qualquer assistência adicional dos Estados Unidos à Ucrânia dependeria da disposição de Zelensky de fazer um favor aos norte-americanos. Ele mencionou Hunter Biden e a Burisma, e pediu que Zelensky investigasse o caso. "Fala-se muito sobre o filho de Biden", disse Trump na chamada. "A meu ver, é uma situação horrível."[8] Zelensky concordou. Parecia disposto a cooperar, pelo menos quanto a designar um promotor para investigar as questões levantadas por Trump. "Vamos cuidar disso", disse Zelensky, "e investigar o caso."

Uma transcrição dessa conversa, segundo registros da Casa Branca, se tornaria a Prova nº 1 no caso da remoção de Trump do cargo, no final daquele ano. Mas, na ocasião, Zelensky entendeu que o telefonema foi um avanço. "Houve certa euforia quando a ligação acabou", disse Novikov. No final, Trump havia prometido definir uma data para a visita à Casa Branca, o que se tornou uma prioridade para os ucranianos. Para comemorar, Zelensky e seus assessores se dirigiram a uma outra sala dos aposentos presidenciais, para onde um garçom levou tigelas de sorvete, oferecendo as opções de chocolate ou baunilha. Eles começaram a imaginar sua grande viagem à América, que agora finalmente parecia possível.

A necessidade de atender à exigência de Trump por meio de investigações parecia um problema administrável na época. Zelensky não se opôs, a princípio, a investigar a Burisma. Sendo uma das maiores produtoras de gás natural na Ucrânia, a empresa frequentemente se envolvia em escândalos de corrupção. Seu fundador e acionista controlador tinha sido ex-ministro do regime de Yanukovych, altamente suspeito de usar influência para garantir direitos de perfuração e concessões concedidos pelo governo. Seria possível para a Ucrânia proceder à investigação da empresa sem implicar Hunter Biden. Mas essa abordagem ainda correria o risco de enredar a Ucrânia na política presidencial dos Estados Unidos. William Taylor, que era, na ocasião, o diplomata mais graduado dos Estados Unidos em Kiev, aconselhou Zelensky a evitar a situação. "Eu avisei várias vezes que eles não deveriam interferir na nossa política", disse-me Taylor. "Para eles, aquilo não tinha sentido algum."

Zelensky concordou, mas a equipe resolveu ganhar tempo. Quando pressionados a fazer uma declaração sobre as investigações, procuravam se expressar com um discurso vago, comprometendo-se a combater a corrupção em termos amplos, sem destacar qualquer indivíduo em particular. Certa noite, em agosto, Novikov foi até o gabinete de Zelensky no quarto andar para discutir uma declaração que ele tinha ajudado a elaborar sobre as investigações, e encontrou o presidente num estado lastimável. Passados menos de três meses de mandato, ele parecia exausto, como se as exigências e os riscos do cargo tivessem drenado a vivacidade de seus olhos. Quando viu a declaração, Zelensky estremeceu e fez uma pergunta: "Nós precisamos mesmo fazer isso?" O rascunho não mencionava Hunter Biden nem a Burisma, e Novikov garantiu ao seu chefe que, mediante tais omissões, não poderiam ser acusados de se intrometer na política norte-americana. "Queira Deus que não haja nada sobre a Burisma", teria respondido Zelensky, segundo Novikov. "Esse é o ás escondido na nossa manga, e vamos usá-lo somente quando não tivermos mais alternativas."

Mas logo eles ficaram sem alternativas. Em 28 de agosto de 2019, o portal Politico divulgou a notícia de que Trump havia bloqueado 250 milhões de dólares em ajuda militar à Ucrânia. Para Zelensky, o que agora estava em jogo era muito maior do que qualquer visita à Casa Branca. Trump decidiu deixar a Ucrânia à mercê da Rússia, sem a assistência que o país necessitava para se defender. A equipe de Zelensky não podia mais ganhar tempo e se esquivar, e por isso começou a se preparar para que o presidente anunciasse, durante uma entrevista com a CNN, as investigações que Trump tinha solicitado. O que os impediu foi a onda de notícias provenientes de Washington naquela semana. Os líderes do Congresso ficaram indignados com as decisões de Trump quanto a bloquear ajuda. Houve a denúncia na Casa Branca acusando Trump de coagir Zelensky a lhe prestar favores políticos. Até os partidários de Trump no Capitólio instaram Trump a liberar o pacote de ajuda. Assim se manifestaram vários outros altos funcionários do governo Trump. Em 11 de setembro, Trump cedeu. Sua administração liberou a ajuda para a Ucrânia, e a equipe de Zelensky prontamente cancelou a entrevista com a CNN. Mas a crise estava longe de acabar.

Em 24 de setembro, a liderança democrática na Câmara dos Deputados lançou um inquérito formal de impeachment contra Trump por seu tratamento à Ucrânia. Naquele mesmo dia, Zelensky e sua comitiva chegaram aos Estados Unidos para a primeira visita oficial, embora não nos termos que haviam imaginado. O objetivo da viagem era comparecer à Assembleia Geral da ONU, onde Zelensky se reuniria com muitos de seus colegas, incluindo Trump, pela primeira vez. Também deveria proferir o primeiro grande discurso de sua presidência no maior palco destinado a assuntos internacionais. Mas todos esses pontos em sua agenda foram ofuscados pelo escândalo do impeachment.

Quando desembarcaram em Nova York, a história de Trump e a Ucrânia dominava os noticiários em todos os canais. No aeroporto e no saguão do hotel, Zelensky via seu rosto refletido em todas as telas de televisão, retratado como a vítima do esquema de Trump e Giuliani. A Casa Branca tinha acabado de divulgar a transcrição do telefonema de Trump com Zelensky, e a mídia esmiuçava cada detalhe. "A notícia estava em toda parte", disse Bohdan, chefe de gabinete, que organizou a viagem. "Sabíamos que uma palavra errada, mesmo a pronúncia equivocada de uma palavra, poderia levar a uma crise generalizada para o nosso país."

Diante das circunstâncias, teria sido mais apropriado que Zelensky se mantivesse longe das câmeras. Mas ele preferiu não se esconder. À margem da Assembleia Geral, concordou em comparecer a uma coletiva de imprensa com Trump. Até insistiu em falar inglês, o que significaria empregar mal uma ou duas palavras. Sentado ao lado do homem que acabara de tentar chantageá-lo, Zelensky agradeceu a Trump por ter feito o convite para a visita à Casa Branca. Então, exibiu um sorriso e fez uma piada: "Acho que você esqueceu de me dizer a data."

Afinal, Zelensky não chegou a fazer a visita ao Salão Oval com Trump. À medida que a saga do impeachment se desenrolava naquele outono e no início do inverno, ele fez o que podia para se manter longe da situação. Mas a história era difícil de ignorar. Um desfile de testemunhas, muitas vezes formado por diplomatas e veteranos militares altamente conceituados, testemunhou no Congresso sobre a conspiração que Trump e Giuliani tramaram contra a Ucrânia. Todos os aspectos da chamada telefônica entre Trump e Zelensky foram analisados. Para a equipe na rua Bankova, a cena política era dolorosa de assistir, para não dizer humilhante. Serviu como um curso intensivo sobre a maldade inerente à política dos Estados Unidos e às agruras dos assuntos internacionais. Ao descrever a experiência, Bohdan me contou que foi como um "banho de água fria". A Casa Branca nem sequer consultou os ucranianos antes de liberar a transcrição do telefonema de Zelensky com Trump e enviá-la à imprensa.

Nas semanas que se seguiram, as mensagens confidenciais que os assessores de Zelensky enviaram aos oficiais dos Estados Unidos foram projetadas na tela da sala de audiências em Capitol Hill e dissecadas ao vivo na televisão. As conversas privadas com diplomatas dos Estados Unidos tornaram-se assunto de inflamados debates partidários. Yermak considerou irritante a repercussão. Tinha passado a maior parte do tempo na rua Bankova tentando descobrir um jeito de estabelecer a paz em Donbas, e a mídia estrangeira só queria saber sobre suas conversas com Giuliani, suas opiniões sobre a Burisma e Hunter Biden. "Enquanto tratávamos desses assuntos, pessoas morriam na guerra no leste", disse Yermak em seu escritório enquanto as audiências de impeachment aconteciam em Washington. O colapso nas relações com os Estados Unidos, disse ele, convinha à Rússia. Putin podia ver que Kiev estava sendo repelida por seu aliado mais poderoso. "Todos os dias", disse Yermak, "isso nos custava vidas humanas."[9]

Zelensky teve uma reação diferente. Não perdeu o controle quando falamos sobre o escândalo. Durante vários meses, o presidente recusou meus pedidos de conceder entrevista. Era muito perigoso para ele falar durante o inquérito de impeachment, quando cada palavra que dissesse poderia servir de munição na guerra partidária no Capitólio. Porém, no final de novembro, quando a comissão se preparava para divulgar o relatório definitivo, eu e alguns outros repórteres fomos convidados por Zelensky para ir ao seu escritório. Não nos víamos desde a campanha, e no intervalo de oito meses ele tinha envelhecido e mudado muito mais do que eu imaginara. Não estava somente mais cansado e mais realista. Parecia ter contraído a doença política que antes detestara e desejara sanar: o cinismo. "Eu moro aqui", disse enquanto nos sentávamos no escritório, "como se fosse numa fortaleza da qual quero fugir."[10]

As frustrações tinham começado com as pequenas coisas. Ele não tinha permissão para usar os aplicativos de seu celular para se comunicar com quem quisesse. Havia o conjunto de telefones amarelos com linhas seguras para a comunicação com o departamento de protocolo, os assistentes executivos, a guarda presidencial e outros burocratas. "Quando descobri quanto o país gastava na manutenção das linhas de segurança, fiquei muito surpreso", disse ele. "Requer muita mão de obra." Aborrecia-o dispor de funcionários do Estado para abrir a porta para sua esposa quando o casal comparecia a um compromisso oficial, retirar seu casaco e ajudá-la a vesti-lo. "Obrigado", ele reagia. "Não se preocupe." Ele próprio se encarregava dessas formalidades. Havia um conflito constante entre o modo que ele fora criado e o regulamento que agora governava seus movimentos, seus contatos com outros seres humanos. Para ele, não tinham sentido. "Todos esses protocolos", disse, "destroem-me como pessoa."

Era o que acontecia em relação a seus planos, todas as reformas que tinha em mente quando assumiu o cargo. Seu partido obtivera maioria esmagadora no Parlamento, mas o processo de aprovação de leis era muito lento. Passavam-se semanas de debates, milhares de emendas e discussões sem fim sobre aspectos técnicos. "Todos precisam discutir tudo por muito tempo", disse Zelensky. Ele tentava acelerar as coisas, dizendo aos legisladores: "Vão trabalhar! Quando vocês entram na Câmara para votar, tratem de votar, não importa se gostam da lei ou não." Mas não adiantava. As regras eram incontestes.

Nos assuntos externos, o sistema parecia ainda mais complicado, e a saga do impeachment quebrou a fé de Zelensky em seus supostos aliados. "Eu não confio em ninguém", disse ele. "Vou lhe dizer uma coisa, com toda sinceridade. A política não é uma ciência exata. É por isso que na escola eu adorava matemática. Tudo na matemática era claro para mim. Você pode resolver uma equação com uma variável, com *uma* variável. Mas aqui temos somente variáveis, incluindo os políticos do nosso país. Não conheço essa gente. Não entendo de que material eles são feitos. É por isso que acho que ninguém merece confiança. Todo mundo tem seus próprios interesses."

Trump sempre soube que a Ucrânia estava em guerra contra a Rússia, que soldados ucranianos estavam entrincheirados em Donbas, à mercê de franco-atiradores e dormindo na lama. Sabia que as pessoas estavam morrendo naquela região, e mesmo assim decidiu embargar a ajuda militar que a Ucrânia necessitava para se defender. "Não quero dar a entender que estamos mendigando", disse Zelensky quando lhe perguntei a respeito. "Mas é preciso que se entenda: estamos em guerra. Se um país é nosso parceiro estratégico, então não pode bloquear nada para nós... Acho que é questão de justiça."

A breve suspensão da ajuda militar não causou, por si só, muitos danos ao país. Mas Trump causou enormes danos à reputação da Ucrânia. Sua fala incessante sobre corrupção sinalizou para as instituições financeiras do mundo que o novo governo em Kiev não era de confiança. "Esse é o sinal mais perigoso", disse Zelensky. "Pode parecer simples dizer estas palavras: 'A Ucrânia é um país corrupto.' Mas não termina aí. Todo mundo entende o sinal. Investidores, bancos, *stakeholders*, empresas norte-americanas e europeias, empresas que têm capital internacional na Ucrânia. É um sinal que para eles significa: 'Tenham cuidado, não invistam.' Ou ainda: 'Caiam fora.'"

A mensagem aos líderes políticos do mundo foi igualmente dolorosa. Trump havia tratado a Ucrânia como um joguete, e foi somente com uma mistura de sorte e resistência que o país evitou o papel de cúmplice. Ao refletir sobre essa experiência, Zelensky encarou o mundo de modo diferente. Percebeu o que é liderar uma nação encurralada entre as grandes potências mundiais – "essencialmente", disse ele, "esses impérios, os Estados Unidos, a Rússia, a China". Esperava conquistar o respeito deles, igualar-se, e até então tinha conseguido, na melhor das hipóteses, esquivar-se, evitando ser esmagado. Esse nunca foi o papel que Zelensky imaginou para si ou para o país. "Jamais me agradou que a Ucrânia fosse uma peça no mapa, no tabuleiro de xadrez de grandes jogadores globais, para que alguém pudesse nos jogar daqui para acolá, usar-nos como cobertura, como parte de alguma barganha", disse ele. "Quero que a Ucrânia tenha iniciativa." Se houve uma lição que os primeiros seis meses do mandato ensinaram a Zelensky foi esta: alianças se modificam facilmente. "É por isso que", disse ele, "quanto à pergunta a respeito de em quem eu confio ou não, respondi francamente: em ninguém."

PARTE III

11. O cemitério

Antes da chegada das tropas russas, a cidade de Bucha, no extremo oeste de Kiev, era um lugar próspero, organizado e verde. Seus imóveis estavam em alta demanda entre jovens casais que tinham sido bem-sucedidos na capital e queriam mais espaço e vida mais saudável para os filhos. O trajeto para a cidade levava menos de uma hora, mesmo com o trânsito intenso. As escolas em Bucha eram boas, algumas das melhores da região, especialmente aquela em Vokzalna e na rua da Estação, e havia muitas opções para aproveitar os fins de semana e feriados, fazer caminhadas ou andar de bicicleta nos parques arborizados, deixar as crianças no acampamento de verão ou levá-las para o parque de arborismo da localidade, chamado Esquilo Maluco. Para gerações de pessoas em Kiev, a palavra Bucha evocava memórias de férias de verão no campo. Foi onde Mikhail Bulgakov adquiriu uma casa de campo na virada do século XXI, e restou uma foto antiga dos irmãos do grande escritor, bronzeados de sol e sorridentes em seu jardim florido. Quando menina, minha avó passava os verões em Bucha, e ela sempre se lembrava da casa que nossa família costumava alugar, com a varanda espaçosa, a cabra que eles mantinham no quintal e as frutas vermelhas que colhiam para preparar geleia. Isso tinha acontecido no final da década de 1930, alguns anos antes de os nazistas invadirem e ocuparem Bucha, assim como o resto da Ucrânia. Mas, naqueles verões que antecederam a guerra, para minha avó, não havia lugar mais seguro do que aquele quintal.[1]

No inverno de 2022, quando chegou a próxima grande guerra, Bucha novamente parecia tão protegida e remota que muitas pessoas se mudaram de Kiev para aquela região por um tempo, apenas por considerar o lugar seguro.

Os alertas que chegavam ao público através das notícias não mencionavam as previsões detalhadas que Zelensky ouvia dos norte-americanos – sobre Kiev sendo cercada, colunas de tanques descendo de Belarus. A ideia de Bucha se tornar um campo de batalha parecia absurda para os cidadãos de Kiev, tão inviável quanto um ataque de mísseis em Poconos. Mesmo na manhã em que o bombardeio começou, o padre da localidade, Andriy Halavin, não cancelou os cultos na Igreja de Santo André Apóstolo, cujas cúpulas douradas encimavam a colina perto da prefeitura.

Jovem e magro, com um rosto bonito e olhar cansado, o padre ouvia as explosões que vinham do aeroporto de Hostomel, que faz fronteira com Bucha ao norte, e avistava vários helicópteros russos que passavam. Naquela noite, os defensores os abatiam em tal quantidade, disse ele, que o céu refletia o brilho vermelho das chamas. Com um pouco de intuição e uma olhada no mapa, não teria sido difícil adivinhar que Bucha estava em apuros. "Éramos a porta de entrada para Kiev", disse o padre Andriy.

A primeira leva de veículos militares russos dirigiu-se para o centro da cidade na manhã de 27 de fevereiro e assumiu posições na rua da Estação. De lá, eles se dispersaram e começaram a atirar aleatoriamente. Uma saraivada atingiu a Igreja de Santo André, deixando fendas em suas paredes externas. Uma explosão danificou a estação de bombeamento que fornecia água para a cidade. Mas a primeira onda da invasão foi rapidamente forçada a retroceder. Em poucas horas, combatentes ucranianos invadiram e destruíram a coluna russa com drones de ataque e mísseis portáteis, deixando as carcaças de seus veículos em chamas perto da escola. A vitória deu aos moradores alguns dias extras para evacuar Bucha, e muitos fizeram o caminho a pé, sobre uma ponte improvisada, em direção a Kiev.

Nos primeiros dias de março, os russos chegaram em número muito maior, dando início à ocupação de Bucha durante um mês. Milhares de indivíduos permaneceram na cidade, muitos deles idosos, abrigados em suas casas ou escondidos em porões. As fontes de água e energia foram cortadas, e as temperaturas ficaram bem abaixo de zero na maioria das noites do início de março. De vez em quando, o padre caminhava até a igreja para buscar algumas velas ou orar, ocasionalmente passando a noite na própria igreja. Um dia, no caminho de volta para casa, ele encontrou um grupo de soldados russos fazendo buscas de casa em casa, chutando as portas e puxando moradores para o lado de fora. Tinham montado um posto de controle no cruzamento, com veículos blindados estacionados em cada esquina. Padre Andriy decidiu não voltar. Ele se aproximou deles a pé e ergueu as mãos. "Eles me perguntaram o que eu estava fazendo", lembrou-se mais tarde, "e eu disse que tinha ido buscar um pouco de comida, algumas velas. 'Vocês querem algumas? Aqui estão.'" Eles pegaram um punhado de velas e deixaram o padre ir embora.

Ainda era cedo durante a ocupação, e a primeira onda de tropas russas parecia ser mais disciplinada, mais preparada e muito menos cruel do que os destacamentos que se seguiram. Alguns moradores até lembravam dos que chegaram no início trazendo comida para os idosos confinados em suas casas em Bucha. "Os primeiros não eram tão rudes, tão inescrupulosos", disse o padre Andriy. "Mas revistavam pessoas, forçavam-nas a se despir." Os homens eram despidos e revistados em busca de tatuagens que os russos associavam ao serviço militar ou a inclinações neonazistas. Até mesmo o tridente, símbolo estatal da Ucrânia, poderia ser interpretado como uma marca de extremismo pelos interrogadores. "Entravam em suas casas, levavam-nos para fora, apreendiam celulares e verificavam os números chamados, as fotos que tinham tirado e assim por diante. Tinham receio de que nosso povo passasse informações aos militares."

Alguns passavam mesmo. Já no início de março, combatentes ucranianos tinham se escondido nos porões de Bucha, de onde coordenavam emboscadas. À medida que os combates se intensificavam, os russos sofreram sérias perdas e começaram a tiranizar a cidade, torturando civis e matando-os aleatoriamente. As pessoas eram baleadas quando saíam para procurar comida ou lenha, seus corpos deixados na rua. Muitos indivíduos foram levados para salas de interrogatório, torturados e executados. De seus postos de controle espalhados pela cidade, as tropas russas abriam fogo contra qualquer um que se aproximasse. "Homens, mulheres, crianças. Eles não se importavam", disse o padre Andriy. Uma mulher foi baleada e morta quando passou com seu carro próximo de um posto de controle russo. Alguns moradores a retiraram do carro e a enterraram ali mesmo, num trecho do gramado próximo à calçada, marcando o túmulo com a placa do carro para possibilitar mais tarde a identificação. Levar corpos para o cemitério podia ser perigoso demais. Na segunda semana da invasão, a visão e o cheiro da morte tornaram-se insuportáveis, e um membro do conselho da cidade perguntou ao padre Andriy se era possível fazer a cerimônia de um enterro coletivo no cemitério. O padre concordou. O necrotério ficava apenas a algumas centenas de metros da Igreja de Santo André.

Na manhã de 10 de março, sob um céu azul-claro, uma escavadeira amarela chegou à igreja e cavou uma vala comprida e profunda. Depois veio um caminhão do necrotério transportando 33 cadáveres acondicionados em sacolas pretas fechadas com zíper. Um punhado de homens, entre eles um agente imobiliário da cidade, arrastou os corpos para a vala e os colocou lado a lado. Não houve orações diante do túmulo, e apenas uma simples marcação foi colocada sobre o solo quando o trabalho foi concluído. "É preciso entender", disse o padre Andriy. "Não podíamos pensar em ritos funerários naquele momento. Só podíamos pensar em permanecer vivos."[2]

No final de março, ao sair de sua casa, o religioso se deparou com os russos deixando Bucha. Sem mantimentos e exaustos, carregaram seus veículos com objetos que tinham saqueado – televisores, computadores, até mesmo algumas máquinas de lavar roupa – e foram para o norte, em direção a Belarus, pelo mesmo caminho por onde tinham vindo. As cenas que ficaram para trás logo transformariam Bucha em sinônimo de crimes de guerra, com dezenas de cadáveres espalhados pela cidade, um ao lado de sua bicicleta, outro morto em sua horta, alguns cobertos apenas de terra suficiente para que os cães famintos não se aproximassem, enquanto outros cadáveres foram largados em campo aberto, decompondo-se no decorrer de semanas, até que o Kremlin desistisse do plano de tomar Kiev. Em 29 de março, numa tentativa de salvar a própria reputação, o Ministério da Defesa em Moscou declarou que as tropas russas haviam alcançado as "principais metas" na região de Kiev e deslocariam suas forças para outros setores da frente de batalha. Faltava-lhes coragem para admitir a derrota. Mas o mundo podia ver. As Forças Armadas da Ucrânia, com o apoio de milhares de observadores civis e voluntários, policiais e guardas, aposentados munidos de rifles de caça e adolescentes conduzindo drones, forçaram um dos exércitos mais poderosos do mundo a recuar.[3]

De ambos os lados, o preço foi enorme. Um jornal pró-Kremlin em Moscou, citando números secretos do Exército russo, informou no final de março que 9.861 soldados russos tinham sido mortos em ação na Ucrânia e 16.153 ficaram feridos.[4] O jornal rapidamente removeu esses números do site, mas eles parecem confirmar as conclusões dos analistas ocidentais de que a Rússia perdeu mais tropas na Ucrânia num mês do que a União Soviética perdeu em dez anos de guerra no Afeganistão. Nas primeiras semanas da invasão, várias cidades nos subúrbios de Kiev presenciaram intensos combates, em todas as ruas – mas em nenhum outro lugar da região os russos massacraram tantos civis quanto em Bucha. As autoridades locais mais tarde encontrariam 458 corpos lá, incluindo doze crianças, a grande maioria com ferimentos de tiros ou estilhaços, muitos com sinais de tortura.[5]

No pátio da Igreja de Santo André, algumas dezenas de paroquianos passaram pela vala comum na manhã de 10 de abril e se reuniram para a primeira missa de domingo após a retirada dos russos. Alguns cadáveres já haviam sido exumados e enviados para o necrotério para identificação e um sepultamento adequado. Os que permaneciam na cova estavam cobertos de plástico, mantendo longe os corvos. Na capela do porão, encontrei o padre Andriy durante a celebração, com suas vestes douradas e roxas, cantando enquanto tomava goles de vinho de uma taça e fazia o sinal da cruz. Conversamos um pouco depois do culto, e ele sugeriu que eu circulasse pela cidade para ver o que tinha acontecido em Bucha. As muitas marcas da ocupação, disse ele, não seriam difíceis de encontrar.

Na rua da Estação, os russos montaram uma guarnição dentro de um acampamento de verão para crianças. Chamava-se Promenystiy, que significa "radiante". Quando estacionei, o caseiro estava de pé, no portão, ao lado da sua bicicleta. Seu nome era Volodymyr Roslik, um homem alegre de 65 anos, e ele concordou em me mostrar o lugar. O acampamento atendia a crianças de 7 a 16 anos, e havia leitos suficientes para cerca de duzentas delas. Estudantes universitários de Kiev muitas vezes trabalhavam no acampamento como conselheiros, ensinando as crianças a dançar, pintar e jogar futebol. No final de cada encontro, comemoravam com uma grande fogueira e cantos. Roslik trabalhou praticamente metade de sua vida cuidando dos dormitórios e fazendo reparos. Agora retornava ao local para avaliar os danos causados pela ocupação e saber se o acampamento poderia ser usado novamente. Não tinha certeza. O prejuízo material poderia ser reparado, mas ele duvidava de que alguém ainda enviasse suas crianças ao acampamento depois da ocupação. Um dos moradores do outro lado da rua acreditava que melhor seria pôr o lugar abaixo, porque, como ele disse, "agora é um símbolo da morte".

À esquerda da entrada, Roslik conduziu-me para o interior do prédio administrativo, que os oficiais russos tinham usado como quartel-general. Colchões sujos e pontas de cigarro se espalhavam pelo chão e, na sala principal, no andar de cima, havia um estranho estoque de objetos aparentemente retirados das casas do entorno: um velho aparelho de som, algumas joias, uma maleta de couro – nada de grande valor que os soldados quisessem levar no momento da fuga. Numa sala, os russos deixaram uma pilha de cabelos cortados com tesoura. No chão de outra sala, havia dois pedaços secos de excrementos humanos. "Não era um exército", disse-me Roslik. "Era uma horda."

Observando os destroços que deixaram, era fácil imaginar os hábitos desses indivíduos. Algumas cenas sugeriam atos de adolescentes que tiveram passe livre para explorar limites de crueldade. Na parte de trás do acampamento de verão, em frente a um mural com a ilustração de crianças dançando ao sol, encontramos um sedan vermelho-cereja que um grupo de soldados russos aparentemente tinha roubado. O carro, agora inutilizado, havia batido em alta velocidade num tronco. O porta-malas aberto estava cheio de garrafas de vinho, a maioria delas quebradas, uma ainda intacta. A cena era tão recente que quase podíamos ouvir a música tocando às alturas no rádio e as risadas dos bêbados quando deram por encerrada a farra. Não era nada parecido com o que alguns jovens recrutas fazem quando saem para se divertir à noite no centro da cidade. Aquilo tinha ocorrido no centro da guarnição improvisada, local em que os comandantes teriam presenciado o ocorrido. Os aposentos dos comandantes também estavam abarrotados de nojeiras, saques e bebidas. Não havia nada nem ninguém para conter aqueles homens, nenhum senso de lei ou disciplina militar. A liderança simplesmente deixou-os à vontade naquela cidade, com a população, e com licença total para matar e destruir. Roslik, de pé naquele lugar, balançou a cabeça sem dizer uma palavra, depois fez um gesto para que eu o seguisse até o porão, onde os corpos foram encontrados. O local ficava debaixo de um dos dormitórios nos fundos do Campo Radiante, e, na descida, os degraus estavam cobertos de restos das rações do Exército russo: macarrão seco, caixas de suco vazias, latas de apresuntado. Da parte inferior da escada, Roslik olhou para mim e ergueu uma das sobrancelhas, como se quisesse reconsiderar a intenção de entrarmos.

O túnel sem circulação de ar atrás da porta lembrava uma série de câmaras de tortura. Eram separadas por paredes de concreto, com espaço para execuções à frente, as paredes crivadas de buracos de balas. O compartimento ao lado estava escuro. A luz que entrava pela porta não chegava até lá, e usávamos as lanternas dos celulares. Na parede mais distante, uma única palavra tinha sido escrita em grandes letras pretas: SENYA. Era o meu nome – aliás o apelido que minha mãe me deu quando eu era bebê. A coincidência me surpreendeu. Teria um dos ocupantes russos, ou talvez uma de suas vítimas, marcado aquela parede com o nome que partilhamos? No cômodo havia duas cadeiras, uma jarra vazia e uma tábua de madeira, utensílios necessários para causar afogamento em alguém. No cômodo seguinte, os russos trouxeram dois estrados de metal e encostaram-nos à parede de concreto. É possível que tenham amarrado pessoas a esses estrados, sugeriu Roslik, e usado uma bateria de carro para aplicar choques elétricos. Na sala da frente, cadáveres foram encontrados vestidos com roupas civis. Tinham queimaduras, contusões e lacerações. Quando fomos até lá e iluminamos o chão onde as vítimas estavam, podíamos ver marcas de sangue ressecado descendo pela parede. Ao lado de uma dessas manchas havia um chapéu de lã com um buraco de bala. Também estava encrustado de sangue.

O presidente Zelensky visitou Bucha poucos dias depois da retirada russa, e por muito tempo se recordaria do momento mais aterrorizante daquele ano trágico da guerra, outro fator de transformação para ele e para o seu país. Foi uma demonstração, como ele disse mais tarde, de que o demônio não está longe, não é um elemento de nossos mitos e pesadelos. "Ele está aqui na terra", disse Zelensky.[6] Entre os itens de sua agenda em Bucha constava uma caminhada pela ponte que fora explodida e antes levava à cidade; a visita a um depósito superlotado de gente; e algumas conversas com moradores em seus quintais – Zelensky queria saber o que haviam testemunhado. Os guarda-costas trajaram equipamento completo de batalha para a viagem antes de se acomodarem na frota de carros blindados. O presidente concordou em colocar um colete à prova de bala por cima do blusão com estampa de camuflagem combinando com a cor dos tênis de cano baixo. Mas recusou-se a usar capacete.

Estava ciente de que naquele dia o mundo estaria assistindo. Antes de sua comitiva deixar o bunker pela manhã, os assessores de Zelensky informaram aos repórteres aonde ele estava indo, e uma enorme quantidade de câmeras de notícias o esperava em Bucha, na rua onde algumas das piores atrocidades ocorreram. "É muito importante para nós que a imprensa esteja presente", disse Zelensky diante das câmeras. "Isso é o mais importante. Nós realmente queremos que vocês mostrem ao mundo o que aconteceu aqui, o que as forças russas fizeram." Com isso, um estranho e novo período começou para Bucha, um período de cura sob uma lente de aumento.

Do centro de Kiev, ônibus repletos de jornalistas partiam todas as manhãs, durante semanas, transportando centenas de repórteres para Bucha e outras cidades libertadas. Às vezes, era difícil, durante essas turnês de imprensa, os fotógrafos conseguirem tirar fotos sem que os colegas de profissão aparecessem no quadro. Oleksiy Reznikov, ministro da Defesa da Ucrânia, compreendeu, após sua visita à cidade, que aquela não era a única que tinha sido libertada. No início de abril, os russos se retiraram de uma área ao norte da Ucrânia, aproximadamente do tamanho da Dinamarca.[7] "Os crimes dos 'ogros' ocorreram em toda a Ucrânia; saques, assassinatos, estupros. Mas o mundo ouviu a palavra 'Bucha'", disse-me Reznikov. "'Bucha' tornou-se o cisne negro que sacudiu o mundo, e todos viram as imagens."

No dia seguinte à visita de Zelensky, ele fez da cidade arrasada o clímax de um discurso marcante para o Conselho de Segurança da ONU. Aparecendo numa tela enorme acima do salão, o presidente dedicou o discurso aos civis "que foram baleados na nuca ou no olho, depois de torturados; que foram atingidos nas ruas; que foram jogados num poço para que sofressem antes de morrer; que foram mortos nos apartamentos, nas casas, explodidos por granadas; que foram esmagados por tanques em carros civis no meio da estrada, apenas por divertimento; cujos membros foram cortados, cuja garganta foi cortada; que foram estuprados e mortos na frente de seus filhos". Ele alertou os representantes nesse discurso que a Rússia tentaria transferir a culpa por todos esses crimes, inventando teorias alternativas para o que acontecera em Bucha, e Zelensky estava certo. Putin declarou mais tarde que os relatos sobre o que ocorrera em Bucha eram "falsos", enquanto canais de propaganda do Kremlin afirmavam, entre outras teorias ridículas, que alguns dos cadáveres encontrados nas ruas eram de atores fingindo-se de mortos. "Estamos lidando com um Estado que transforma o direito de veto no Conselho de Segurança da ONU em direito de matar", disse Zelensky. Se isso não mudar, ele acrescentou, "a ONU pode, simplesmente, ser dissolvida".[8]

O presidente então pediu aos membros do conselho que assistissem a um pequeno vídeo, tão contundente que alguns desviaram o olhar. Na tela da sede da ONU, em Nova York, apareceram restos mortais queimados de crianças ucranianas, cabeças e membros em valas comuns, o corpo de um homem no fundo de um poço. A maioria das imagens foram feitas em Bucha, algumas dentro do porão do acampamento de verão das crianças, onde homens tinham sido alinhados contra a parede com as mãos amarradas atrás das costas e baleados. O efeito das imagens foi tão poderoso que, nas semanas seguintes, a equipe de Zelensky procurou novas maneiras de mostrá-las aos aliados, na esperança de que não desviassem o olhar. "Eu confesso", disse Andriy Yermak, chefe de gabinete do presidente, "que recebia essas fotos terríveis, enviadas pelos nossos serviços de inteligência, mostrando crianças mortas, e à noite, quando quase ninguém que morava aqui conosco conseguia dormir, eu as enviava para uma longa lista de destinatários na Casa Branca." Mais de cinquenta nomes foram acrescentados à lista de contato de seu celular, disse ele, incluindo altos funcionários da Europa. "Eu enviava para eles, e a maioria, cerca de 90%, respondia, me ligava de volta, escrevia uma mensagem e assim por diante", disse ele. "Tudo isso serviu para dar uma motivação significativa."

Nos dias que se seguiram à libertação, o cemitério atrás da Igreja de Santo André tornou-se uma espécie de local de peregrinação em Bucha. Diplomatas e estadistas chegavam de toda a Europa para vê-lo e prestar homenagens. Somente no verão as embaixadas iriam reabrir em Kiev. Porém, quando as forças russas se retiraram dos subúrbios da cidade, em abril, os enviados estrangeiros se sentiram em segurança para visitar Zelensky na capital. Um fluxo constante começou a chegar, muitas vezes acompanhado de um grupo de repórteres para documentar as viagens. Para muitos, o benefício político era óbvio. Essas viagens repercutiam bem para seus eleitores. Em toda a Europa, Zelensky tornou-se um símbolo de coragem, e posar ao lado dele para uma foto na rua Bankova transformou-se num rito de passagem para os aliados europeus. Se eles não fizessem a viagem até lá para encontrá-lo pessoalmente, poderiam parecer fracos, e receberiam menos apoio.

Zelensky e seus assessores reconheceram rapidamente a tendência daquele comportamento. "Não aceitamos convidados que chegam de mãos vazias", disse Kyrylo Tymoshenko, conselheiro próximo do presidente. "Não podem simplesmente vir aqui e tirar selfies." Quando os estrangeiros chegavam, a equipe de Zelensky sempre os convidava para uma viagem a Bucha e outros subúrbios da capital que tinham sido libertados, deixando-os ver por conta própria as evidências das atrocidades cometidas pelas forças russas. Serviria para incentivá-los a ajudar a Ucrânia, a se empenhar mais em tal ajuda e a manter a guerra na agenda global muito depois de voltarem para casa. Entre os guias mais frequentes dessas excursões estava Ruslan Stefanchuk, o presidente do Parlamento, que me disse que ele, pessoalmente, levara mais de trinta delegações estrangeiras nessas viagens durante a primavera e o verão de 2022. "Isso causou uma transformação única na mente dessas pessoas", disse-me ele. "Eu mesmo pude constatar."

Durante uma das primeiras visitas, peritos forenses e investigadores de crimes de guerra ainda trabalhavam atrás de uma faixa de isolamento da polícia, no cemitério da igreja. Quando os convidados estrangeiros se aproximaram da vala comum, o cheiro se tornou avassalador. Stefanchuk obteve permissão para levá-los mais para perto, até a borda do poço, onde os europeus podiam ver os corpos e inalar o fedor da morte. "Isso os transformou", disse-me ele. Quando voltavam para Kiev, um dos visitantes, um parlamentar da Polônia, estava especialmente abalado. Tinha visto as imagens de corpos no noticiário; todos eles tinham. Mas a visita ao túmulo "virou sua consciência do avesso", disse Stefanchuk. O parlamentar polonês mais tarde se referiu a Bucha e outras cidades libertadas nas proximidades de Kiev como o "Gólgota do século XXI".[9]

As atrocidades cometidas em Bucha vieram à tona num ponto de virada no processo de paz. Alguns dias antes, em 29 de março, os setores em conflito realizaram uma rodada de negociações em Istambul, a primeira em cerca de três semanas, e finalmente parecia que estavam progredindo. A delegação ucraniana, liderada pelo amigo íntimo de Zelensky, Davyd Arakhamia, apresentou aos russos o esboço de um acordo de paz. Ele disse que, em troca de "garantias de segurança" confiáveis, tanto da Rússia quanto de outros países, a Ucrânia estaria disposta a aceitar o status de Estado neutro na fronteira ocidental da Rússia. Abandonaria os planos de adesão à Otan e não permitiria a construção de bases estrangeiras no seu território. Nem mesmo exercícios militares com tropas estrangeiras teriam lugar em solo ucraniano se a Rússia os visse como uma ameaça.

A oferta, conhecida por Comunicado de Istambul, deu a Putin a chance de reivindicar pelo menos uma vitória parcial. Uma de suas principais desculpas para a invasão foi impedir a Ucrânia de se juntar à aliança da Otan, e Zelensky agora se oferecia para conceder-lhe esse desejo, embora ele soubesse que não seria fácil. O compromisso da Ucrânia em aderir à Otan estava escrito na Constituição. Em fevereiro de 2019, algumas semanas antes das eleições presidenciais, Petro Poroshenko assinou a emenda, que foi amplamente vista como um ato populista e dramático por parte do presidente em exercício. Ele sabia que provavelmente perderia a corrida. Também sabia que a Otan não tinha intenção de aceitar a Ucrânia num futuro próximo. A alteração, que foi aprovada pelo Parlamento, serviu para pouco além de colocar o sucessor de Poroshenko numa situação difícil. Consagrou na lei fundamental da Ucrânia uma promessa que ninguém poderia cumprir.

Quando Zelensky tomou posse, em maio, o artigo 102 da Constituição tinha sido alterado para incluir a seguinte afirmação: "O presidente da Ucrânia é quem garante a implementação do plano estratégico do Estado para a plena adesão da Ucrânia à União Europeia e à Organização do Tratado do Atlântico Norte." Do ponto de vista político, evitar esse compromisso sairia caro para Zelensky. Mas, nos primeiros dois meses da guerra, ele estava preparado para pagar esse preço em benefício da paz. Estava, de fato, disposto a mudar a Constituição de seu país sob a mira de uma arma russa. Não era uma concessão menor, mas o presidente deixou clara a sua posição.

"Garantias de segurança e neutralidade, o status não nuclear do nosso Estado. Estamos prontos para aceitar. Esse é o ponto mais importante", disse Zelensky a um grupo de jornalistas russos dois dias antes das negociações em Istambul. "Esse foi de início o ponto principal para a Federação Russa. E, se bem me lembro, eles começaram a guerra por causa disso."[10]

Outros pontos de discórdia, no entanto, foram deixados em aberto para debate no Comunicado de Istambul. Quanto à questão delicada sobre a Crimeia, os ucranianos sugeriram uma pausa de quinze anos. Os dois lados utilizariam esse tempo para encontrar uma solução pacífica no que se referia à disputa pela península, comprometendo-se a evitar o uso da força. A questão mais séria – o status dos territórios ocupados no leste e no sul da Ucrânia – ficaria por conta dos líderes dos setores em conflito resolverem. "Estamos deixando todas as questões territoriais para os chefes de Estado", disse Arakhamia na época. "Estas são as questões mais difíceis. São realmente difíceis, e nossas posições não se alinham em tudo."

Os negociadores russos pareciam concordar que a única maneira de eliminar o impasse seria reunir os dois líderes numa sala. Com um gesto para o alto, eles costumavam dizer que apenas "o chefe" tinha o poder de lidar com a Crimeia e a região de Donbas e empreender outras disputas territoriais. Zelensky ainda acreditava que a melhor maneira de acabar com a guerra seria olhar seus inimigos nos olhos, ser sincero com eles. "Apenas uma pessoa iniciou esta guerra, e apenas uma pessoa pode detê-la", disse-me o conselheiro mais próximo de Zelensky sobre política externa, Andriy Sybiha. "É por isso que Zelensky deu sinais claros de que está pronto para negociar com Putin."

Da parte de seus parceiros no Ocidente, Zelensky também estava enfrentando grande pressão para negociar, mesmo que isso significasse fazer mais concessões. Sybiha lembra alguns telefonemas desagradáveis de líderes ocidentais naquela época. "A recomendação que faziam era de aceitar os termos da Rússia", disse ele. Já era óbvio que a Rússia usaria o petróleo e o gás para pressionar os europeus, especialmente durante a época de uso de aquecimento no inverno, e os políticos em todo o continente achavam que a simpatia do público pela Ucrânia tinha limites. Estariam milhões de eleitores na Europa Ocidental dispostos a baixar os termostatos nas suas casas para o bem da Ucrânia? Sacrificariam empregos em suas fábricas para manter a pressão das sanções contra a Rússia? Aceitariam uma recessão econômica no país em consequência da guerra em outro lugar? E, em caso afirmativo, por quanto tempo? Nenhum líder europeu poderia responder a essas perguntas com certeza. Mas todos compreendiam a necessidade de manter as negociações de paz, e manter Zelensky aberto à negociação.

No final de março, ou seja, cinco semanas após o início da guerra, os negociadores ucranianos consideravam a possibilidade de planejar um encontro com Putin. Aparentemente, os russos levavam a oferta a sério. Saindo das negociações em Istambul em 29 de março, Alexander Fomin, vice-ministro da Defesa da Rússia e membro mais recalcitrante da equipe de negociação de Moscou, fez um anúncio surpreendente aos repórteres reunidos do lado de fora. Os militares russos, disse ele, retirariam suas forças de Kiev "para aumentar a confiança mútua e criar as condições necessárias para novas negociações".[11] A retirada russa, que começou no dia seguinte nos subúrbios de Kiev, não foi apenas um gesto de boa vontade de Moscou. A resistência da Ucrânia forçou os russos a abandonarem seus planos de tomar Kiev. Retiravam-se porque tinham sido derrotados. Ainda assim, dado o momento do anúncio, parecia que havia surgido um avanço, resultado do encontro em Istambul: a Ucrânia ofereceu um roteiro para a paz e a Rússia conduzia as tropas para longe da capital. O ministro das Relações Exteriores da Turquia, que atuou como mediador, disse que se tratava do "progresso mais significativo desde o início das negociações".

A sensação de alívio não durou muito. Quando os russos se retiraram, imagens começaram a emergir das cidades libertadas perto de Kiev, e o otimismo entre os negociadores da Ucrânia deu lugar ao horror, e então à raiva. "Depois do que aconteceu em Bucha, e quando o mundo teve conhecimento das atrocidades, nosso desejo era deixar a mesa de negociações", disse Arakhamia. "Era nosso consenso." Em 5 de abril, um dia depois que Zelensky visitou Bucha, o presidente convocou uma reunião com cerca de uma dúzia de funcionários e assessores durante o jantar na Sala de Planejamento. Arakhamia e a maioria dos outros membros da equipe pediram a ele que suspendesse o processo de paz e abandonasse os planos de se encontrar com Putin. A discussão foi tensa. As imagens de civis mortos estavam tão vívidas na mente de todos os presentes que era difícil conter a emoção. Ainda assim, Zelensky estava convencido de que as negociações deviam avançar, mesmo diante da continuação da escalada de crimes de guerra por parte dos russos. "Entendam que isso é guerra." Arakhamia se lembra do presidente dizendo a eles enquanto tentava conquistar a sala. "Pode haver muito mais vítimas, e mais histórias horríveis podem surgir mais tarde. Mas se há uma chance de encontrarmos algum tipo de mecanismo para acabar com a guerra, então precisamos nos valer dessa chance. Não podemos perdê-la."[12]

Como acordo, o presidente concordou em reduzir etapas das negociações. Estas vinham progredindo ao longo de três faixas paralelas – jurídica, diplomática e militar –, com três grupos de negociadores. Zelensky decidiu eliminar o caminho militar e fazer uma breve pausa nos outros dois. Mas, dentro de alguns dias, Arakhamia retomou as videoconferências diárias com os enviados de Putin. No início, o comportamento deles parecia desconectado, como se estivessem desorientados ou envergonhados. "Dava para ver no rosto deles", disse Arakhamia após uma dessas sessões. "Eles se atrapalhavam, como se não pudessem se expressar com palavras" sobre o que aconteceu em Bucha. Isso lhe deu a sensação de que alguns funcionários em Moscou também ficaram escandalizados diante das atrocidades. "Por um dia ficaram atordoados", disse ele. "Então a máquina de propaganda começou a funcionar, e passaram a dizer que tínhamos encenado tudo e contado com a ajuda dos norte-americanos."

Tais alegações foram profundamente ofensivas. Mas os ucranianos perseveraram, movidos por indignação, e Arakhamia se orgulhou do progresso que fizeram. Depois de Bucha, as negociações ainda estavam em andamento com base no que foi escrito no Comunicado de Istambul. O documento não incluía as noções absurdas que Putin usou para justificar a invasão – desnazificação e desmilitarização – e os negociadores russos não insistiram em usar esses termos nas suas revisões do documento. Para Arakhamia, era animador. Em meados de abril, disse-me, eles ainda planejavam concluir a elaboração de uma agenda para o encontro dos líderes dentro de duas semanas.

Zelensky insistia que dessem continuidade, ainda acreditando que, com concessões suficientes, ele poderia salvar a Ucrânia, sua terra e sua soberania.

"As negociações se tornam mais difíceis a cada tragédia, cada vez que Bucha se repete, e por isso precisamos encontrar os meios para avançar", disse o presidente a repórteres. "Acreditamos que isso é genocídio. Acreditamos que todos devem ser punidos. Mas temos que buscar oportunidades para nos encontrarmos. E, durante essas reuniões, precisamos encontrar uma saída para essa situação, sem renunciar a nenhum de nossos territórios."[13]

Na manhã de 8 de abril, um trem particular chegou a Kiev com uma das aliadas mais influentes de Zelensky, Ursula von der Leyen, presidente da Comissão Europeia. Antes de ser conduzida à presença do presidente da Ucrânia, von der Leyen viajou num trem de vagões blindados até Bucha para uma visita à cena do crime. Chovia muito naquele dia, e uma tenda de plástico tinha sido erguida na parte de trás da Igreja de Santo André, na beira da vala comum. Quando os europeus chegaram, seguidos por uma multidão de repórteres e cercados por guardas, von der Leyen não esperava que os corpos estivessem lá. Ela engasgou quando os viu: mais de uma dúzia de sacos pretos com cadáveres tinham sido dispostos lado a lado no chão lamacento. Ela empalideceu, e colocou a mão delicada na frente do colete à prova de balas. Padre Andriy então a levou para dentro – acenderiam uma vela em memória aos mortos.

Pouco depois, a delegação fez o caminho de volta para o complexo presidencial, onde os assessores de Zelensky tinham solicitado aos repórteres que comparecessem a uma reunião. Cheguei à tarde e encontrei dezenas de jornalistas amontoados no local de encontro habitual, sob o toldo de um quartel de bombeiros, à espera do transporte que nos levaria para a parte interna do cordão de segurança. O grupo mais numeroso era da Alemanha, terra natal de von der Leyen, onde ela serviu como ministra da Defesa antes de ser nomeada a oficial mais graduada da União Europeia. No posto de controle, os soldados ficavam debaixo de chuva e nos observavam, com os rifles pendurados nos ombros, retirando-se de vez em quando para uma pequena cabana que tinham construído com lonas e blocos de concreto. Seis semanas após o início da guerra, as fortificações ainda pareciam improvisadas, como se tivessem sido feitas com material abandonado de um canteiro de obras.

As vans logo nos recolheram e nos conduziram por um túnel estreito e em seguida até um pátio onde havia mais alguns soldados. Um deles montava guarda com um lançador de granadas, sua posição de disparo camuflada entre os galhos mais baixos de uma árvore. Não havia veículos militares no pátio, apenas alguns carros estacionados perto da entrada dos fundos, onde um pastor-alemão farejou nossas bagagens em busca de explosivos. Quando chegamos aos detectores de metais, pediram que entregássemos smartphones, laptops e outros dispositivos eletrônicos. Um conjunto de sinais telefônicos sendo transmitidos ao mesmo tempo permitiria que um drone de vigilância inimigo identificasse o local da reunião. "Se isso acontecer, *cabum*!", explicou um guarda, descrevendo com a mão a trajetória de um foguete.

Antes de entregar os celulares, todos checamos as notícias pela última vez. Tinha ocorrido outro ataque de mísseis naquela manhã no leste da Ucrânia, e os detalhes ainda estavam chegando. Dois foguetes, cada um com mais de 6 metros de comprimento e pesando mais de 2 toneladas, atingiram uma estação de trem em Kramatorsk, uma das cidades mais importantes de guarnição em Donbas. Zelensky vinha pedindo que os civis deixassem a área, e mais de mil deles, principalmente mulheres, crianças e idosos, foram para a estação a fim de embarcar nos trens de evacuação. Os mísseis russos caíram bem do lado de fora da estação lotada naquela manhã. Sessenta pessoas foram mortas e mais de cem feridas. Várias crianças perderam membros do corpo. A notícia chegou a Zelensky pouco antes das 11 horas da manhã, quando ele estava se preparando para o encontro com von der Leyen. Ele sabia que seria um momento crucial para seu país e para sua presidência. No início da invasão, Zelensky tinha aproveitado a oportunidade para se candidatar à adesão à União Europeia, e seus líderes vinham agora de Bruxelas para dar impulso ao processo. Von der Leyen, como chefe do poder executivo da União Europeia, também ofereceu um novo pacote de ajuda: um bilhão de euros de assistência militar e outro bilhão para sustentar a economia.

Porém, desde que as primeiras imagens de Kramatorsk deram sinal na tela do celular de Zelensky, ele quase perdeu a capacidade de se concentrar. As consequências das explosões o horrorizaram. Poças de sangue no pavimento, membros cortados entre brinquedos e bagagens. Numa das fotos enviadas a ele naquela manhã, Zelensky viu uma mulher decapitada pela explosão. "Ela estava usando roupas vistosas, inesquecíveis", disse-me ele mais tarde, concentrado na cena tal e qual guardara em sua mente. Os assessores pretendiam divulgar as fotos nas redes sociais naquele mesmo dia, mas o presidente proibiu. "Não podemos fazer isso", disse ele. "E se as crianças virem?" Naquela tarde, ainda estava lutando para afastar as imagens de sua mente quando a equipe presidencial chegou com os europeus. Deveriam passar a tarde juntos, discutindo o pacote de ajuda, o processo de adesão à União Europeia, a libertação dos subúrbios de Kiev e as atrocidades que as forças russas cometeram lá. Já escurecia quando foram falar com os repórteres.

"Caro Volodymyr", disse-lhe von der Leyen diante das câmaras. "A minha mensagem hoje é muito clara: a Ucrânia pertence à família europeia. Escutamos muito bem o seu pedido, e hoje nos encontramos aqui para lhe dar uma primeira resposta positiva. Neste envelope, há um passo importante para a adesão da Ucrânia à União Europeia." O envelope continha um questionário que o escritório de Zelensky precisaria preencher, justificando o pedido de adesão. "É onde começa o seu caminho em direção à Europa e à União Europeia", disse von der Leyen. Na verdade, a Ucrânia tinha iniciado esse caminho décadas atrás. Viveu duas revoluções e oito anos de guerra. Dezenas de milhares de vidas e milhões de acres de território ocupado eram parte do preço que a Ucrânia já havia pagado durante a luta para se integrar à Europa. E agora, quando finalmente chegou o momento de preencher o questionário introdutório, o rosto do presidente tinha um tom pálido, quase esverdeado, e ele não conseguia parar de pensar naquela mulher sem cabeça, no chão. De pé no púlpito, o dom habitual de Zelensky para a oratória falhou. Ele não conseguia sequer tomar coragem para mencionar o ataque de mísseis em Kramatorsk. "Foi um daqueles momentos em que nossos braços e pernas fazem uma coisa, mas o pensamento não acompanha", disse Zelensky mais tarde. "Porque a cabeça está naquela estação. No entanto, precisa estar aqui."[14]

No final do encontro, quando von der Leyen e sua equipe deixaram o complexo presidencial, Zelensky sentou-se na sala de reuniões com uma repórter alemã. A primeira pergunta foi sobre as imagens de Kramatorsk, que estavam nas manchetes ao redor do mundo naquela noite.

"Você chorou quando viu essas fotos?", ela perguntou a Zelensky, em inglês.

O presidente esboçou um sorriso e olhou para o vazio por um momento.

"Eu não choro mais", disse. "Não choro há muito tempo."

Os primeiros dias da invasão muitas vezes quase o fizeram chorar, e ele quis evitar que se acostumasse à visão da morte. Mas com o tempo, admitiu, a pessoa se torna mais resistente.

"Acostuma-se", continuou ele.

"Você sente ódio?", continuou a repórter.

"Sim, eu sinto ódio. Sinto ódio pelos militares. Pelas tropas russas, sinto. Não há mistério neste caso. A pessoa sente ódio ao ver essas imagens, ou quando vai aos locais, até o local de uma explosão, e vê o que restou. Vê pessoas. Vê crianças mortas. Mostram-lhe fotografias de crianças sem membros, e você fica horrorizado. Sendo pai, penso nos meus próprios filhos, e como seria se isso lhes acontecesse.

Mesmo assim, mesmo depois da visita a Bucha quatro dias antes, e das imagens de Kramatorsk que ele tinha visto naquela manhã, Zelensky não deixava que sua revolta pessoal contra Putin transparecesse. Até argumentou, em resposta à pergunta seguinte da repórter:

"O que Putin quer?", perguntou-se Zelensky. "Não tenho certeza se ele sabe o que está acontecendo. Tenho certeza de que ele vive num mundo diferente de informação. Ele não obtém todas as informações. Ele dá a ordem para avançar, sim, para ocupar esta ou aquela cidade. Mas de que maneira? Quantas pessoas morrem nesse processo?"

A declaração me surpreendeu. Era como se Zelensky ainda estivesse agarrado à ilusão que ele trouxera para a presidência. Parecia acreditar que se pudesse levar Putin até Bucha, se pudesse levá-lo até a beira daquela vala no cemitério e deixá-lo ver os corpos, a guerra poderia parar. "Acho que não temos escolha", disse ele. "Mesmo que estejamos lutando com muita garra, não vejo opção senão sentar-me com ele à mesa de negociações e conversar."[15]

12. O cavalo de Troia

As tentativas de Volodymyr Zelensky argumentar com Vladimir Putin começaram nos primeiros dias de seu mandato. Na campanha eleitoral e em seu discurso inaugural, ele prometeu, na primavera de 2019, que restaurar a paz no leste da Ucrânia seria a missão central de sua presidência, e entendeu que alcançá-la exigiria comprometer-se com o Kremlin. Putin, por sua vez, manteve a mente aberta sobre a perspectiva de negociações. Embora ele nunca tenha ligado para parabenizar Zelensky por sua vitória eleitoral, queria ver o que o presidente do seriado de TV poderia fazer na vida real. "Uma coisa é interpretar alguém", zombou Putin em junho de 2019, cerca de duas semanas após Zelensky assumir o cargo. "Outra coisa é ser alguém."[1]

Para Zelensky e sua equipe, o sucesso de toda a agenda presidencial dependia da necessidade de obter a paz. O produto interno bruto da Ucrânia entrou em colapso após a anexação russa da Crimeia e o início da guerra em Donbas, encolhendo de uma alta de 180 bilhões de dólares em 2013 para 90 bilhões de dólares dois anos depois, e estava longe de recuperar os níveis pré-guerra quando Zelensky assumiu o cargo.[2] "Para voltar a um estado de desenvolvimento econômico, tivemos que, de alguma forma, acabar com aquele conflito", disse Andriy Bohdan, que à época servia como chefe de gabinete de Zelensky.

Zelensky diria a sua equipe, "Precisamos de uma jogada", um bordão que muitos deles reconheciam dos dias que passaram na sala de redatores no Studio Kvartal 95. Naquela época, Zelensky o empregava para exigir uma reviravolta ou uma piada que conquistasse o público. Agora precisava de uma jogada para convencer o Kremlin de que ele falava sério sobre o fim da guerra. Os russos vieram com várias opções. Durante o primeiro mês completo de seu mandato, Zelensky ordenou a retirada das tropas de três pontos ao longo da linha de frente no leste da Ucrânia.[3] A orientação era recuar um quilômetro, retirando minas e desmantelando fortificações. Os aliados ocidentais de Zelensky, especialmente os norte-americanos, preocupavam-se que ele pudesse ceder muito terreno.[4] Eles o alertavam para que não falasse diretamente com Putin, porque temiam que Zelensky pudesse ser enganado. Um diplomata norte-americano lembrou-se de advertir o novo presidente: "Não se deixe levar."[5] Os próprios conselheiros de Zelensky fizeram advertências semelhantes. O presidente do comitê de relações exteriores no Parlamento, Bohdan Yaremenko, disse a Zelensky que Putin jamais desistiria de sua obsessão por controlar a Ucrânia, que ele jamais concederia um acordo de paz aceitável para a maioria dos ucranianos. O presidente ficou ofendido. "Ele achou que eu estava contestando suas habilidades de diplomata, de líder", disse Yaremenko.

Apesar da total falta de experiência em diplomacia internacional na época, Zelensky confiava na sua capacidade de resolver um impasse que algumas das melhores mentes diplomáticas do mundo tinham tentado e não conseguiram. Em meados de julho de 2019, dois meses após o início de seu mandato presidencial, ele ordenou que a equipe programasse um telefonema com Putin. "Todo mundo tentou me assustar em relação a essa chamada", afirmou Zelensky. "Mas eu disse ao nosso povo: por que deveríamos nos preocupar? Por que ter medo se a verdade estava do nosso lado?"[6]

Durante essa chamada, Putin e Zelensky concordaram com uma troca de prisioneiros para demonstrar que levavam a sério o processo de paz. Até o final daquele mês, um cessar-fogo entrou em vigor em toda a zona de guerra, o primeiro em três anos, estabelecendo regras rígidas quanto ao uso de armas. Putin mal aguentou o acordo por uma semana: um novo surto de combate no início de agosto causou a morte de quatro fuzileiros navais ucranianos.[7] Zelensky não retaliou. Programou outro telefonema com Putin e fez uma queixa. "Isso não nos aproxima da paz", Zelensky se recorda de ter dito a Putin. A reprimenda valeu a pena. O número de violações de cessar-fogo despencou nas semanas seguintes. Logo os lados em conflito realizaram a troca de prisioneiros que Putin e Zelensky tinham negociado. No início de setembro, cada lado libertou 35 prisioneiros. Entre os ucranianos estava o cineasta Oleh Sentsov, natural da Crimeia, condenado a vinte anos de prisão sob falsas acusações de terrorismo.[8] Zelensky aguardou no aeroporto para recepcionar o avião quando eles voltaram para casa. "Como podem ver", disse ele às câmeras de notícias, "não falamos apenas; temos resultados."

Em novembro, os russos concederam a Zelensky mais um de seus desejos: concordaram em devolver três navios ucranianos que tinham sido apreendidos em 2018 nas águas próximas à Crimeia.[9] "Estavam mostrando ao mundo que eram amáveis", disse Oleksiy Reznikov, então um dos principais agentes de negociação de assuntos da Ucrânia. "E isso criou expectativas para o mundo de que as coisas iam bem com o Kremlin." O gesto deixou Zelensky mais ansioso do que nunca quanto a planejar uma reunião presencial com Putin antes do final do ano. O objetivo deles, disse-me Reznikov, era falar com o déspota russo sem precondições e abandonar a animosidade que tinha se acumulado desde o mandato de Petro Poroshenko. "No fundo, o presidente acreditava que poderia acabar com a guerra. Talvez, no passado, as pessoas não estivessem ouvindo", disse Reznikov, sobre o pensamento de Zelensky na época. "Talvez houvesse ressentimentos que precisavam ser discutidos. É por isso que tínhamos esse objetivo. Marcar uma reunião. Cara a cara."

Logo estabeleceram um formato para o encontro. Seria realizado em Paris, em dezembro. À medida que a data se aproximava, Zelensky alimentava a esperança de que os norte-americanos o protegeriam. Apesar dos danos que a saga do impeachment causou ao seu relacionamento com Donald Trump, Zelensky sabia que além dele ninguém teria melhores chances de incentivar Putin a negociar de boa-fé. Mas os Estados Unidos não atuaram formalmente no processo de paz. Nenhum norte-americano compareceria à mesa de negociação. Os mediadores foram a Alemanha e a França, e Zelensky não tinha certeza se poderia confiar que eles ficassem do seu lado.

Angela Merkel, chanceler alemã, exortou Putin a participar das negociações. Mas seu apoio à Ucrânia enfraquecia quando se tratava dos interesses econômicos de seu país. Ao longo daquele ano, a Alemanha adiantou-se para concluir um projeto de energia com a Rússia que poderia prejudicar a economia da Ucrânia. O novo gasoduto, conhecido como Nord Stream 2, contornaria a Ucrânia, transportando para a Alemanha combustível russo sob o mar Báltico. A perda estimada para o governo de Zelensky seria de cerca de 3 bilhões de dólares por ano, que a Ucrânia esperava ganhar com o transporte de gás russo para a Europa através de seus gasodutos. A Alemanha e a Rússia estavam, de fato, eliminando a Ucrânia do comércio europeu de gás. Os franceses não pareciam muito mais confiáveis. O anfitrião das negociações de paz seria o presidente francês Emmanuel Macron, cujos recentes apelos a Putin haviam preocupado os ucranianos. Ele sugeriu que a Rússia deveria ser vista como um parceiro da aliança da Otan, não uma ameaça. Em entrevista ao *Economist*, Macron também disse que a Otan estava "sofrendo morte cerebral" e talvez não estivesse mais disposta a defender seus Estados membros de um ataque russo.

Durante o infame telefonema em julho, Zelensky queixou-se dos europeus ao presidente Donald Trump. Questionou sua disposição para isolar a economia russa. "Eles não estão aplicando as sanções", afirmou Zelensky a Trump. "Não estão trabalhando, tanto quanto deveriam, pelo bem da Ucrânia." Mas eram esses os únicos aliados que Zelensky teria ao seu lado em Paris, e ele ainda estava convencido de que as negociações poderiam ter um avanço. No decorrer do outono, os assessores traziam atas de rodadas anteriores de negociações, até o momento do início da guerra em 2014. "Eis o que conheço sobre eles depois de avaliá-los", disse Zelensky quando nos encontramos para discutir os preparativos para novembro. "As pessoas compareceram a essas reuniões pensando que nada aconteceria." Perguntei o que ele queria dizer com isso. Os negociadores estavam fingindo? "Foi o que percebi", disse ele. "Muitas vezes essas reuniões não chegavam a lugar algum e os participantes apenas repetiam o que os outros diziam."

A Ucrânia e a Rússia tinham estabelecido termos de paz em Donbas muito antes de Zelensky tomar posse. O primeiro acordo de paz, conhecido como Minsk-1, remontava aos primeiros meses da guerra, quando as coroas de flores ainda estavam frescas nos túmulos de manifestantes mortos durante a revolução de 2014. Poroshenko foi eleito presidente em maio, e seu objetivo nas primeiras semanas do mandato era o mesmo que seria o de Zelensky cinco anos depois. "Estou absolutamente certo de uma coisa", disse Poroshenko durante uma entrevista dois dias após a posse.

"Minhas primeiras ações como presidente serão eficazes para trazer paz às regiões orientais."[10]

Muitas cidades dessas regiões já haviam entrado na ilegalidade. Paramilitares russos, gangues locais e milícias bem armadas assumiram o controle de prédios do governo e transformaram partes de Donbas em fortalezas separatistas, com a intenção de romper com o controle de Kiev. Todos os ramos do governo central, desde a polícia de trânsito até os inspetores de impostos, abandonaram essas áreas em favor dos representantes da Rússia. Quando a Ucrânia tentou realizar uma eleição presidencial naquela primavera, militantes armados, apoiados por Moscou, bloquearam a votação na região leste, por eles controlada. Duas autoridades eleitorais na região de Luhansk foram sequestradas e mantidas reféns durante a campanha. Um dos substitutos de Poroshenko foi baleado na região de Donetsk. Durante uma excursão pelos enclaves separatistas, um grupo de militantes perseguiu o comboio de Poroshenko até os arredores da cidade, forçando o motorista dele a atravessar um campo para chegar ao aeroporto, onde um avião os esperava para auxiliar numa fuga. O tom de voz de Poroshenko era inflexível, quase sem emoção, quando ele me contou sobre o incidente: "Os separatistas tentaram nos fazer reféns, a mim e à minha equipe."

Em poucos dias, os militares ucranianos entraram na ofensiva. Helicópteros sobrevoaram posições separatistas perto da cidade de Donetsk em 26 de maio, um dia depois que Poroshenko ganhou a votação presidencial. Ao anoitecer, os necrotérios locais encheram-se de corpos de combatentes pró-russos. Foi o dia mais trágico de combate desde que a guerra começara, e Poroshenko foi levado a crer que a demonstração de força o beneficiaria. "A Rússia entendeu o perigo de sua estratégia política em relação à Ucrânia", disse-me ele. "Dezenas de caixões estão voltando para a Federação Russa. Estão morrendo para quê?"

Parecia que Putin desconhecia a resposta. O Kremlin continuou a negar a presença de soldados russos em Donbas, e os militares russos tratavam sua movimentação e suas baixas como segredo de Estado. Putin também não demonstrou interesse em anexar as regiões orientais da Ucrânia do modo que havia feito em relação à Crimeia, meses antes. Nem sequer reconheceu a legitimidade dos líderes separatistas em Donbas. Em vez disso, forneceu-lhes armas e combatentes, satisfeito por deixar o conflito se agravar à medida que as negociações de paz começavam. A primeira rodada foi realizada no início de junho de 2014, durante a cerimônia para marcar o 70º aniversário da invasão do Dia D na Normandia. O presidente Barack Obama participou do evento e ajudou a mediar as negociações entre Putin e Poroshenko. Mas os mediadores mais ativos foram Alemanha e França, cujos líderes pressionavam ambos os lados a concordar com uma trégua.

Na ocasião, Poroshenko estava ansioso para convencer o povo de Donbas de que seus direitos seriam protegidos sob a liderança dele. A maioria ainda obtinha informações dos canais de propaganda do Kremlin, que afirmavam que Kiev pretendia erradicar a língua russa e perseguir os russos étnicos. Poroshenko fez o possível para contradizer essa narrativa. "Deve haver uma garantia que assegure o direito das pessoas de falar o idioma que quiserem", disse ele poucos dias após as conversas na Normandia. "É crucial que sejam eleitos representantes de Donbas com quem possamos dialogar." Essas questões – direitos linguísticos, eleições locais, o estatuto jurídico de Donbas – estiveram no centro das conversações de paz que começaram naquele verão e continuaram até o início de 2015. A Rússia e a Ucrânia enviaram emissários para essas negociações, realizadas em Minsk, capital de Belarus. Os líderes separatistas do leste da Ucrânia também se sentaram à mesa de negociações, embora estivessem, essencialmente, sob o controle de Moscou.

Todos os lados concordaram em parar de lutar pela duração do processo de paz. Mas ninguém honrou esse compromisso. Pelo contrário – o derramamento de sangue se intensificou. A Rússia não parecia satisfeita com a quantidade de território que seus representantes controlavam no início das negociações. Assim, suas forças avançaram, tomando mais cidades e vilarejos, e, no processo, mataram centenas de soldados ucranianos naquele verão e no início do outono. Em várias ocasiões, o Kremlin enviou tropas russas equipadas com tanques e artilharia pesada a fim de dar continuidade à luta quando as forças paramilitares se mostravam insuficientes.

Moscou também forneceu mísseis antiaéreos aos separatistas, que os utilizaram em julho de 2014 para derrubar um jato civil, o voo 17 da Malaysia Airlines – ao que tudo indica, por engano. Todos os 298 passageiros e membros da tripulação morreram, e seus corpos se espalharam pelos campos de trigo e girassóis em Donbas. Algumas semanas depois, militares russos cercaram e massacraram centenas de tropas ucranianas em torno da cidade de Ilovaisk, eliminando-as enquanto tentavam se render. A brutalidade desses ataques colocou enorme pressão em Kiev para que se chegasse a um acordo. Os líderes ocidentais entenderam que a Ucrânia não tinha chance de derrotar os russos no campo de batalha. Poroshenko também se conscientizou disso. "Não se esqueça: dois meses atrás não tínhamos Exército", disse-me ele naquele verão. "O soldado ucraniano estava de fato despido, descalço, faminto e desarmado."

Alemanha e França, como mediadores na guerra, pediram aos ucranianos que fizessem concessões, e Poroshenko concordou com muitas exigências feitas pela Rússia. Ele permitiria que os separatistas governassem vários de seus próprios assuntos nos territórios que haviam tomado. Esses termos foram incluídos no acordo de paz que ele assinou no início de setembro de 2014. Mas o armistício não durou. Os russos mantiveram a ofensiva durante o outono e o inverno, culminando numa batalha que custaria mais de mil vidas. No início de fevereiro de 2015, uma força combinada de tropas russas e unidades paramilitares cercou milhares de ucranianos na cidade de Debaltseve, incluindo muitos civis, e os bombardearam com artilharia e lançadores de múltiplos foguetes. O massacre continuou mesmo depois que a Ucrânia concordou, no meio da batalha, em assinar outra versão dos acordos de paz.

O novo acordo, conhecido como Minsk-2, foi mais detalhado do que o primeiro e, aos olhos de muitos ucranianos, mais oneroso. Uma das disposições obrigava a Ucrânia a promulgar uma nova Constituição até o final de 2015, consagrando o princípio da "descentralização" em sua lei fundamental. Na prática, isso mudaria o poder da capital para as regiões, corroendo a autoridade de Kiev sobre Donbas. As regiões separatistas no leste continuariam a pertencer à Ucrânia, mas o governo central permitiria que construíssem laços mais fortes com a Rússia e administrassem seus próprios tribunais, seus próprios sistemas educacionais e suas próprias "milícias do povo" para manter a paz.

Poroshenko mais tarde veria os termos do acordo como uma espécie de anexação crescente dos territórios orientais da Ucrânia. Ele acreditava que a ideia de descentralização permitiria que Donbas ficasse cada vez mais sob o domínio de Moscou. Quatro anos depois, quando estudou os tratados assinados por seu antecessor, Zelensky chegou à mesma conclusão: os acordos de Minsk, disse-me ele, "eram um meio de deixar a Ucrânia em constante estado de instabilidade".

Os russos admitiram isso. No início da guerra, Putin não tinha planos de engolir o leste da Ucrânia como havia feito com a Crimeia. Ele queria que Donbas fosse uma parte do território ucraniano que a Rússia pudesse controlar. "É um típico cavalo de Troia", disse-me um dos assessores próximos de Putin. "Que eles deem a essas regiões um status especial, alguma autonomia, e que os parceiros ocidentais convençam os ucranianos a concordarem. Isso seria o que chamamos de mala sem alça." A Ucrânia seria sobrecarregada com uma região devastada pela guerra e influenciada pela propaganda russa. Seus moradores, cerca de 3,5 milhões, apoiariam um forte bloco pró-Rússia dentro do Parlamento ucraniano e impediriam qualquer tentativa de integração de Kiev com o Ocidente. Com o passar do tempo, poderiam até apresentar um candidato capaz de assumir o poder em todo o país, assim como fizeram com Viktor Yanukovych durante as eleições de 2010.

Perdido entre as letras miúdas dos acordos de Minsk, esse era o plano de Moscou, e eles falaram sobre isso abertamente. Em 2015, poucas semanas depois que os acordos de Minsk-2 foram assinados, combinei de me encontrar em Moscou com um de seus arquitetos, Konstantin Zatulin, orgulhoso imperialista com bigode de escovinha. O clima na Rússia era tenso na época. Um ano tinha se passado desde a anexação da Crimeia, e a sensação de euforia em Moscou havia arrefecido. As sanções ocidentais começaram a pesar, minando o valor do rublo e assustando investidores. Muitos russos começaram a perceber que a guerra na Ucrânia teria um preço. O regime havia experimentado o sabor da conquista em Donbas, e não se comportaria da mesma maneira para com seus próprios cidadãos.

Poucos dias antes da minha chegada a Moscou, um dos críticos mais influentes de Putin, Boris Nemtsov, foi morto a tiros perto dos muros do Kremlin. Seus amigos e seguidores ficaram chocados. Planejavam naquela semana outra marcha maciça nas imediações do Kremlin para protestar contra a guerra na Ucrânia. Agora se tornaria uma marcha de luto. Mas

Zatulin, o linha-dura consumado, estava mais que satisfeito. Recebeu-me em seu escritório entulhado, próximo do local onde Nemtsov fora morto. O cômodo estava repleto de armas antigas, sabres cerimoniais e outras quinquilharias militares, as prateleiras cheias de livros sobre a história imperial da Rússia. Tratava-se da especialidade de Zatulin. Como um dos fundadores do partido político de Putin, ele tinha sido presença constante no Kremlin. Seu trabalho no Parlamento russo, onde serviu desde 1993, concentrou-se nos assuntos do "exterior próximo", os países da antiga União Soviética.

Tal e qual Putin, Zatulin sonhava em restaurar o domínio da Rússia sobre essas nações. Mas seus esforços nessa frente não foram muito significativos durante as duas primeiras décadas de sua carreira na política. Ele pontificaria na TV estatal sobre os laços desgastados de linguagem e fé que no passado mantiveram a Ucrânia dentro do "mundo russo". Poucas pessoas o levaram a sério. Em 2006, as autoridades ucranianas o consideraram *persona non grata* e o acusaram de incitar violência étnica. Somente em 2014 Zatulin realmente teve a chance de brilhar. No início da guerra, ele se tornou uma ligação entre o Kremlin e seus representantes paramilitares na Ucrânia, canalizando dinheiro para os líderes e instruindo-os a se insurgir e assumir o controle dos governos locais. O sucesso foi mediano. Zatulin e seus seguidores esperavam encampar todo o sul e leste da Ucrânia, ou seja, pelo menos um terço do país. Afinal foram obrigados a se contentar com a Crimeia e partes de Donbas. Mas Zatulin parecia contente com essas vitórias parciais. Seriam suficientes, disse-me ele, desde que a Ucrânia concordasse em implementar os acordos de Minsk.

O ponto crucial desse acordo, disse ele, era o conceito de descentralização, que permitiria à Rússia controlar as regiões da Ucrânia que "compartilham o ponto de vista russo em relação a todas as grandes questões". As autoridades locais dessas regiões permaneceriam leais a Moscou. Em relação à organização de campanhas políticas, o Kremlin poderia ajudá-las a criar estações de TV. Se estivessem em apuros, sua lealdade poderia ser comprada ou obtida por meio de chantagem. "A Rússia teria seus próprios solistas no grande coro ucraniano, e eles cantariam para nós", disse Zatulin. "Seria o nosso compromisso." Se o governo em Kiev aceitasse esse arranjo, disse-me ele, "não precisaríamos destruir a Ucrânia".

Sob o ponto de vista dos aliados mais poderosos da Ucrânia no Ocidente, tal compromisso parecia razoável. Angela Merkel, a chanceler da Alemanha, pressionou Poroshenko a aceitar o acordo, e os norte-americanos pediram que ele o implementasse. Joe Biden, então vice-presidente dos Estados Unidos, fez uma visita a Kiev no final de 2015, com a intenção de impulsionar o processo de paz. Uma de suas primeiras paradas foi na Praça da Independência, onde contemplou o memorial aos manifestantes massacrados durante a revolução. No dia seguinte, Biden fez um discurso ao Parlamento e ofereceu firme apoio aos acordos de Minsk. Seria difícil, disse Biden, para ambos os lados da guerra aceitarem. Os russos precisariam retirar suas tropas e desarmar seus representantes, e devolver à Ucrânia o controle de sua fronteira com a Rússia. Mas as autoridades de Kiev também precisariam mostrar determinação. A Ucrânia teria que mudar sua Constituição, afirmou Biden, e aceitar a ideia de descentralização. Ele até fez uma comparação, embora imprecisa, com a experiência política norte-americana. "A questão do federalismo quase impediu o surgimento de nossa nação", disse Biden. "Estados autônomos e independentes. Sua determinação de ter suas próprias forças policiais. Sua determinação de ter seu próprio sistema educacional, de ter seu próprio governo sob uma Constituição unida."[11]

Acima de tudo, ele pediu à Ucrânia que realizasse eleições em Donbas e permitisse que o povo dessa região escolhesse os próprios líderes. Essas eleições faziam parte do processo de paz estabelecido nos acordos de Minsk, e Biden acreditava que haveriam de fortalecer a Ucrânia a longo prazo. "Eleições livres e justas são exatamente o que o Kremlin mais teme", falou ele. "Não é apenas o território de vocês que eles cobiçam, é o seu sucesso que eles temem. A Rússia teme que, se ocorrerem eleições livres, as pessoas vão determinar, como estou confiante, que são parte integrante, que antes de tudo são ucranianos. E esse é o receio de Putin."

Quando assumiu o cargo, quatro anos depois, Zelensky concordou com a premissa desse discurso. Ele também queria realizar eleições nas regiões de Donbas controladas pela Rússia. Zelensky reconhecia que, desde que a guerra começou, em 2014, essas regiões separatistas se tornaram totalmente isoladas e disfuncionais, e ainda firmemente dependentes de Moscou. Fazia parte de seu governo um elenco rotativo de senhores da guerra e propagandistas que matavam uns aos outros e eram substituídos por novos indivíduos nomeados pelo Kremlin. Um comandante, conhecido como Batman, foi emboscado e recebeu uma saraivada de balas numa rodovia de Luhansk. Outro foi explodido e despedaçado no interior de seu café preferido. Um terceiro, apelidado de Motorola, morto por uma bomba em um prédio residencial. Um quarto foi incinerado com um lança-chamas. Um quinto foi assassinado a tiros num restaurante perto de Moscou. A lista era longa.

Nenhuma das duas regiões separatistas, que se autodenominavam Repúblicas Populares de Donetsk e Luhansk, dispunha de algo que se assemelhasse a uma economia funcional. Elas foram isoladas do comércio legal com o mundo. Negociavam contrabando, particularmente o de armas e carvão, com alguns subsídios escassos fornecidos pela Rússia. Nenhum país do mundo, nem mesmo a Rússia, reconheceu a independência das Repúblicas Populares. No entanto, elas eram o lar de mais de 3 milhões de cidadãos ucranianos, e eles não tinham autorização de participar de uma eleição ucraniana desde que os russos assumiram em 2014. Zelensky achou que poderia reconquistá-los, pelo menos o suficiente para que tivessem influência na guerra. E se os habitantes dessas regiões começassem a rejeitar o controle russo sobre suas cidades? E se houvesse uma insurgência contra os separatistas? E se lhes fosse dada a oportunidade de votar numa eleição livre e decidissem juntar-se à Ucrânia?

Pesquisas confiáveis sobre opinião pública eram difíceis de se encontrar nessas regiões. A melhor pesquisa disponível sugeria que, no outono de 2019, pouco mais da metade das pessoas nos enclaves separatistas não eram, de fato, separatistas – queriam se reintegrar à Ucrânia. Cerca de 45% queriam se tornar parte da Rússia. Qualquer plebiscito sobre essa questão seria um grande risco para o governo de Zelensky. A tarefa de garantir uma votação justa seria assustadora, e o resultado poderia acabar legitimando o controle do Kremlin sobre esses territórios. Mas Zelensky estava disposto a tentar. No seu entendimento, havia um parentesco entre ele e as pessoas dessas regiões. Assim como aquela gente, ele se originara do leste industrial do país, e alguns de seus resultados mais significativos na corrida presidencial vieram de setores de Donbas que ainda estavam sob controle ucraniano.[12]

Em seus primeiros meses no cargo de presidente, Zelensky começou a se aproximar das pessoas que viviam sob controle dos separatistas. Prometeu pagar pensões e restaurar infraestruturas. Novas estradas através da linha de frente foram abertas, tornando mais fácil para elas visitarem amigos e familiares em outras partes da Ucrânia. "Quando fizerem a travessia e constatarem que aqui é melhor, aos poucos sua opinião vai mudar", disse Zelensky. "Precisamos trazê-las de volta e lutar por elas."[13] Ele também desejava que as regiões separatistas realizassem eleições e escolhessem líderes legítimos, que pudessem representar seus interesses nas conversas com o governo em Kiev. Poucos meses após o início do mandato, Zelensky comprometeu-se publicamente com um plano que permitiria que tais eleições fossem realizadas sob a lei ucraniana. Como condição prévia para tal votação, ele falou que a Rússia precisaria retirar todas as suas forças da região e desarmar todos os militantes locais. "Não haverá eleições sob a mira de uma metralhadora", afirmou ele ao anunciar essa decisão em 1º de outubro de 2019. "Não haverá eleições em Donbas se as tropas ainda estiverem lá."[14]

Autoridades em Moscou receberam bem o anúncio. Viram que era um passo importante para a implementação dos acordos de Minsk, que pedia explicitamente que a Ucrânia realizasse eleições nos territórios separatistas. Mas muitas pessoas na Ucrânia ficaram indignadas com a decisão de Zelensky. Da parte da oposição política, aquele passo foi interpretado como um ato de concessão diante da Rússia e seus representantes. No outono de 2019, milhares de pessoas protestaram em Kiev e outras cidades, acusando Zelensky de preparar a capitulação da Ucrânia na guerra. Um comício foi realizado na rua Bankova, de onde se viam as janelas de seu gabinete. Entre os líderes das manifestações, antigos rivais de Zelensky na campanha presidencial, como Poroshenko e Tymoshenko, que controlavam facções consideráveis no Parlamento. Os comícios também atraíram a ala de extrema direita da política ucraniana, incluindo muitos veteranos da guerra. Juntos, eles impuseram o primeiro desafio popular ao governo de Zelensky, e isso começou a corroer sua popularidade. Quando nos reunimos em seu gabinete, em novembro, os protestos ainda estavam por todo o país, e as faixas diziam: "Não à capitulação!"

Zelensky, ainda sensível às críticas, considerou os ataques profundamente injustos, e acusou os organizadores dos comícios de oportunistas políticos. Nesse período, sua equipe se esforçou ao máximo para afastá-lo das redes sociais, nas quais inúmeros memes e comentários o retratavam como um fracote, até mesmo um traidor. Mas, quanto a deixar a população de Donbas votar, Zelensky foi inflexível. "Precisamos realizar eleições lá", afirmou ele. "Elas devem acontecer." As eleições dariam à Ucrânia a chance de reconquistar Donbas por meios democráticos, e Zelensky não tolerava políticos que pretendiam atingir esse objetivo pela força. "Não vou concordar em guerrear em Donbas", disse ele. "Eu sei que há muita gente de cabeça quente, especialmente aqueles que organizam comícios e dizem: 'Vamos lutar para recuperar tudo!' Mas qual será o preço? Qual será o custo? É outra questão de vidas e territórios, e não é o que pretendo fazer. Se isso não satisfaz a sociedade, então um novo líder virá e atenderá a essas demandas. Mas esse nunca será meu objetivo, porque a minha posição na vida é ser humano acima de tudo. E eu não posso enviá-los para o combate. Quantos? Quantos irão perecer? Centenas de milhares, e uma guerra generalizada vai começar, uma guerra generalizada na Ucrânia, e depois em toda a Europa."[15]

A pequena mesa-redonda no Palácio do Eliseu estava preparada para quatro pessoas quando Putin e Zelensky chegaram na tarde que tinha sido agendada, 9 de dezembro de 2019. Estariam sentados um em frente ao outro e poderiam se cumprimentar com um aperto de mão se quisessem, enquanto os dois mediadores, Merkel e Macron, se sentariam ao lado de um e do outro. Na frente de cada participante, os organizadores colocaram fones de ouvido e microfones para garantir a tradução simultânea nos quatro idiomas: russo, ucraniano, alemão e francês. Mas Zelensky, para surpresa de alguns de seus assessores, decidiu quebrar a barreira da língua.[16]

No início da conversa, depois que os jornalistas e as câmeras dos noticiários foram convidados a se retirar da sala, Zelensky fez suas observações de abertura em ucraniano e, em seguida, com um sorriso, mudou para sua língua nativa para recitar um provérbio russo. Numa tradução aproximada, significava: "No papel, a trilha parecia tão tranquila que todos nós esquecemos das armadilhas."* Parecia uma descrição apropriada dos acordos de Minsk, que pareciam simples no papel – o documento todo cabia em algumas páginas impressas –, mas se mostraram cheios de ardis.

"Dali em diante, ele passou a falar em russo enquanto duraram as conversações", disse o negociador ucraniano, Oleksiy Reznikov, sentado atrás de Zelensky. Nesse caso, foi uma quebra do protocolo quanto a esse tipo de negociação. Mas Zelensky queria ser entendido, e mostrar que não teria de agir nos moldes do passado. O provérbio também podia ser uma tentativa de quebrar o gelo com Putin. Mas isso não seria fácil.

Putin parecia irritado e impaciente com Zelensky, tendo chegado a Paris com toda a bagagem de suas negociações anteriores com a Ucrânia. Suas conversas com Poroshenko tinham sido interrompidas em 2016. Depois disso, os dois presidentes nunca mais se falaram. Eles só trocaram insultos e ameaças através das redes sociais enquanto a guerra em Donbas se arrastava. Zelensky agora esperava convencer os russos de que sua eleição marcaria um recomeço. Putin não estava disposto a aceitar isso. "O representante do Kremlin expressou acusações de que a Ucrânia não tinha cumprido algumas de suas promessas", disse Reznikov. Em particular, Putin insistia que Kiev não cumpriu suas obrigações quanto aos acordos de Minsk. Isso era verdade em relação a todas as partes do acordo. A Ucrânia não tinha alterado a sua Constituição, nem realizado eleições nas regiões separatistas de Donbas, muito menos lhes concedido mais autonomia. A Rússia não retirou suas forças militares dessas regiões. Nem observou as determinações de cessar-fogo.

Merkel, fluente em russo, não precisava de intérprete para entender o que Putin e Zelensky diziam, e Reznikov teve a impressão de que ela concordava com as queixas do presidente russo. "Vi na reação de Merkel que,

---

* Os dizeres em questão – Было гладко на бумаге, да забыли про овраги – originam-se de um poema satírico que Liev Tolstói escreveu enquanto servia ao Exército na Guerra da Crimeia. Essa guerra terminou em 1856 com o Tratado de Paris, uma capitulação humilhante para o Império Russo. No poema de Tolstói, o verso sobre papéis e armadilhas refere-se aos planos de batalha que oficiais incompetentes da Rússia tinham elaborado em seu quartel-general. Os soldados perceberam, tarde demais, que seus mapas não correspondiam à realidade do campo de batalha.

em essência, ela concordava com o descontentamento de Putin e tinha a mesma impressão." Merkel havia sido mediadora nas negociações de paz desde o começo, em 2014, e pediu que Poroshenko assinasse os acordos de Minsk. Não foi o que aconteceu com Macron. O líder francês, que assumiu o cargo em 2017, era o único à mesa em Paris que não falava russo e parecia ter maior dificuldade de acompanhar a conversa.

Zelensky também parecia confuso diante da ladainha de rancores e reclamações de Putin. "Meu presidente não entendia o que estava em questão", afirmou Reznikov. Ele não conseguia superar a fixação de Putin quanto às promessas que a Ucrânia havia feito sob a liderança anterior, e não havia como Zelensky aproximar-se de Putin, pelo menos não durante a primeira conversa. Em seguida, na coletiva de imprensa, os dois líderes se comprometeram a continuar dialogando, e se concentraram no seu principal ponto de acordo nas conversas: mais uma troca de prisioneiros, ainda maior que a anterior. O resultado foi saudado como uma vitória parcial para Zelensky. O *New York Times* relatou que o ex-comediante tinha "jogado para empatar" com Putin, o "experiente mestre em ilimitada intriga global".

É provável que Zelensky se sentisse aliviado. Mas as conversas em Paris o incomodaram profundamente. Foi um dos raros momentos da sua vida em que enfrentou os limites de suas habilidades de comunicador. Esperava descobrir em Putin uma criatura de carne e osso, um homem com senso de humor e pragmatismo que Zelensky pudesse virar a seu favor. "Com seu carisma, seu talento como negociador, pensou que poderia romper aquela armadura", disse uma das assessoras mais próximas de Zelensky, Iryna Pobedonostseva, que esteve com o presidente em seu retorno a Kiev. Durante anos ela trabalhou ao lado de Zelensky no estúdio de cinema antes de assumir o serviço de imprensa presidencial naquela primavera, e raramente tinha visto seu chefe tão deprimido, após ficar cara a cara com Putin pela primeira vez. "Ele pensou, provavelmente, que haveria mais humanidade nele", disse-me Pobedonostseva. "Temos a tendência de projetar nossas próprias qualidades nos outros. Mas algumas pessoas são diferentes. Há aquelas com quem simplesmente não é possível fazer uma conexão."

No entanto, o comportamento de Putin, por mais frio que parecesse, não bastou para atrasar o processo de paz. Três dias depois das conversas, a maioria de Zelensky no Parlamento ucraniano fez outra importante concessão aos russos. Aprovaram uma lei que abriria o caminho das regiões separatistas de Donbas para realizar eleições locais. O prazo seria de um ano; a lei expiraria no final de dezembro de 2020. Com isso, o relógio foi acertado para Zelensky implementar a paz que prometera.

Os russos continuaram a incentivá-lo. Logo concordaram em pagar à Ucrânia quase 3 bilhões de dólares em dívidas, colocando um fim em uma antiga disputa financeira. Também assinaram um contrato de cinco anos segundo o qual a Rússia enviaria gás através de gasodutos ucranianos para a Europa. Sob esse acordo, a Ucrânia ganharia bilhões de dólares por ano em taxas pelo uso dos gasodutos. Nos meses seguintes, Zelensky dedicou-se ao processo de paz. Promoveu seu principal negociador, Andriy Yermak, para a função de chefe de gabinete na administração presidencial, substituindo Andriy Bohdan, e eles avançaram em várias direções ao mesmo tempo, atribuindo diferentes equipes para trabalhar com os russos em questões de segurança, relações econômicas, trocas de prisioneiros e eleições em Donbas. A estratégia criou a ilusão de progresso. Mesmo quando a maioria dos caminhos de negociação ficou obstruída, Yermak pôde indicar algum sucesso numa das questões mais fáceis, apoiando a narrativa de que, de modo geral, havia progresso. Na realidade, eles estavam emperrados desde o início. Um membro da equipe de Yermak disse que era como se estivesse afundando numa cisterna de gelatina, impossibilitado de se mover ou mudar de direção. Sobre a questão das eleições em Donbas, ela falou: "Não havia meios de entrar em acordo, e nos restou apenas ficar sentados ali, fingindo colaborar, ouvindo suas bobagens." Mais uma vez, como Zelensky havia observado em antigas transcrições dessas conversas, a Ucrânia e a Rússia fingiam negociar, andando em círculos diante das questões que mais importavam.

O problema fundamental era que a posição do Kremlin se baseava numa mentira. Putin sempre negou a implantação de forças russas em Donbas. Mas tal presença na zona de guerra estava bem-documentada. O mundo as tinha visto nos noticiários, em imagens de satélite e mesmo nas redes sociais dos próprios soldados russos. Mas Putin continuou a alegar, como havia feito na Crimeia, que se tratava de rebeldes locais e "forças de autodefesa" que Moscou não podia desarmar.

Até que a Ucrânia concedesse autonomia permanente a Donbas, os russos se recusavam a se retirar da região. Não acreditavam na palavra de Zelensky. Queriam que ele emitisse um decreto formal para permitir eleições em toda a Donbas. Mais que isso, queriam que o Parlamento de Kiev ratificasse os acordos de Minsk e se comprometesse a cumpri-los integralmente. Os ucranianos recusaram. Tinham por objetivo alterar os acordos – pelo menos as partes que estavam desatualizadas –, fossem impraticáveis ou sem sentido. "Dissemos que estávamos prontos para modernizar Minsk", afirmou Reznikov. No acordo original, assinado em fevereiro de 2015, a Ucrânia deveria mudar sua Constituição até o final daquele ano, concedendo direitos adicionais de autonomia às regiões separatistas de Donbas.[17] Fazia cinco anos que o prazo tinha se esgotado. Sob Zelensky, os ucranianos se ofereceram para definir um novo prazo para as reformas constitucionais. "E enquanto tratamos desse assunto, vamos corrigir alguns outros pontos", disse Reznikov aos russos. Mas eles se recusavam a fazer qualquer alteração no trato, "nem mesmo uma vírgula", disse-me ele. "Foi quando as batalhas legais começaram. Esse foi o momento de degradação."[18]

Mesmo que quisessem ceder, os ucranianos foram prejudicados pelas próprias forças políticas.[19] A reação às negociações foi agressiva desde o início. Líderes da oposição no Parlamento acusaram Zelensky de traição, e seus índices de aprovação foram abalados. Muitos membros de seu próprio partido não estavam dispostos a aceitar a sua abordagem em relação às negociações de paz. Seu plano para conquistar a simpatia do povo de Donbas, pagando pensões em regiões controladas por separatistas, ficou atolado na legislatura, que não aprovou o valor de 4,2 bilhões de dólares e rejeitou o plano em fevereiro de 2020.[20]

Yermak, o principal negociador, viu-se retratado na mídia como se fosse um espião russo, como se estivesse conspirando com o Kremlin para dividir as terras do leste da Ucrânia. "Estava mesmo de mãos amarradas", disse seu conselheiro próximo, Dasha Zarivna. "Estavam rotulando-o de traidor." A oposição queria que Yermak rejeitasse publicamente os acordos de Minsk e recusasse as exigências da Rússia. Mas ele manteve silêncio sobre as conversas, apenas insistindo que o progresso era lento, mas constante, no caminho para a paz. "Ele precisava continuar no jogo", disse Zarivna.

A despeito do que diziam em público, ambos os lados entenderam naquele verão que o jogo estava quase terminado. Foi o que o Parlamento oficializou em meados de julho, quando votou para bloquear as eleições que a Ucrânia e a Rússia vinham negociando. No final de uma longa e tediosa sessão plenária, em 15 de julho de 2020, o partido de Zelensky propôs o plano de realizar eleições locais e municipais em todo o país no outono. O plano excluía Donbas, explicitamente.[21] Para justificar a medida, os parlamentares argumentaram que seria impossível realizar uma votação adequada em áreas que estavam sob ocupação russa ou em estreita proximidade com a zona de conflito. Antes que qualquer eleição pudesse se realizar nesses lugares, a Rússia precisaria retirar todas as suas tropas e armas, desarmar todos os combatentes separatistas e devolver à Ucrânia o controle de suas fronteiras orientais.

Àquela altura, Zelensky também compreendeu que não tinha chance de obter apoio naquelas regiões. "O povo de Donbas sofreu lavagem cerebral", disse ele. "Vivem na esfera de informações russas."[22] Fazia tempo que o Kremlin e seus representantes tinham fechado o acesso aos canais de televisão ucranianos. A propaganda que recebiam de Moscou os convencia de que a Rússia tinha chegado para proteger Donbas do "regime fascista" em Kiev, e Zelensky percebeu que não poderia mudar essa ideia. "Eu não tenho como alcançá-los", disse ele. "Não há esperança de fazer essas pessoas entenderem que a Rússia é realmente uma potência que visa à ocupação."

Quando chegou a hora de o Parlamento votar no plano de eleições locais, 225 membros do partido de Zelensky compareceram, uma evidente maioria, e cada um deles votou para impedir que as eleições ocorressem em Donbas. Reznikov sabia, imediatamente, o que isso significaria para as negociações de paz com a Rússia. "Destruía as expectativas do Kremlin", afirmou ele. Após cinco meses de conversas, os russos precisariam explicar ao seu chefe no Kremlin por que tudo havia desmoronado. Os ucranianos não podiam esperar que os russos culpassem sua própria inflexibilidade pelo fracasso. Culpariam Zelensky, e Putin ficaria furioso. "Seriam as mesmas decepções, os mesmos ressentimentos em relação à Ucrânia e às autoridades ucranianas", disse Reznikov. Na mentalidade dos russos, ele imaginava, "aquilo remete à agressão e ao desejo de vingança. Em poucas palavras, é a fórmula para todo tipo de conflito".

13. O príncipe das trevas

O colapso das negociações de paz marcou um grande revés para os interesses russos na Ucrânia. Cerca de dezoito meses depois, Vladimir Putin citaria a recusa de Kiev em realizar eleições em Donbas como uma de suas desculpas para iniciar a invasão. Nesse ínterim, o Kremlin ainda tinha uma série de opções, além da guerra, para obter a influência que almejava na Ucrânia. Entre as mais promissoras estava o velho amigo de Putin, Viktor Medvedchuk, que emergiu como principal rival político de Zelensky. Rico figurão e dono de várias empresas de mídia na Ucrânia – parecia o pai do boneco Ken, empertigado, bronzeado e bem-cuidado, com um maxilar angular –, seu papel na vida política ucraniana lhe valeu um apelido na imprensa, "o príncipe das trevas", que coincidia com sua reputação na rua Bankova.[1]

Quando Zelensky assumiu o cargo, fazia mais de duas décadas que Medvedchuk estava na política, a maior parte do tempo representando a mão mal disfarçada de Putin. Com apenas dois anos de diferença de idade, Putin e Medvedchuk pertenciam à última geração de líderes forjados pelo Império Soviético, saudosos de suas realizações. Ambos tinham ligações com as agências de inteligência soviéticas. Putin tinha sido espião da KGB na Alemanha; Medvedchuk teria ajudado autoridades soviéticas a silenciar dissidentes na Ucrânia. Mas a história da amizade começou no início dos anos 2000, durante os primeiros anos da presidência de Putin. Na época, Medvedchuk serviu como chefe de gabinete da contraparte de Putin em Kiev, o presidente Leonid Kuchma, e muitas vezes se encontravam nas funções oficiais. Davam-se bem, assim como seus governos.[2] Kuchma, ex-chefe da maior fábrica de mísseis da União Soviética, premiou a independência de seu país, publicando um livro no final de seu mandato presidencial, intitulado *A Ucrânia não é a Rússia*. Mas as duas economias estavam firmemente entrelaçadas. A Ucrânia dependia de suprimentos de petróleo e gás russos, e as elites em ambos os países estavam ligadas por interesses empresariais, famílias e corrupção.

A relação de Putin com Medvedchuk exemplificava esses laços. Em 2003, quando ele se casou com uma personalidade da TV na Ucrânia, Putin foi o convidado de honra do casamento, na Crimeia. No ano seguinte, a esposa de Medvedchuk pediu a Putin que fosse o padrinho de sua filha recém-nascida, Daria. O batismo da menina, numa catedral de São Petersburgo, cidade natal de Putin, contou com a presença de vários oligarcas, cortesãos, ministros e espiões que governavam a Rússia e a Ucrânia na época. Aquele bebê tornou-se um símbolo vivo da união das duas elites. Numa entrevista à TV estatal russa, Medvedchuk mencionou o afeto de Putin por Daria, quando o amigo levou um buquê de flores e um urso de pelúcia para a menina durante um feriado em que visitou a casa de campo da família na Crimeia.[3] "Nosso relacionamento evoluiu no decorrer de vinte anos", disse Medvedchuk mais tarde. "Não significa que exploro essa relação, mas pode-se dizer que tem sido parte do meu arsenal político."

Putin poderia dizer o mesmo a respeito dele. Ao longo dos anos, à medida que as relações entre a Ucrânia e a Rússia ora passavam por períodos de crise, ora de cortesia, Medvedchuk manteve-se como fiel suplente de Putin em Kiev, o único político na Ucrânia conhecido por ter uma linha direta com o presidente russo. Isso o favoreceu. Através de suas conexões com Moscou, sua família recebeu participações em campos de gás russos e um oleoduto russo, o que deu a Medvedchuk meios para financiar seus partidos políticos e projetos de caridade.[4] Em 2014 e 2015, durante os dias mais sangrentos dos combates em Donbas, mediou as negociações de paz, ajudando a convencer a Ucrânia a aceitar os termos dos acordos de Minsk. Começou então a reunir uma coalizão de forças em Kiev a fim de implementar esses acordos. Não foi uma tarefa simples. A maioria dos ucranianos entendeu o que os termos do acordo realmente significavam – um ato de subserviência aos russos e uma pílula de veneno para o objetivo da Ucrânia de se juntar à União Europeia. Os únicos políticos ansiosos para implementar os acordos de Minsk eram egressos dos partidos pró-russos da Ucrânia, um bando de golpistas e oligarcas geralmente antagonistas, brigando entre si por fundos, eleitores e as bênçãos do Kremlin.

Em 2018, Medvedchuk finalmente conseguiu uni-los sob uma aliança política chamada "Plataforma da Oposição – Pela Vida", que assumiu as narrativas de unidade do Kremlin entre os povos da Rússia e da Ucrânia. O partido pretendia cortar todos os elos com a Otan e tornar o russo o idioma oficial na Ucrânia. Seus recursos financeiros eram formidáveis. Além da fortuna de Medvedchuk, derivada do comércio de petróleo, o partido teve o apoio de vários bilionários vinculados a Moscou. Mais importante, eles controlavam os principais canais de televisão na Ucrânia, o que lhes permitia ganhar uma base sólida de apoio, especialmente nas regiões de língua russa no leste e no sul. Em dezembro de 2018, pouco antes de Zelensky anunciar seu plano de concorrer à presidência, o partido de Medvedchuk lançou sua própria campanha.

A atuação do candidato que eles apoiaram para a presidência, Yuriy Boyko, foi satisfatória na corrida contra Zelensky, ficando em quarto lugar, com 12% dos votos. Alguns meses após, o partido de Medvedchuk teve desempenho ainda melhor na corrida parlamentar, ficando em segundo lugar e ganhando 43 assentos na legislatura. Para os representantes da Rússia, o retorno era auspicioso. Apenas cinco anos depois de Putin ordenar a anexação da Crimeia e dar início à guerra no leste da Ucrânia, seu amigo se tornou o líder da oposição no Parlamento. Para tomar o poder, Medvedchuk precisaria ultrapassar Zelensky nas pesquisas. Sua chance chegou de uma forma que ninguém esperava – um novo vírus respiratório chamado Covid-19.

No outono de 2020, quando as negociações de paz de Zelensky com Putin entraram em colapso, a disseminação do novo coronavírus eclipsou as demais questões preocupantes. Praticamente o mundo inteiro entrou em confinamento. Na Ucrânia, como na maior parte da Europa, o governo ordenou que todos os restaurantes e a maioria das lojas fechassem, ao mesmo tempo que proibia eventos públicos para evitar o que as autoridades descreveram como o colapso iminente do sistema de saúde. Mesmo que Zelensky quisesse realizar outra rodada de negociações com Putin naquela ocasião, teria sido quase impossível. O déspota russo entrou em quarentena.[5]

Sempre obsessivo quanto à sua saúde, o risco de ser infectado pelo vírus desencadeou um nível avançado de hipocondria em Putin. Retirou-se para sua vasta propriedade no lago Valdai, a quatro horas de distância, de carro, a noroeste de Moscou, nas imediações de um mosteiro medieval. A propriedade foi projetada para atender à rotina de bem-estar de Putin, que se tornou cada vez mais elaborada na segunda década de seu reinado. As plantas que vazaram do complexo com spa em Valdai mostravam uma sala para terapia criogênica, local para banhos de lama e banhos de sal, uma clínica de cosmetologia e uma piscina de 25 metros de comprimento onde Putin podia nadar pela manhã. Poucas pessoas tinham autorização para visitar essa propriedade. Nos últimos anos, Putin havia promovido reuniões regulares com um círculo de conselheiros, oligarcas e outros membros de sua comitiva. A pandemia suprimiu tais compromissos. "Trata-se de um círculo extremamente limitado de pessoas com quem ele conversa", afirmou um bilionário russo que costumava participar das reuniões. "Algumas estão aguardando há semanas, em quarentena, apenas para vê-lo", disse-me ele. "Ele está bastante isolado do mundo."[6]

Putin, no entanto, fez algumas exceções às regras de sua reclusão. Em outubro de 2020, convidou Medvedchuk para visitá-lo. A TV estatal russa mostrou os dois homens vestidos com ternos de negócios e acomodados em poltronas, lado a lado, sem máscaras e sem manter distância. O tema principal do encontro, pelo menos na versão televisiva, foi o coronavírus. Alguns meses antes, a Rússia revelou uma nova vacina contra o vírus, e Medvedchuk estava entre os primeiros a ser imunizados. "Fui vacinado no segundo dia após a aprovação", disse-me ele. "Minha esposa nem perguntou sobre efeitos colaterais." A vacina russa, batizada de Sputnik V, mais tarde se revelaria segura e eficaz. Contudo, tomá-la parecia uma decisão arriscada na época: não havia passado por testes clínicos antes que o Kremlin a lançasse no mercado. Nem a Organização Mundial de Saúde, nem nenhum outro governo além da Rússia tinham aprovado seu uso. O próprio Putin recusou-se a tomar uma dose da vacina. Mas Medvedchuk viu isso como mais do que uma precaução de saúde. Também era um meio de conquistar eleitores. Em seu encontro com Putin, ele fez um acordo para a Rússia fornecer milhões de doses da Sputnik V à Ucrânia.

O timing da oferta tinha o objetivo de surtir o máximo efeito político. As eleições locais e municipais deveriam ocorrer em toda a Ucrânia dentro de três semanas. Na ocasião, Zelensky participava de uma cúpula em Bruxelas, insistindo na adesão da Ucrânia à União Europeia e pressionando pelo fornecimento de vacinas do Ocidente. "A União Europeia confirmou que ajudará a Ucrânia a obter uma vacina efetiva e que não deixe dúvidas entre os cientistas", disse Zelensky em resposta à oferta de Putin e Medvedchuk. "Então não recomendo se fiar muito em iniciativas pré-eleitorais de certos cínicos, que já se vacinaram por meios não testados."[7]

À medida que as eleições se aproximavam, Zelensky percebeu que a onda de apoio que o levou ao poder tinha se desfeito. Numa pesquisa nacional divulgada na semana da votação, apenas 17% dos entrevistados disseram que votariam no partido de Zelensky, uma queda assustadora para um líder que recebera mais de 70% de apoio ao assumir o cargo no ano anterior.[8] No dia das eleições municipais, 25 de outubro de 2020, pessoas que monitoravam as urnas, usando máscaras e luvas, aplicaram testes nos eleitores em busca de indícios de febre, antes de deixá-los votar. A participação foi desanimadora. O prefeito de Kiev não pôde votar em sua própria reeleição porque havia testado positivo para o coronavírus. A maior preocupação da nação não era mais o processo de paz com a Rússia. Nos primeiros dez meses da pandemia, o vírus ceifou mais vidas ucranianas do que a guerra em Donbas em cinco anos.[9]

Os resultados da votação foram divulgados: o partido de Zelensky acabou perdendo todas as nove corridas municipais realizadas nas principais cidades da Ucrânia. Entre as derrotas, a mais dolorosa, para Zelensky, foi em sua cidade natal, Kryvyi Rih. Na maioria das corridas para os conselhos municipais, seu partido nem chegou ao segundo lugar. Quaisquer que fossem suas conquistas no primeiro ano do mandato, a necessidade de vacinas agora eclipsava todas as outras demandas dos eleitores. Mas Zelensky não tinha como atendê-los. Em novembro, depois que uma empresa alemã anunciou que sua vacina era segura e eficaz, ele recorreu diretamente à chanceler

Angela Merkel.[10] Não adiantou. Todos os países do mundo estavam lutando para obter fornecimento para seus cidadãos, e os fabricantes tão cedo não poderiam atender à demanda global. Os maiores fabricantes de vacinas dos Estados Unidos e da União Europeia forneceriam o material primeiramente para sua população. Países mais pobres como a Ucrânia teriam de esperar a vez. Zelensky considerou a medida muito injusta. "Com a Covid-19 foi assim: você é um bom país; aqui está sua vacina", disse mais tarde a um jornalista alemão. "Você não é um país tão bom; vá para o fim da fila."[11]

Os eleitores na Ucrânia estavam igualmente frustrados, e muitos deles culpavam Zelensky. Em seus canais de televisão, Medvedchuk e seus aliados repreenderam o presidente quanto ao fracasso e argumentaram que suas alianças com o Ocidente de nada serviam.[12] Na época em que a Ucrânia tinha necessidade de vacinas, disseram, foi a Rússia que se aproximou para oferecê-las. "E as autoridades de Kiev ignoraram a oferta", afirmou Medvedchuk. No início de novembro, Zelensky foi se encontrar com Putin pela segunda vez e retornou com mais uma proposta. Os russos permitiriam que a Ucrânia produzisse a vacina em seu próprio solo, num laboratório em Kharkiv, perto da fronteira russa. "Putin disse: 'Sirva-se! Estamos preparados para lhes fornecer matéria-prima. Estamos preparados para montar as instalações de produção'", disse Medvedchuk. "Seria feita na Ucrânia! Um produto ucraniano!" Zelensky não tinha um bom motivo para rejeitar a oferta, argumentou. "Foi uma atitude política."

Zelensky tentou rebater essas acusações, insistindo que a vacina russa não era segura e que o Kremlin pretendia usá-la como arma na guerra de informação para apoiar Medvedchuk e seu partido político. Mas o gabinete do presidente teve dificuldade para passar a mensagem. Todos os seus principais rivais, incluindo Medvedchuk, controlavam seus próprios impérios de mídia. Zelensky não. "Nós não temos canal próprio", disse-me Yermak. "Porque não somos oligarcas." No final de 2020, eles se desentenderam com seu antigo patrono, Ihor Kolomoysky. O magnata decepcionou-se com sua recompensa por apoiar a campanha presidencial de Zelensky, pois parecia ter pouca influência na administração. Seu banco, salvo pelo Estado, permanecia sob controle estatal, e seu antigo advogado, Andriy Bohdan, foi demitido do cargo de chefe de gabinete de Zelensky. À medida que as relações ficaram tensas, e em seguida hostis, o mesmo aconteceu com a cobertura no canal de televisão de Kolomoysky. Houve uma acomodação às principais redes de notícias da Ucrânia, que foram implacáveis em suas críticas ao presidente.

A família de Zelensky não foi poupada. Na rua Bankova, a equipe de Olena, que havia cerca de um ano se tornara primeira-dama, organizou uma série de grupos de encontros com debatedores para avaliar sua popularidade. Escondida atrás de um espelho vazado, ela assistiu aos ucranianos comuns emitirem opiniões espontâneas sobre a sua pessoa. "Algumas coisas me incomodaram", ela lembrou mais tarde. Se ela era tão rica, esperavam que desse dinheiro aos pobres e, além do mais, não sabiam quase nada sobre o trabalho que ela fizera no ano anterior. Seu maior projeto na função de primeira-dama, inspirado em parte no trabalho de Michelle Obama, foi melhorar a qualidade das refeições nas escolas. Mas recebeu uma cobertura insignificante na mídia ucraniana. "Cada passo que eu dava, dependia da boa vontade da mídia no sentido de divulgar ou não. E a mídia nem sempre estava do nosso lado." A assessora de comunicação de Zelensky, Iryna Pobedonostseva, colocou o problema em termos claros. "Foi uma guerra de informação", disse-me ela. E Zelensky estava perdendo.

No decorrer do outono de 2020, sua popularidade continuou a decrescer, e protestos em massa eclodiram contra ele. No meio de tais protestos, os mais sérios envolveram grupos nacionalistas e veteranos do movimento Azov, uma força paramilitar vinculada à direita radical. Mas os líderes da oposição no Parlamento, incluindo Petro Poroshenko, não perderam a oportunidade de ajudar a organizar os protestos e participar deles. Entre os mais memoráveis, alguns aconteceram logo após Zelensky e Yermak adoecerem devido ao coronavírus. A infecção foi grave. Ambos tiveram de ser hospitalizados. Em 21 de novembro, aniversário de Yermak, uma multidão de manifestantes se reuniu do lado de fora do hospital em Kiev, onde eles estavam sendo tratados. De seus quartos na ala da Covid-19, o presidente e seu chefe de gabinete podiam ouvir os manifestantes tocando música e entoando slogans. Alguns dos manifestantes pediram que Zelensky fosse deposto e preso por sua busca de paz com a Rússia. A polícia antimotim protegeu o hospital. O que mais parecia escandalizar Yermak era o cinismo dos organizadores. Muito depois, ele se lembraria de que um deles enviou-lhe uma mensagem na hora do protesto. “Feliz aniversário”, dizia. “Melhoras.” Na mesa de negociações podia ser que os russos tivessem duas caras, mas, olhando pela janela do hospital, Yermak podia constatar que os inimigos domésticos de Zelensky não eram tão diferentes. “Para eles”, disse-me ele, “nada é sagrado.”

No final de 2020, os índices de aprovação de Zelensky atingiram um mínimo histórico de 20%, aproximadamente.[13] Pesquisas divulgadas no final de dezembro mostraram que seu partido agora não era o mais popular do país. O partido de Medvedchuk tinha assumido a liderança. Algumas pesquisas sugeriram que ele poderia vencer Zelensky numa disputa direta.[14] Havia o risco real de que as forças pró-russas chegassem ao poder na Ucrânia por meios democráticos. “E o que há de mal nisso?”, perguntou-me Medvedchuk. “Defendemos a restauração das relações com a Rússia. É isso que nossos eleitores querem. E essa plataforma trouxe o nosso partido para o Parlamento.”

Putin considerava que a mudança dos ventos políticos em Kiev era uma oportunidade importante. Tendo dedicado vários anos e utilizado recursos consideráveis para apoiar o projeto político de Medvedchuk, a compensação para a Rússia agora transparecia. Com assentos suficientes no Parlamento ucraniano, seus aliados poderiam bloquear qualquer tentativa de Zelensky de se integrar à Otan e outras instituições ocidentais. Também poderiam avançar com o processo de “descentralização”, enfraquecendo o governo central em Kiev e permitindo que a Rússia intensificasse o controle das regiões leste e sul da Ucrânia sem fazer uso de força militar. Putin, sempre um espião, jamais um soldado, preferia alcançar seus objetivos a partir de subterfúgios antes de recorrer à violência. Se Medvedchuk continuasse obtendo apoio popular, ele não só entregaria a influência que Putin queria na Ucrânia. Também solidificaria a reputação que Putin cultivava havia muito tempo, de um negociador astuto que poderia suplantar seus rivais no Ocidente.

Na rua Bankova, Zelensky e seus assessores próximos realizaram uma série de reuniões de crise naquele inverno para discutir a ameaça de Medvedchuk, e eles se apegaram numa resposta que decorreu tanto das emoções do presidente, seu orgulho ferido, quanto de qualquer avaliação dos riscos envolvidos. Em 2 de fevereiro de 2021, Zelensky baniu os três canais de televisão que Medvedchuk e seu partido controlavam. Não havia precedentes legais para tal decisão na Ucrânia. Em vez de passar pelo sistema de Justiça, o presidente acionou um de seus aliados mais antigos, Oleksiy Danilov, para ajudar a fechar os canais. Danilov, como secretário do Conselho de Segurança e Defesa Nacional, assinou uma série de sanções contra a propriedade dos canais, uma nova forma de ataque político. Sanções normalmente se destinam a punir estrangeiros fora da jurisdição legal de um país. Nesse caso, foram usadas contra um membro do Parlamento ucraniano, líder da oposição e de um conglomerado de mídia. Alguns dos aliados mais próximos de Zelensky tentaram dissuadi-lo. "Trata-se de um mecanismo ilegal que contradiz a Constituição", afirmou o presidente da Câmara Dmytro Razumkov, que gerenciara a campanha presidencial de Zelensky. "A lei não pode ser substituída por conveniência política", falou ele.[15]

Quando perguntei a Zelensky sobre essa decisão, ele ficou na defensiva, seu olhar alternando entre rancor e constrangimento. Reconheceu como era estranho para um ex-comediante e satírico político, uma estrela da tela e do palco cujas próprias produções tinham enfrentado censura ao longo dos anos começar a fechar redes de televisão por decreto. "Somos pessoas muito liberais no que diz respeito aos nossos pontos de vista, à nossa filosofia", disse-me sem muita convicção.[16] Mas a guerra de informação da Rússia contra a Ucrânia e seu uso de aliados políticos e da propaganda levaram Zelensky a abandonar esses valores liberais. O perigo representado por Medvedchuk e seus canais de televisão era uma questão existencial para Zelensky. "Eu os considero demônios", disse-me ele. "Suas narrativas procuram desarmar a Ucrânia de seu soberania."

O argumento sugeria paternalismo. As pessoas não tinham autonomia para assistir à televisão e formar suas próprias opiniões? Durante quase trinta anos, desde que a Ucrânia se tornou um país livre e independente, seu cenário midiático tinha sido confuso, cheio de reviravoltas e desinformação, enquanto vários magnatas e políticos disputavam o controle da narrativa popular. Mas também era uma arena livre e competitiva para o debate público que mantinha em grande parte sua independência da censura do governo. Agora Zelensky havia decidido fechar o conglomerado de mídia de seu principal oponente político, aquele cujos canais ele via como uma ameaça não apenas à sua popularidade, mas, disse ele, à existência da Ucrânia. "O que são políticos pró-russos? Eles foram eleitos. As pessoas votaram neles. Temos que levar isso em conta. Quando votam neles, é seu direito. Mas essa é a questão", disse-me Zelensky. "Depois de eleitos, eles não fazem o que prometeram. Prometem uma coisa, e fazem outra. Aproveitam a situação e depois mudam de opinião. Colocando isso de forma direta, não se pode ir à TV ucraniana e dizer que tudo na Ucrânia é ruim, e tudo na Rússia é bom."

Numa sociedade democrática, Zelensky admitiu que tais declarações – Ucrânia ruim, Rússia boa – não justificariam uma proibição total dos meios de comunicação que as transmitem. Mas suas fontes de financiamento, disse ele, obrigavam o Estado a se envolver. "Quando ficou claro que aqueles canais estavam sendo patrocinados por acordos comerciais com as forças russas ocupantes, demos um basta. Pegam o dinheiro russo e o injetam nesses canais." Medvedchuk foi acusado de fazer negócios com os separatistas apoiados pela Rússia no leste da Ucrânia e considerados terroristas pelo governo de Kiev. "Passou dos limites", acrescentou Zelensky. "É financiamento do terrorismo. Al Capone matou muitas pessoas, mas foi preso por causa dos impostos. Acho que esses canais também mataram muitas pessoas. Não diretamente, mas através da informação."

A retórica parecia fora do padrão. Os tons suaves do unificador que assumiu o cargo em 2019 pareciam se dissipar quando se tratava dessas redes de TV. Zelensky decidiu entrar em guerra contra eles, embora ainda se sentisse pouco à vontade. Suas táticas se assemelhavam àquelas que Putin usara no início dos anos 2000. Na época, a indústria de redes sociais da Rússia era basicamente livre, embora também funcionasse como um campo de batalha entre clãs políticos rivais e oligarcas. Logo depois de assumir o poder, Putin foi atrás dos magnatas da mídia que criticavam seu governo. Acusou alguns deles de defender terroristas na Chechênia e apreendeu seus canais de televisão. Grupos de direitos humanos e ativistas de liberdade de expressão condenaram Putin por essas ações, e condenaram Zelensky por seu movimento contra Medvedchuk. A União Europeia advertiu-o de que a luta contra a propaganda russa não deveria ser "à custa da liberdade de imprensa".[17] Mas o governo Biden, que havia tomado posse apenas duas semanas antes, aplaudiu Zelensky. "Apoiamos os esforços da Ucrânia de proteger sua soberania e integridade territorial por meio de sanções", afirmou a Embaixada dos Estados Unidos em Kiev por meio de um tweet.[18] Funcionários do Departamento de Estado me disseram que ficaram impressionados com a disposição de Zelensky para agir contra a "influência maligna" da Rússia na Ucrânia. "Ele acabou se tornando alguém que age", disse um dos oficiais. "Conseguiu."[19] A reação norte-americana parecia irritar Putin tanto quanto a proibição dos canais de TV de seu amigo. Esse tipo de reação ia ao encontro de algumas das narrativas favoritas do Kremlin sobre a duplicidade e a hipocrisia do Ocidente. "Na Ucrânia", falou Putin, "eles simplesmente fecharam três dos principais canais. Com uma canetada. E todo mundo está quieto! Alguns estão até mesmo dando palmadinhas nas costas dos outros."[20]

Em seguida, Zelensky deu um passo adiante. Em 19 de fevereiro de 2021, seu governo anunciou o confisco dos ativos da família Medvedchuk. Entre os mais importantes, disse, estava um gasoduto que conduzia petróleo russo para a Europa através da Ucrânia. Era essa a principal fonte da fortuna de Medvedchuk. O gasoduto enriqueceu a ele e à sua família, incluindo a afilhada de Putin, mas também ajudou a financiar o partido político que representava os interesses russos na Ucrânia. Putin não deu nenhuma declaração pública sobre a apreensão desses ativos.[21]

Mas um sinal da resposta da Rússia chegou dois dias depois, às 7 da manhã, em 21 de fevereiro. Num comunicado sem muito destaque no seu site, o Ministério da Defesa da Rússia anunciou que estava enviando 3 mil paraquedistas para a fronteira com a Ucrânia para "exercícios em larga escala".[22] A chegada desses homens marcaria o início de uma grande concentração militar ao longo das fronteiras da Ucrânia. Dentro de dois meses, cresceria para mais de 100 mil soldados russos e milhares de veículos militares. O objetivo do exercício, de acordo com a declaração do Ministério da Defesa, era treinar as unidades militares especializadas da Rússia para "tomar posse das estruturas inimigas e retê-las até a chegada da força principal". Quase exatamente um ano depois, os paraquedistas russos colocariam esses exercícios em prática durante o ataque a Kiev.

14. Bem-vindo ao Ragnarok

No final de março de 2021, a Rússia posicionou mais tropas ao longo de suas fronteiras com a Ucrânia do que em qualquer outro momento desde a anexação da Crimeia. Ao longo das fronteiras do território ocupado pela Rússia em Donbas, os combates se intensificaram na primavera, e um tiroteio mais tarde se destacaria na mente do presidente Zelensky e de sua equipe como um marco no caminho para a guerra generalizada. Tudo começou com estrondos e assobios das minas russas que caíam perto da aldeia de Shumy. Os projéteis podiam ser lançados a mais de um quilômetro de distância e tinham um design diabólico. Quando atingiam o solo, em vez de explodirem, suas conchas externas se abriam para liberar uma teia de fios quase invisíveis. Qualquer um que chegasse e tocasse num dos fios – um soldado, um animal, uma criança – faria com que a mina detonasse, pulverizando uma saraivada de estilhaços em todas as direções.*

Em 26 de março de 2021, a tarefa de desativar essas minas em torno de Shumy coube a um grupo de especialistas de uma base próxima, o Centro de Remoção de Minas Explosivas 2641, cujo lema é: "Errar não é uma opção."[1] Entre os oficiais mais experientes estava Serhiy Barnych, um sargento veterano com um nariz comprido e uma covinha distinta no queixo. A armadura que ele usava naquele dia cobria a cabeça e a maior parte do corpo. Caso tropeçasse num dos fios, poderia confiar que o equipamento suportaria pequenos estilhaços e, mais que provável, o manteria vivo. Na-

* De acordo com o direito internacional, essas armas tinham sido banidas por décadas. As forças russas as implantaram no leste da Ucrânia durante toda a guerra.

quela semana, o frio do início da primavera tinha diminuído, e o sol havia derretido a maior parte da neve no campo onde Barnych deveria trabalhar. Enquanto procurava fios no chão, o som de uma bala cortou o ar. Atingiu Barnych na parte posterior de sua coxa, abrindo um buraco em sua artéria femoral. Ele caiu no chão, gritou e tentou interromper o fluxo de sangue que já se espalhava no solo ao seu redor.

Com aquele primeiro tiro, os franco-atiradores russos montaram uma armadilha e esperaram que outros soldados viessem correndo pelo campo. O primeiro a chegar ao local onde Barnych estava foi seu comandante, o tenente-coronel Serhiy Koval, que tentou estancar o sangramento e arrastar Barnych até as trincheiras. Eles não podiam ver de onde vinham os tiros. Só escutavam o assobio dos projéteis. Em poucos minutos, ambos morreram. Dois outros soldados que foram ajudá-los logo caíram mortos do mesmo modo, um deles atingido no pescoço e o outro no coração. Ninguém viu os franco-atiradores.

Encurraladas num conjunto de trincheiras, as tropas ucranianas enviaram um rádio ao Alto-Comando pedindo permissão para revidar. De acordo com as regras do cessar-fogo que Zelensky havia acordado no verão anterior, os oficiais tiveram que enviar, primeiramente, uma mensagem ao lado russo, pedindo-lhes para cancelar o ataque. Essa comunicação pelo telefone demorou, e levou os soldados à loucura. Minutos se passaram. Os franco-atiradores continuaram disparando, e os ucranianos continuaram sangrando em campo. Seus companheiros só podiam assistir e esperar a permissão para reagir. Quando finalmente chegou, o lado ucraniano lançou morteiros em direção à posição aproximada dos franco-atiradores. Só então o tiroteio parou e eles puderam retirar daquele campo os corpos dos companheiros.[2]

Naquela noite, por volta das 20 horas, o presidente Zelensky emitiu um comunicado de seu gabinete em Kiev. Havia prudência na palavra que escolheu – "escalada" – para descrever a morte daqueles quatro homens, e ele deixou claro que sua preferência não era retaliar. "Para a guerra é preciso coragem", disse ele. "Para a paz é preciso sabedoria. A Ucrânia ainda tem muito de ambas."[3] Os líderes da Alemanha e da França, acrescentou

Zelensky, precisam organizar uma rodada de negociações de emergência com Putin para discutir os combates nas imediações de Shumy. "Tudo o que temos trabalhado para construir, peça por peça, por mais de um ano", disse ele, referindo-se ao frágil cessar-fogo com a Rússia, "pode ser destruído em segundos."

Poucos dias após o incidente com os franco-atiradores em Shumy, o Parlamento ucraniano convocou uma sessão extraordinária para debater o fato. O general Ruslan Khomchak, então comandante das Forças Armadas da Ucrânia, compareceu com uniforme de gala, trazendo uma série de mapas para ilustrar a situação terrível na frente de batalha. Os russos perto de Shumy demonstraram "especial cinismo", disse ele, fazendo de uma estação de bombeamento de água o ninho do atirador. Danificar a estação teria causado o corte do abastecimento de água em várias cidades da região, motivo pelo qual os ucranianos demoraram tanto para revidar. No meio do discurso, Khomchak propôs um minuto de silêncio para homenagear Barnych e as outras vítimas. Em seguida, passou a explicar ameaças muito mais graves. Em 30 de março de 2021, disse, a Rússia tinha reunido 32.700 soldados ao longo da fronteira. Alguns deles vieram de suas bases na Sibéria, a milhares de quilômetros de distância. Os exercícios militares anuais em Belarus também foram usados como cobertura para colocar mais tropas e equipamentos militares no norte da Ucrânia, a poucas horas de distância, de carro, de Kiev. Assim, a nação foi cercada de três lados. "Nosso propósito comum é derrotar o agressor na guerra", concluiu Khomchak. Mas isso exigiria "esforços colossais de toda a nação ucraniana".[4]

O discurso, que durou pouco mais de dez minutos, não assustou os parlamentares. Talvez tenha provocado um bocejo coletivo. Yulia Tymoshenko, uma das líderes da oposição, continuou sua conversa ao celular durante a apresentação do general. O presidente da Câmara foi forçado a ligar seu microfone e instruir o plenário a parar de tagarelar e prestar atenção. Em qualquer outra capital, a cena teria sido absurda. Tratava-se do principal oficial militar do país, declarando que uma potência estrangeira estava pronta para invadir a partir de três direções, e o Legislativo mal conseguia ter paciência para ouvi-lo. Tinham ficado entorpecidos diante de tais avaliações. Os ataques ao longo das linhas de frente eram comuns e não chegavam a inspirar indignação. O encontro em Shumy tinha sido sangrento, mas não o suficiente para despertar o senso de unidade ou urgência entre os partidos representados no Parlamento. Suas disputas políticas recomeçaram assim que o general voltou ao seu assento.

Entre os primeiros a refutar a ideia estava Petro Poroshenko, que falou com alguma autoridade sobre a situação em Shumy. Quando as forças ucranianas recuperaram aquela aldeia dos russos em 2018, ele era o presidente. Ao custo da vida de pelo menos um soldado, eles conseguiram empurrar a linha de frente por alguns quilômetros, mesmo que muitos oficiais questionassem a capacidade de empreender tal manobra. O propósito da operação parecia mais político do que relacionado à estratégia militar. Na ocasião, Poroshenko se preparava para lançar sua campanha para a reeleição e estava ansioso para demonstrar que era um comandante de guerra. No fim das contas, não lhe adiantou muito. Zelensky derrotou o titular nas pesquisas. Mas dois anos depois, quando Shumy foi atacada, Poroshenko pôs a culpa em seu sucessor.

"Quero começar", disse ele da tribuna, "agradecendo aos guerreiros ucranianos por sua coragem em resistir ao agressor e pela resiliência que demonstram sempre que fica difícil entender as manobras de Zelensky, que passou os últimos dois anos embevecido pelos olhos de Putin." O cessar-fogo que a Ucrânia alcançou com a Rússia durante o primeiro ano de mandato de Zelensky foi baseado na "falsa hipótese", afirmou Poroshenko, "de que uma trégua pode conduzir à paz". Depois de Shumy, a Ucrânia precisava contra-atacar, disse ele, enviar seus próprios franco-atiradores para o campo e lançar drones para caçar sistemas de artilharia russos. "Putin é um assassino!", gritou Poroshenko. "Espero que você, Volodymyr, até você, consiga tirar de si mesmo essa declaração", disse ele, provocando Zelensky. O presidente da Câmara logo cortou o microfone de Poroshenko, e os deputados começaram a discutir aos gritos, o que era comum na época.

Naquele dia, imagens da sessão foram exibidas nos principais noticiários na Ucrânia, e Zelensky e sua equipe ficaram revoltados quando assistiram. Poroshenko estava à vontade, com o dedo em riste diante do plenário enquanto falava. Ele entendeu que sua melhor chance de reconquistar o poder era retratar o comediante como se fosse um molenga. Com pesquisas mostrando que a maioria dos ucranianos não confiava no presidente, Zelensky enfrentou intensa pressão para fazer uma demonstração de força em resposta aos ataques russos.[5] Ao mesmo tempo, não podia abandonar a promessa que fizera de engendrar uma paz duradoura. Um dia depois de Khomchak aparecer no Parlamento, Zelensky o convocou para uma reunião a portas fechadas com outros generais e todos os principais espiões da Ucrânia. Conversaram até tarde da noite sobre o derramamento de sangue nas linhas de frente, mas o gabinete presidencial manteve a reunião em silêncio. Não queriam dar a impressão de que havia uma crise.

Através de satélites de espionagem, as agências de inteligência dos Estados Unidos observavam as tropas russas se reunirem na fronteira, e Joe Biden ligou para Zelensky naquela semana para prometer "o apoio inabalável" dos Estados Unidos em qualquer confronto com o Kremlin.[6] A aliança da Otan ofereceu garantias semelhantes quando Zelensky falou com seu secretário-geral, Jens Stoltenberg, alguns dias depois. "A Otan é a única maneira de acabar com a guerra", disse Zelensky durante a chamada. Ele pediu à aliança que se apressasse e oferecesse à Ucrânia um caminho formal para a adesão, o que indicaria um "sinal real para a Rússia".[7] Para o Kremlin, bastou esse apelo para caracterizar um sinal. Era um aviso do porta-voz de Putin, Dmitry Peskov, de que qualquer conversa sobre a adesão à Otan "só agravaria a situação".[8]

Na semana seguinte, Zelensky e equipe decidiram visitar a frente de batalha. Precisavam demonstrar apoio às tropas e reconhecer o horror que acontecera em Shumy sem deixar que o fato desencadeasse uma guerra mais ampla. Na véspera da viagem, Zelensky concedeu uma medalha póstuma de bravura ao sargento Barnych. Então partimos para visitar o local de sua morte – ele me convidou para acompanhá-lo.

O avião do presidente, um An-148, aterrissou na manhã seguinte na base aérea de Chuhuiv, a cerca de 50 quilômetros da fronteira russa, e atravessamos a pista em direção aos helicópteros militares que nos levariam até a zona de guerra. Fiz o trajeto com os guarda-costas, que passaram a maior parte do voo vestindo seus uniformes de batalha, carregando os rifles, ajustando os capacetes. O ruído das hélices tornou impossível ouvirmos uns aos outros. Através das janelas, pudemos ver o helicóptero do presidente, um MI-8 projetado pelos soviéticos, com pintura de camuflagem, e um círculo azul e amarelo que parecia um olho de boi, pintado na parte traseira da aeronave. Seguíamos para sudeste, na direção do território inimigo, fazendo o trajeto aproximadamente paralelo à fronteira com a Rússia. Com receio de serem atacados do solo, os pilotos procuravam voar baixo, e as copas das árvores se agitavam quando nos aproximamos da cidade de Severodonetsk.

Cerca de um ano depois, durante a invasão em grande escala, âncoras dos noticiários e diplomatas em todo o mundo tinham dificuldade de pronunciar o nome daquele fim de mundo, com 120 mil habitantes. Durante várias semanas, na primavera de 2022, seria o epicentro da guerra, quando as ruas seriam arrasadas pela artilharia e tomadas por combate urbano. Por enquanto, a situação era pacífica e o combate, parecendo distante, não perturbava o ritmo normal da vida. No aeroporto local, o general Khomchak e algumas caminhonetes com ar-condicionado aguardavam na pista para nos transportar até a cidade de Zolote, onde parte da 92ª Brigada Mecanizada tinha montado uma base num prédio destinado ao uso do Exército. Era de se esperar que embelezassem o local para a chegada do presidente, mas preferiram manter tudo em seu estado real, e no pátio viam-se tigelas de comida para cães abandonados e pilhas de sacos de areia onde os soldados se sentavam para fumar. Os mais novos tinham crescido assistindo às comédias de Zelensky, e alguns não conseguiam conter uma risada ao ouvir sua voz rouca. As fileiras de nível inferior ficaram felizes de vê-lo. A despeito do inconveniente de receber tal delegação, aquilo era uma pausa bem-vinda na rotina dos militares, que se resumia a guardar trincheiras e patrulhar. Os oficiais foram os únicos que tiveram que sondar o risco de um ataque russo, e não estavam à vontade naquela manhã. "Vamos esperar que os canhões fiquem quietos hoje", observou um deles durante uma pausa para fumar.

A viagem para Shumy tinha sido marcada para o período da tarde. Não era um lugar fácil de chegar. Na maior parte do caminho, caminhões blindados nos levaram, passando por velhos casebres que pareciam inabitáveis, mas onde havia lenha recentemente empilhada do lado de fora. Zelensky viajou próximo à frente do comboio, usando colete à prova de bala. Khomchak, no banco do carona, seguia em outro veículo, e eu fiquei espremido no banco atrás dele. Agindo como se esperava, o general fixou o olhar à frente, na estrada, e deu respostas breves às minhas perguntas: "Estamos em guerra com os russos desde 2014. Já nos acostumamos. Estamos preparados." As batalhas recentes eram previstas, disse-me Khomchak, e eles não tinham nenhuma explicação lógica além do comportamento traiçoeiro, característico do inimigo.

A viagem demorou mais de meia hora e no trecho final percorremos estradas rurais, desviando para evitar os buracos. Os carros à nossa frente pararam no meio do nada. Não era possível dirigir até aonde pretendíamos chegar. Quando saímos, Khomchak indicou uma trilha estreita pelos campos, e seguimos em fila única. Atrás de Zelensky, e logo à minha frente, um dos guardas carregava uma enorme espingarda de assalto, com as caixas de munição chacoalhando no cinto a cada passo. A arma era impressionante, mas não seria a nossa salvação em caso de emboscada. Estávamos em campo aberto agora, caminhando pela grama seca e por arbustos desfolhados. Menos de 1,5 quilômetro a leste, ficava o limite de Horlivka, uma cidade ucraniana que os russos haviam ocupado e defendido intensamente durante anos. O senhor da guerra que a Rússia designou para governar a cidade no início do conflito era um sociopata apelidado de Demônio, mais conhecido por autorizar execuções sumárias e se vangloriar delas nas redes sociais.[9] Um observador russo em Horlivka só precisaria de um par de binóculos para nos avistar naquele campo, um perfeito colarzinho de margaridas, composto de alvos de alto valor: o presidente, o chefe de gabinete, o general supremo e, caminhando em direção à retaguarda, um homem com um bloco de anotações e um casaco preto por baixo do colete à prova de bala.

Estávamos nos aproximando da aldeia quando Khomchak parou no meio do caminho. As posições russas estavam à nossa direita, disse ele, do outro lado de alguns cabos de energia caídos. Os franco-atiradores que mataram o sargento Barnych e seus camaradas fizeram pontaria baseados na estação de bombeamento, logo adiante. O general parou para deixar o presidente absorver a cena. Em seguida, sugeriu que voltássemos para os carros blindados. Zelensky ficou em dúvida. "Nossos homens estão lá, certo?", perguntou a Khomchak. "Eles vão saber que eu vim até aqui e não fui vê-los. Vão ficar aborrecidos." Talvez o general não tivesse deixado claro que franco-atiradores russos poderiam estar atuando na área. Talvez não tivesse descrito em detalhes a natureza das minas que haviam caído naqueles campos. Mas era mais provável que Zelensky compreendesse os riscos quando continuou a caminhar pela vegetação rasteira. Khomchak, assim como o resto do grupo, tinha pouca escolha a não ser acompanhar.

O caminho levava a uma clareira onde as tropas haviam montado uma base operacional avançada, um alvo próximo e tentador para a artilharia russa, e sua sobrevivência parecia milagrosa. Os soldados construíram uma pequena sauna, que aqueciam à noite com pedras retiradas de uma fogueira. Embora nenhuma mulher tivesse servido naquele local, o banheiro externo, de madeira, estava marcado com a letra "H", bem grande e vermelha. Na extremidade leste do acampamento, o sistema de trincheiras formava uma seta apontando diretamente para as posições russas. As tropas colocaram uma placa de madeira na entrada, onde se lia *Vietnã*, uma referência à lama e ao pântano de uma guerra que tinham visto nos filmes. Zelensky abaixou-se para entrar na trincheira, cuja profundidade ultrapassava sua altura e cuja largura era suficiente para passarmos com os ombros esbarrando nas paredes de terra, de cada lado. Quando chove, os soldados nos disseram, a água forma poças no fundo e transforma as trincheiras em banheiras de lama. No ponto mais avançado dos abrigos, Zelensky pediu para falar em particular com alguns soldados. Eles ficaram surpresos e um pouco espantados, mas mantiveram a compostura, respondendo às suas sérias perguntas sobre o que tinham visto. Depois que saiu da trincheira, o presidente e Khomchak se dirigiram ao local onde o sargento Barnych tinha sido baleado. Com o inverno tão próximo, nada crescia no solo. Havia somente juncos secos e arbustos espetados para fora da terra.

"Então, isto é Shumy", disse o general. Vinte anos atrás, a população era de cerca de cem pessoas. Quase todos fugiram ou morreram enquanto as linhas de frente se deslocavam durante a guerra. Todas as casas de tijolos tinham sido bombardeadas e transformadas em escombros, e grafites feitos por soldados marcavam as poucas paredes que ainda estavam de pé. Uma inscrição dizia, em inglês, "Welcome to Ragnarok", o termo nórdico antigo usado para denominar um apocalipse mítico. A única moradora que impedia a aldeia de se tornar uma cidade-fantasma era uma mulher idosa. Seu filho

Zelensky com sua mãe, Rymma, engenheira de formação, que mimava o filho único com muito mais frequência do que o castigava. *(Gabinete do presidente)*

Zelensky com sua turma da quinta série, na Escola nº 95, em Kryvyi Rih, cidade que ele mais tarde chamaria de "meu grande coração, minha grande alma". Posteriormente, ele e vários colegas de turma, incluindo Denys Manzhosov, sentado à direita de Zelensky, atribuiriam à sua trupe de comédia o nome do bairro onde a escola se situava, Kvartal 95, ou Distrito 95, um lembrete para que todos jamais esquecessem suas raízes. *(Cortesia de Denys Manzhosov)*

Na juventude, na década de 1990, Zelensky e sua equipe se destacavam nas ruas de Kryvyi Rih, muitas vezes usando gravatas e blazers, uma reminiscência da banda The Beatles e de outros ídolos dos primórdios do rock and roll. *(Cortesia de Denys Manzhosov)*

Filipeta de uma apresentação da trupe de comédia de Zelensky, logo após ter sido formada, no final da década de 1990. Comediante e dançarino talentoso, Zelensky costumava usar calças de couro justas durante suas apresentações à época. *(Cortesia de Denys Manzhosov)*

Nos bastidores, Zelensky observa a estreia de seu show de variedades, em Kiev, em março de 2019, em plena campanha presidencial, ao lado de amigos de longa data e parceiros no show business, Serhiy Shefir (à esquerda) e Oleksandr Pikalov. *(Anastasia Taylor-Lind)*

Combinando comédia tipo pastelão, esquetes, números musicais e stand-up, as apresentações de Zelensky desafiam qualquer comparação simplista com estilos contemporâneos de comédia no Ocidente. Sob muitos aspectos, aproximam-se mais dos exuberantes espetáculos de vaudeville popularizados nos EUA no início do século XX. *(Anastasia Taylor-Lind)*

Na primeira reunião entre os dois chefes de Estado, realizada em Paris em dezembro de 2019, Vladimir Putin demonstrou frieza e irritabilidade ao confrontar Zelensky com uma ladainha de mágoas históricas. Os mediadores europeus — a chanceler Angela Merkel, da Alemanha, e o presidente Emmanuel Macron, da França — nada puderam fazer para superar o impasse. *(Charles Platiau, AFP via Getty Images)*

Em setembro de 2019, Zelensky encontrou-se com Donald Trump, em Nova York, nas coxias da Assembleia Geral da ONU, dias depois de o mundo tomar conhecimento das tentativas de Trump de pressionar Zelensky visando obter favores políticos. Os encontros com Trump enfraqueceram a fé que Zelensky depositava nas alianças da Ucrânia. "Não confio em ninguém", disse ele, em meio ao escândalo do impeachment. *(Saul Loeb, AFP via Getty Imagens)*

A primeira-dama, Olena Zelenska, posa no interior do complexo presidencial, na rua Bankova, ao lado de um de seus guarda-costas. "A gente absorve o que se passa", disse ela, referindo-se à guerra. "Cada um de nós, inclusive eu, sente que nosso estado psicológico não está normal." Poucos meses após o início da invasão, ela disse: "Nenhum de nós está bem." *(Maxim Dondyuk)*

Na tentativa de dominar a Ucrânia, Putin pretendia instalar em Kiev seu amigo e aliado mais próximo, o abastado político Viktor Medvedchuk, no lugar de Zelensky. No entanto, durante a invasão russa, Medvedchuk foi detido pelo serviço de segurança ucraniano, forçado a posar algemado para esta foto, e mais tarde enviado para a Rússia em troca de prisioneiros. *(À esquerda: Vyacheslav Prokofyev, Tass via AP; à direita: Serviço de Segurança da Ucrânia, via Getty Images)*

Durante a primeira viagem na companhia do autor deste livro à zona de guerra, em abril de 2021, Zelensky visitou o local de uma batalha nas proximidades do vilarejo de Shumy, na linha de frente, no leste da Ucrânia. Dezenas de milhares de soldados russos já haviam sido destacados para aquele local da fronteira e estavam prontos para a invasão. Mas Zelensky continuou a minimizar a ameaça de uma invasão até a véspera do ataque. *(Gabinete do presidente)*

Em julho de 2021, Zelensky nomeou um novo comandante das forças armadas ucranianas, o general Valery Zaluzhny, que lideraria a defesa do país durante a invasão sofrida no inverno seguinte. Disputas a respeito de estratégias e boatos sobre as ambições políticas do general aprofundariam, mais tarde, o distanciamento entre ele e o presidente. *(Valentyna Polishchuk, Global Images Ukraine via Getty Images)*

A invasão começou na manhã de 24 de fevereiro de 2022, com uma série de mísseis russos lançados contra cidades e vilarejos por toda a Ucrânia, atingindo muitas áreas residenciais e forçando civis a fugir ou a procurar abrigo em porões, bunkers e galerias do metrô. Muitos foram mortos enquanto tentavam escapar. *(Maxim Dondyuk)*

À medida que os russos se aproximavam de Kiev, Zelensky apelou à resistência em massa, enquanto as autoridades distribuíam armas aos cidadãos comuns. Milhares ofereceram-se como voluntários para vigiar postos de controle e enfrentar os russos em combate, muitas vezes desarmados e com pouco treinamento. *(Maxim Dondyuk)*

Nos primeiros dias da invasão, satélites comerciais detectaram um vasto comboio de veículos militares russos em determinado ponto, estendendo--se por cerca de 60 quilômetros e se deslocando para o sul. Proveniente de Belarus, em direção a Kiev, o objetivo do comboio era cercar a capital. *(Maxar Technologies via Getty Images)*

Por meio de uma série de batalhas e emboscadas, empregando drones de ataque, fogo de artilharia e mísseis portáteis, as forças ucranianas destruíram setores do comboio que avançava. *(Maxim Dondyuk)*

As estradas de acesso a Kiev logo ficaram tomadas por corpos e membros carbonizados de soldados russos e equipamentos militares que precisaram ser removidos pelos ucranianos.
(Maxim Dondyuk)

Quando, no fim de março de 2022, os russos se retiraram das áreas residenciais de Kiev, deixaram para trás evidências de execuções em massa, tortura e outras atrocidades em vilarejos como Bucha, visitado pelo presidente em 4 de abril de 2022. Por muito tempo, Zelensky se lembraria desse dia como o mais doloroso daquele ano trágico. *(Ronaldo Schemidt, AFP via Getty Images)*

Embora muitos líderes europeus optassem por se manter distantes da guerra na Ucrânia e resguardar relações com a Rússia, Zelensky conseguiu atraí-los para o seu lado. Vários deles embarcaram em um trem, a fim de visitá-lo, em Kiev, em junho de 2022, inclusive, da esquerda para a direita, atrás de Zelensky, o presidente romeno, Klaus Iohannis, o presidente francês, Emmanuel Macron, o chanceler alemão, Olaf Scholz, e o primeiro-ministro italiano, Mario Draghi. *(Maxim Dondyuk)*

Nas suas frequentes viagens à zona de guerra, Zelensky reunia-se com altos funcionários e com a cúpula militar em postos de comando subterrâneos como o desta foto. Acessado através de uma porta de metal maciço, o bunker ficava camuflado embaixo de uma fábrica próxima à frente sul. *(Maxim Dondyuk)*

Durante a segunda visita que realizaram juntos à zona de guerra, o presidente Zelensky e o autor deste livro viajaram de trem até a cidade de Kherson, na linha de frente, dois dias depois que o local foi retomado dos russos, em novembro de 2022. *(Maxim Dondyuk)*

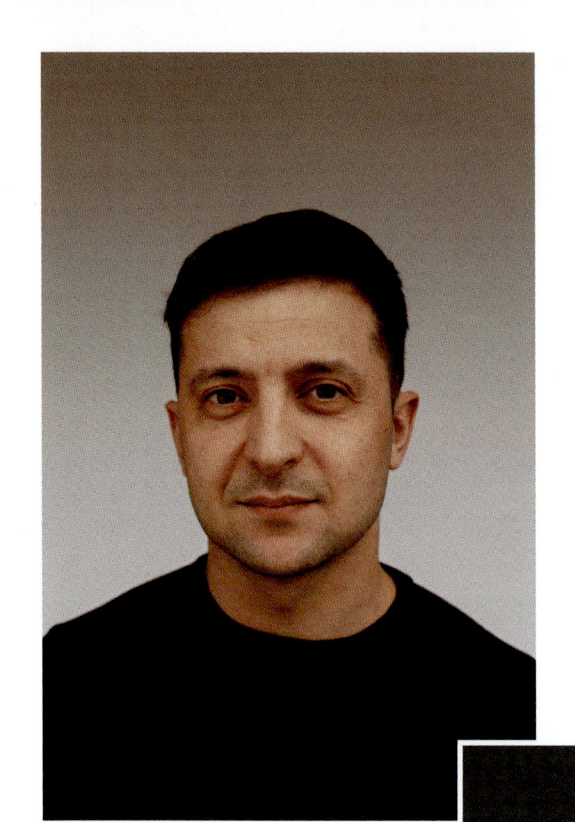

Zelensky na primavera de 2019, dois meses antes de assumir a presidência...

... e na primavera de 2022, dois meses após a invasão russa. *(Acima: Anastasia Taylor-Lind; abaixo: Alexandre Chekmenev)*

“Envelheci”, disse ele no dia em que a segunda foto foi tirada. “Envelheci por conta de toda essa sabedoria que jamais almejei. É uma sabedoria atrelada ao número de pessoas que morreram e à tortura perpetrada pelos soldados russos... Sinceramente, nunca pretendi obter esse tipo de sabedoria.”

havia combatido do lado russo. "Pelos separatistas?", perguntou Zelensky, incrédulo. O general assentiu.

Shumy, esclareceu ele, fica numa depressão, "na palma da mão do inimigo". Não há como preservá-la sem sofrer perdas, e não há como avançar "nem mesmo um centímetro" daquele ponto em qualquer direção. Tinha sido uma atitude insensata tomar o território, e agora era uma questão dolorosa para os ucranianos. Khomchak dizia a Zelensky enquanto estavam lá, olhando ao redor: "Este lugar vale a vida de tantos homens?" Apenas naquela manhã, outro ucraniano fora morto no front, elevando o número de baixas para 26 soldados no primeiro trimestre de 2021. Um deles tinha tropeçado no fio de uma das minas russas e morreu na explosão.

Mas Zelensky não prometeu se vingar. Em vez disso, a exemplo de Khomchak, ele questionou se era razoável enviar homens para morrerem naqueles esconderijos enlameados. A decisão de tomar o território ao redor de Shumy tinha sido um erro de seu antecessor. "Eles avançaram somente para mostrar que eram capazes de fazer isso", disse Zelensky. "Para alguns, isso significava que éramos durões. Para outros significava que seus filhos não voltariam para casa." Zelensky não tinha intenção de fazer tais negociações novamente. Os riscos eram muito grandes, e ele não estava inclinado a testar suas próprias habilidades de comandante de guerra. "Neste instante", disse ele, "não posso entender por que lutamos por este campo vazio."

Ao longe, um cão começou a latir. Khomchak disse que era hora de ir embora, e partimos em direção à base militar na cidade de Avdiivka, onde passaríamos a noite, a poucos quilômetros das posições. Num quadro de avisos perto da entrada da base, as tropas haviam afixado retratos do sargento Barnych e dos homens que morreram com ele. Zelensky inclinou-se para ver o rosto na foto e ler os detalhes da biografia. A causa da morte foi apresentada clinicamente: "Ferimento de bala perfurante na perna esquerda, incompatível com a vida." Zelensky fez uma careta. *Incompatível com a vida.* Barnych era somente três anos mais velho que o presidente quando foi baleado. Faziam aniversário com duas semanas de diferença.

No dia seguinte, durante o voo de volta para Kiev, fui até a parte dianteira do avião para falar com Zelensky. Sentado à mesa, coberta com uma toalha branca engomada, de costas para a cabine do piloto, bebia café e olhava para os campos e nuvens abaixo de nós. Parecia bem-humorado, não muito preocupado com o agravamento da situação na frente de batalha. Naquela manhã, depois que acordamos perto da guarnição, o presidente apareceu no refeitório para tomar café, vestido com traje esportivo, logo após ter feito uma corrida na zona de guerra. Suas faces ainda mostravam um rubor saudável assim que me sentei à sua frente e pedi um café à comissária de bordo. Tínhamos passado dois dias em Donbas, e não ficou claro qual era o pensamento do presidente sobre os ataques recentes dos franco-atiradores, dos morteiros, das tropas russas distribuídas na fronteira. Por que o Kremlin queria agravar a situação? Qual era o objetivo de Putin? Por que agora?

Zelensky discordou da premissa da pergunta. "Você diz que é Putin, que são os russos", disse-me ele. "Em Donbas, é muito difícil dizer onde os combatentes são russos, onde são separatistas e onde são outra coisa." Ele se lembrou de uma história que alguns soldados lhe contaram logo cedo, naquele dia. Houve um tiroteio em 2020, antes do mais recente cessar-fogo entrar em vigor. O inimigo atacava com artilharia e fogo pesado, tentando repelir os soldados de suas posições. "Era difícil", disse Zelensky, "era horrível, a sujeira, o tiroteio. Nossos homens estavam morrendo, os deles também." Em dado momento, quando as armas silenciaram, os soldados ucranianos encontraram os corpos de alguns homens que tinham matado. Revistaram-nos em busca de pertences e acharam no bolso de um combatente russo documentos recentes de liberdade condicional. "Ele tinha sido libertado da prisão", disse-me Zelensky, arregalando os olhos. "Então havia condenados lutando nesta guerra. Eles não têm nada a perder. Aonde mais podem ir? Recebem ordens de lutar, e é isso que fazem. Quem são eles? Cidadãos de que país? Não se sabe."

O presidente dava a entender que sentia pena, e suas palavras pareciam as de um advogado de defesa, não do líder do país que esses soldados enfrentavam. Quando o avião atingiu a altitude de cruzeiro e a zona de guerra desapareceu sob as nuvens, ele tentou me convencer de que o conflito no leste tinha muito mais nuances do que se pensava. Não havia como saber com certeza quem estava lutando do lado russo, sugeriu ele, e quais seriam os motivos.

Num sentido restrito, ele estava certo. Fazia tempo que a Rússia utilizava criminosos para levar adiante a guerra no leste da Ucrânia. A força mercenária conhecida como Grupo Wagner, liderada por um dos tenentes de Putin, mais tarde iniciaria uma campanha de recrutamento amplamente divulgada no interior das prisões russas, oferecendo clemência a assassinos e estupradores em troca do serviço militar na Ucrânia. Tais combatentes tinham se envolvido na guerra desde os primeiros dias. A primeira unidade russa a assumir o controle de cidades em Donbas, na primavera de 2014, era composta, em parte, por antigos condenados e fugitivos da lei russa. Certa vez conheci o combatente mais famoso daquela unidade. Ele usava o apelido de Babay, que significa "bicho-papão" em russo, e me disse que enfrentou acusações no sul da Rússia por ameaçar esfaquear alguém. No intento de escapar do tempo de detenção, ofereceu-se para integrar uma unidade de contraventores russos que participaram da ocupação da Crimeia naquela primavera. Quando nos conhecemos, alguns meses depois, sua equipe formada por uma dúzia de combatentes, aproximadamente, tinha acabado de tomar a cidade ucraniana de Kramatorsk. Não encontraram resistência armada e, de modo geral, a guerra parecia tranquila, enquanto circulavam numa velha caminhonete cujo para-lama exibia os dizeres: *Milícia Popular de Donbas*. "Antes da ameaça norte-americana chegar à minha terra natal, eu vim aqui para detê-la", disse Babay. Eventualmente, disse, tomariam Kiev, "e então retornaremos para celebrar". Seus amigos deram uma boa risada diante do comentário. Mas, com aquela péssima aparência, a milícia não andava pela Ucrânia sem supervisão. Babay era um militar russo aposentado. Seu comandante na época, Igor Girkin, era um oficial aposentado dos serviços de inteligência russos. Os dois faziam parte de uma força invasora russa que estava ali mediante o consentimento e apoio do Kremlin. Mesmo que suas fichas criminais e uniformes excedentes do Exército os fizessem parecer mais piratas do que soldados das forças de elite, eles ainda lutavam do lado russo, matando cidadãos ucranianos e apossando-se de território ucraniano. Babay mostrou-me seu passaporte russo. Tinha nascido na Rússia, na cidade de Krasnodar. Cruzou a fronteira para conquistar a Ucrânia. O que importava que ele fosse fugitivo ou condenado? Por esse motivo deixaria de ser um invasor russo? Ele não fazia parte da estratégia de Putin?[10]

"Você me faz perguntas sobre Putin ou a Rússia", disse-me Zelensky no avião. "Não estou certo de que precisamos pensar nesses termos." O papel do Kremlin nos ataques recentes nas imediações de Shumy e em outros lugares em Donbas era uma questão em aberto para Zelensky. Ele estava disposto a dar uma chance a Putin ou, pelo menos, a considerar a possibilidade de que o bombardeio e o ataque de franco-atiradores nas linhas de frente não tivessem sido sancionados em Moscou. E quanto aos soldados russos reunidos na fronteira oriental? Faziam parte de um contingente de presidiários? Desgraçados que foram libertados dos pátios dos presídios e que receberam as chaves de uma artilharia motorizada?

"Ok, as tropas na fronteira", disse Zelensky. "Estão fazendo exercícios. Essa é a versão oficial." Na verdade, a versão oficial do Kremlin era que seus soldados não constituíam uma ameaça para a Ucrânia e sua presença na fronteira fazia parte de um programa de exercícios militares. "Isso acontece todos os anos", me lembrou Zelensky. Talvez os russos estivessem exagerando dessa vez. Tinham estacionado seus caças e equipamentos militares no território de Belarus, ao norte de Kiev. Mas a prática ainda se encaixava no padrão estabelecido de postura e arrogância russas. "Eles querem nos amedrontar", disse Zelensky. "Querem que o Ocidente tenha medo do poder da Rússia. Não há grande mistério aqui." Ninguém saberia dizer o que Putin estava pensando, e Zelensky concordava que a Rússia poderia ter intenções mais agressivas dessa vez. "Poderia haver um plano militar mais amplo", disse-me ele. "Claro, sim, talvez." Mas ele não se convencera de que as manobras da Rússia fossem mais que um blefe. "Eu simplesmente não acho que a decisão deles seja tão primitiva: 'Vamos atacar!' Claro que não", disse-me o presidente. "Eles jogam de diversas maneiras."

Nesse ínterim, pelo menos, Zelensky acreditava que ainda seria possível salvar o cessar-fogo e continuar trabalhando pela paz com a Rússia. Talvez estivesse certo. Depois da visita a Shumy, teria enorme satisfação em dizer àqueles jovens nas trincheiras que arrumassem seus pertences e fossem para casa reencontrar suas famílias. Mas compreendeu que qualquer retirada levaria os russos a tentar a mesma manobra em outro lugar, ceifando mais vidas e reivindicando mais território. Daria aos seus opositores políticos uma nova desculpa para alegarem que o presidente não era capaz de lidar com a guerra. Poroshenko o chamaria de covarde, forçado a recuar depois de alguns disparos de rifle de um franco-atirador russo. Tais ataques no Parlamento e nos programas de entrevistas na TV preocupavam Zelensky quase tanto quanto o risco de uma invasão russa. Os inimigos da Ucrânia, disse ele, "estão trabalhando em várias frentes, utilizando informação, desinformação e as Forças Armadas".

A comissária de bordo recolheu nossas xícaras de café e o piloto começou a descer. Pelo menos, a nossa viagem fez com que o risco de guerra parecesse menos abstrato para ambos. Tínhamos visto os soldados nas trincheiras e partilhamos algumas refeições com eles. Mas a ameaça da propaganda russa ainda parecia mais imediata para Zelensky, que continuava a destacar o fato de que os representantes políticos da Rússia estavam "destruindo o espaço de informação da Ucrânia". A decisão, em fevereiro, de suprimir os canais de televisão de Viktor Medvedchuk havia estabilizado a posição do presidente nas pesquisas. Algumas mostravam que sua popularidade aumentou alguns pontos percentuais.[11] Quando o avião pousou, Zelensky retornou às batalhas políticas da capital, onde planejava seu próprio avanço.[12]

Poucos dias depois que voltamos de Donbas, fui ver Viktor Medvedchuk em seu escritório em Kiev. Levei um tempo para encontrar o lugar em meio às vielas do centro da cidade. O endereço indicava um antigo prédio de apartamentos perto do final de uma ladeira íngreme, sem sinal externo de sua natureza política. Atrás da porta sem identificação, um punhado de guardas armados olhou para mim em silêncio. Um deles começou a revistar minha bolsa, perguntando se continha faca ou "qualquer objeto cortante". Medvedchuk, vestido com um terno azul ajustado, parecia ainda mais artificial em pessoa do que na televisão; sua pele estava esticada e o rosto esculpido como se ele também tivesse aproveitado as câmaras criogênicas de Putin na vila do lago Valdai. Ao entrar na sala de conferências para me encontrar, ele se aproximou de um termostato e perguntou: "A temperatura está boa para você?"

Era a segunda quinzena de abril de 2021. Seus canais de televisão estavam fora do ar havia mais de um mês, e dezenas de milhares de soldados russos já se concentravam perto da fronteira da Ucrânia. Um ano depois, quando a invasão estaria em seu segundo mês, o Kremlin confirmaria que a decisão de atacar estava relacionada a Medvedchuk e seu partido. "Se as ideias dele e de seu partido tivessem sido levadas em consideração na época, e tivessem formado a base das políticas estatais da Ucrânia, então não teria havido operação militar", disse o porta-voz de Putin, Dmitry Peskov, aos repórteres em abril de 2022.

Mas tal conexão ainda não estava clara quando Medvedchuk concordou em se encontrar comigo. A chance de uma invasão parecia remota. Mesmo Medvedchuk tendia a acreditar que seu amigo no Kremlin estava usando soldados como um meio de extorsão. "Talvez essa demonstração de força tenha um objetivo diferente", sugeriu. A verdadeira intenção dele pode ser forçar Zelensky a retornar à mesa de negociações, e lembrar-lhe quais seriam as consequências se ele se recusasse. "O caminho do agravamento é puro suicídio para Zelensky. Puro suicídio", disse Medvedchuk. Ninguém poderia dizer ao certo se Putin estava blefando, e se Zelensky visse a menor chance de uma invasão russa, "mesmo a chance de 1%, então precisaria fazer todo o possível para manter seu país e seus cidadãos em segurança. Mas ele não vai fazer isso".

Inclinando-se para a frente, Medvedchuk verificou se havia marcas de sujeira no tampo da mesa antes de apoiar os cotovelos. Então começou a descrever a decepção que tivera com Zelensky. No início, suas opiniões não pareciam tão distantes. Ambos queriam realizar eleições em Donbas de acordo com as leis da Ucrânia. Ambos queriam que as regiões separatistas escolhessem líderes que o mundo reconhecesse. Ambos acreditavam que poderiam ganhar o apoio dos cidadãos em tais regiões. Em potencial, era um grupo valioso de eleitores para ambos. "Na minha condição de político", disse Medvedchuk, "quero resgatar aquela gente. Nosso partido as quer de volta para que nos apoiem." A matemática política parecia convincente. No verão de 2019, seu partido ganhou quase 1,9 milhão de votos em todo o país, o suficiente para se tornar a segunda maior bancada do Parlamento ucraniano. Se todos em Donbas, incluindo as 3,5 milhões de pessoas que vivem sob ocupação russa, tivessem autorização para participar das próximas eleições, Medvedchuk acreditava que o eleitorado de seu partido dobraria de tamanho. Seriam necessários assentos suficientes para moldar a agenda do Parlamento e, no decorrer do tempo, conquistar o poder através das urnas.

Quando Zelensky assumiu o cargo, prometeu deixar essas pessoas votarem, acreditando que poderia obter apoio. Mas logo percebeu que não havia como se aproximar delas. Tinham sofrido lavagem cerebral durante anos de propaganda russa, disse ele. Em vez de realizar eleições em Donbas, Zelensky tentou ir atrás da fonte da propaganda russa na Ucrânia – os canais de televisão que Medvedchuk usou para espalhar a mensagem do Kremlin. A resposta de Putin não surpreendeu Medvedchuk. "Quando fecham os canais de TV que as pessoas de língua russa assistem, quando perseguem o partido em que essas pessoas votaram, isso afeta toda a população de língua russa", disse ele. "E Putin prometeu protegê-los."

Foi por isso que ele enviou exércitos para a fronteira? Para proteger Medvedchuk e seus canais de televisão? "Meus bens pessoais não, ninguém se importa", disse ele. "Mas o partido, os canais de TV, sim. Milhões de cidadãos votaram em nós. Somos o partido que representa a população de língua russa da Ucrânia." Sem seus próprios canais de TV, o partido não tinha chance na arena política. Seus índices de aprovação entraram em declínio logo depois que eles foram retirados do ar. "Isso é repressão política", disse Medvedchuk. "Todas as minhas contas bancárias estão congeladas. Não consigo gerenciar meus ativos. Nem posso pagar minhas contas de água e energia."

Era o começo dos seus problemas. Algumas semanas depois de nossa entrevista, as autoridades ucranianas emitiram um mandado de prisão para Medvedchuk. Os promotores o acusaram de utilizar os lucros do comércio de petróleo para financiar separatistas em Donbas, e o acusaram de traição e financiamento do terrorismo. Um tribunal ordenou que ele permanecesse em prisão domiciliar até o julgamento, sem acesso às ondas de rádio e proibido de assistir às sessões do Parlamento. Para cumprir a ordem, Medvedchuk foi equipado com tornozeleira eletrônica e montaram guarda permanente do lado de fora de sua casa. Sua filha Daria, afilhada de Putin, permaneceu com os avós em Kiev, cercada de seguranças particulares.

Os aliados de Medvedchuk no Parlamento ficaram indignados e alertaram Zelensky sobre as consequências. "A Rússia obterá a influência que deseja, seja por meios pacíficos, seja pela força", disse Oleh Voloshyn, um proeminente parlamentar do partido de Medvedchuk. "Não existe terceira opção." Mas os Estados Unidos continuavam a apoiar a repressão contra eles. Quando Voloshyn visitou os Estados Unidos naquele verão, dois agentes do FBI se aproximaram dele no Aeroporto Internacional de Dulles e pediram para lhe falar em particular, longe da esposa e do filho, que estavam viajando com ele. Voloshyn passou as três horas seguintes respondendo a perguntas dos agentes, depois de permitir que pesquisassem dados de seu telefone celular. "Entenda que há falcões ao redor de Putin que querem essa crise", disse-me depois. "Estão prontos para invadir. Aproximam-se dele e dizem: 'Cadê o Medvedchuk? Onde ele está agora? Onde está a sua solução pacífica? Em prisão domiciliar? Devemos esperar até que todas as forças pró-russas sejam presas?'"

Três dias depois que Medvedchuk foi acusado de traição, Putin deu sua resposta durante uma reunião virtual com o Conselho de Segurança nacional. Pediu aos membros, incluindo os chefes de espionagem da Rússia e o ministro da Defesa, que preparassem uma resposta ao ataque legal aos aliados da Rússia na Ucrânia. O governo em Kiev estava tentando "limpar o campo político", disse Putin. O objetivo final era transformar a Ucrânia "na antítese da Rússia, uma espécie de anti-Rússia", que serviria como uma ameaça permanente à segurança nacional russa. "Precisamos reagir", disse ele, "tendo em vista essas ameaças."

Mas, naquele momento, Putin não tinha decidido atacar. Seu objetivo imediato, como Medvedchuk sugeriu, era se valer de ameaças para extrair concessões – não apenas da Ucrânia, mas, principalmente, de seus aliados. Durante a primavera de 2021, enquanto soldados russos estavam na fronteira com a Ucrânia, fontes de inteligência e satélites dos Estados Unidos monitoravam o número de combatentes e antecipavam suas intenções. A Casa Branca entendeu que a situação era alarmante e que o presidente Biden não deveria se envolver. Em meados de abril, Biden telefonou para Putin a fim de propor a primeira cúpula presidencial, apresentando uma agenda que iria muito além do impasse com a Ucrânia. Biden queria discutir a guerra cibernética e o controle de armas nucleares, assim como questões mais amplas de segurança europeia. A lista incluía muitas ameaças e queixas que

Putin vinha fazendo no decorrer de anos, e tudo indicava que ele ansiava pela chance de discuti-las com seu colega norte-americano.

No intuito de preparar o caminho para a conferência, as Forças Armadas russas reduziram suas manobras na proximidade da fronteira ucraniana e enviaram as tropas de volta às bases no início de maio. Muitos de seus tanques e outros equipamentos militares permaneceram no local, sinalizando que a Rússia poderia retomar o impasse em curto prazo, se quisesse. Putin também deixou claro que se dirigia diretamente aos ucranianos. Recusou o convite de Zelensky para se encontrarem em Donbas naquela primavera. As ofertas de Zelensky para realizar um encontro em Viena, Jerusalém ou no Vaticano também foram rejeitadas, e os negociadores do Kremlin recusaram-se a se comprometer novamente, por escrito, com um cessar-fogo em Donbas. Eram negociações que estavam fora de questão.

Agora, Putin queria ouvir os norte-americanos, que se mostravam dispostos a oferecer concessões significativas a Moscou. Em meados de maio, o governo de Biden suspendeu as sanções contra um gasoduto russo para a Alemanha, o Nord Stream 2, ao qual a Ucrânia e os Estados Unidos havia muito se opunham. Um mês depois, os presidentes das duas maiores potências nucleares do mundo se reuniram numa casa de campo às margens do lago de Genebra. Depois de quase duas horas de conversas, o abismo entre eles se manteve tão profundo que Putin se recusou a participar de uma coletiva de imprensa com Biden. Eles nem sequer conseguiram chegar a um acordo sobre os termos de uma troca de prisioneiros entre os Estados Unidos e a Rússia, muito menos sobre uma arquitetura de segurança europeia que pudesse aliviar os temores de Putin sobre o cerco da Otan. "Ele ainda está preocupado achando que nós, de fato, pretendemos derrubá-lo", disse Biden após a reunião.

Sem dúvida, a intensidade do medo e do ressentimento de Putin em relação ao Ocidente ficou óbvia um mês depois, quando ele publicou um longo ensaio sobre as relações russas com a Ucrânia ou, como colocou no título do texto, a "unidade histórica" dessas duas nações. Baseando-se numa mistura de clichês produzidos por escritores nacionalistas e imperialistas russos que Putin aparentemente estava lendo e relendo em seu isolamento, ele descreveu Kiev como a mãe de todas as cidades russas que, em conluio, foram corrompidas e atraídas pelo Ocidente. Desenvolveu longamente sua ideia de que a Ucrânia é "anti-Rússia", não realmente um país, sugeriu ele, mas um instrumento, uma plataforma de onde o Ocidente pretendia enfraquecer e destruir o Estado russo. Essa trama persistiria, escreveu ele, independentemente de quem chegasse ao poder em Kiev. "Os autores ocidentais do projeto anti-Rússia criaram o sistema político ucraniano de tal forma que presidentes, membros do Parlamento e ministros possam mudar, mas a atitude de separação e inimizade com a Rússia permanece."

As fracassadas negociações de paz com Zelensky serviram como prova dessa teoria na mente de Putin. "Alcançar a paz foi o principal slogan eleitoral do presidente em exercício", escreveu sobre Zelensky. "Ele chegou ao poder desse modo. As promessas acabaram se tornando mentiras. Nada mudou." Putin tinha desistido do plano de Medvedchuk para refazer a Ucrânia através da televisão, corrupção e política. Se a Rússia pretendia restaurar sua "unidade histórica" com a Ucrânia, precisaria utilizar outros meios.

15. Atirar para matar

No último verão antes da invasão, o presidente Zelensky decidiu que as Forças Armadas da Ucrânia, e não os seus negociadores, precisavam desempenhar um papel mais preponderante no combate à ameaça russa, e nomeou um novo comandante para dar impulso a esse objetivo dentro das Forças Armadas. A decisão surpreendeu a maioria dos integrantes do alto escalão, bem como o homem selecionado para o trabalho. O general de brigada Valery Zaluzhny ainda tinha 40 anos quando atendeu à chamada da rua Bankova na manhã de 23 de julho de 2021. Sua posição e seu status na época estavam muito abaixo do cargo que Zelensky lhe ofereceu: comandante em chefe das Forças Armadas da Ucrânia, o principal título militar do país, superado apenas pelo próprio presidente. A altura daquele posto, disse-me o general de brigada, provocou-lhe a sensação de vertigem. "Várias vezes olhei para trás e me perguntei como havia me metido naquela história."[1]

Nenhuma outra decisão de Zelensky e, certamente, nenhuma no departamento pessoal tiveram impacto maior na defesa da Ucrânia do que a nomeação de Zaluzhny. Na época, a escolha parecia precipitada. Zaluzhny era um comandante ousado e ambicioso, mas também tinha certo jeito de palhaço, mais conhecido por brincar com as tropas do que por disciplina-las. Certa vez, um funcionário havia fotografado o general de uniforme, colhendo margaridas no pátio do Ministério da Defesa e, com um amplo gesto e um beijo, entregando o buquê à esposa, que tinha chegado para visitá-lo.

Tais travessuras fizeram com que ele se destacasse entre os veteranos mais severos do Estado-Maior, quase todos de uma geração anterior que havia progredido nas fileiras das Forças Armadas soviéticas antes de a Ucrânia se tornar independente. A convocação da rua Bankova surpreendeu o general quando ele se preparava para uma pausa havia muito esperada. O aniversário de sua esposa, 24 de julho, sempre fora um grande evento na família, e Zaluzhny tinha programado uma celebração de dois dias naquele fim de semana num restaurante em Brovary, subúrbio de Kiev. Na véspera da festa, recebeu uma ligação do gabinete presidencial, instruindo-o a deixar de lado o que estivesse fazendo e fosse para a rua Bankova. Ele não tinha permissão de seu comandante para deixar a base. Mas pouco depois estaria na presença de Zelensky, nas mesmas salas onde prestara informações ao novo presidente dois anos antes.

Dessa vez, porém, juntaram-se ao presidente o ministro da Defesa e o chefe de gabinete Andriy Yermak. A conversa durou horas, muito mais do que Zaluzhny esperava, e isso deixou-o nervoso. As perguntas do presidente e da equipe tinham pouco a ver com seu trabalho militar ou com seu sonho de comandar as tropas no leste da Ucrânia. Faziam perguntas mais amplas e mais ambiciosas, mencionando aspectos de liderança e confiança. Quando finalmente terminaram, o presidente e seus assessores apertaram a mão do general e disseram-lhe que retornasse no dia seguinte. Zaluzhny ficou tenso. Todos os lugares no restaurante tinham sido reservados. Os convidados já se encaminhavam para lá. "Danem-se os convidados", ele se lembra de pensar. "Como vou dizer a ela que está cancelado?" A revolta da esposa, disse-me ele, parecia mais terrível do que qualquer punição que seus chefes políticos poderiam lhe infligir. "Digam-me apenas o que querem", ele se lembrava de ter implorado aos assessores presidenciais, "e vamos resolver isso aqui."

Eles consideraram o pedido por um momento e propuseram o seguinte: a equipe compareceria à festa de aniversário e tudo seria resolvido lá. E, claro, no segundo dia das celebrações, quando Zaluzhny estava de bermuda com um copo de cerveja na mão, veio outra chamada da administração presidencial. Eles já estavam por perto, ansiosos para comunicar uma notícia importante. Com os russos conduzindo tanques para a fronteira e os norte-americanos avisando que a Ucrânia poderia enfrentar um ataque em grande escala, o presidente decidiu nomear Zaluzhny como o principal comandante militar do país.

O general lembra-se de ter perguntado: "Como assim?" Para ele, a sensação festiva tinha evaporado. Quando retornou à festa, parecia que tinha acabado de levar um soco, disse ele, "não apenas abaixo da cintura, mas para nocautear". Não era o aspecto militar da promoção que o assustava. Sua preocupação estava relacionada à reação pública e à atenção da mídia. O presidente estava prestes a demitir o general Khomchak, seu principal comandante militar, no meio de uma ameaça de guerra. Como substituto, Zaluzhny saltaria por cima das cabeças de vários comandantes seus, ganhando, em potencial, inimigos dentro do Estado-Maior. "Muitas pessoas vão se escandalizar diante disso", disse Zaluzhny. "E isso vai ser difícil para mim e para minha esposa." Mas era a vontade de Zelensky, e ele queria agir depressa.

Como de costume, ele confiava em seu instinto quando se tratava de decisões de contratação, mais do que dava ouvidos aos conselhos e análises calculadas de seus assessores. A principal diferença, nesse caso, era o peso da responsabilidade que Zaluzhny precisaria suportar. Não era o mesmo que nomear o presidente do Banco Central. O novo comandante das Forças Armadas precisaria assumir o comando num momento crítico da guerra. Ainda que em meio à calmaria das hostilidades durante o verão, o corpo de oficiais na Ucrânia percebia que uma invasão russa poderia começar a qualquer momento. "Eu e meus camaradas logo começamos a nos preparar para a guerra", disse Zaluzhny. "Sabíamos o que precisávamos fazer e estávamos tentando nos consolar com a ideia de que nossos líderes políticos também estavam certos do que devia ser feito. Mas, no íntimo, tínhamos as nossas dúvidas."

Assim que Zaluzhny assumiu o comando, a postura militar da Ucrânia tornou-se mais firme. Em vez de evitar a escalada no caso de um ataque russo, seu objetivo como comandante era em primeiro lugar dissuadir o inimigo de atacar. As tropas ucranianas não só se empenhariam em manter a posição contra os russos. Sempre que possível, começariam a avançar, disse Zaluzhny em seu primeiro discurso depois de assumir o posto. "As Forças Armadas devem se aperfeiçoar, devem melhorar suas táticas." Mais importante ainda, disse, devem "se preparar para ações ofensivas a fim de libertar os territórios ocupados".[2]

Zelensky logo esclareceu que estava de pleno acordo com a nova abordagem do general. Na manhã de 24 de agosto de 2021, o presidente deu aos ucranianos uma demonstração de poder militar como eles jamais tinham visto nas ruas de Kiev desde que ele assumiu o cargo. O arsenal ucraniano de mísseis balísticos, baterias antiaéreas, lançadores de múltiplos foguetes e tanques desfilou pela Praça da Independência naquela manhã para marcar o 30º aniversário da independência da Ucrânia. Soldados dos Estados Unidos, Canadá e vários aliados da Otan participaram da parada. Num palco no meio da praça, Zelensky olhou para o alto e aplaudiu enquanto helicópteros de ataque e caças cruzavam o céu. Na retaguarda do desfile surgiu o Bayraktar TB2, um drone de ataque que a Ucrânia tinha comprado da Turquia; as asas ocupavam quatro faixas de trânsito enquanto o drone seguia pela avenida na carroceria de um caminhão. Os espectadores aplaudiam. O clima era festivo, mas a exibição parecia totalmente deslocada da personalidade de Zelensky.

Dois anos antes, na primeira comemoração do Dia da Independência em seu mandato, Zelensky tinha feito questão de banir armas pesadas das ruas de Kiev. A tradição dos desfiles militares, disse ele, "é muito pomposa e definitivamente cara demais".[3] Em vez disso, ordenou que um bônus fosse pago aos militares ucranianos naquele ano e, no dia da comemoração, presidiu a "Marcha da Dignidade", com professores e enfermeiros caminhando em formação. Os poucos soldados convidados a participar foram instruídos a caminhar em vez de marchar. Mas no verão de 2021, tudo indicava que os tempos tinham mudado, e o presidente também. "O que é um país poderoso? Um país que sonha com ambição e age de forma decisiva", disse ele do palco. "Este ano, novos tanques e helicópteros com hélices ucranianas estão sendo construídos para o Exército. Um país poderoso está fazendo reviver sua frota naval, bases navais e construindo corvetas. Um país poderoso é um país que adota um programa de mísseis por dez anos."[4]

Apenas quatro meses tinham se passado desde que fizemos a viagem ao front oriental naquela primavera, mas o presidente não era o mesmo. Já não mantinha a esperança de preservar o difícil cessar-fogo com os russos. Os representantes militares da Rússia no leste da Ucrânia violaram a trégua dezenas de vezes naqueles quatro meses, e as negociações de paz com Putin haviam se desfeito. Em agosto, Zelensky e sua equipe concluíram que o Kremlin só responderia à linguagem da força e do poder militar. Então Zelensky decidiu colocar em exibição essa força e esse poder.

"A ideia do desfile foi do presidente", disse-me Yermak. "Ele foi seu ideólogo." Zelensky agora entendia que não poderia proteger a Ucrânia se concordasse em ceder, em fazer concessões. Seu chefe de gabinete expressou tal entendimento da seguinte forma: "Não é preciso construir relacionamentos baseando-se na disposição que um e outro têm de se rebaixar." Mas eles também conheciam os riscos pertinentes a essa abordagem. "Muitas pessoas, e especialmente os russos, eu acho, não viram o desfile com bons olhos", disse Yermak. "Foi uma demonstração de grandeza nacional e a meu ver essa foi uma das razões pelas quais, no final, eles não conseguiram nos perdoar."

A nova liderança militar da Ucrânia logo deu aos russos outro motivo para se preocuparem. Quando o desfile acabou, todos esses armamentos não foram simplesmente enviados de volta às bases e estocados; o general Zaluzhny tinha planos de usá-los. Logo depois de assumir o posto, ele permitiu que os oficiais em operação militar revidassem "com quaisquer armas disponíveis" se fossem atacados. Não precisariam mais pedir permissão aos comandantes veteranos ou preencher qualquer papelada "desnecessária" para documentar o que haviam feito. "Talvez eu seja criticado por isso", disse Zaluzhny mais tarde, quando discutimos essas decisões. "Mas sim, eu realmente dei as ordens na zona de guerra: atirar para matar", disse-me ele. "Isso também fazia parte do plano, porque precisávamos acabar com a vontade que os russos tinham de atacar. Precisávamos infligir perdas, não só porque queríamos salvar a vida de nossos soldados. Também precisávamos mostrar nossas garras, porque o inimigo não tinha observado os termos de cessar-fogo."

Sob essas novas diretrizes, as forças ucranianas não teriam que hesitar como aconteceu durante a batalha em Shumy e durante outras incursões na linha de frente. Podiam atacar à vontade. "É possível e necessário aniquilar os inimigos", disse Zaluzhny ao fazer um relato a portas fechadas no final de setembro de 2021, quando anunciou essa nova ordem de batalha.[5] No dia seguinte, o presidente Zelensky deu seguimento à medida, com um anúncio que enfureceu os russos. Depois de meses de negociações, ele havia fechado um acordo não apenas para comprar mais drones da Turquia, mas para construir uma fábrica na Ucrânia onde eles seriam feitos. Até então, nenhum membro da Otan tinha aprovado tal acordo com os ucranianos. O inventor do drone – aliás, genro do presidente turco Recep Tayyip Erdoğan – viajou para Kiev para assinar o acordo em 29 de setembro. "Estamos esperando por esse momento há muito tempo", disse Zelensky na cerimônia de assinatura em seu gabinete. "É um passo adiante, grande e real."[6]

Àquela altura, o drone tinha conquistado a reputação de destruidor de tanques. Durante uma breve guerra em 2020, as Forças Armadas do Azerbaijão usaram sua frota de Bayraktars para massacrar em pouco mais de um mês o Exército da Armênia, aliado russo. Embora a Rússia pudesse superar a Ucrânia com outras formas de tecnologia militar, não contava com um armamento análogo ao Bayraktar em seu arsenal. (Muito mais tarde, em plena invasão, Putin precisaria pedir aos iranianos que lhe vendessem drones de ataque.)[7] Zaluzhny era um ávido defensor dessas armas. Apenas algumas semanas antes de assumir o comando das Forças Armadas, a Ucrânia tinha sinalizado que manteria seus Bayraktars armazenados e os usaria apenas para se defender contra um ataque russo "em grande escala". O novo comandante logo modificou tal abordagem. No outono, sob o comando do general Zaluzhny, o Bayraktar fez sua primeira missão de combate, sobrevoando os campos de batalha ao leste da Ucrânia.

Em 26 de outubro de 2021, os separatistas apoiados pela Rússia bombardearam uma posição ucraniana próxima à frente de batalha, matando pelo menos um soldado – o evento mais recente no padrão crescente de violações do cessar-fogo por parte da Rússia. Dessa vez, a Ucrânia enviou um de seus drones Bayraktar e lançou uma bomba de 22 quilos na posição da artilharia russa, destruindo-a.[8] Um vídeo aéreo do drone, divulgado pelas Forças Armadas ucranianas, mostrou vários combatentes correndo e tropeçando nos destroços de seu obus. O Kremlin foi informado. A chegada dos Bayraktars demonstrou a Putin que sua vantagem militar sobre a Ucrânia se desgastaria com o tempo, dando-lhe uma janela finita de oportunidade para lançar um ataque rápido e decisivo. "Infelizmente, nossos medos estão se tornando realidade", disse o porta-voz de Putin em resposta à aparição de Bayraktar no leste da Ucrânia.[9] Para enfatizar a questão, a Força Aérea russa recrutou jatos para defender os simpatizantes separatistas de Moscou naquela área, uma exibição incomum de poder de fogo. Alguns dias depois, quando perguntaram a Zelensky sobre o incidente, ele deixou claro que não era o caso de algum comandante indisciplinado ultrapassando os limites de sua autoridade. "É nesse formato que a Ucrânia continuará a operar", disse o presidente. "Quando sente a necessidade de defender sua terra, o Exército ucraniano o faz. E agirá ainda mais segundo esse princípio."[10]

No início de novembro, poucos dias após a estreia do Bayraktar no leste da Ucrânia, os norte-americanos informaram a Zelensky que a Rússia estava novamente se preparando para invadir. Dessa vez, os alertas foram bastante detalhados, e os mensageiros mais incisivos do que tinham sido na primavera. Os Estados Unidos afirmavam que a invasão começaria em janeiro de 2022, sendo que o índice de probabilidade variava entre 75% e 80%. Isso deu aos ucranianos cerca de dois meses para se preparar.

Os principais conselheiros de segurança de Zelensky logo se viram com a agenda repleta de visitas de diplomatas dos Estados Unidos e oficiais da inteligência. Na sede do Conselho de Segurança e Defesa Nacional, o secretário Oleksiy Danilov oferecia café em seu escritório ensolarado ao mesmo tempo que os ouvia prever o fim da Ucrânia. "Diziam-nos que seríamos conquistados dentro de quatro a cinco dias, e que haveria campos de concentração", disse Danilov. "E toda a liderança política seria eliminada." Certa vez, ele compareceu a um encontro com Kristina Kvien, diplomata veterana da Embaixada dos Estados Unidos em Kiev, que o olhou como se ele fosse um condenado à morte. "Ela teve muita pena de mim", lembrou Danilov. Ele se emocionou, mas também se sentiu ofendido, e tentou de todo jeito convencer os norte-americanos de que a Ucrânia manteria sua posição. Kvien respondeu que Zelensky e sua equipe estavam em perigo mortal. "Nenhum deles acreditou", disse-me ela mais tarde. "Nem mesmo aqueles que na minha presença fingiram acreditar." A resposta habitual da administração de Zelensky, disse ela, era que os russos estavam usando a ameaça da força para obter concessões dos Estados Unidos e aliados. "Disseram que estávamos sendo enganados. Que os russos estavam nos enganando."

Para reforçar seus argumentos, os norte-americanos começaram a compartilhar diversas informações com Zelensky, incluindo telefonemas interceptados e mensagens nas quais os russos pareciam debater planos. Imagens de satélite mostraram exércitos russos inteiros reunidos ao longo da fronteira. Surgiam de toda a Rússia, unindo-se a tropas de elite e formações de tanques despachados das imediações de Moscou. Montavam hospitais de campanha, armazenavam provisões, e até suprimentos de sangue refrigerado. Em reuniões secretas, os norte-americanos também se referiam a uma fonte de alto nível dentro da Rússia. A fonte, disseram eles, tinha fornecido aos Estados Unidos detalhes do plano de Putin para invadir. A identidade desse suposto infiltrado foi mantida em sigilo, mas os oficiais dos Estados Unidos deram algumas pistas.[11] "Lembrem-se de *O cardeal do Kremlin* de Tom Clancy", disse um dos principais conselheiros de política externa de Zelensky ao descrever para mim essa fonte.* "O principal espião. O informante mais graduado. É esse tipo de cara."

Embora não acreditassem no serviço secreto norte-americano, Zelensky e sua equipe não pretendiam descartá-lo imediatamente. "Toda crise traz uma oportunidade", disse o assessor de política externa, intimamente envolvido em conversas com os norte-americanos. Fazia tempo que a Ucrânia vinha tentando obter o apoio do Ocidente contra a Rússia. Se os norte-americanos queriam agora começar a prestar atenção, o lado positivo era óbvio. "A Ucrânia teria mais ajuda", disse ele. "A Ucrânia teria mais assistência."

Para que as negociações fossem em frente, Zelensky enviou seu chefe de gabinete a Washington no início de novembro para entender melhor o que os norte-americanos estavam colocando na mesa. Na Casa Branca, Yermak deveria se encontrar com Jake Sullivan, conselheiro de segurança nacional do presidente Biden. Suas expectativas eram baixas. Alguns anos mais jovem que Yermak, Sullivan era bem-educado, rígido e, pelo que se sabia, não tinha muito interesse na Ucrânia ou na Rússia. Sua prioridade em termos de relações exteriores era a China, seguida por Irã e Afeganistão. (Nas palavras de um diplomata frustrado dos Estados Unidos em Kiev, o Conselho de Segurança Nacional supervisionado por Sullivan "não dava importância à Ucrânia" quando Biden assumiu o cargo.)

---

* No romance, publicado em 1988, como continuação de *A caçada ao Outubro Vermelho*, o analista da CIA Jack Ryan tenta salvar a fonte mais valiosa da agência dentro do Ministério da Defesa soviético, um herói de guerra apelidado de Cardeal, que durante décadas passou informações de inteligência militar e política aos norte-americanos.

"Eu estava preparado para uma conversa bastante seca e difícil, e sabia que era muito importante causar boa impressão", disse-me Yermak. Ele e Sullivan aparentemente se entenderam. Era claro que os norte-americanos queriam ajudar. "Nós falávamos a mesma língua", disse Yermak. Após essa reunião, em 10 de novembro, eles começaram a trocar mensagens de texto e a se falar pelo telefone, abrindo uma linha direta da Casa Branca para a rua Bankova que seria inestimável para Zelensky nos meses que se seguiram. "Podemos dizer qualquer coisa um ao outro", afirmaria Yermak mais tarde sobre Sullivan, durante uma de nossas entrevistas. "Podemos nos falar a qualquer hora do dia ou da noite."

Cerca de uma semana depois, Zelensky enviou outra delegação a Washington para tratar dos detalhes dos suprimentos de armas. A comitiva foi liderada pelo recém-nomeado ministro da Defesa, Oleksiy Reznikov, que estava na função fazia menos de duas semanas. Advogado muito conceituado, tinha sido o principal negociador entre Zelensky e os russos durante anos, e conhecia o conflito em toda a sua extensão. Mas, apesar de ter servido na Força Aérea soviética na década de 1980, na verdade sua experiência militar era limitada. A viagem a Washington foi organizada com tanta pressa que Reznikov não teve tempo de analisar os tipos de armas de que a Ucrânia precisava. "Eu não sabia a diferença entre calibre 155 e 152", admitiu, referindo-se aos diferentes tipos de projéteis de artilharia.

Nas reuniões com o secretário de Defesa dos Estados Unidos, Lloyd Austin, e outros oficiais superiores, Reznikov instou os norte-americanos a não exagerar a ameaça. Putin, disse ele, se convencera de que o povo do leste da Ucrânia simpatizava com a Rússia e saudaria as tropas russas como libertadoras. A ideia de que Putin poderia bombardear Kiev não tinha nexo para Reznikov e outros altos funcionários da equipe de Zelensky. "Eu estava convencido", disse-me o ministro da Defesa, de que Putin "não bombardearia as igrejas ortodoxas russas" na Ucrânia. Quando os norte-americanos mostraram a Reznikov qual era o alcance das tropas russas dispostas ao longo das fronteiras – bem mais de 100 mil naquele ponto, em meados de novembro de 2021 –, o ministro da Defesa não negou que a situação era séria. Mas Putin enviou a mesma força para as fronteiras da Ucrânia na primavera, bem a tempo da Páscoa. "E o que Putin conseguiu?", perguntou Reznikov. "Dois telefonemas com Biden e uma reunião em Genebra." Dessa vez, o motivo mais provável do Kremlin era o mesmo: obter mais concessões dos norte-americanos, mais discussões sobre o futuro da Europa, mais encontros importantes com os líderes do mundo livre. "Como eu disse na ocasião, Putin queria dançar, mas não conosco", explicou Reznikov. "Os que estavam na sua lista para dançar eram a Casa Branca, Paris, Berlim e Londres."

Ainda assim, se os Estados Unidos estavam tão convencidos de uma iminente invasão russa, então o próximo passo parecia óbvio para Reznikov: abarrotar a Ucrânia de armas. Para começar, os militares precisavam de granadas lançadas por foguete que pudessem destruir tanques e derrubar aviões e helicópteros. Citando restrições legais e outras burocracias, os norte-americanos disseram-lhe que não era possível. Mas Reznikov sentiu que havia uma razão mais profunda – ele a chamou de "síndrome afegã". Apenas três meses antes, os Estados Unidos haviam retirado todas as suas forças do Afeganistão após duas décadas de guerra. Trilhões de dólares dos contribuintes dos Estados Unidos foram gastos para armar e treinar os militares afegãos de modo a impedir que o Talibã recuperasse o poder. Assim que os norte-americanos se retiraram, os militares locais entraram em colapso. O ministro da Defesa afegão, o ministro do Interior e o chefe de polícia, todos fugiram da capital quando as forças talibãs tomaram o país. Hamid Karzai, o presidente apoiado pelos Estados Unidos, não apenas fugiu como convidou o Talibã a assumir o controle.

Imagens de combatentes do Talibã passeando pelas bases dos Estados Unidos e equipando-se com armas fornecidas pelos norte-americanos marcaram o fracasso de sua política externa na região. O Departamento de Defesa estimou posteriormente que mais de 7 bilhões de dólares em equipamentos financiados pelos Estados Unidos acabaram nas mãos do Talibã, incluindo grande número de armas, veículos e aeronaves. A administração de Biden não queria arriscar situação semelhante com os russos na Ucrânia. E não eram apenas os norte-americanos, disse Reznikov. "O Ocidente estava convicto de que a Ucrânia perderia a fase inicial da guerra em 72 horas."

No início de dezembro, Joe Biden tentou minimizar a crise por meio de outro telefonema presidencial. Tinha funcionado da última vez, em meados da primavera, quando a perspectiva de uma reunião de cúpula com os norte-americanos incentivou Putin a afastar, temporariamente, suas tropas da fronteira. Biden agora fazia uma nova oferta para ouvir as "preocupações estratégicas" da Rússia sobre a segurança na Europa, abrindo a porta para uma rodada de negociações que pudesse retardar a invasão ou quem sabe impedi-la. Prometeu até discutir o futuro da aliança da Otan, tema que os Estados Unidos sempre preferiram abordar apenas entre os Estados participantes.

A resposta dos diplomatas russos não deixou margem para negociações sérias. Não só exigiram uma garantia por escrito dos Estados Unidos de que a Ucrânia nunca se juntaria à Otan, como também lhes disseram para retirar suas forças militares do leste da Europa, deslocando-se para as posições que detinham antes de Putin tomar o poder. Conforme o principal enviado russo disse, "a Otan precisava fazer as malas e voltar para onde estava em 1997".[12] As exigências eram tão absurdas que os norte-americanos nem sequer fingiam levá-las a sério – rejeitaram a agenda de Putin prontamente. Em vez de organizar outra cúpula presidencial, os Estados Unidos ameaçaram lançar uma série de sanções que isolariam grande parte da economia russa do resto do mundo. "O gradualismo do passado acabou", disse um alto funcionário da administração de Biden. "E desta vez vamos começar no topo da escada rolante e ficar lá."[13]

Naquele inverno, a ameaça de sanções repercutiu na economia global, quando os mercados de ações se ajustaram ao risco representado pela Rússia, o maior exportador mundial de petróleo e o segundo maior exportador de gás natural, ao deflagrar uma guerra catastrófica.[14] O preço do petróleo atingiu o patamar mais elevado em sete anos no período que antecedeu a invasão, forçando Biden a recorrer a reservas estratégicas de combustível para "aliviar o fornecimento de gasolina" aos norte-americanos. A moeda da Ucrânia despencou vertiginosamente quando o capital desapareceu e os investidores se retiraram. Os índices de aprovação do presidente também continuaram a cair, levando seus assessores a se concentrar mais em problemas domésticos.[15] "Os preços da energia, a economia, a inflação, tudo vai piorar", disse-me um deles durante um jantar em Kiev naquela ocasião. "Esses são os riscos imediatos." O risco de uma invasão não constou dessa lista.

Enquanto procurava minimizar a ameaça da Rússia, Zelensky intensificou os ataques aos adversários políticos na Ucrânia. Em dezembro, as autoridades de Kiev apresentaram acusações de traição contra Petro Poroshenko, acusando o ex-presidente de fazer negócios com separatistas de Donbas no início da guerra, em 2014 e 2015. Poroshenko disse que a acusação foi um ato de perseguição política, e quase metade dos ucranianos concordou com ele, de acordo com pesquisa realizada na época.[16] Autoridades dos Estados Unidos também expressaram preocupações sobre o caso, instando Zelensky a não agravar as divisões políticas dentro da Ucrânia quando, fora de suas fronteiras, ele enfrentava uma força russa de mais de 150 mil soldados. Mas ele se recusou a escutar. Quando um repórter perguntou sobre o caso contra Poroshenko, o presidente o acusou, e a outros políticos ricos, de realizar protestos contra o governo pagando pessoas carentes para ir às ruas. "Estamos vendo tudo isso", insistiu Zelensky. "Nosso país não é cego e aos poucos estamos começando a lidar com a situação."[17]

No final de janeiro, os Estados Unidos tomaram medidas para proteger o flanco oriental da Otan em antecipação ao ataque russo, colocando mais de 8,5 mil soldados em alerta máximo no Leste Europeu, preparados para se posicionar ao lado de navios e aviões de guerra. O Departamento de Estado ordenou que funcionários e familiares não essenciais deixassem a Embaixada dos Estados Unidos em Kiev. A maioria dos diplomatas europeus rapidamente seguiu-os.[18] Zelensky sentiu o baque. "Não se trata do Titanic", disse ele aos repórteres.[19] A partir de imagens de satélite, continuou, não é possível dizer o que a Rússia pode fazer com as tropas que cercam a Ucrânia. Algumas de suas barracas, disse o presidente, pareciam estar vazias. "É psicológico", falou sobre os russos. "Estão tentando aumentar a pressão psicológica."

16. A nevasca

Às 9 horas da manhã do dia 12 de fevereiro, um sábado frio e nublado em Kiev, Valery Zaluzhny chamou seus subordinados para uma reunião na sede do Estado-Maior. Eles tinham passado os últimos dias supervisionando um conjunto ambicioso de exercícios militares, conhecidos como Nevasca 2022, realizado em todo o país.[1] Milhares de soldados ucranianos estavam envolvidos nos exercícios, e o desempenho foi decepcionante. Manobras básicas destinadas a simular um ataque russo expuseram falhas profundas nas defesas da Ucrânia e, na opinião de Zaluzhny, os comandantes não conseguiram lidar com o problema. Sua resposta foi atípica: "Passei uma hora gritando." Os homens sentados ao redor da mesa eram mais velhos e mais experientes do que Zaluzhny, e ele não tinha reputação de perder a calma, muito menos na companhia de oficiais veteranos. "Mas daquela vez perdi o controle", disse-me ele. "Eram homens respeitáveis, generais. E expliquei a eles que, se não conseguissem fazer aquilo, as consequências custariam não só nossas vidas, mas também a nossa nação."

Fazendo parte dos exercícios, as Forças Armadas começaram a enviar soldados e armas para fora de suas bases, em excursões pelo país. Dessas excursões faziam parte aeronaves, tanques e veículos blindados, assim como baterias antiaéreas de que a Ucrânia precisaria em breve para defender o espaço aéreo. "Fazíamos com que eles circulassem", afirmou Zaluzhny. No início de fevereiro, havia cerca de 110 mil militares destacados na Ucrânia. Um terço estava estacionado permanentemente nas linhas de frente no leste, onde era provável que a invasão começasse. Mas o restante – cerca de 65 mil soldados no total – recebeu ordens para fazer as malas, deixar as guarnições e começar a realizar exercícios a fim de se preparar para um ataque russo, que, segundo o comandante, poderia ocorrer a qualquer momento. Os russos já haviam imposto um bloqueio naval aos portos ucranianos no mar Negro, e pelo menos 30 mil soldados treinavam em Belarus, a cerca de 160 quilômetros ao norte de Kiev. "Seria impossível ignorar o cheiro da guerra", disse o general, "e já estava no ar, acredite."

Mesmo assim, o presidente Zelensky ficou em suspense, mais preocupado com o impacto econômico que o susto da guerra causaria do que com o risco de um bombardeio russo. Admitir a probabilidade de uma invasão exigiria que Zelensky aceitasse seu maior fracasso como presidente. Tinha chegado ao poder mediante a promessa de fazer as pazes com os russos, e seus esforços diplomáticos haviam entrado em colapso. Seus baixíssimos índices de popularidade refletiam a frustração do público ante a promessa não cumprida de um pacificador, e o presidente não saiu ileso. Ele se agarrou à ilusão de que uma guerra em grande escala poderia ser evitada por meio de conversas com o Kremlin ou mediante pressão do Ocidente.

Nos seus telefonemas e reuniões frequentes naquela época, a liderança militar pediu a Zelensky e aos assessores que se preparassem mais intensamente para uma guerra em grande escala. "O maior problema era que faltavam reservas estratégicas de munição, reservas de combustível, uniformes e coletes à prova de bala", afirmou Zaluzhny. O presidente concordou em ajudar a preencher essas lacunas, desde que pudessem tomar providências em silêncio, sem provocar os russos ou assustar o público. Por intermédio de canais diplomáticos, eles convenceram os Estados Unidos e seus aliados a enviarem à Ucrânia um grande estoque de armas estocadas na Bulgária e antes destinadas ao Exército no Afeganistão. "Essa munição ficou sem moradia" depois que o Talibã assumiu Cabul em agosto de 2021, "e nós as arrebatamos", disse o general. "O presidente merece todo o crédito porque me ouviu e, por algum grande milagre, conseguimos obter o tesouro afegão." Chegando em aviões carregados na metade de fevereiro, os armamentos foram uma dádiva de Deus, totalizando cerca de 1.300 toneladas de equipamentos somente dos Estados Unidos.[2] O Reino Unido também se prontificou a fornecer 2 mil mísseis antitanque.[3] Em conjunto, o Ocidente enviou cerca de 1,5 bilhão de dólares em ajuda militar na preparação para a invasão, possibilitando à Ucrânia a chance de lutar.

Mesmo tendo pedido essas armas e celebrado sua chegada, Zelensky e seu governo continuaram a minimizar a ameaça russa. "Não se preocupem, durmam bem", falou Oleksiy Reznikov, ministro da Defesa, num discurso ao Parlamento no final de janeiro. "Não há necessidade de aprontar as malas."[4] Depois de passar as férias esquiando naquela semana nos Cárpatos, Zelensky lançou uma mensagem de vídeo tranquilizante – e mais tarde foi ridicularizado por isso. "Respirem fundo, acalmem-se", disse ele no clipe. "Não se perturbem."[5] Na primavera, Zelensky prometeu que todos os ucranianos estariam grelhando *shashlik* no quintal, como fazem todos os anos. Poucos dias depois, o Conselho de Turismo do Estado lançou um novo lema da campanha: "Mantenha a calma e visite a Ucrânia."[6]

Durante uma reunião com os principais oficiais militares e de segurança naquela época, um dos assessores de Zelensky irritou-se, dizendo-lhes que parassem de assustar as pessoas com previsões de invasão. Aquela reação explosiva colocou as Forças Armadas da Ucrânia numa posição desconfortável. O gabinete presidencial estabeleceu o que o general Zaluzhny mais tarde descreveria para mim como "barreiras políticas" em torno dos esforços militares para se preparar. As Forças Armadas da Ucrânia não poderiam se mobilizar para uma invasão russa sem alarmar investidores e sobrecarregar a economia. Não podiam tomar uma atitude mediante os terríveis avisos da inteligência dos Estados Unidos enquanto Zelensky, seu comandante supremo em chefe, desincentivava os mesmos avisos. "Não nos permitíamos mover uma coluna de veículos blindados em plena luz do dia. Tinha que ser feito à noite", contou-me Zaluzhny mais tarde. "Naquela situação política, meus homens e eu estávamos fazendo o melhor possível." Alguns preparativos excediam os parâmetros políticos que Zelensky havia estabelecido. Conforme o general afirmou, "estávamos procurando brechas".

A brecha mais importante foi a Nevasca 2022, que deu aos militares uma desculpa para posicionar as forças. Como os soldados tinham deixado as bases no dia 8 de fevereiro, ficou muito mais fácil para Zaluzhny e os outros generais avaliar suas vulnerabilidades. "Entendemos quais indicadores, de fato, acendiam o alerta vermelho", disse ele. "Se os russos nos tivessem atacado naquela época, o resultado teria sido muito diferente." Após o encontro com Zaluzhny quatro dias depois, os generais correram para realocar e camuflar grande parte do equipamento militar do país, tornando mais difícil para os russos atacarem do ar nas primeiras horas da invasão. Também fizeram o possível para garantir que quaisquer bombas lançadas sobre guarnições ucranianas não encontrariam os soldados adormecidos em suas camas.

Não deixou de ser valioso para a defesa da Ucrânia o efeito psicológico que os exercícios tiveram sobre os soldados. Durante semanas, praticamente todas as Forças Armadas da Ucrânia treinaram para um possível ataque, incluindo a possibilidade de uma invasão em larga escala. "Estavam se empolgando", disse Denys Monastyrsky, ministro do Interior, que supervisionou um dos setores mais bem-sucedidos das Forças Armadas da Ucrânia: a Guarda Nacional. Com o desenrolar dos preparativos, o Estado-Maior manteve o presidente informado sobre os exercícios. Zelensky viajou de avião até Rivne, cidade do oeste da Ucrânia, no dia 16 de fevereiro – nove dias antes da invasão – para observar o que estava se passando na Nevasca 2022. Naquela manhã, Zaluzhny acompanhou o presidente durante a visita à base de treinamento e mostrou-lhe algumas das armas que o Ocidente estava fornecendo à Ucrânia, incluindo lançadores de múltiplos foguetes, sistemas antitanque e antiaéreos.

Quanto aos detalhes de sua estratégia, Zaluzhny não compartilhou tudo com o presidente, nem com os assessores. O risco de um vazamento o preocupava. "Eu receava perder o elemento-surpresa", afirmou Zaluzhny. "Era preciso que o inimigo pensasse que estávamos todos aguardando em nossas bases habituais, fumando maconha, assistindo à televisão e postando no Facebook." Era impossível descobrir até que ponto os espiões russos tinham se infiltrado nas Forças Armadas e na liderança política. Se soubessem onde os soldados e equipamentos ucranianos tinham sido colocados fora das bases, não haveria opção de retorno, nenhum modo de protegê-los de uma batelada de ataques de mísseis. "Eu sabia que só tinha uma chance", disse Zaluzhny. "Era minha única chance, e enquanto estávamos nos preparando mantive-a em segredo."

Enquanto ocorriam os exercícios durante a Nevasca 2022, ele manteve contato próximo com seu colega norte-americano, o general Mark Milley. Naquele inverno, os dois tiveram a oportunidade de se conhecer bem, e Zaluzhny admirava o norte-americano por sua firmeza e experiência. Como o restante da administração de Biden, Milley tinha instado os ucranianos a convocar suas forças militares de reserva e mobilizar todas as forças disponíveis. Também recomendou uma estratégia que remetesse às guerras europeias de uma era anterior: começar a cavar trincheiras e demarcar campos minados – o máximo possível.

Zaluzhny tentou explicar a sutileza política dessa abordagem. Trincheiras e fortificações são difíceis de esconder, e uma mobilização em massa de soldados acarretaria um êxodo de civis, de empresas e qualquer um que quisesse evitar o recrutamento. "Ele ficava me dizendo que haveria uma guerra, que haveria ataques de mísseis, e queria que eu tomasse certas medidas", lembra Zaluzhny. "Mas não consegui, porque sou apenas o comandante em chefe das Forças Armadas. Acima de mim está o comandante em chefe", o presidente Zelensky, "e muitas perguntas estavam atreladas a ele."

Enquanto o debate oscilava, Milley pediu para ver o plano que Zaluzhny tinha elaborado. "Tentei explicar a estratégia para ele, mas depois fiquei com medo: e se eu estivesse lhe dizendo o que não deveria?" Ele tinha receio de que a estratégia vazasse para os russos ou mesmo para o público ucraniano. Também tinha receio de que chegasse aos ouvidos de Zelensky. Em vez de enviar os detalhes reais de sua estratégia para Milley, Zaluzhny decidiu mostrar-lhe uma que era falsa. "A ideia não poderia ser melhor." Mais tarde, ele se sentiria mal por enganar seu aliado mais importante. Quando a guerra acabasse, ele disse, Milley teria todo o direito de "me dobrar sobre seus joelhos e me dar uma surra como um pai faria".

No dia 19 de fevereiro, de manhã cedo, Zelensky embarcou no jato presidencial no que seria sua última viagem ao exterior em muitos meses. Deixar a Ucrânia não fora uma decisão fácil naquelas circunstâncias. Perto de 200 mil soldados russos estavam agora na fronteira, e o fluxo de alertas sobre seus planos nunca foi tão grave. Ao viajar para o exterior, Zelensky arriscava-se a dar aos russos uma vantagem imediata. A propaganda deles poderia alegar que o presidente fugiu diante da iminência de uma guerra em grande escala. Seus jatos poderiam impedir que ele retornasse, e seus representantes em Kiev, liderados por Viktor Medvedchuk, poderiam se mexer rapidamente para preencher o vácuo do poder. Pior ainda: funcionários de todo o governo sentiriam muito menos pressão para permanecer em seus postos no início de uma invasão se o presidente não estivesse por perto.

Mas a ocasião indicava que valia a pena Zelensky correr o risco. No sul da Alemanha, líderes políticos e militares de todo o mundo iam se reunir naquele fim de semana para a Conferência de Segurança de Munique, o local preferido para os membros da Otan discutirem as ameaças que monitoravam pelo mundo, e convidar seus adversários para algum debate interessante sobre os perigos que identificavam uns nos outros. Nas últimas três décadas da guerra fria, tinha sido o principal local para o Oriente e o Ocidente se encararem e, ocasionalmente, se escutarem. Foi nessa cúpula que eu tinha visto o antecessor de Zelensky, Petro Poroshenko, implorar o apoio do Ocidente em 2018, durante um discurso que fez num salão quase vazio.

Foi também o local escolhido por Vladimir Putin em 2007 para declarar o início de uma nova guerra fria. "A Otan colocou suas forças na linha de frente em nossas fronteiras", falou o líder russo durante a Conferência de Munique na época, dirigindo-se a uma multidão.[7] O senador John McCain, que dali a um ano, aproximadamente, lançaria sua candidatura à presidência dos Estados Unidos, estava na primeira fila. Conforme a perspectiva da Rússia, disse Putin, a expansão da Otan para o leste da Europa, por meio da admissão da Polônia, dos Estados Bálticos e de outros Estados ex-satélites de Moscou, "significa uma grave provocação [...] E temos o direito de perguntar: contra quem se destina essa expansão?".

Baseando-se na perspectiva de Putin, o colapso da União Soviética tinha permitido a ascensão da ordem global dominada pelos norte-americanos, sistema no qual há apenas "um centro de autoridade, um centro de força, um centro de tomada de decisões. É um mundo em que há um mestre, um soberano". Esse mestre e seus aliados se sentiram capacitados para usar a força contra seus adversários e não arcar com as consequências, afirmou Putin, referindo-se não apenas às guerras no Iraque e no Afeganistão, mas à campanha de bombardeios da Otan para impedir que os sérvios na Iugoslávia, aliados da Rússia, cometessem genocídio em Kosovo, em 1999. "Hoje estamos testemunhando um quase incontido uso exacerbado de força – força militar – nas relações internacionais, força que está mergulhando o mundo num abismo de conflitos permanentes", disse Putin. "E, claro, isso é extremamente perigoso. Isso resulta do fato de que ninguém se sente seguro. Quero enfatizar isto: ninguém se sente seguro!"

E Putin não se sentiu menos inseguro quando, na primavera seguinte, numa reunião de cúpula realizada na Romênia, os líderes da Otan prometeram um dia conceder adesão à Ucrânia e à Geórgia. "Esses países se tornarão membros da Otan", disse a aliança numa declaração formal em abril de 2008. Quatro meses depois, a Rússia invadiu a Geórgia, mobilizando seus tanques até a capital, Tbilisi, e ocupando cerca de um quinto do território georgiano. Foi a primeira guerra estrangeira do mandato de Putin, e não resultou em consequências sérias para seu regime. Ele alertou o Ocidente em Munique de que estava cansado da expansão da Otan, e a guerra na Geórgia mostrou que ele estava disposto a desafiar a organização com vigor militar.

Quinze anos após, na véspera de outra invasão russa, era a vez de Zelensky se dirigir à reunião em Munique, e ele teve dificuldade em encontrar as palavras. Ainda no avião, enquanto sobrevoavam a Europa no An-148, o presidente e seus assessores se esmeravam para elaborar um discurso que pudesse levar o Ocidente a impedir que os tanques russos atravessassem a fronteira. "Estávamos fazendo ajustes", lembrou Reznikov, o ministro da Defesa. "Pesando cada palavra."

Antes de proferir o discurso naquela tarde, Zelensky teve que se reunir com a delegação norte-americana, que naquele ano foi chefiada pela vice-presidente Kamala Harris. A sessão com os ucranianos parecia estranha desde o início. No Hotel Bayerischer Hof, que sediou a conferência desde sua criação, em 1963, não faltavam cômodos confortáveis, ainda que antiquados, onde se esperava que os aliados se sentassem para conversar. A reunião de Zelensky com Harris, no entanto, ocorreu em torno de uma mesa de negociação formal, com os dois lados frente a frente. Em contraste com outros eventos aos quais Zelensky compareceu em Munique, os norte-americanos evitavam dar apertos de mão e insistiram em usar máscaras, seguindo o protocolo da pandemia, o que aumentou a sensação de distância entre eles. De acordo com os funcionários que se sentaram de cada lado do presidente Zelensky, os norte-americanos declararam que a invasão era inevitável, como se as agências de inteligência dos Estados Unidos tivessem olhado para o futuro e profetizado assim. Não foi a primeira vez que Zelensky ouviu esse aviso; ele tivera uma conversa pelo telefone com o presidente Biden apenas alguns dias antes. Relatos na mídia dos Estados Unidos estavam repletos de fontes provenientes da Casa Branca sugerindo que o ataque russo visava iniciar uma onda "iminente" de ataques cibernéticos, disparos de mísseis e bombardeios aéreos. Dizia-se que o presidente Biden, numa ligação com os aliados europeus, havia estipulado uma data para a invasão: 16 de fevereiro.* Aquela data já havia passado. Mas os alertas dos norte-americanos não diminuíam. A resposta de Zelensky à vice-presidente Harris já estava bem ensaiada quando eles se reuniram em Munique, em 19 de fevereiro. A ameaça de agressão russa existia desde a anexação da Crimeia, em 2014, e Zelensky estava feliz que os norte-americanos finalmente tinham-na reconhecido. "Graças a Deus, vocês enxergaram o mesmo que nós", disse Zelensky a Harris. "Então vamos reagir a isso juntos."

Para começar, os ucranianos sugeriram um conjunto de sanções para forçar Putin a reconsiderar a decisão de invadir. Os norte-americanos poderiam fechar seus portos a navios russos. Poderiam impor um embargo ao petróleo e gás russos e instar os europeus a fazer o mesmo. Poderiam causar um curto-circuito no sistema bancário russo. Além disso, Zelensky pediu armas específicas, incluindo mísseis Stinger e Javelin, aviões de guerra e baterias antiaéreas, pelo menos em número suficiente para proteger dos bombardeios aéreos as usinas nucleares da Ucrânia. Nenhuma dessas propostas parecia aceitável para Harris. Os Estados Unidos não podiam impor sanções, disse, porque a punição deveria vir após o crime. Ela também parecia ansiosa para que o presidente ucraniano reconhecesse que a invasão em grande escala estava próxima. Zelensky perguntou: "O que isso vai contribuir para a sua decisão? Se eu admitir esse fato, nesta conversa, você poderá impor as sanções?" Reznikov se recorda de que o presidente fez essa pergunta várias vezes durante a reunião, mas não obteve uma resposta clara.

"É curioso", disse-me mais tarde o ministro da Defesa. "Por que eles precisavam que nós concordássemos? O que teria acontecido depois que tivéssemos dito 'sim, ele vai nos atacar'? Devemos nos render? Ou eles estavam nos preparando para dizermos: 'Certo, estamos cientes de que ele vai atacar. Estamos cientes de que não vamos vencer'? Isso significa que há uma razão para capitular, para assinar outro conjunto de acordos de paz, como fizemos em Minsk. Em seguida, vamos ceder a mais algumas das exigências do Kremlin. O mundo evita uma fase inflamada da guerra." Com

* Depois de uma ligação com Biden para discutir essas previsões, Zelensky decidiu não as levar a sério. Incentivou os ucranianos a marcar a data com bandeiras penduradas nas janelas e cantar o hino nacional em uníssono às 10 horas naquela manhã. "Eles dizem que 16 de fevereiro será o dia do ataque", disse ele em um comunicado televisionado à nação. "Faremos desse o Dia da União."

amargura, ele acrescentou: "Então todo mundo recebe uma estrela de ouro. Todo mundo se torna um pacificador maravilhoso."

Zelensky e a equipe não estavam preparados para seguir esse roteiro. Não iriam capitular – sem luta, certamente que não. Mas, com o passar do tempo em Munique, convenceram-se de que alguns de seus aliados ocidentais queriam que eles encarassem a certeza da derrota da Ucrânia. Era, na opinião deles, um primeiro passo para aceitar a paz nos termos de Putin. Olaf Scholz, o chanceler alemão, visitara Moscou dois dias antes do início da reunião de Munique para mais uma rodada de conversações com Putin. Ele teria ficado feliz em mediar algum tipo de acordo. Os ucranianos precisariam fazer concessões. Precisariam, provavelmente, desistir das esperanças de se juntar à Otan, e Zelensky estava preparado para discutir um compromisso sobre esse ponto específico. Ele entendeu que tão cedo a Ucrânia não teria chance real de se juntar à Otan. Mas não estava disposto a desistir de reivindicar para a Ucrânia o território que a Rússia havia ocupado.

À margem da Conferência de Munique, vários líderes ocidentais pediram a Zelensky que não voltasse para casa naquele dia e, em vez disso, desse início ao processo de formação de um governo no exílio. O presidente respondeu a uma dessas ofertas com um sorriso: "Tomei café da manhã em Kiev e vou jantar lá." Andriy Sybiha, que testemunhou a conversa, não acreditava que a pressão para deixar a capital fosse maliciosa. A sugestão veio de alguns dos aliados mais próximos e mais fortes dos ucranianos, e a intenção não era fortalecer as chances de a Rússia tomar a Ucrânia sem luta. "Era sobre a importância do presidente nesse confronto com o inimigo", disse Sybiha. "A sobrevivência do Estado na pessoa do presidente."

Ainda assim, a oferta de fugir acentuou a impressão que Zelensky tivera em Munique de que até mesmo seus aliados mais próximos o haviam descartado, e a frustração veio à tona quando ele subiu à tribuna naquela tarde. Isso me lembrou de sua situação em novembro de 2019, na véspera das primeiras conversas com Putin, quando me disse que não podia confiar em nenhum de seus aliados no Ocidente. Naquela época, o isolamento que sua posição lhe impunha magoava-o. Agora parecia irritá-lo. "Foi aqui, há quinze anos, que a Rússia anunciou sua intenção de desafiar a segurança global", disse ele. "Qual foi a resposta do mundo? Apaziguamento." A Otan não cumpriu a promessa de colocar a Ucrânia no caminho da adesão. "Dizem-nos que a porta está aberta. Mas até agora forasteiros não têm permissão de entrar. Se nem todos os membros da aliança nos querem, ou se todos os membros não nos querem, então que nos digam honestamente. Portas abertas são boas, mas precisamos de respostas abertas, e não de anos de perguntas abertas."[8]

Ele encerrou seu discurso agradecendo aos líderes que deram um passo à frente em direção à Ucrânia e demonstraram apoio genuíno. Entre os aliados a que ele se referia, conforme afirmaram os assessores, estava Boris Johnson, que Zelensky também conheceu durante a viagem a Munique. Mas ele não mencionou Johnson em seu discurso. "Não menciono seu nome", disse ele. "Não quero que outros países se sintam envergonhados. Mas compete a eles, é o carma que vão carregar. E estará em sua consciência."

De que maneira Zelensky imaginava o ataque? Seria liderado por paramilitares, como aconteceu em Donbas em 2014? Haveria forças especiais russas, como na Crimeia, sem insígnias em seus uniformes? Ou, como na Síria, a campanha russa seria travada do ar, com bombardeios indiscriminados de civis? Será que Putin enviaria tanques através da fronteira? Em caso afirmativo, até onde iriam? Até os arredores da capital, como fizeram na Geórgia em 2008? Ou ficariam nas fronteiras do leste e do sul?

Zelensky não sabia. Nem tinha certeza do que seus aliados considerariam uma invasão, em oposição a, digamos, outra escaramuça em algum lugar nos limites da Europa. Num comentário improvisado em meados de janeiro, o presidente Biden sugeriu que a Rússia só seria responsabilizada se a escala de seu ataque fosse grande. "Se for uma incursão menor", falou ele, "vamos acabar debatendo sobre o que se deve ou não fazer." A observação parecia deixar à Rússia algum espaço para reduzir suas ambições, para evitar o pacote completo de sanções ocidentais, demonstrando alguma contenção. Zelensky não apreciava essa estratégia. Não existe tal coisa, disse ele, uma incursão menor. "Assim como não há baixas menores e pouco sofrimento pela perda de entes queridos."[9]

Na verdade, Zelensky queria ter as duas coisas. Apostava numa pequena incursão e esperava que isso provocasse uma grande resposta do Ocidente. O cenário mais claro em sua mente era uma investida russa pelo leste, onde ele acreditava que Putin poderia tentar conquistar mais território. Seria a possibilidade de o Kremlin ainda encontrar aliados e simpatizantes. A cidade de Kharkiv, no nordeste da Ucrânia, era particularmente vulnerável. Seus subúrbios margeavam a fronteira russa, e seu centro histórico era vulnerável ao fogo de artilharia russa, que poderia golpear a cidade sem sequer cruzar a fronteira da Ucrânia. De passagem, numa entrevista ao *Washington Post* em janeiro, Zelensky chegou a reconhecer que Kharkiv, a segunda maior cidade do país, "poderia ser ocupada". Foi o máximo que chegou a revelar ao público.

Quando retornou de Munique em 19 de fevereiro, suas declarações não revelaram os perigos que ele havia discutido com os líderes ocidentais. Zelensky não reconheceu qualquer ameaça grave de bombardeio aéreo ou o possível cerco de Kiev. Sabia que o Ocidente o enviara para casa de mãos vazias, sem pacote de sanções e sem garantias de segurança que pudessem interromper ou mesmo atrasar uma invasão em qualquer escala. E assim ele esperou, seguindo uma agenda mais ou menos normal nos dias que antecederam a invasão. Homenageou as vítimas do massacre de manifestantes na Praça da Independência, em 2014. Falou por telefone com o líder da Eslovênia. O presidente da Estônia o visitou, e Zelensky pediu que ele investisse no setor de tecnologia da informação da Ucrânia.

Dois dias depois da viagem de Zelensky a Munique, Putin proferiu um discurso com uma hora de duração, algo que mais parecia uma declaração de guerra. Acusou a Ucrânia de cometer tortura, genocídio e outros crimes contra a população de Donbas. Afirmou que os ucranianos tinham ambições nucleares, o que significava uma ameaça direta à Rússia. Negou a viabilidade e até mesmo a existência da Ucrânia como Estado independente. E voltou ao tema da expansão da Otan, relembrando os argumentos que havia apresentado pela primeira vez em Munique uma década e meia antes. "Eles ignoram completamente nossas preocupações, nossos protestos e avisos", disse ele. "Cospem neles e fazem o que bem entendem."[10] No final da diatribe, Putin chegou perto de declarar guerra. Anunciou que a Rússia reconheceria as regiões separatistas do leste da Ucrânia, as chamadas Repúblicas Populares de Donetsk e Luhansk, como Estados independentes. Era uma meia-medida burocrática, e oferecia algum espaço para que Zelensky esperasse que as previsões mais graves estivessem erradas. Putin estava reivindicando regiões da Ucrânia que a Rússia controlava parcialmente havia oito anos. Ele não estava explicitamente de olho em Kiev ou em qualquer território fora de Donbas. Mas os oficiais norte-americanos não se iludiam com as intenções reais de Putin.

Coincidentemente, o mais importante diplomata da Ucrânia, Dmytro Kuleba, estava em Washington naquele dia, e o presidente Biden convidou-o para o Salão Oval depois que ambos viram a notícia sobre o discurso de Putin. "Ele estava me consolando", disse Kuleba mais tarde. "É como quando alguém tem câncer, em estágio terminal, e você sabe que a pessoa não tem mais chances, mas você se solidariza com ela de verdade, tenta ajudá-la, faz o seu melhor apesar de saber que nada vai ajudar. Em resumo, esse era o clima daquele encontro." Kuleba ficou muito comovido, mas também apavorado. Ele entendeu que a guerra estava prestes a começar, e pediu o conselho de Biden, não como diplomata, mas como pai. Faria sentido evacuar seus filhos? Ou era seu dever como oficial do governo liderar pelo exemplo e manter sua família em Kiev? Biden apoiou a mão no ombro de Kuleba e respondeu: "Seja um bom pai." Naquela noite, Kuleba correu de volta à Ucrânia, ligou para sua família e disse a eles que deixassem a capital imediatamente.

Enquanto isso, na rua Bankova, Zelensky e seus assessores estavam reunidos no escritório, preparando a resposta para o discurso de Putin. Ela foi divulgada após a meia-noite de 22 de fevereiro, e mais uma vez visou acalmar os ucranianos, dando-lhes uma sensação de segurança. "Não há razão para vocês passarem a noite insones", falou ele no discurso televisionado para a nação. "Nós nunca esconderemos a verdade de vocês. Assim que constatarmos mudança na situação, assim que virmos um aumento nos riscos, vocês saberão."[11] Depois dessa declaração, restariam à Ucrânia e ao seu líder cerca de 24 horas para se preparar. Meses após, eles debateriam o que poderia ter sido feito naquele momento. Quantos orfanatos e lares de idosos próximos às fronteiras com a Rússia poderiam ter sido evacuados. Quantos mantimentos, quanto combustível e outros suprimentos poderiam ter sido armazenados. Quantas vidas poderiam ter sido salvas. Mas, naquele momento, Zelensky e sua equipe acreditavam que o pânico era o maior perigo. "Se antes da invasão semearmos o caos entre as pessoas", disse ele, "os russos vão nos devorar."[12] Milhões de pessoas fugiriam. A economia entraria em colapso. O país seria esvaziado, sem ninguém para defendê-lo do inimigo. Eram esses os temores de Zelensky antes que as bombas começassem a cair. Até o fim, ele pensou que o ataque seria limitado em escala, certamente não tão catastrófico quanto os norte-americanos previram. E continuou a imaginar que a maior ameaça à sobrevivência da Ucrânia era o êxodo de pessoas e de capital. Somente na véspera da invasão, por volta do meio-dia de 23 de fevereiro, o presidente e seu Conselho de Segurança se reuniram para declarar estado de emergência em todo o país. A medida permitiria às autoridades fazer buscas, limitar o transporte, reforçar a segurança em torno de infraestruturas críticas e tomar outras precauções necessárias em tempo de guerra. Mesmo assim, a mensagem aos cidadãos era: não se preocupem. "Essas são medidas preventivas para que o país permaneça calmo e a economia funcione", afirmou Oleksiy Danilov ao anunciar o estado de emergência.[13]

Naquela noite, o último item importante na agenda do presidente foi uma reunião com os empresários mais ricos da Ucrânia, de quem Zelensky fora antagonista por mais de um ano. Ele havia assinado recentemente uma lei para privar os oligarcas de seu poder, reduzindo sua capacidade de possuir redes sociais, ocupar cargos públicos e influenciar a política. Agora, sentado em torno de uma ampla mesa com alguns dos homens que ele suspeitava de traição, o presidente tentou fazer uma trégua. "O ponto principal não era alimentar a atmosfera de pânico", disse uma das assessoras mais próximas de Zelensky, Iryna Pobedonostseva, que participou da reunião. "Todos deveriam estar aqui", ela lembra o presidente dizendo a eles. "Quem não se limita apenas a ganhar dinheiro neste país, mas quer viver aqui para continuar empregando centenas de milhares de pessoas, precisa estar aqui, porque essas pessoas estão observando."

Danilov e outros membros do Conselho de Segurança deram aos oligarcas uma atualização sobre a ameaça russa. Era sério, disseram, mas administrável, porque a Rússia não recorreria a uma invasão em larga escala. "Foi-nos revelado com total certeza que isso não iria acontecer, não se preocupem, não se preocupem", o magnata dos metais Serhiy Taruta contou-me depois. Mas muitos empresários ainda tinham várias conexões com a Rússia. Estavam recebendo informações de suas fontes que, como Taruta disse, "não correspondiam à posição oficial na Ucrânia". Já escurecia quando a reunião terminou, e os oligarcas entraram em seus carros estacionados na rua Bankova, cujos motoristas mantinham os motores ligados no frio. Zelensky, encerrada a agenda oficial daquele dia, retornou ao escritório com Yermak, seu chefe de gabinete, e elaborou um discurso para a nação.

No decorrer da noite, novas informações chegaram dos Estados Unidos e de outros aliados, avisando que uma invasão começaria naquela noite. Hackers derrubaram sites do governo. Do leste, o equipamento militar russo era deslocado para as regiões ocupadas de Donbas, onde os líderes separatistas apelaram a Putin para defendê-los. Para Zelensky e sua equipe, o deslocamento dos russos para esses territórios marcou o início formal da invasão, embora ainda mantivessem a esperança de que eles, por ora, não ultrapassariam aquelas fronteiras. Sentado à sua mesa, o presidente ordenou que seu setor de protocolo o conectasse ao Kremlin. Ele queria tentar pela última vez falar com Vladimir Putin. Mas a chamada foi ignorada, disse Yermak, que estava ao seu lado. "Não houve resposta."

Só então, com todas as opções de paz esgotadas, Zelensky desistiu de tentar acalmar a população. Queria apelar diretamente ao povo russo, e seu discurso para eles não foi revestido das mesmas garantias que ele vinha dando aos seus próprios cidadãos. Foi lançado pouco depois da meia-noite. "Entre nós", disse ele, falando em russo, "há mais de 2 mil quilômetros de fronteiras comuns, onde seus soldados estão hoje, quase 200 mil, e milhares de veículos militares. Sua liderança ordenou que eles avancem contra o território de outro país. E esse passo poderá ser o início de uma Grande Guerra no continente europeu."[14]

"Vocês foram avisados de que essas labaredas trarão liberdade ao povo da Ucrânia. Mas o povo da Ucrânia já está livre", disse Zelensky. "Dizem-lhe que somos nazistas. Mas poderia haver apoio ao nazismo entre um povo que perdeu mais de 8 milhões de vidas por combater o nazismo? Como eu poderia ser nazista? Faça essa pergunta ao meu avô, que lutou durante toda a guerra como soldado de infantaria no Exército soviético, e morreu na função de coronel numa Ucrânia independente."

"Com certeza sabemos: não queremos guerra. Nem guerra fria, nem quente, nem híbrida. Mas, se nos atacarem, se alguém tentar se apropriar de nosso país, de nossa liberdade, de nossas vidas e das vidas de nossos filhos, nós nos defenderemos." Se os russos invadirem, Zelensky disse-lhes, "vocês vão ver nossos rostos, não nossas costas".

PARTE IV

17. Batalha de Donbas

O soldado russo jazia morto perto da aldeia de Moshchun, seu corpo mais ou menos intacto. Não tinha sido queimado vivo nem destroçado por uma bomba, como aconteceu a muitos homens que foram mortos quando tentavam capturar Kiev. Pelas identificações em seu uniforme, os soldados ucranianos que encontraram seu cadáver no segundo ou terceiro dia da invasão concluíram que ele pertencia à elite das forças de comando da Rússia. No meio de seus pertences acharam um conjunto de mapas, vincados e sujos, mas ainda legíveis, e que revelavam muito sobre sua missão na Ucrânia. Ele tinha vindo da unidade 07264, parte da 76ª Divisão de Ataque Aéreo da Guarda, baseada na cidade de Pskov, no oeste da Rússia. Centenas de homens dessa localidade participaram do ataque inicial ao aeroporto de Hostomel, no extremo oeste de Kiev. O mapa foi rotulado como "Secreto" e tinha uma data manuscrita indicando quando os oficiais de comando o liberaram para os soldados: 22 de fevereiro de 2022, dois dias antes do início da invasão.

"Foi o tempo que tiveram", disse Oleksiy Danilov, secretário do Conselho de Segurança e Defesa Nacional da Ucrânia. "Dois dias antes eles chegaram aqui para morrer." Na primeira semana da invasão, um oficial das forças especiais ucranianas entregou o mapa a Danilov, por segurança. O que mais o surpreendeu foi a data impressa no canto superior direito. Ele disse que o mapa foi publicado em 1989, dois anos antes do colapso da União Soviética, e bem antes de muitos dos soldados russos mortos na invasão terem nascido. Tudo indicava que os militares russos, na tentativa de satisfazer os impulsos expansionistas de Vladimir Putin, não tinham conhecimento suficiente e por isso não conseguiram atualizar os mapas da região que estavam invadindo. Simplesmente acessaram o arquivo, retiraram o que estava disponível e traçaram uma linha vermelha ao longo das antigas rodovias de Belarus, no norte, atravessando a zona radioativa ao redor de Chernobyl, até o centro de Kiev. Como resultado, os soldados das forças especiais russas chegaram como viajantes egressos do passado, forçados a se inteirar, como podiam, das mudanças que a Ucrânia tinha sofrido após o colapso soviético: as novas pontes e rodovias que foram construídas em torno de Kiev, as florestas derrubadas para abrir caminho para novas casas, as escolas e os centros comerciais construídos ao longo da história da Ucrânia na condição de Estado independente. Nada disso estava assinalado no mapa. "Já imaginou?", disse-me Danilov uma tarde, alguns meses após a invasão, quando estávamos diante de sua mesa de conferência, analisando o mapa. Sua estratégia e sua mentalidade, continuou Danilov, eram, assim como as coordenadas de que dispunham, de uma época diferente.

O erro provavelmente custou a vida de muitos soldados russos. Em dado momento durante a Batalha de Kiev, um grupo de ataque pousou de paraquedas numa clareira que, de acordo com os mapas, era uma área florestal. Como resultado, os paraquedistas não tiveram cobertura ao desembarcar. Não tinham onde se esconder, e os ucranianos aniquilaram-nos com fogo de metralhadora e artilharia. Ondas de tropas russas seguiram o mesmo caminho, avançando em colunas de tanques e veículos blindados em direção a Bucha e Irpin, nos arredores de Kiev. As Forças Armadas da Ucrânia tinham tão poucos veículos de combate na área que Danilov presenteou-as com seu Land Cruiser blindado, o mesmo veículo que ele dirigiu até a rua Bankova na manhã da invasão. Poucos dias depois, um de seus amigos das forças especiais enviou-lhe uma foto do SUV, crivado de estilhaços e buracos de bala. "Tudo certo", disse Danilov enquanto me mostrava. "Provavelmente salvou a vida de alguém."

A Batalha de Kiev, que durou até o final de março de 2022, teve um impacto maior no curso da história europeia do que qualquer outra desde o final da Segunda Guerra Mundial. Se tivesse terminado de forma diferente, o Kremlin poderia ter substituído Zelensky por um fantoche e empurrado a borda do domínio de Moscou até a fronteira oriental da Polônia, efetivamente apagando a Ucrânia do mapa. Em vez disso, a defesa de Kiev abalou a imagem que a Rússia ostentava de potência militar que tinha moldado o equilíbrio de poder na Europa durante gerações. A confiança dos defensores da Ucrânia aumentou após a vitória, porque o ponto de virada em qualquer luta vem quando a vítima bate de volta e tira sangue de seu agressor. A Batalha de Kiev foi um momento emocionante, mas também assustador. Veio com a consciência da fração de segundo em que o contragolpe se aproxima, e não há caminho de volta.

Embora tivessem conseguido defender a capital, as Forças Armadas da Ucrânia perderam grande quantidade de território no leste e no sul do país. Algumas das consequências mais devastadoras ocorreram nas imediações do porto de Mariupol, assim como num centro de metalurgia e navegação no mar de Azov. Com uma população pré-guerra de cerca de 450 mil habitantes, a localização da cidade no extremo sul de Donbas, entre a Crimeia e a fronteira russa, tornou-a um alvo estratégico para os russos. Quase caiu sob o domínio russo na primavera e no verão de 2014, quando Putin se dispôs a garantir um corredor terrestre através de Mariupol para a Crimeia. As Forças Armadas ucranianas não tinham meios de detê-lo na época. Assim, a defesa da cidade coube às unidades paramilitares que se formaram após a revolução que ocorrera no inverno. Os mais fortes tiveram o apoio de oligarcas e financistas ucranianos, que patrocinaram essas forças voluntárias como um meio de evitar que suas próprias cidades e empresas seguissem o caminho da Crimeia. Em Mariupol, esse papel pertencia ao bilionário Serhiy Taruta, que pagou pela criação do Batalhão Azov, uma força de combate que atraiu vários de seus primeiros membros da extrema direita e neonazista da Ucrânia. O mar de Azov serviu de inspiração para nomear o batalhão, e a defesa bem-sucedida de Mariupol, em 2014, lhes proporcionou o status de heróis em todo o país. A Guarda Nacional ucraniana logo absorveu o Batalhão Azov em suas fileiras, transformando-o num regimento de pleno direito dentro das Forças Armadas, com milhares de soldados e várias bases militares.

Oito anos depois, a base principal do regimento Azov fora de Mariupol ficou sob bombardeio intensivo nas primeiras horas da invasão. Por causa dos laços do regimento com extremistas da direita, a propaganda do Kremlin se fixou em Azov, descrevendo seus combatentes como "satanistas" e radicais que precisavam ser "desnazificados". Os invasores empreenderam muito de seu poder de fogo e recursos para cercar e destruir o Regimento Azov, cujos soldados lutaram bravamente para defender a cidade que se tornou seu lar. Mas, no início de março, Mariupol foi cercada. Os russos começaram a bombardeá-la incessantemente, dizimando bairros e cortando o fornecimento de água e de eletricidade. Em meados de março, um jato russo lançou uma bomba pesada no teatro de Mariupol, onde milhares de civis tinham se abrigado. Cerca de seiscentos foram mortos, e seus corpos ficaram sob os escombros, a pior atrocidade da guerra até aquele momento.[1]

Os defensores da cidade, incluindo centenas de combatentes do Regimento Azov, retornaram ao território da maior indústria de Mariupol, uma usina metalúrgica gigante chamada Azovstal (Aço Azov). Fundada pelos soviéticos em 1930, a fábrica ocupava 6 km² ao longo da orla da cidade. Foi equipada para funcionar como uma fortaleza, com suprimentos suficientes para suportar um cerco prolongado. Aproximadamente 2,5 mil soldados e civis ucranianos se refugiaram nos bunkers abaixo de Azovstal, transformando-a num símbolo do desafio ucraniano. As forças russas sitiaram e bombardearam a usina com artilharia, caças e navios de guerra estacionados no mar de Azov. Um dos comandantes que tentaram invadir Azovstal pediu que o Kremlin usasse armas químicas, como gás sarin, para forçar sua rendição e, conforme disse o comandante, "desentocar as toupeiras".[2] Na segunda semana de abril – mais de um mês após o cerco –, oficiais ucranianos relataram que um gás nocivo havia se infiltrado em Azovstal, afetando os olhos e as vias respiratórias dos militares confinados nos bunkers. Mesmo assim, eles tentaram revidar, atacando posições russas ao redor da usina e se recusando a se render. Quase dois meses após o cerco, Putin deu ordens para sitiar a usina de modo que nem "um mosquito conseguisse escapar".[3] Na época, havia centenas de mulheres e crianças abrigadas no interior dos bunkers com milhares de soldados ucranianos.

Os suprimentos de água potável logo se esgotaram, e as rações diárias eram tão escassas que alguns soldados desmaiavam por falta de comida. Mas, numa característica notável da guerra no século XXI, o equipamento de comunicação continuou funcionando. Eles tinham geradores a diesel e combustível suficiente para operar os terminais de internet Starlink, o que lhes permitia ficar on-line, fazer chamadas e divulgar sua história para o mundo em tempo real. Também lhes deu a oportunidade de falar diretamente com o alto-comando ucraniano, incluindo o presidente Zelensky, que começou a atender suas chamadas em março. "Nós nos conhecemos bem agora", disse-me ele um mês depois. Quase sempre o presidente trocava mensagens com eles pelo celular, às vezes no meio da noite. No início da interlocução, o presidente recebeu um texto do major Serhiy Volynsky, comandante da 36ª Brigada Marinha, uma das várias unidades que se retiraram para Azovstal. A mensagem incluía uma selfie que os dois homens tiraram antes da invasão, durante uma visita que o presidente fez à base de Volynsky. "Estamos abraçados, como amigos", disse Zelensky sobre a fotografia.

Essas trocas de mensagens surtiram um efeito profundo em Zelensky. A exemplo de sua viagem anterior aos postos de controle ao norte de Kiev, deram-lhe a chance de se conectar com os soldados e entender seu sofrimento com um imediatismo que era raro nos líderes políticos em tempos de guerra. Quase todos os dias, o sinal Starlink possibilitava que o presidente visse os rostos dos homens em Azovstal na tela de seu celular. Imploravam para que ele rompesse o bloqueio, para enviar mais armas ou reforços. "Foi uma catástrofe", contou-me Zelensky sobre a batalha por Mariupol. "Sem comida, sem água, sem armas. Nada. Tudo tinha acabado. Para eles foi muito difícil, e tentamos nos apoiar, mutuamente."

Por telefone, os oficiais explicaram ao presidente que não podiam se render ou deixar suas posições. Isso significaria abandonar os feridos – e seria uma desonra. Zelensky tentou tranquilizá-los, lembrando de sua importância para a Ucrânia. "Não se trata somente daquele pedaço de Azovstal, da usina ou mesmo de Mariupol. É o que a situação simboliza", disse ele. Os russos estavam tentando expor os redutos de resistência da cidade, a fim de demonstrar o que acontece àqueles que resistem. "O que eles querem é nos deixar exauridos", afirmou ele. "Para os russos, é um símbolo."

Faltava pouco agora para a Ucrânia capitular. As Forças Armadas não tinham armamento suficiente para quebrar o cerco russo de Mariupol. Nada mais podiam fazer além de enviar helicópteros para evacuar alguns feridos e entregar suprimentos e munições. Mas as defesas aéreas russas continuaram atirando nos helicópteros, corroendo as escassas fileiras de pilotos ucranianos e sua frota. Depois que um desses pilotos foi morto em Mariupol, a mãe dele escreveu ao general Zaluzhny, querendo saber o paradeiro do filho. O comandante tentou explicar-lhe o que havia acontecido, mas não pôde conter a emoção. "Eu não tinha forças para lhe dizer." Foi o único ponto da invasão em que o general perdeu o controle e chorou.[4]

Se havia alguma chance de resgatar soldados e civis que permaneceram na usina, o presidente acreditava que viria por meio de negociações. Zelensky ainda esperava encontrar-se com Putin e chegar a um acordo sobre um modo de evacuar os feridos, as mulheres e as crianças de Azovstal. O principal negociador da Ucrânia, Davyd Arakhamia, levantou a questão muitas vezes com enviados da Rússia, e Zelensky pediu ajuda ao presidente da Turquia, Recep Tayyip Erdoğan, um dos poucos líderes no mundo que poderiam ter alguma influência sobre Putin. Nada funcionava. "Os russos continuam fazendo seu jogo sangrento", disse Zelensky durante essas negociações. "Dizem que querem fazer um acordo, mas não o levam adiante."

Na manhã de 19 de abril, o 55º dia da invasão, Zelensky ocupou seu lugar na Sala de Planejamento no segundo andar do complexo presidencial, logo abaixo do escritório do chefe de gabinete. Era seu lugar preferido para trabalhar e conferenciar com a equipe, uma sala de reuniões sem janelas, com tapete cinza e lâmpadas embutidas. Em vez dos quadros a óleo e lustres que o circundavam no gabinete do andar de cima, a sala tinha apenas um enfeite: um tridente na parede atrás da cadeira de Zelensky. Grandes monitores estavam dispostos ao longo das outras paredes, e havia uma câmera voltada para o presidente do lado oposto da mesa de conferência.

Por volta das 9 horas da manhã, os rostos dos principais generais e chefes de inteligência da Ucrânia preencheram as telas ao seu redor. Na noite anterior, Zelensky anunciara o início de uma nova fase na guerra. "As tropas russas começaram a batalha por Donbas", disse ele em seu discurso noturno à nação. "Uma grande parte de todo o Exército russo está agora direcionada para essa ofensiva."[5] Ele queria que os generais relatassem seu progresso na frente oriental, onde a luta era mais intensa, onde suas tropas tinham recuado, aquelas que haviam desertado, que tipo de ajuda precisavam e onde conseguiram avançar.

As táticas russas no leste não se assemelhavam à ofensiva relâmpago contra Kiev. Dessa vez, o objetivo era encurralar as forças ucranianas, o que eles chamavam de *kotyol* (caldeirão), que se estenderia por centenas de quilômetros através de Donbas. De Mariupol, no sul, as colunas russas avançariam para o norte assim que a última resistência naquela cidade fosse esmagada. O outro lado avançaria para o sul da região de Kharkiv, tentando cortar as linhas de abastecimento ucranianas e bombardear os defensores até eles se renderem. No momento da reunião on-line de Zelensky com os generais, as batalhas eram mais intensas em torno da cidade de Izyum, na região de Kharkiv, onde os ucranianos lançaram um contra-ataque e libertaram várias aldeias, na esperança de bloquear ou pelo menos retardar o cerco russo a Donbas.

"Do que precisam? O que lhes falta?", perguntou Zelensky aos oficiais, convidando-os a listar o tipo exato de armas e o calibre da munição. Não ofereceu conselhos sobre táticas de batalha, disse Oleksiy Reznikov, ministro da Defesa, que participou da chamada. "Não lhes ensina a lutar porque é um civil", falou-me Reznikov. "Ele apenas lhes transmite um sentimento de autonomia e lhes oferece apoio." Munido de anotações do que os comandantes tinham-lhe passado, Zelensky dedicou parte do dia garantindo a eles aquilo de que necessitavam. "Ele começa ligando para presidentes, primeiros-ministros de diferentes países, e diz: 'Deixe-me pegar emprestado o que precisamos. Apenas me empreste. Vou devolver'", comentou Reznikov. "Não há fatores que o detenham, nem protocolos, nem regras de comportamento, nem polidez. Seu objetivo é conseguir resultados."

Nesse dia específico, ele teve uma conversa com Mark Rutte, o primeiro-ministro dos Países Baixos, o qual, naquela época, os ucranianos consideravam um parceiro problemático, que dependia de pressão extra para aumentar o fornecimento de armas. Zelensky também conversou com Ursula von der Leyen, a presidente da Comissão Europeia, que tinha retornado recentemente de Bucha e pressionado a União Europeia a apoiar os ucranianos de todas as maneiras possíveis. Além dessas conversas particulares, o presidente passou algum tempo na Sala de Planejamento redigindo um discurso. "Muitas vezes as pessoas perguntam quem é o autor dos discursos de Zelensky", afirmou sua assessora de comunicação, Dasha Zarivna. "O principal é ele", disse-me ela. "Ele trabalha em todas as frases." Os discursos ganhavam aplausos e promessas de apoio, mas também frustravam Zelensky. Ele se irritava diante da hesitação dos aliados. "É injusto que a Ucrânia ainda seja forçada a pedir o que seus parceiros têm armazenado em algum lugar durante anos", falou ele em seu vídeo naquele dia, que divulgou a frustração da reunião on-line com os generais naquela manhã.[6] Algumas horas depois, quando ainda constavam em sua agenda seis reuniões nesse mesmo dia, Zelensky me convidou para conversar em seu gabinete.

Seus assessores avisaram que a agenda dele era imprevisível. Ultimamente, disseram, também era seu humor. Era raro que houvesse uma noite sem alguma nova emergência, e ele podia ser solicitado a qualquer momento para lidar com o problema. O complexo presidencial estava quase deserto e um pouco assustador quando passei pela segurança. A única luz no corredor principal vinha de uma luminária de pé, ao lado da mesa, lançando um brilho fraco nos quadros pendurados na parede. Todos pareciam bem alegres, uma fileira de relíquias vívidas de uma fase inicial da administração, incongruentes agora naquela penumbra fortificada, com pilhas de sacos de areia pairando acima, onde os soldados poderiam agachar e se proteger em caso de um cerco.

No quarto andar, fora dos escritórios executivos, eu tinha acabado de colocar minha bolsa na esteira de uma máquina de raios X quando uma voz de um dos rádios do soldado informou que o presidente estava chegando. Todos deram um passo atrás para abrir caminho, e logo Zelensky saiu do elevador com seu guarda-costas, achando graça de algo na tela de seu celular. Ele olhou para cima e esfregou os olhos, um pouco assustado com a multidão. A maioria estava de pé, do lado de fora do elevador, funcionários, soldados e assessores veteranos, e era curioso ver a maneira como todos ficavam atentos, não com medo, mas tensos, um pouco desconfiados de seu olhar.

O círculo de Zelensky nem sempre agiu assim. Logo no início, os assessores e membros da administração chamavam-no pelo apelido dos tempos de escola, Volodya, e permaneciam sentados quando ele entrava numa sala. Agora tinham adotado o modo formal de se dirigir a ele, Volodymyr Oleksandrovych, ou usavam seu título em ucraniano, *Pane Prezidente*. A mudança me lembrou do que ele dissera na campanha três anos antes. "O que mais assusta é perder as pessoas que se tem ao redor", afirmou ele na época, alguns meses antes de ser eleito, "aquelas que nos põem de castigo, que nos dizem quando estamos errados."

Não estava claro se alguém ainda desempenhava esse papel na comitiva de Zelensky. Sua esposa permanecia escondida, assim como seus pais. Nenhum de seus amigos de infância se encontrava ao seu lado. Ninguém no bunker era do tempo da *KVN*. Mesmo os irmãos Shefir, mentores e confidentes de Zelensky durante toda a sua vida adulta e a maior parte de seu mandato presidencial, desapareceram de vista quando a invasão começou. Aqueles que ficaram, como Yermak, Reznikov e Sybiha, não eram do tipo de questionar seus instintos ou contradizê-lo. Zelensky não era amigo deles. Ele era chefe, e isso se tornou evidente na maneira como o ar ficou pesado quando ele chegou.

As exigências da guerra, a necessidade de o presidente viver isolado de todos, a não ser de sua equipe mais próxima, tinham acelerado um processo que começara muito antes – o desgaste gradual de conselheiros que tentavam questionar sua intuição, para oferecer dados ou análises que pudessem influenciá-lo. A autoconfiança aumentava à medida que o círculo ao seu redor diminuía, e, quando nos sentamos para conversar no segundo mês da invasão, ele não olhava em volta procurando os conselheiros ao considerar a resposta a uma pergunta. Sabia o que queria dizer, e ninguém ao redor poderia contradizê-lo.

A sala reservada para a nossa conversa era a mesma onde eu havia entrevistado os líderes anteriores da Ucrânia – Yanukovych, uma década antes, e Poroshenko, após a revolução em 2014. Até a mesa era a mesma; apenas a camada de ouro em sua superfície havia descascado ao longo dos anos. No outono de 2019, a primeira vez que encontrei Zelensky nessas mesmas salas, ele as descreveu como uma fortaleza da qual queria escapar. Apenas um ano afastado de sua vida de ator, ele parecia tão vulnerável naquele tempo, tão ferido quando expôs seu desgosto com a política que chegou a dizer: "Não confio em ninguém." Agora, quando estava realmente vulnerável, ao alcance de um míssil russo capaz de levá-lo à morte, o presidente ostentava um ar de invencibilidade, como se a guerra tivesse feito com que ele desenvolvesse alguma armadura resistente que nenhuma arma no mundo poderia romper. Se aquilo era uma atuação ensaiada, seria convincente nos mínimos detalhes, na maneira como ele se acomodou no assento em frente a mim como um soberano num trono hereditário. A presença de todos os assessores e guarda-costas já não o constrangia. Não via necessidade de manter uma distância irônica entre si mesmo e os símbolos de poder ao seu redor. O papel era seu agora. Ele o aceitou. A seu pedido, uma assistente trouxe-lhe um copo de água com gás, e ele brincou com ela por não trazer a garrafa inteira. "Veja você", disse-me ele, "é assim que estão tentando economizar por aqui." Seus assessores acharam graça, como se a piada fosse um sinal de bom humor do chefe.

"Então", começou ele, as palmas das mãos sobre a mesa, "falamos russo ou ucraniano?" Era uma pergunta delicada. Meu ucraniano não chega a ser fluente. Tínhamos nos falado sempre em russo antes, e a escolha desta vez era um sintoma da guerra. A linguagem do invasor estava rapidamente se tornando tabu. Durante a maior parte da vida, Zelensky lutou contra o ucraniano. Não era sua língua materna, e suas tentativas de aprendê-la causaram constrangimento durante a campanha. Agora ele estava tão acostumado com a língua oficial do Estado que teve dificuldade de se lembrar dos termos russos. O ucraniano os suplantou. Quando começamos a conversar, ele pareceu ter esquecido a palavra *entender* em russo, então pediu desculpas, corrigiu-se e voltou para o ucraniano alguns segundos depois.

As primeiras perguntas em nossa entrevista partiram dele. Zelensky queria entender o propósito da nossa conversa, o que aquilo significaria para a Ucrânia. "O que você pretende transmitir às pessoas?" Antes que eu pudesse abrir a boca para falar, ele ofereceu uma resposta: "É muito importante para o mundo entender exatamente o que está acontecendo. Pessoalmente, não se trata de fazer as pessoas no mundo se emocionarem ainda mais." Ele não pretendia exagerar ou manipular. "Nós só queremos a verdade", disse ele. "Quanto mais as pessoas virem a realidade, mais sentirão que esta guerra não está distante. Está perto delas."

Em seguida, ele queria saber sobre os meus leitores, como se eu tivesse alguma ideia de como eles tinham vivenciado, coletivamente, a guerra. "Você acha que o povo norte-americano sente a mesma dor que você sente aqui", perguntou Zelensky, "o mesmo que nós sentimos?" Respondi que não tinha certeza. Nas últimas semanas, a atenção do mundo parecia falhar. Outros eventos tinham empurrado a Ucrânia para fora das primeiras páginas, e as principais redes não estavam tão fixadas na guerra como em março. "Eu também percebo isso", disse o presidente, olhando em volta para seus assessores como se estivessem discutindo esse problema. "É apenas uma questão de tempo. Infelizmente, nossa guerra é percebida através das grandes redes sociais. As pessoas veem essa guerra no Instagram. Quando não aguentam mais, elas saem. É muito sangue, muita emoção, e isso cansa. É uma fonte de entretenimento que tristemente reivindicou muitas vidas, e, quando as pessoas se cansam de olhar para a mesma imagem, o mesmo sangue, da mesma nação, algumas resolvem se afastar."

Uma "fonte de entretenimento"? Parecia cruel admitir que era desse jeito que as pessoas absorviam a tragédia, mesmo as que só a tinham visto através das imagens de suas telas. Mas parecia ser o modo como Zelensky imaginava seu público, e o meu. Seu objetivo, como ele entendia, era mantê-los envolvidos, abrir seus olhos e apontar-lhes a imagem da guerra que queria que eles vissem. Meu trabalho era útil para Zelensky como um meio para esse fim. Ele fez uma pausa, pigarreou, percebendo que podia ter se excedido ao me dizer como eu deveria fazer meu trabalho. E então continuou a fazer exatamente isso. "Perdoe-me por falar assim, mas acho que o objetivo do jornalismo, das redes sociais, é impedir que as pessoas se cansem", disse ele, referindo-se à narrativa da guerra. "Quando se cansam, ocorre a fadiga, e a fadiga causa perda de interesse. Para o nosso país, isso leva à perda de apoio."

A franqueza dele era louvável. Em todos os meus anos de reportagem sobre a Ucrânia, nenhum político tinha sido tão direto sobre seus motivos para falar comigo. Tais motivos nada tinham a ver com vaidade, muito menos carisma. Ele não se importava em esclarecer o registro histórico ou esclarecer os leitores sobre seus planos. Aqui a verdade era mais simples e desagradável. A vida de seu povo dependia de sua capacidade de manter os holofotes sobre a Ucrânia. Para a nação sobreviver, norte-americanos e europeus não podiam ficar entediados e mudar de canal. O presidente via isso como parte de sua missão, talvez a parte mais importante. Não era único na história da guerra. Muitos líderes passam dias pedindo aos estrangeiros que percebam o sofrimento de seu povo e os ajudem. A maioria é ignorada. Às vezes, o mundo só se interessa quando é tarde demais, quando os massacres terminam e é hora de falar sobre tribunais ou comissões, sobre verdade e reconciliação. Zelensky nem sequer foi o primeiro líder da Ucrânia a enfrentar esse problema. Seu antecessor também precisava levar a guerra em "turnê" pelos palcos políticos do mundo, como aconteceu em 2018, quando Poroshenko acenou com a bandeira europeia esfarrapada diante de um salão meio vazio na Conferência de Segurança de Munique.

Agora era a vez de Zelensky, e ele não se sentia envergonhado ou tímido quanto a esse aspecto de seu trabalho. Sabia que era bom nisso e, na nova fase da guerra, essa que ele havia anunciado num discurso na noite anterior, o presidente também entendeu que precisava que o mundo prestasse atenção, mais do que nunca. Em Donbas, os russos tinham uma clara vantagem. Podiam disparar dez ou vinte vezes mais projéteis que os ucranianos. A batalha seria lenta e sangrenta, destinada não apenas a frustrar a determinação da Ucrânia, mas a cansar seus aliados ocidentais. "Em certos pontos do leste, é terrível", disse Zelensky. "Realmente horrível em termos da frequência dos ataques, do fogo de artilharia pesada e das perdas." Os generais avisaram-no naquela manhã para se preparar para uma batalha em grande escala no leste, "maior do que qualquer uma que vimos no território da Ucrânia", disse Zelensky. "Se resistirmos, será um momento decisivo para nós. O ponto de inflexão."

As semanas seguintes provariam que ele estava certo. Até o final de abril, os russos superariam o número de forças ucranianas na proporção de pelo menos três para um em Donbas, tendo concentrado até 60 mil soldados apenas naquela região. O contra-ataque ucraniano em torno de Izyum conseguiu impedi-los de avançar para o sul e criar um caldeirão através de Donbas. Quando os invasores tentaram a mesma manobra em menor escala, os ucranianos resistiram seguidas vezes. Durante uma batalha, sua artilharia destruiu uma brigada russa inteira que tentava atravessar um rio em Donbas, matando quase quinhentos soldados inimigos, conforme uma estimativa, e destruindo dezenas de veículos militares russos.[7] O número de mortos logo atingiu uma escala diferente de tudo que a Europa tinha visto desde a Segunda Guerra Mundial. No final de maio, Zelensky estimou que até cem soldados estavam morrendo todos os dias em Donbas, com outros quinhentos feridos.[8] As perdas do lado russo seriam ainda maiores.

Mas o ponto de inflexão permaneceu vago. Mesmo quando não conseguiram quaisquer ganhos significativos ou cercar grandes formações de soldados ucranianos, os russos mantiveram uma vantagem esmagadora em termos de homens e poder de fogo, o que lhes permitiu avançar quilômetro após quilômetro, usando artilharia para bombardear cidades inteiras antes de rolar sobre elas com tanques e infantaria mecanizada. Josef Stálin já havia se referido à artilharia como o deus da guerra moderna, e em Donbas tornou-se o coração da estratégia russa. A única maneira de equilibrar as probabilidades seria um influxo maciço de armas do exterior. Sem isso, a Ucrânia não tinha chance de manter seu território no leste.

18. Na superfície

No final de abril, por volta de uma semana após a nossa entrevista, Zelensky recebeu a visita de dois oficiais norte-americanos cujo apoio mudaria o curso da guerra. Antony Blinken, secretário de Estado dos Estados Unidos, e Lloyd Austin, secretário de Defesa dos Estados Unidos, tentaram manter seus planos de viagem em segredo até que o trem parou na estação central de Kiev. Mas Zelensky anunciou sua chegada um dia antes, na véspera do domingo de Páscoa ortodoxo. "Estamos esperando coisas específicas", disse o presidente a repórteres durante uma reunião realizada na estação de metrô mais próxima do complexo. "Armamentos específicos."

Seus convidados corresponderam. Um pacote adicional de 700 milhões de dólares em ajuda foi anunciado durante a visita, incluindo algumas das armas de que a Ucrânia precisava para repelir o ataque russo no leste: obuses, sistemas de radar de contra-artilharia e uma remessa de drones explosivos conhecidos como Phoenix Ghost [Fantasmas Fênix]. Num armazém no leste da Polônia, Lloyd Austin esclareceu sua visão em relação à guerra usando termos que irritaram seus colegas mais cautelosos na Casa Branca. "Queremos a Rússia enfraquecida", disse ele, "a ponto de não poder fazer o tipo de coisa que fez ao invadir a Ucrânia."[1] O objetivo dos Estados Unidos não era apenas ajudar a Ucrânia a sobreviver àquela guerra, mas destruir a capacidade russa de deflagrar outra.

A declaração sublinhou a evolução da política dos Estados Unidos. Dois meses antes, Austin estava cercado de autoridades norte-americanas explicando aos ucranianos que o fornecimento de armamentos mais poderosos, como obuses, estava fora de questão, e que os ucranianos deveriam cavar trincheiras para retardar o avanço russo. Mas a retirada russa dos subúrbios de Kiev mudou a conversa na Casa Branca. Como Antony Blinken disse durante a visita, "a Rússia está caminhando para o fracasso. A Ucrânia está obtendo sucesso".[2] Mesmo com os riscos de uma reação agravante do lado russo – por exemplo, um ataque contra as linhas de abastecimento da Otan na Ucrânia ou mesmo o uso de alguma arma nuclear tática –, os Estados Unidos e aliados calcularam que a contribuição valeria a pena. Tinham a chance de destruir a máquina de guerra russa, e o secretário Austin deixou claro que os Estados Unidos e aliados "continuariam movendo céus e terra" para ajudar a Ucrânia a alcançar esse objetivo.

Dois dias depois da visita a Zelensky, Austin convocou uma cúpula de autoridades de defesa de quarenta nações na Base Aérea de Ramstein, na Alemanha, para coordenar a assistência à Ucrânia. O chefe da delegação de Kiev era, então, Oleksiy Reznikov, ministro da Defesa, que estava trabalhando havia semanas para montar tal coalizão. Ao retornar a Kiev, ele explicou a Zelensky que o resultado da cúpula foi muito melhor do que qualquer carregamento de armas. Foi, como ele disse, uma "mudança filosófica tectônica" na aliança militar mais poderosa do mundo. A Ucrânia ainda não tinha um caminho definido para se juntar à Otan, mas seus líderes finalmente concordaram em treinar e equipar as Forças Armadas da Ucrânia como se fossem todos da mesma equipe lutando contra o mesmo inimigo. "É essa bela palavra em inglês", disse Reznikov, "*interoperability* [interoperacionalidade]!"

Com algumas exceções, como os drones Bayraktar, da Turquia, e os mísseis Javelin, dos Estados Unidos, os militares da Ucrânia dependiam dos sistemas de armas soviéticas, que estavam gastando rapidamente. O mesmo acontecia com os militares russos, que também se mantinham fiéis aos padrões e projetos soviéticos. Mas o arsenal da Rússia era bem maior, e sua indústria bélica poderia produzir novas armas muito mais depressa do que a Ucrânia. Para compensar a diferença, a Ucrânia tentou explorar estoques estrangeiros de países como Bulgária e Coreia do Sul. "Batíamos em todas as portas", disse-me Reznikov. Mas as respostas ficavam aquém das expectativas. Os países que detinham essas armas não contavam com estoques suficientes, afirmou ele, "ou eram simpatizantes dos russos".

A reunião de Ramstein ofereceu uma solução a longo prazo. A Ucrânia precisaria superar sua dependência do arsenal soviético e se adaptar ao uso de armamentos da Otan. Em vez de procurar no mundo por armas ultrapassadas para tapar buracos do arsenal ucraniano, a aliança poderia então aumentar o fornecimento de novos sistemas a partir de suas próprias fábricas e estoques. Com o tempo, a estratégia prometeu equilibrar o placar entre os lados em conflito. Também veio com grandes riscos. Um dos objetivos declarados por Putin quanto à invasão era impedir que a Ucrânia se juntasse à Otan. Apenas algumas semanas antes do encontro em Ramstein, Zelensky ainda se oferecia para ceder a essa demanda de Putin nas negociações de paz. Estava pronto para desistir da candidatura da Ucrânia à adesão à Otan, mesmo que isso exigisse uma emenda na Constituição. Agora a Ucrânia tomava a direção oposta, e os russos ficaram furiosos.

Os canais de propaganda do Kremlin começaram a insistir que a Rússia estava agora em guerra com toda a Otan ou, como costumam dizer, "o Ocidente coletivo". Sergei Lavrov, ministro das Relações Exteriores, voz relativamente moderada no círculo de Putin, alertou que o fluxo de armas para a Ucrânia aumentaria o risco de uma guerra nuclear. "O perigo é sério, real", falou ele à TV estatal russa na véspera do encontro em Ramstein. "E não devemos subestimá-lo." Tais avisos não dissuadiram Zelensky ou seus partidários no Ocidente. Eles tinham iniciado um rápido processo de integração. "De fato", disse-me Reznikov, "a Ucrânia está em vista de se tornar parte da Otan. Estamos lutando com armas da Otan. Nossos soldados estão começando a treinar com instrutores da Otan."

O ministro estava se adiantando. Levaria meses para pôr em prática a visão que Austin tinha detalhado em Ramstein. Mas o *momentum* mudava a favor da Ucrânia em várias frentes. Com a decisão de invadir, Vladimir Putin desencadeou as próprias forças que pretendia deter. A Finlândia e a Suécia, duas das últimas potências militarmente neutras no norte da Europa, pediram para se juntar à Otan três meses após a invasão da Ucrânia, e a aliança colocou-as num caminho rápido para a adesão. Com a adesão da Finlândia, a extensão da fronteira da Rússia com a Otan duplicaria. Zelensky pediu para ser o próximo na fila e, depois de quase duas décadas batendo na porta da Otan, pedindo proteção contra os russos e recebendo pouco mais do que promessas vagas, a Ucrânia estava agora a caminho da interoperacionalidade com a aliança. Mesmo que a adesão plena permanecesse fora do alcance, os militares da Ucrânia estariam estreitamente interligados com a Otan, assim como suas agências de espionagem.

Faltando uma semana para o encontro em Ramstein, os Estados Unidos anunciaram que estavam enviando grande parte de sua inteligência militar e de espionagem aos ucranianos. "Abrimos as torneiras", disse o general Mark Milley.[3] Com a ajuda de satélites e sistemas de vigilância dos Estados Unidos, a Ucrânia podia detectar, a qualquer momento, onde as forças invasoras tinham estabelecido postos de comando e quais eram os oficiais estacionados naqueles locais. No início de maio, o *New York Times* noticiou que o fluxo de inteligência dos Estados Unidos tinha ajudado a Ucrânia a matar doze generais russos em ataques direcionados. Desde a Segunda Guerra Mundial uma grande força militar não perdia tantos oficiais superiores em tão pouco tempo.

Conforme o compartilhamento de inteligência evoluía, o mesmo ocorria na relação entre Milley e Zaluzhny. Os dois generais mantinham contato pelo menos uma vez por semana, muitas vezes planejando operações em detalhes. "Para mim, essa pessoa é quase divina", afirmou Zaluzhny naquela época. A necessidade de intérpretes ainda atrapalhava algumas de suas conversas. Mas Zaluzhny, debruçado sobre o alto-falante no centro de comando, podia sentir a paixão de Milley por lutar e vencer a guerra. "Seu coração estava realmente empenhado no projeto, junto a nós", falou ele. A rixa em março sobre falhas na inteligência foi logo esquecida, e Zaluzhny lamentou sua recusa na época de atender às chamadas do general norte-americano. "Claro que sou jovem e meio tolo", disse-me ele, "e por isso queria voltar a fita e falar com ele de uma nova maneira."

No meio da primavera, Zelensky e sua equipe começaram a passar a maior parte do tempo nos andares de cima. Continuaram a pernoitar e realizar reuniões importantes no bunker, mas a retirada russa dos subúrbios de Kiev tornou o risco de um cerco algo remoto. O presidente pediu à equipe que providenciasse uma cama para ele num pequeno cômodo atrás de seu gabinete, no quarto andar. Era uma cama de solteiro, do mesmo tamanho da anterior, no bunker, com uma cabeceira de madeira e uma TV instalada na parede, acima da altura de seus pés. No armário, ele mantinha várias mudas de trajes militares obtidos de fornecedores locais, que lhe proporcionavam um amplo suprimento de camisetas e agasalhos, tornando Zelensky um inesperado ícone de moda. "Tive que dar um basta", disse ele. "Todos queriam que eu usasse suas camisetas."[4] Pendurado ao lado delas no seu armário, ele dispunha de um único terno formal, passado e pronto para o uso para o dia em que, segundo o presidente, a guerra terminasse em vitória para a Ucrânia.

Do lado de fora, nas ruas, a vitória parecia muito distante. O distrito governamental era um labirinto de postos de controle e barricadas. Os veículos civis não podiam se aproximar, e os soldados posicionados nos cruzamentos pediam aos pedestres senhas secretas que mudavam todos os dias. Eram geralmente frases sem sentido, como філіжанка залицяльник ("pretendente a uma xícara de café"), trava-línguas ucranianos que russos teriam dificuldade de se lembrar ou pronunciar. Muitos dos sinais de trânsito e números de casas foram removidos para confundir visitantes. No entanto, depois dos perímetros de segurança no centro da cidade, as largas avenidas foram abertas ao tráfego, e a cidade lentamente ganhou vida. A lavanderia reabriu a poucos quarteirões da rua Bankova. Os mendigos e artistas de rua voltaram para as calçadas, assim como os cantores de rua do culto do Falun Gong, que convidavam os transeuntes a meditar com eles em frente ao prédio da prefeitura.

Andriy Sybiha, conselheiro de política externa do presidente, lembra-se de semicerrar os olhos à luz do sol e sorrir quando saiu do bunker naquela primavera para dar uma volta pelo bairro. Não via o céu havia semanas e ficou surpreso ao encontrar uma multidão na pizzaria local. "Muitos estrangeiros estavam por ali", observou admirado. "E o mercado vendia produtos importados, frutas, legumes." Sybiha logo se acostumou a passear pela cidade quando tinha oportunidade.

Os guardas presidenciais permitiam que os funcionários deixassem o complexo e trabalhassem nos escritórios no andar de cima. Alguns quartos foram ocupados por soldados, e o piso ficava forrado de colchonetes e cobertores. Em geral, porém, os cômodos tinham a mesma aparência, repletos das mesmas longas mesas de conferência e sofás de couro, as mesmas impressoras e copiadoras. Uma diferença óbvia era a escuridão. Várias janelas estavam protegidas com sacos de areia, e as luzes permaneciam apagadas em todo o complexo para tornar mais difícil para um atirador inimigo acertar um tiro que partisse do lado de fora. Outras precauções não tinham muito sentido. No início da invasão, os guardas haviam retirado as lâmpadas de um elevador que conduzia às suítes executivas. Um emaranhado de fios se projetava dos buracos em que as lâmpadas tinham sido instaladas, e os ajudantes de Zelensky subiam e desciam no escuro. Ninguém se lembrava de qual era o motivo.

No quarto andar, o escritório de Zelensky permaneceu um casulo revestido de ouro com móveis régios, e sua equipe ainda achava o ambiente opressivo. "Se pelo menos o lugar fosse bombardeado", um deles brincou, "não teríamos mais que olhar para essas coisas." Nos dias menos movimentados, quando não havia visitas importantes ou reuniões na programação, o ambiente era tranquilo. Os guardas limpavam os armários e trocavam os sacos dos cestos de lixo. Uma vez fiquei surpreso ao encontrar o detector de metais e o aparelho de raios X desligados na entrada, enquanto um zelador passava um esfregão em volta. Mais tarde, tornou-se normal para mim que um guarda verificasse a minha bolsa e me desse um sinal positivo.

No andar de cima, a guerra parecia distante. Quando surgia o uivo da sirene do ataque aéreo, os funcionários muitas vezes o ignoravam e continuavam a trabalhar. Alguns acreditavam que as defesas aéreas de Kiev tinham poder suficiente, pelo menos em torno do bairro da sede do governo, para derrubar qualquer foguete. Mas isso mais parecia um mecanismo de defesa, resultado de ousadia e negação. Naquele momento da guerra, a Ucrânia não tinha como deter o tipo de mísseis hipersônicos que a Rússia disparava contra alvos em Kiev e outras cidades. Os Kh-22 "Kinzhal" ou "Dagger" são capazes de viajar mais de cinco vezes a velocidade do som enquanto percorrem o espaço em ziguezague para evitar interceptações. Também podem transportar ogivas nucleares.

Diante dessa ameaça, a resposta mais comum no meio dos assessores de Zelensky era uma espécie de fatalismo, que logo começou a funcionar como um princípio organizador. Algumas precauções básicas – portões barricados, coletes à prova de balas – foram consideradas necessárias durante a fase inicial da guerra. Agora, quando não havia mais o risco de soldados das forças especiais russas entrarem pelas portas, a equipe de Zelensky considerou inúteis tais medidas de proteção. Agora enfrentavam um invasor munido de arsenal nuclear. Decidiram não fugir. De que adiantava se esconder?

Uma tarde, no início de abril, visitei um dos assessores mais próximos de Zelensky, Mykhailo Podolyak. Ele tinha vivido no bunker desde o início da invasão e agora retornava ao seu escritório, no terceiro andar, com a placa exibindo seu nome afixada na porta, e a luz natural entrando pelas janelas. Não havia sacos de areia para evitar que uma leva de explosões quebrasse o vidro. Podolyak nem mesmo fechava as cortinas. Quando mencionei a questão, ele me respondeu, dando de ombros, que os mísseis viriam mais cedo ou mais tarde. "Eles vão nos atingir aqui", disse ele, "e tudo vai se transformar em ruínas." Mas ao dizer isso o medo não transparecia. Nem havia muita preocupação. "O que podemos fazer? Temos que continuar trabalhando."

De aparência impecável e eloquente ao falar, com propensão a ouvir heavy metal no último volume em seus fones de ouvido enquanto trabalhava, Podolyak era relativamente recente na administração. Tinha passado a maior parte de sua carreira na função de jornalista antes de se transferir para o setor político das Relações Públicas e das comunicações de crise. Na primavera de 2020, quando a pandemia da Covid-19 começou a corroer os índices de aprovação de Zelensky, Podolyak se juntou à equipe como porta-voz. Mesmo numa área de atuação disputada, ele se destacou por sua abertura e franqueza com a mídia. Seus pontos de vista sobre a Rússia eram, desde o início, na base da linha-dura. Porém, quando a invasão eclodiu, ele passou a abraçar um programa de vitória total e intransigente que parecia, pelo menos no início, desvinculado das intenções do presidente. "É muito importante você entender o seguinte", disse ele quando nos sentávamos à mesa de conferência, deixando de lado uma pilha de documentos e um mapa recente dos combates perto de Kiev. "Não se pode falar de qualquer normalização das relações com a Rússia. Seus crimes mudaram completamente o pano de fundo emocional de como a Rússia é vista. Para a Ucrânia, a Rússia é um país que deixou de existir. Eles não são humanos; são monstros."

Podolyak mencionou os "campos de triagem" que a Rússia tinha usado para deter e interrogar civis no leste e no sul da Ucrânia. Famílias inteiras estavam desaparecendo naqueles campos. Mulheres e crianças foram levadas para lá antes de ser enviadas para regiões distantes da Rússia, muitas vezes contra a sua vontade. Relatos de tortura e condições degradantes nos campos não tinham fim, e Podolyak estava certo em apontar a semelhança com Dachau e Buchenwald. "A diferença é que essas feridas não vão cicatrizar do mesmo modo que aconteceu depois da Segunda Guerra Mundial", disse ele. "Hoje os russos se inspiram no que está acontecendo em Bucha. Ordenam assassinatos em massa. É um nível totalmente diferente de percepção. Para os alemães, houve arrependimento. Para os russos, não haverá." Pareceu-me estranho que Podolyak revelasse essa posição. Ainda era cedo para julgar o nível de apoio popular russo em relação à invasão. Pesquisas apontavam que cerca de 60% dos russos apoiaram a medida, enquanto cerca de um quarto desaprovou. Mas a maioria dos russos sabia que não convinha criticar o Estado quando um pesquisador fazia uma consulta por telefone. No início de março, o Kremlin promulgou uma lei proibindo a oposição à guerra. O simples ato de chamar a guerra de "guerra", em vez de "operação militar especial", poderia levar preso o cidadão por um período de até quinze anos.

Além do mais, ainda havia alguns dissidentes russos comunicando-se on-line e tentando organizar protestos. Um deles, Ilya Yashin, mais tarde me enviaria uma carta de sua prisão na Sibéria. "Estamos resistindo", escreveu ele, listando alguns casos isolados de dissidência que foram rapidamente desbaratados. No caso de Yashin, um tribunal de Moscou o condenou a oito anos e meio de prisão por postar um vídeo sobre as atrocidades em Bucha. "Aqueles que permaneceram na Rússia", escreveu ele, "vivem com todos os direitos de um refém [...] O silêncio de um refém, com a arma de um terrorista apontada para sua cabeça, não o transforma em cúmplice do terrorista."[5]

Pelo menos em seus pronunciamentos públicos, Zelensky parecia concordar. Ele ainda não tinha começado a acusar todos os russos de cumplicidade. Havia esperança de que a guerra na Ucrânia pudesse terminar com uma revolta popular em Moscou, e Zelensky queria acreditar que seria assim. Mas em sua administração o tom mudou em meados da primavera. Podolyak, o porta-voz presidencial e um dos principais agentes nas negociações de paz com a Rússia, estava fazendo tudo o que podia para me convencer de que os russos pertenciam a uma raça de selvagens com os quais nunca haveria uma paz duradoura.

"Eles não são como você e eu", disse ele. "A Rússia é um país completamente bárbaro que parou no século XVI ou XVII, travando uma guerra contra a humanidade como tal. Pretende eliminar tudo o que existe em nós, transformar-nos em animais." E quanto ao processo de paz? Por que o presidente ainda mantinha conversações, se ele também acreditava que os russos eram bárbaros? Podolyak parou e se inclinou para trás em sua cadeira. "O presidente Zelensky utiliza todos os recursos possíveis para defender seus cidadãos." Sua voz de repente perdeu a veemência e reverteu para o tom plácido de um adido de imprensa. "É um recurso. Nada mais." Olhou para o celular, que vibrava com um fluxo constante de mensagens. Nenhum dos conselheiros de Zelensky podia se afastar desses dispositivos por muito tempo. O fluxo implacável de notícias sempre os atraía, exigindo atenção. Dessa vez as mensagens não pareciam incomodar Podolyak. Ao nos despedirmos, ele me disse para aguardar boas notícias. Naquela noite, depois que voltei ao meu apartamento, na periferia do distrito governamental, ficou claro o que ele queria dizer. Meu telefone também se encheu de mensagens eufóricas. Viktor Medvedchuk tinha sido capturado.

A foto dele constava da página da rede social de Zelensky. Era uma figura desgrenhada, com algemas e uniforme de camuflagem. A virada da sorte foi tão dramática que era difícil de acreditar. Quando a invasão começou, Medvedchuk chegou ao poder à frente de um desfile militar russo. Poucos meses antes, ele comandou a segunda maior força do Parlamento ucraniano, um partido em que Moscou gastou uma fortuna para promover e nutrir. Quase todas as noites que precederam a invasão, os líderes do partido compareciam aos programas de entrevistas do horário nobre na Ucrânia, pedindo unidade com a Rússia e acusando Zelensky de ser um palhaço, um fraco ou um déspota. Onde estavam eles agora?

Alguns, incluindo o copresidente do partido, Yuriy Boyko, trocaram de lado, condenaram a invasão e declararam lealdade à Ucrânia. Outros continuaram a torcer pelo Kremlin em suas postagens nas redes sociais, oferecendo o argumento perverso de que a recusa de Zelensky em se render aos russos resultou na morte sem sentido dos ucranianos. Quando se tratava de seu próprio paradeiro, esses políticos eram reticentes. Os cenários em suas selfies tendiam a ser neutros, difíceis de localizar. A maioria deles simplesmente fugiu. Alguns desembarcaram em jurisdições amigáveis como a Sérvia ou Dubai, nos Emirados Árabes. Os poucos privilegiados com vistos válidos para a União Europeia podiam ser vistos em Praga ou Berlim. Os mais proeminentes pararam de atender minhas ligações assim que os tanques russos cruzaram a fronteira. Durante meses, não consegui contactar ninguém próximo de Medvedchuk, velho amigo de Putin. Tudo o que havia sido relatado sobre seu destino era que, nas primeiras horas da invasão, ele tinha desativado sua tornozeleira eletrônica e escapado da prisão domiciliar. Dias antes, sua esposa havia sido vista cruzando a fronteira com Belarus. A localização de sua filha, Daria, afilhada de Putin, era um mistério.

As mansões abandonadas não deixaram nenhuma pista. Em meados de março, um grupo de ativistas entrou numa delas e a encontrou em reforma, com pilhas de quadros e antiguidades no chão. No limite da propriedade havia uma falsa estação de trem chamada Dalnyaya ("Lugar Longínquo") que abrigava a réplica de um antigo vagão-restaurante Pullman, cujo teto ostentava vitrais, e cujo bar era abastecido com pratos decorados, mostrando a águia imperial russa.[6] Supõe-se que Medvedchuk e a família, nas horas de lazer, gostassem de fingir que estavam percorrendo a via férrea à moda dos aristocratas do século XIX. As fotos do vagão-restaurante se propagaram, e Medvedchuk virou piada. Em minhas conversas com legisladores e oficiais de segurança, mantive o hábito de perguntar aonde ele poderia ter ido. As respostas eram vagas, de modo geral, e às vezes suscitavam um olhar de suspeita. "Por que você quer saber?", um membro do partido de Zelensky me perguntou. "Essas pessoas não têm futuro na Ucrânia. O projeto político russo está morto."

Ele estava certo, e agora a prova surgira na página do Facebook de Zelensky: uma foto de Medvedchuk com os cabelos desgrenhados, muito longe da imagem polida que sempre cultivara. A principal agência de inteligência da Ucrânia, a SBU, logo forneceu detalhes. O amigo de Putin estava tentando fugir da Ucrânia, disfarçado, trajando o uniforme de um soldado ucraniano. Oficiais da SBU o surpreenderam num subúrbio de Kiev quando ele ia se encontrar com os agentes russos encarregados de evacuá-lo. Na rua Bankova, a notícia foi recebida com entusiasmo. Alguns conselheiros de Zelensky queriam Medvedchuk algemado, como um troféu a ser exibido no primeiro encontro com Putin, que os dois lados ainda pretendiam organizar. "Temos muitos prisioneiros russos e nossa esperança é trocar todos", afirmou Davyd Arakhamia, o principal negociador. Não tinha certeza de quanto Medvedchuk valeria para o Kremlin. Quantos prisioneiros de guerra ucranianos Putin aceitaria trocar por ele? "Há duas teorias", disse-me Arakhamia. "A primeira é que, como amigo próximo, como membro da família, ele é muito valioso. A segunda teoria é que ele não vale nada. Tudo o que ele roubou, todo o dinheiro enviado para ele, os bilhões de dólares destinados a criar todas essas redes de pessoas, os correligionários que poderiam assumir o comando em caso de ocupação – todo esse dinheiro foi gasto em iates e peles raras, carros e corrupção. Então talvez ele não tenha valor algum. Nós realmente não sabemos qual é a posição russa."

O valor da captura para o moral ucraniano foi, no entanto, incalculável, e só aumentou alguns dias depois, quando os generais de Zelensky lhe trouxeram mais boas-novas. Em 14 de abril, a Marinha ucraniana lançou dois torpedos contra o Moskva, a nau capitânia da frota do mar Negro. Era o orgulho da Marinha russa, com uma tripulação de mais de quinhentos marinheiros, agora em chamas e afundando rapidamente. O ataque deu novo significado ao grito de guerra ucraniano – *navio de guerra russo: foda-se*. As palavras foram logo impressas em camisetas e selos postais, com as imagens do Moskva envolto em chamas.

Na mesma semana, as Forças Armadas da Ucrânia realizaram uma série de ataques precisos contra alvos russos, matando pelo menos um general. As informações da inteligência, proveniente dos satélites norte-americanos, foram fundamentais nesses ataques, o que revelou uma falha estrutural nas Forças Armadas russas. Elas ainda se baseavam em hierarquias rígidas da União Soviética, o que dava aos oficiais subalternos pouca autoridade para tomar suas próprias decisões. Quando um problema surgia no campo de batalha, os superiores chegavam para corrigir a situação, deixando-os expostos aos ataques ucranianos.

Juntas, essas vitórias tiveram um impacto dramático em Zelensky e na sua equipe. Apenas algumas semanas antes, escondidos no bunker, suas chances de sobrevivência não eram das melhores. Agora constatavam as perdas aumentando do lado dos invasores. Comandantes russos retornavam ao seu país dentro de caixas, e mais soldados estavam morrendo em duas semanas de combate em Donbas do que os Estados Unidos tinham perdido em vinte anos de conflito no Afeganistão. Mesmo que o crédito por essa mudança na guerra pertencesse principalmente às Forças Armadas da Ucrânia, as habilidades de Zelensky como comunicador desempenharam papel crucial. Ele e a equipe sob seu comando garantiram os suprimentos de armas que os militares precisavam para permanecer na luta. Durante a primavera, Zelensky fez um discurso por dia, em média, comparecendo a locais tão diversos como o Parlamento da Coreia do Sul, o Banco Mundial e os Grammy Awards. Cada discurso era trabalhado em função do público-alvo. Quando falou ao Congresso dos Estados Unidos, referiu-se a Pearl Harbor e ao Onze de Setembro. O Parlamento alemão ouviu-o invocar a história do Holocausto e do Muro de Berlim. Quando tais esforços começaram a repercutir e gerar o fornecimento constante de armas do Ocidente, tornou-se muito mais fácil para Zelensky e sua equipe imaginar o caminho para a vitória. "Nós não estamos apenas sobrevivendo", disse seu conselheiro Oleksiy Arestovych alguns dias após o naufrágio do Moskva. "Estamos vencendo, e o presidente percebe o impulso poderoso de seu novo papel. Ele está se valendo desse impulso, dando ordens como Napoleão antes de uma batalha. Acho que alguma força interior despertou nele", completou.

Alguns meses depois, Zelensky usaria a mesma expressão, "força interior", para descrever o que sentia naquele momento da guerra. Comparou o sentimento a uma queda de braço, quando o pulso está prestes a tocar a mesa. "E então, para surpresa geral, você ergue a cabeça, ouve os aplausos em volta e começa a reagir." A reviravolta deu a Zelensky uma profunda confiança: a guerra continuaria na mesma toada, embora seu fim ainda estivesse distante. Em particular, longe de seus conselheiros, o presidente precisou se disciplinar para ser mais humilde quanto às chances de a

Ucrânia vencer a guerra. "Quanto mais alto alguém sobe uma montanha", disse Zelensky, "mais dolorosa será a queda."

No início de maio, a frente oriental se tornou o epicentro do combate. Olena Zelenska conseguiu deixar o isolamento e retomar pelo menos parte do trabalho como primeira-dama. O Dia das Mães começou quando sua colega norte-americana, Jill Biden, fez uma viagem ao leste da Polônia a fim de visitar refugiados ucranianos. Olena, que estava escondida havia mais de dois meses, aproveitou a oportunidade para recebê-la na cidade de Vyshhorod, dentro da fronteira com a Ucrânia. Ainda não tinham se encontrado, mas, como Jill Biden lembrou, "instintivamente, tínhamos nos abraçado".[7] Passaram algumas horas juntas numa escola que servia de abrigo, e onde um grupo de crianças deslocadas pela guerra confeccionou ursinhos de papel de seda. Olena fez o melhor possível para demonstrar que estava à vontade diante das câmeras e dos rostos desconhecidos. Mas Jill Biden percebia sua ansiedade. "Na tensão de seu sorriso", disse mais tarde, "pude constatar o peso que ela carregava." O tempo de isolamento tinha afetado seu equilíbrio, e para Olena não era tão simples ignorar esse trauma depois de deixar seu último esconderijo.

Embora seus filhos permanecessem isolados, Olena logo voltou a trabalhar em seu escritório no complexo presidencial, onde suas atividades e sua agenda não eram muito controladas. A adaptação foi complicada. Teve dificuldade de definir seu lugar na administração em tempo de guerra, e a segurança ao seu redor era mais rígida do que para qualquer outra pessoa no complexo, incluindo o presidente e seus comandantes militares. Os convidados do escritório da primeira-dama não podiam, por exemplo, servir-se da água da mesma garrafa que Olena.

Em seus primeiros dias após o retorno, ela se esforçou para encontrar maneiras de ser útil. O programa que havia lançado em 2019 tinha melhorado a qualidade das refeições escolares, e agora tudo perdera o sentido, uma vez que a maioria das escolas na Ucrânia estava fechada. Algumas foram destruídas por ataques aéreos e bombardeios russos. Em Bucha, os russos estacionaram suas peças de artilharia no pátio de uma escola primária, cuja localização lhes servia para lançar foguetes nas cidades vizinhas. Lendo sobre esses horrores, assistindo a imagens de vítimas no noticiário, Olena teve a sensação de paralisia que muitos ucranianos sentiram na época. "Ouvíamos as sirenes constantes. Ouvíamos o que estava acontecendo em outras regiões", disse-me ela. "Essas coisas afetam o estado de espírito de qualquer um."

Algumas das orientações mais valiosas que lhe passaram naquele período não vieram de seu marido, nem da equipe presidencial, mas de mulheres que antes havia considerado "acessórios" de homens poderosos. Encontrou um punhado delas durante uma cúpula em Kiev no ano anterior à invasão, e as primeiras-damas da Polônia, da Lituânia e de Israel mantiveram contato com Olena, assim como as esposas de outros líderes estrangeiros que se apressaram a defender a Ucrânia. Conversavam pelo telefone com frequência, tanto quanto possível. "Esse 'clube' está realmente me ajudando agora", disse-me ela. "Nós nos entendemos." Mas ficou difícil organizar mais que algumas dessas conversas por semana, disse Olena com evidente frustração, "porque qualquer contato entre as primeiras-damas tem que passar pelo serviço de protocolo".

Do mesmo modo, era o que acontecia com suas conversas telefônicas com o presidente Zelensky durante o tempo em que esteve escondida. Àquela altura, estava acostumada com todos os protocolos, que se intensificaram depois de seu retorno à rua Bankova. Ela e o marido não voltaram a viver juntos. Zelensky e a equipe de segurança insistiam que seria muito arriscado se eles dormissem no mesmo lugar, e a agenda do presidente dava-lhe pouca liberdade para passar algum tempo com a família. "Nós não vemos filmes juntos", disse-me Olena com um sorriso, "nós os vemos separados."

Encontravam-se duas ou três vezes por semana, e viam ainda menos as crianças. De vez em quando, Olena esbarrava no marido nos corredores do complexo presidencial quando ele se dirigia rapidamente para uma das salas de reuniões, e trocavam algumas palavras apressadas.[8] Na maioria das vezes, ela estava cercada por assessores e conselheiros que a incentivavam a conceder mais entrevistas, aparecer em capas de revistas e amplificar os pedidos de assistência internacional feitos pelo presidente. Em algumas ocasiões, Zelensky concordou em aparecer na televisão para uma entrevista ao lado da esposa, e ela aproveitava essas conversas para lhe perguntar sobre seus sentimentos, como se os jornalistas fossem conselheiros matrimoniais.

"Obrigada por este encontro na televisão", disse a uma emissora britânica. "Gostamos muito dessas entrevistas porque assim podemos nos ver." Parecia uma queixa, e Zelensky olhou para as próprias mãos com um ar de constrangimento enquanto ela revelava alguns detalhes da vida familiar. A filha Sasha estava se preparando para a faculdade; prestaria os exames finais dali a alguns dias. "Ela realmente precisa de seu *papa*, precisa falar com ele, para poder enfrentar com mais facilidade esse período de sua vida, quando está entrando na idade adulta", disse Olena, falando tanto com o marido quanto com as câmeras de televisão que os cercavam. "Infelizmente, não é possível."[9]

O presidente tentou retomar o assunto da guerra, assinalando que muitas famílias ucranianas enfrentam situações piores, como aquelas que vivem sob ocupação russa. Sua prioridade, ele disse, era a libertação do território ocupado. "Meu segundo lado é minha família, minha esposa", afirmou Zelensky. Ele sentia falta da família e nunca se acostumara à separação. Mas precisavam ser fortes, disse a ela. Olena sorriu e olhou para longe. Zelensky colocava seu trabalho em primeiro lugar, desde aquelas noites em que seus filhos ainda eram pequenos, quando depois de encerrar uma filmagem ou uma apresentação chegava em casa exausto e incapaz de fazer qualquer coisa além de se sentar no sofá e assistir à TV. As exigências da presidência, e agora da guerra, levaram essa característica ao extremo, e para Olena era difícil aceitá-la. Por isso mesmo, muitos funcionários que fugiram de Kiev nos primeiros dias da invasão agiram desse modo para garantir a segurança de suas famílias. Mas Zelensky ficou. "Eu não poderia ter feito o contrário", disse ele mais tarde na entrevista. "O presidente é o líder da nação. A nação me escolheu."

Agora, porém, nessa nova fase da guerra, sua família havia retornado a Kiev para ficar perto dele e, mesmo assim, Zelensky escolheu viver longe, para se dedicar de corpo e alma à sua função. O entrevistador observou que tais situações poderiam arruinar um casamento. Isso tornaria o deles mais forte? A pergunta fez Olena sorrir e olhar para o marido.

"O que você acha?", ela perguntou a Zelensky em inglês, e por alguns longos momentos ele se atrapalhou para dar uma resposta, tendo, de repente, perdido o dom para encontrar as palavras certas.

"Somos de carne e osso", falou ele. "Provavelmente, com o passar do tempo, todas as famílias enfrentam fases assim. Mas nunca percebi algo errado em nosso relacionamento." E então, revertendo a situação, perguntou à esposa: "Você está triste comigo?"

"Com você, nunca", ela respondeu. "Sem você, é sempre muito triste."

19. O retorno da política

Certa noite, em meados de junho, o presidente e um grupo de conselheiros próximos embarcaram num trem nas proximidades do centro de Kiev e se acomodaram para um passeio noturno. Para quem olhasse do lado de fora, aquela seção particular do trem parecia um vagão normal de passageiros, em estilo soviético, pintado de azul com detalhes amarelos. Mas o interior tinha sido recentemente remodelado, com luminárias brilhantes, tapetes bege e cortinas douradas nas janelas. A companhia ferroviária estatal havia muito tempo mantinha um punhado desses carros de luxo em sua frota para transportar executivos por todo o país. No início da invasão, quando o tráfego aéreo sobre a Ucrânia fechou, a empresa colocou os carros a serviço da administração presidencial, que começou a usá-los para transportar altos funcionários e dignitários estrangeiros.

Naquela primavera, os trens se tornaram a principal maneira de viajar por longas distâncias, e de modo geral Zelensky gostava daquele meio de transporte. Havia tempo para ler, e o cheiro da fumaça da locomotiva trazia-lhe lembranças da infância. Quando criança, as viagens aéreas eram muito caras para sua família, e às vezes ele ia à Mongólia de trem para visitar o pai. A viagem levava oito dias na ferrovia de Kryvyi Rih, passando pela Rússia e Sibéria, com escalas em Moscou e Ulan Bator. Naqueles dias longos, sentado ao lado da sua mãe no vagão-dormitório, ele olhava pela janela para as vastas extensões do império soviético, tomando chá em cujos porta-copos de metal se via o martelo e a foice gravados. Muitos anos depois, quando tais memórias vieram à tona durante a guerra, Zelensky admitiu sentimentos de nostalgia. Mas agora as lembranças tinham um sabor amargo, manchadas por uma das ironias permanentes de sua vida: fora criado pelo mesmo império cujo renascimento ele estava agora lutando para impedir.[1]

Nessa viagem, a mais longa que fez desde que a invasão começou, o presidente seguiu para o sul, na direção da cidade de Mykolaiv, o mais próximo possível do front meridional, em termos de segurança. A maioria dos compartimentos era ocupada por guarda-costas que deixavam seus rifles de assalto nos bagageiros, colocavam os pés para cima e assistiam a vídeos nos celulares. Os protocolos de guerra exigiam que a locomotiva avançasse num ritmo monótono. No caso de um ataque de foguete a um dos vagões, os demais sofreriam menos danos a essa velocidade e, provavelmente, mais passageiros sobreviveriam. Por longos trechos, ao passarem pelo coração rural do país, as comunicações no trem se tornavam instáveis. Alguns celulares não tinham sinal suficiente para enviar uma mensagem de texto ou ler as notícias. "Isso nos dava a chance de conversar em paz", disse Denys Monastyrsky, ministro do Interior, que acompanhava o presidente.

No vagão particular de Zelensky, os viajantes se sentavam em torno de uma mesa de reuniões ou num sofá verde, estreito. O espaço era limitado, mas a mesa tinha um bom tamanho para que alguns ajudantes de Zelensky se juntassem a ele para tomar chá, ainda servidos em porta-copos de metal, mas com o logotipo da empresa ferroviária em vez da foice e do martelo. Para Monastyrsky, a viagem era uma satisfação. Ao contrário da maioria dos funcionários no trem, ele nunca tinha vivido no bunker presidencial, e suas interações em tempo de guerra com Zelensky acabavam sendo apressadas e formais. Nas reuniões de segurança, eles trocavam informações em poucas palavras, passando relatórios sobre a crise do dia. Porém, durante a longa jornada para o sul, Monastyrsky me disse: "Tínhamos conversas sobre nossas preocupações particulares, ou seja, como nossas famílias, nossos filhos, lidavam com a situação."

Foi também a primeira oportunidade que tiveram de discutir o futuro da guerra e como o conflito poderia acabar. No caso de uma vitória ucraniana, sabiam que os problemas da nação estariam longe de terminar. A economia nacional estava em frangalhos. Grande parte de sua infraestrutura havia sido danificada ou destruída. Ao se aproximar de seu destino, passaram por estações vazias e aldeias meio abandonadas, árvores nuas destroçadas pelo fogo de morteiros. Quase um terço da população tinha sido evacuada.

Muitos retornariam com expectativas de apoio do governo. Pelo menos um milhão de veteranos da guerra também voltariam para suas cidades e vilarejos, precisando de emprego, serviços sociais e apoio psicológico. Estariam armados, e vários teriam queixas contra o governo. "O que vamos fazer sobre manifestações em massa?", perguntou Monastyrsky. As restrições impostas pela lei marcial resultariam, cedo ou tarde, numa reação. "Isso acarretará protestos em massa", afirmou ele. "O que precisamos priorizar para que tenhamos acesso às pessoas? Quem vai falar com elas? É evidente que precisa ser alguém que tenha vivido esta guerra, que passou por isso e pode se dirigir aos veteranos em sua própria língua."

Nos discursos noturnos para a nação, o presidente procurava ater-se às questões do dia. Em particular, ele e seus assessores começaram a considerar os desafios políticos do futuro. "Não estamos falando apenas da guerra e dos desafios imediatos", disse Monastyrsky. "Também precisamos calcular os riscos que estão por vir. O que acontecerá daqui a seis meses? Que tipos de crimes vão ocorrer? Quais as atitudes que precisamos tomar hoje para lidar com questões que vão surgir daqui a menos de um ano?" Todos confiavam na vitória final da Ucrânia, mas estavam cientes de que a guerra deixaria feridas e fissuras na sociedade que poderiam levar muitos anos para cicatrizar. Os líderes políticos terão de atender às demandas públicas de recuperação e reconstrução, e os recursos estatais estarão esgotados. Por um tempo, poderiam contar com o senso de unidade e propósito comum da nação para resistir às privações do período pós-guerra. Mas por quanto tempo? Milhões de ucranianos deslocados encontrariam suas cidades danificadas ou destruídas, isoladas dos serviços básicos, e não teriam paciência infinita com as promessas oficiais de reconstrução.

Em particular, Zelensky e seus assessores temiam que a guerra viesse a provocar agitação popular, até mesmo outra revolução na Ucrânia. Kyrylo Tymoshenko, que também estava no trem naquela noite, compreendia que os ucranianos estavam perdendo a paciência em virtude da guerra, naquela fase de transição entre a primavera e o verão. Os índices de audiência da Telemaratona começaram a despencar à medida que milhões de espectadores perdiam o interesse. "As pessoas vão se cansar, cedo ou tarde, da enxurrada de notícias", disse ele. Num esforço para reconquistá-las, pediu aos produtores que transmitissem mais entretenimento, filmes populares e documentários. “Tentamos isso várias vezes, mas não funcionava na Telemaratona. Foi um erro pensar que aquilo daria às pessoas a oportunidade de se divertir. Os números mostravam que a audiência foi prejudicada.”

Sendo a principal fonte de notícias no país, a Telemaratona continuou a ser uma ferramenta poderosa para o governo moldar as percepções da guerra. Para quase metade da população, era a fonte central de notícias, muitas vezes a única disponível. Sua cobertura era transmitida 24 horas por dia em todas as principais redes, e inclinou-se bastante para o lado patriótico e otimista, outra forma de sedação nacional. Os discursos, postagens e aparições públicas de Zelensky eram transmitidos ao longo do dia. Críticas às suas decisões raramente eram veiculadas. Mas a Telemaratona não equivalia a um monopólio da informação.

Aplicativos de redes sociais, como Instagram e Telegram, rivalizavam com a popularidade das notícias de TV, e algumas das vozes mais proeminentes nessas plataformas começaram a questionar o modo como o governo lidava com a guerra. Um debate particularmente agressivo surgiu em torno do cerco de Mariupol. Dos bunkers de Azovstal, seus últimos defensores, dirigindo-se à mídia, culparam as autoridades por permitir que os russos, em poucos dias, tivessem cercado a cidade. Os líderes militares e a base também se lembravam de como Zelensky minimizou a ameaça de uma invasão e pouco fez para se preparar para ela. Denys Prokopenko, o comandante do Regimento Azov, não deixou de condenar o Estado. “Nos deixaram por nossa conta”, disse ele, no início de maio, ao *Ukrainska Pravda*, principal canal de notícias on-line do país.[2]

Àquela altura, os repórteres do *Ukrainska Pravda* descobriram uma pesquisa secreta que o gabinete presidencial tinha encomendado na primavera.[3] O objetivo era avaliar o campo político e como estava evoluindo no momento da guerra. Os resultados trouxeram boas notícias para Zelensky. Seus rivais tradicionais, como Petro Poroshenko, tinham quase definhado nas pesquisas. Mas outras figuras ganharam popularidade. O general Zaluzhny, comandante das Forças Armadas, passou a ser adorado pelos eleitores nos dois primeiros meses da invasão e incentivado a desafiar Zelensky na corrida presidencial. As próximas eleições não ocorreriam antes de dois anos, na primavera de 2024, e os índices de aprovação do presidente não lhe davam nenhum motivo urgente para se preocupar. Atingiram o pico de cerca de 90% em março.[4] A única instituição que contava com mais apoio eram as Forças Armadas, que Zaluzhny, aos olhos da maioria dos ucranianos, tinha passado a encarnar.

Embora raramente aparecesse em público, o general era agora cultuado na Ucrânia. Memes e vídeos dele se propagaram. Imagens de Zaluzhny fazendo o "V" da vitória eram representadas com tinta spray e vistas nos muros de todo o país. Em abril, ele criou uma fundação para ajudar a arrecadar dinheiro para as Forças Armadas, e alguns funcionários da rua Bankova entenderam que era um sinal das ambições políticas de Zaluzhny. Não estavam paranoicos. Enquanto o general negava ter planos de concorrer ao cargo, alguns de seus assessores mais próximos me disseram que ele estava propenso à ideia. "Eu diria que é possível", disse um deles. "Há muitos mortos, muitos feridos, e o general sente uma grande responsabilidade por eles, pelas famílias. Ele não seria capaz de ficar à margem se visse o país seguindo na direção errada."

Por enquanto, Zaluzhny concentrava toda a sua energia em vencer a guerra, e não tomava decisões firmes sobre seu futuro na política. Mas um grupo de conselheiros seus dentro do Estado-Maior se propôs a calcular o que seria necessário para ele instituir um partido político ou lançar uma campanha presidencial. Sua porta-voz, Lyudmila Dolgonovska, estava coletando material para um livro sobre Zaluzhny, uma biografia autorizada que ele a estava ajudando a escrever. "Ele entende que se tornar presidente seria simples desde que contasse com a equipe certa, com o programa certo", falou-me ela. "Ele está preparado. Mas não sei se aceitará. Se tudo correr bem, se constatar que passos certos estão sendo dados, que a atitude em relação aos veteranos e às famílias dos mortos é correta, que os esforços para combater a corrupção são realmente vigorosos e o Exército se fortalece, talvez decida não concorrer."

Isso foi um alívio para Zelensky e seus assessores. Depois de pesquisar sobre seus concorrentes políticos, do passado ou do futuro, reais ou imaginários, o gabinete presidencial não queria se arriscar. As redes de notícias que se recusaram a mostrar a Telemaratona foram retiradas do ar antes do final da primavera.[5] O canal de Poroshenko, que esteve entre as principais emissoras do país, ainda pode ser encontrado na TV a cabo e no YouTube. Mas sua audiência diminuiu drasticamente, assim como o apoio popular ao ex-presidente e seu partido. Conforme um dos conselheiros de Zelensky ponderou, Poroshenko e seus aliados foram relegados às "periferias digitais" da internet.

Mesmo os aliados do presidente seriam alvo de suspeita, no caso de se tornarem muito populares. Vitaliy Kim, o carismático governador da região de Mykolaiv, conquistou o status de herói nacional nos primeiros dias da guerra, quando provocou e ofendeu os russos nas redes sociais, mesmo quando eles tentaram invadir sua cidade. Uma publicação sua nas redes repercutiu bastante, na qual ele se ofereceu para comprar comida para os soldados russos e uma passagem de volta para casa se entregassem todas as suas armas. Depois que a fama de Kim aumentou, a mídia passou a se referir a ele como um possível sucessor de Zelensky. Os assessores do presidente não acharam graça, e pediram a Kim que diminuísse sua exposição pública. "Estava ficando chato", disse-me um deles.

Essas tensões tinham passado quando o trem no qual Zelensky viajava parou em Mykolaiv. O governador Kim, vestido com a camiseta cáqui de estampa camuflada agora de praxe no meio político da Ucrânia, foi se encontrar com a comitiva presidencial a fim de levá-los até a cidade para visitar as ruínas. O primeiro ataque russo a Mykolaiv ocorreu em 26 de fevereiro, o terceiro dia da invasão. Seguindo para o norte da Crimeia, os invasores assumiram o controle de um aeroporto próximo, que serviria de base para a viagem através do sul da Ucrânia. O aeroporto tinha acabado de ser concluído, no ano anterior. Durante a inauguração, serviu de vitrine para o que Zelensky chamou de "A Grande Construção", o plano de sua administração para desenvolver a infraestrutura do país. Kyrylo Tymoshenko, que supervisionou o projeto, preocupado, no início da invasão, que o aeroporto se tornasse um campo de batalha, escreveu uma mensagem de texto para o general Zaluzhny: *Por favor, tenha muito cuidado ao trabalhar em torno do local. A pista é nova.* O general respondeu: *Claro, entendido.* Poucos dias depois, drones de ataque ucranianos e artilharia devastaram as forças russas no aeroporto, destruindo dezenas de veículos e aeronaves inimigas. Zaluzhny enviou a Tymoshenko uma foto dos estragos. A pista estava arruinada. O edifício do terminal havia desabado. O general acrescentou: *Lamento*.

Nas semanas subsequentes, os russos ainda tentavam tomar e manter o aeroporto, empurrando onda após onda de suas colunas para a alça de mira da artilharia ucraniana. Pelo menos um general russo e centenas de soldados acabaram mortos, e o nome da aldeia mais próxima, Chornobaivka, tornou-se sinônimo de desafio ucraniano e símbolo do fracasso russo por não ter aprendido com seus erros. Num vídeo postado em 5 de março, Vitaliy Kim anunciou que os invasores haviam sido expulsos de Mykolaiv. "Estão apenas fugindo", disse o governador. Mas não foram longe. Entrincheirando-se ao redor da cidade de Kherson, aproximadamente 65 quilômetros a sudeste, foguetes russos e artilharia se vingaram da derrota bombardeando a cidade onde o avanço havia sido interrompido. Em 29 de março, um míssil atingiu a sede do governo regional em Mykolaiv, matando pelo menos 31 pessoas e destruindo o escritório do governador. Kim estava ausente na época e sobreviveu ao ataque. Quando levou Zelensky para visitar o prédio em junho, o presidente estremeceu com a escala da destruição. A seção central havia desabado, deixando um buraco no meio do prédio.

O bombardeio durou meses. Em todas as cidades que conseguiram conter o inimigo, de Kharkiv, no leste, a Zaporizhzhia, no sul, seguiram-se bombardeios cruéis, matando centenas de civis, enquanto os russos aterrorizavam as pessoas que não conseguiram subjugar. Pelo menos quatro foguetes atingiram Mykolaiv durante a visita de Zelensky. No dia anterior, um míssil atingiu uma das maiores fábricas da cidade. Ainda assim, o presidente não fez desses ataques o foco de sua viagem até a frente sul. Ele distribuiu medalhas para aqueles que lideraram a defesa da região, incluindo o governador Kim. Acima de tudo, sinalizou positivamente para o processo de reconstrução e recuperação. Ele e Kim falaram sobre a restauração do abastecimento de água, que as bombas russas haviam cortado meses antes. Conversaram sobre a colheita na região, como fornecer aos agricultores combustível necessário para suas colheitadeiras, armazenamento suficiente para os grãos e rotas logísticas para transportá-los. Mais tarde, naquele dia, em Odessa, o maior porto do país, Zelensky concentrou-se no plano para retomar a exportação de alimentos, o que exigiria convencer os russos a suspender o bloqueio das rotas de navegação pelo mar Negro. No caminho de volta para Kiev, ele saiu de seu carro particular depois da meia-noite e gravou uma mensagem entre um vagão e outro, onde o barulho do trem forçou-o a levantar a voz. "As perdas são significativas", disse ele diante da câmera de seu celular. Em torno de Odessa e Mykolaiv, "muitas casas destruídas, logística civil interrompida, muitos problemas sociais". Ordenou que os funcionários regionais se preocupassem não apenas com questões de defesa, mas com a recuperação dos prédios, com serviços sociais e apoio às vítimas. "Nós, definitivamente, vamos reconstruir tudo que foi destruído", disse ele. "A quantidade de foguetes russos não é maior que a vontade de viver do nosso povo."

Quatro meses após o início da guerra, cerca de 3 milhões de habitantes que se refugiaram na União Europeia retornaram à Ucrânia, atingindo um índice de 30 mil por dia. Zelensky queria se certificar de que teriam pelo menos luz e aquecimento, escolas para seus filhos, uma chance de trabalhar e sustentar suas famílias. As exigências da guerra não o isentaram das responsabilidades mais rotineiras de liderança, nem da preocupação de que seu povo acabaria perdendo a paciência e se voltaria contra ele. O Estado não tinha recursos suficientes para oferecer apoio social aos militares, cujo número havia praticamente triplicado desde o início da invasão, chegando a 700 mil indivíduos. A necessidade de pagar os salários, para não falar das contas médicas, começou a sobrecarregar o orçamento federal até o ponto de ruptura, no meio do verão, e os assessores de Zelensky entendiam os riscos políticos de não cuidar dos militares. Davyd Arakhamia, amigo próximo do presidente e líder da facção de seu partido no Parlamento, estimou que a Ucrânia teria 2 milhões de militares atuantes ou aposentados até o final da guerra, o equivalente a cerca de 15% da população economicamente ativa. "Não teremos dinheiro suficiente para deixá-los satisfeitos", disse ele a um fórum de veteranos militares naquele verão. Se o Estado não encontrar meios de apoiá-los, acrescentou, "eles vão nos tirar daqui carregados depois que acabarem conosco, todos os ministros, políticos, todo o governo".[6]

No dia seguinte ao regresso de Zelensky da frente sul, fui ver a primeira-dama no seu escritório, dois andares abaixo do gabinete presidencial.[7] Era uma segunda-feira do mês de junho, e o complexo parecia muito mais calmo do que estivera um mês ou dois antes. Muitos funcionários da presidência começaram a tirar folga à medida que o tempo melhorava. O principal compromisso que constava da agenda do presidente naquele dia era uma reunião com o ator norte-americano Ben Stiller, uma das várias celebridades de Hollywood que visitavam a rua Bankova naquele verão. No ponto de controle na entrada, os soldados pareciam descontraídos, embora suas expressões tenham enrijecido quando mencionei o encontro com Olena. Um oficial superior do serviço de segurança do Estado veio me questionar. Os guardas revistaram a minha bolsa com cuidado e não tive permissão de levar nenhum aparelho eletrônico à presença da primeira-dama.

No segundo andar, o guarda-costas, o enorme Yaroslav, olhou para mim da porta. Na frente de seu cinto pendia um punhal. Se não fosse por sua presença e a dos outros soldados, a suíte de Olena no complexo presidencial pareceria um escritório de design sofisticado, com paredes na cor cinza e tapetes lilases, e um conjunto de vasos de concreto com samambaias. De uma mesa perto da entrada, o rosto de Olena voltou-se para mim das capas de várias revistas: uma francesa, outra polonesa e a edição ucraniana da *Vogue*. Um fotógrafo tinha me acompanhado para bater a foto dela para a capa da *Time* e, quando entrou na sala, Olena ficou surpresa ao se ver no meio dos refletores. Vários ajudantes circulavam, ajustando a roupa da primeira-dama, ajeitando seus cabelos e a maquiagem. Uma estilista tinha criado um blazer amarelo vivo para ela usar na ocasião. Mas, da cintura para baixo, ela estava vestida como a Olena de sempre, a roteirista de jeans largos e mocassins.

Desde o início da invasão, ela havia desistido de trabalhar em roteiros para seu antigo estúdio de cinema. "Antes da guerra, eu podia fazer as duas coisas", disse-me ela. "Agora não é assim." Parecia frívolo quando tentava levar adiante as duas atividades, e agora estava ansiosa para falar sobre sua nova linha de trabalho, os projetos que tinha empreendido para ajudar os ucranianos a lidar com seus traumas e, sempre que possível, apoiar seu marido. Algumas vezes os dois discutiram suas ideias de oferecer ajuda psicológica às vítimas da guerra, e o presidente a incentivou. Mas a distância entre eles tornava difícil mantê-lo envolvido. As reuniões eram bem breves e pouco frequentes, e por isso Zelensky não se mantinha atualizado sobre as crianças e outros assuntos particulares, muito menos sobre as ambições públicas de Olena na função de primeira-dama. "Ele não comenta sobre meu trabalho", disse-me ela categoricamente. "Ele não se envolve."

Então Olena estabeleceu sua própria agenda e se valeu do poder de seu escritório, tal como era, para impulsionar os projetos através da burocracia estatal. Do mesmo modo que muitos ucranianos, Olena encontrou alento em fazer o possível, mesmo que fosse pouco, para ajudar seu país a vencer a guerra e aliviar o sofrimento das vítimas. O desespero se instalava mais facilmente entre os espectadores e os obcecados por notícias on-line em comparação àqueles que encontravam algum tipo de serviço. Enchendo sacos de areia ou preparando refeições para soldados num posto de controle, essas atividades eram uma forma de estabilizar a mente e resistir à força exercida pelo desequilíbrio mental e pela depressão. No início do verão, a agenda de Olena estava repleta de discursos, reuniões, painéis e entrevistas. Ela criou programas de treinamento para conselheiros ucranianos que pudessem lidar com a questão do trauma, bem como linhas diretas para tornar esses serviços amplamente disponíveis. Convencer os ucranianos a procurar apoio psicológico acabou se tornando o maior desafio. Quando falamos sobre isso, Olena pegou emprestada a expressão em inglês *mental health* porque o conceito é difícil de se descrever em ucraniano. "Temos uma desconfiança particular de palavras que incluem o prefixo *psico*", disse ela. Psicoterapia muitas vezes evoca imagens de sanatórios administrados pelo Estado na Ucrânia, locais projetados para isolar os doentes da sociedade. Muito desse estigma, Zelenska me disse, tem raízes na União Soviética, onde gerações de ucranianos foram criadas para lidar com os traumas, escondendo-os. A atitude, ela disse, costumava ser: "Lide com o problema, supere; se reclamar, é porque é fraco."

Em cooperação com o Ministério da Saúde, ela começou a desenvolver uma rede de psicólogos e terapeutas que poderiam oferecer aconselhamento em caso de trauma, tanto para soldados quanto para civis. O Ministério da Saúde estimou que, em geral, cerca de um terço da população, ou 15 milhões de pessoas, precisaria de algum tipo de assistência no âmbito da saúde mental. Olena e seu marido não foram exceção. "Absorvemos tudo isso", disse ela sobre a guerra. "Cada um de nós, incluindo eu mesma, percebe quando o estado psicológico não está normal." Quatro meses após a invasão, ela falou: "Nenhum de nós está bem."

Na semana seguinte, quando retornou de sua viagem ao sul, Zelensky dirigiu seu foco para a agenda política na capital, onde continuou a combater a oposição. O Ministério da Justiça impôs uma proibição total ao partido político de Medvedchuk. As atividades de outros dez partidos foram suspensas durante a guerra devido aos seus supostos laços com a Rússia. Zelensky também marcou ponto com seu antigo patrono, o magnata da mídia e do setor bancário Ihor Kolomoysky, cuja cidadania ucraniana o Estado tinha revogado sumariamente em julho. O mesmo aconteceu com Gennady Korban, importante mediador da região de Dnipro. Quando tentou entrar no país, os guardas de fronteira revogaram o passaporte de Korban e se recusaram a deixá-lo passar. O presidente respondeu com um sorriso quando lhe pediram que explicasse a tal decisão. "Nós concedemos a cidadania e a retiramos", disse ele. "É um processo contínuo."[8]

Na metade do verão, os principais clãs políticos na Ucrânia estavam se cansando da arrogância de Zelensky. Muitos legisladores começaram a se perguntar se ele seria capaz de lidar com os poderes a ele confiados sob a lei marcial e, posteriormente, se seria capaz de um dia prescindir desses poderes. "Devem ter cautela ao usar esses poderes", disse Serhiy Taruta, um proeminente industrial e membro do parlamento de Mariupol. "Devem nos unir, não nos manipular. E não devem ser usados para lutar contra oponentes políticos."

Na véspera da invasão, Taruta estava entre os empresários que foram se encontrar com Zelensky em seu gabinete. Naquela noite, tinham concordado em pedir uma trégua política, e a maioria manteve-se fiel. A crítica pública à administração foi silenciada nas primeiras semanas de guerra declarada. Os políticos que permaneceram na Ucrânia, a despeito de sua lealdade anterior, concentraram esforços na defesa nacional. Agora a trégua havia se rompido, Taruta me disse, e a equipe do presidente era a responsável. "Eles estão empenhados em destruir seus rivais políticos", disse ele. "É loucura." Sob a lei marcial, o Parlamento não tinha muito poder para desafiar a presidência, que continuava a funcionar a portas fechadas, carimbando as iniciativas expedidas na rua Bankova. Os jornalistas não foram autorizados a observar as sessões plenárias, nem mesmo a entrar no prédio. Mas durante as reuniões particulares e deliberações, Taruta me disse, os legisladores começaram a reclamar sobre os fracassos de Zelensky no período que antecedeu a invasão. "Eles poderiam ter evitado o pânico enquanto se preparavam", afirmou ele. "Essas coisas não são mutuamente exclusivas."

O destino de Mariupol, sua cidade natal, perturbou Taruta acima de tudo. No início da guerra, em 2014, ele serviu como governador da região de Donetsk, que inclui Mariupol, e estava familiarizado com os planos dos militares para defender a cidade. Para impedir o avanço das forças russas provenientes da Crimeia, os ucranianos minaram o estreito que liga a Crimeia ao continente. Também esconderam explosivos em torno de uma ponte que leva ao norte da Crimeia sobre o estreito de Chonhar. Entretanto, na manhã de 24 de fevereiro, quando a invasão começou, nenhuma dessas bombas foi detonada. A ponte permaneceu intacta, e as colunas russas blindadas foram capazes de atravessá-la, seguindo para o norte até a região de Kherson, e para Mariupol. "A passagem por Chonhar foi minada em 2014", disse-me Taruta. "Por que não a explodiram? Por que permitiram que eles atravessassem?"

Ninguém nas Forças Armadas ou no gabinete presidencial se apresentou para explicar esse erro catastrófico. O assunto não foi discutido em detalhes na Telemaratona. Quando perguntaram a Oleksiy Arestovych sobre o assunto, no início de maio, ele deu uma resposta sincera, embora insatisfatória: "Nós pusemos tudo a perder."[9] O presidente e seus assessores comprometeram-se a investigar a causa dos fracassos e punir quaisquer funcionários que tivessem colaborado com o avanço russo por negligência ou traição. Nos primeiros meses da guerra, tais promessas foram suficientes para evitar acusações de irresponsabilidade. Mas os oponentes perderam a paciência no meio do verão, e o público estava menos inclinado a dar a Zelensky a chance de se defender. "Todos ficaram parados e em silêncio enquanto nossa sobrevivência era uma questão em aberto", falou Arestovych. "Assim que ficou claro que sobrevivemos, toda essa história começou a aparecer." Isso o lembrou de uma fase anterior da guerra, em 2014 e 2015, quando as elites em situação confortável em Kiev davam prosseguimento às suas desavenças enquanto Donbas ardia em chamas. "Novamente estamos perdendo o senso de unidade nacional", disse Arestovych. "A política está de volta."

Os jornalistas também voltavam a questionar os poderosos. Sob a lei marcial, que o Parlamento havia prolongado no final de abril, o Estado tinha o direito de censurar a imprensa e controlar as ondas de rádio. Mas no verão os repórteres começaram a protestar contra essas restrições. Numa reunião com Zelensky, em junho, realizada em homenagem ao Dia Nacional do Jornalista, a primeira pergunta surgiu de um repórter do *Ukrainska Pravda*, que questionou o presidente sobre suas opiniões a respeito da censura em tempo de guerra. A resposta deixou claro que a censura permaneceria em vigor o tempo necessário, até a guerra ser vencida. "A arma da informação é muito importante", falou ele. "Podem observar nas minhas ações e nas suas, como jornalistas. Também é importante apontar essa arma não para a própria cabeça, mas na direção do inimigo." Zelensky continuou a falar por um tempo, comparando jornalistas com "soldados na frente de batalha" e louvando a Telemaratona por ser uma "arma unificada de informação". Se essa era a chance de colocar a imprensa em seu lugar, parecia ser do seu agrado. Sua relação com a mídia sempre tinha sido tensa. Num famoso discurso em 2021, alguns meses antes da invasão, ele atacou um dos principais jornalistas da Ucrânia durante uma coletiva televisionada. "Você é um dos desestabilizadores deste país", disse ele. "É graças a você que isso acontece, essa constante instabilidade do barco em nosso país. É graças à mídia!"[10]

Poucas publicações irritaram tanto Zelensky quanto o *Ukrainska Pravda*, conhecido por suas investigações inabaláveis sobre oligarcas e os políticos por eles controlados. Com o passar dos anos, o jornal pagou caro por sua cobertura. O editor e fundador da agência de notícias, Georgiy Gongadze, foi assassinado em 2000. Seus assassinos o decapitaram e despejaram ácido na sua cabeça, atirando-a numa floresta nos arredores de Kiev. O então presidente da Ucrânia, Leonid Kuchma, foi acusado de ordenar o assassinato. Seu próprio guarda-costas fez uma gravação secreta na qual Kuchma, em seu gabinete na rua Bankova, discutia como e quando Gongadze deveria ser silenciado. Kuchma negou envolvimento no assassinato, e um juiz descartou uma tentativa de processá-lo em 2011. Mas a mancha em sua reputação permaneceu, e os repórteres do *Ukrainska Pravda* carregaram durante anos o peso do legado de Gongadze.

Quando visitei a redação do jornal no início de junho, estava quase deserta, com apenas algumas mesas ocupadas por repórteres, que ergueram o olhar e me reconheceram, com um aceno de cabeça discreto, antes de voltar para suas telas. Tinham acabado de se mudar para a nova sede, antes de a invasão começar, e a editora, Sevgil Musaieva, pedia desculpas pela desordem enquanto me mostrava as instalações. Uma das primeiras coisas que ela pendurou na parede foi um retrato em preto e branco de seu colega Pavel Sheremet, colunista famoso que foi morto quando seu carro sofreu um ataque à bomba em 2016. Numa das caixas utilizadas na mudança ela se deparou com um velho tabuleiro de gamão que pertencera a Gongadze; tinha a superfície de madeira deformada pelo tempo e uso excessivo. Em outra caixa, ela encontrou algumas fotos de seu corpo mutilado no necrotério. "As fotos tinham sido arquivadas na nossa antiga sede", disse-me ela. "Agora vão ficar aqui."

Musaieva, natural da Crimeia, ainda tinha 20 e poucos anos quando assumiu o *Ukrainska Pravda* em 2014, logo depois que sua região natal foi anexada pelos russos e a guerra em Donbas começou. Ouvinte cuidadosa e falante relutante, ela suportava a pressão de seu papel com tanta intensidade que a fazia parecer distante, e evitava os programas de entrevistas em horário nobre nos quais o esporte sangrento da política ucraniana se desenrolava. Quando Zelensky decidiu concorrer ao cargo, Musaieva considerou as brincadeiras de sua campanha com a mesma suspeita que teria em relação a qualquer outro pretendente à presidência. Disse aos repórteres que pressionassem, e eles pressionaram, examinando com atenção as finanças de Zelensky e seu uso de contas *offshore*. Depois de vencer a eleição, o presidente eleito tentou aliciar Musaieva, oferecendo a ela o cargo de porta-voz. Sua recusa foi com uma pergunta. Se ela aceitasse a oferta, perguntou a Zelensky, "quem ficaria de olho em você?".

Três anos depois, o início da invasão aliviou um pouco da tensão no relacionamento entre eles. *Ukrainska Pravda*, como seus principais concorrentes, deu uma pausa nas reportagens sensacionalistas da primavera de 2022. A equipe de redação de Musaieva queria mostrar solidariedade e respeito pelo presidente em tempos de guerra declarada e focar nos assuntos mais urgentes de defesa nacional. Mas logo voltaram a escrever sobre os desentendimentos entre os integrantes do governo, o que lhes rendeu muitos inimigos na rua Bankova. Os temas mais delicados para Zelensky e sua equipe eram o fracasso em antecipar a dimensão da invasão e suas tentativas de suprimir os avisos que partiram dos militares. Qualquer reportagem sobre as tensões entre o presidente e seu general também desencadeava uma reação forte. "Eles nos acusam de ser tóxicos, de que só escrevemos mentiras", disse Musaieva. "Mas o conflito deles com Zaluzhny existe. Eles agem como se só pudéssemos ter um herói, e esse é Zelensky. Ninguém mais."

Algumas semanas depois, quando muitos amigos e colegas seus retornaram a Kiev, Musaieva decidiu dar uma festa de aniversário em seu apartamento no centro da cidade e me chamou – os convidados eram principalmente ativistas e repórteres. Muitos não se encontravam havia meses, e demoraram um pouco para se ajustar à atmosfera festiva. A luz difusa fluindo pelas janelas, copos tilintando e arranjos de flores, tudo parecia um sonho meio esquecido, tranquilo demais para existir dentro do pesadelo da guerra.

Alguns convidados eram "veteranos" militares que se alistaram quando a invasão começou. Alguns usavam uniforme. Um romancista carregava uma pistola no cinto. Disse que tinha retornado da frente de batalha na semana anterior e, depois de seu terceiro ou quarto copo de uísque, fechou os olhos e começou a descrever como ele quase morrera sob o fogo da artilharia russa, como queria ter cavado um buraco onde pudesse se jogar no chão que estremecia sob sua barriga, jogando-o para cima cada vez que um morteiro caía nas proximidades. Vários companheiros seus foram mortos. Quando o bombardeio diminuiu, os outros se levantaram e continuaram correndo em direção às posições russas. "É um inferno", afirmou ele, olhando em volta para a sala ensolarada. "E ninguém aqui faz ideia do que seja. Ninguém sabe, realmente." Fechou os olhos de novo. "É muito difícil voltar de uma situação dessas e ver vocês tomando vinho. Então eu penso: É por isso que estamos lutando – para que este tipo de vida exista."

Na varanda, dois jovens fumavam cigarros eletrônicos e discutiam detalhes dos sistemas de artilharia russos, usando o tom que as pessoas sofisticadas no Brooklyn usam para falar sobre aumento de aluguel ou problemas de estacionamento. O raio de explosão de um míssil Kalibr; o fato de que as munições hipersônicas não fazem barulho antes de atingirem o alvo – essas coisas passaram a ser consideradas conversas banais para os millennials em Kiev naquele verão. O único tópico que despertou mais interesse foi a política e, naquele meio, não havia ressentimento em relação a Zelensky. Enquanto atendia à campainha e brindava, Musaieva me apresentou a uma de suas amigas e colegas jornalistas. Era Myroslava Gongadze, a viúva do editor fundador do *Ukrainska Pravda*. Durante meses, ela vinha importunando o presidente para que lhe concedesse uma entrevista e, como centenas de outros jornalistas, tinha sido ignorada. "Não seja muito generoso com ele", disse-me Gongadze. "Você não sabe o que ele vai se tornar."

20. Dia da Independência

O general Zaluzhny quase não foi visto pelo povo ucraniano nos primeiros meses da invasão. Ele andava ausente do canal Telemaratona. Quando aparecia, as imagens exibidas eram das redes sociais: o general ajoelhado ao lado do caixão durante o funeral de um soldado, oficializando o casamento de um militar, ou de pé num posto de controle na companhia de soldados. Páginas de admiradores dedicadas a ele tinham centenas de milhares de seguidores. As manchetes o chamavam de General de Ferro. Pessoas estampavam sua imagem nas paredes com tinta spray e a imprimiam em camisetas para serem vendidas como lembranças. Durante uma entrevista concedida antes da invasão, em setembro de 2021, não revelou a sede de poder que alguns funcionários do gabinete presidencial percebiam nele. Ao contrário, parecia evitar o brilho das câmeras, como se estivesse acanhado devido ao seu porte avantajado. Então fiquei surpreso ao saber, cinco meses após a invasão, que o General de Ferro queria falar.[1]

O convite veio de seu conselheiro próximo, Oleksiy Noskov, a quem conheci durante minha viagem com o presidente Zelensky a Donbas, um ano antes. Um coronel de compleição delicada e temperamento introvertido, Noskov não era o tipo indicado para enfrentar combate pesado. Estudou questões teóricas no Estado-Maior, e se especializou em guerra de informação e operações psicológicas. Também era responsável pela imagem pública de Zaluzhny, suas contas nas redes sociais e entrevistas, e vinha solicitando ao chefe que aumentasse sua visibilidade; Noskov acreditava que a publicidade poderia servir como um escudo contra qualquer tentativa de marginalizar ou demitir Zaluzhny. Durante meses, disse-me Noskov, o gabinete do presidente exortou o comandante a evitar se dirigir oficialmente à imprensa. Somente no verão eles cederam, e Noskov pediu-me que comparecesse a uma entrevista num hotel no centro de Kiev. O lugar não tinha nenhuma conexão discernível com as Forças Armadas, nenhum veículo militar, nem pessoal uniformizado. Quando cheguei, havia somente um funcionário do lado de fora, no sol ardente, fazendo um conserto no estacionamento. Os guardas arregalaram os olhos quando me viram e voltaram depressa para a guarita quando eu disse que tinha um encontro com Zaluzhny. Seria o endereço errado? Depois de alguns minutos, Noskov apareceu com uma arma pendurada na altura do quadril e os instruiu a me deixar passar. "Você realmente nos deu um susto", disse ele. "Não era para ninguém saber que Zaluzhny mora aqui."

O comandante logo apareceu na extremidade do estacionamento, desfilando em nossa direção, usando bermuda cáqui e um par de tênis. Sua camiseta se parecia com aquelas disponíveis nas bancadas de lojas populares de Kiev. Exibia o Moskva, orgulho da Marinha russa, afundando nas águas do mar Negro, e a frase imortal: "Navio de guerra russo: foda-se!" Num cordão em volta do pescoço, o general tinha um porta-crachá com a foto de uma arma, uma Sig Sauer M17. Seria licença para usar armas de fogo? Por que um general precisaria de uma licença para arma de fogo no meio de uma guerra? "Ah, isso aqui serve para eu levar a chave do meu quarto", disse-me com um sorriso. "Perdi tantas vezes a chave que minha esposa me deu isto para pendurar em volta do pescoço."

Esposa? Ela morava ali também? Novamente Zaluzhny sorriu. Perto do final da primavera, na época em que suas forças libertaram a região de Kiev, ele saiu do bunker localizado embaixo do Ministério da Defesa e se reuniu com sua cara-metade. Era muito perigoso para eles viverem em casa, então se estabeleceram num hotel comandado por militares. O lugar não tinha um abrigo antibomba adequado, mas o serviço era bom. Garçons nos serviram algumas latas de Coca-Cola e um prato com frutas. De vez em quando, Zaluzhny colocava um cigarro eletrônico amarelo brilhante nos lábios e dava uma tragada. Parecia ajudá-lo a organizar os pensamentos.

"Vou lhe contar tudo de uma vez", disse ele, "e então não vou lhe contar de novo." Uma de suas histórias mais reveladoras remonta ao verão de 2020, cerca de um ano antes de o presidente o escolher para liderar os militares. Em agosto, Zaluzhny organizou uma série de exercícios militares no sul da Ucrânia, e Zelensky tomou um avião e foi até lá observá-los. Os exercícios tinham como objetivo mostrar a capacidade da Ucrânia de evitar um ataque russo proveniente do sul, do mesmo tipo que se desenrolaria dezoito meses mais tarde.

A primeira parada no trajeto foi na Ilha das Serpentes, um trecho de terra árida no mar Negro, onde a Ucrânia mantinha um quartel e uma estação de radar para observar os movimentos da Marinha russa. Era um panorama pouco animador. A Ucrânia já não tinha mais o que exibir em termos de Marinha. Quase todos os seus navios de guerra estavam baseados na Crimeia, e os russos os apreenderam em 2014, assim como o resto do território da península. O que sobrou foi uma frota de barcos de patrulha e helicópteros que Zelensky observava com binóculos, tendo Zaluzhny ao seu lado. Partindo da Ilha das Serpentes, os helicópteros os levaram para uma base muito maior na região de Mykolaiv, onde o general tinha preparado uma série de manobras de tanques e infantaria. Eles começaram bem, apesar do calor, que era intenso naquele dia, especialmente para os soldados, forçados a correr para todo lado usando coletes à prova de bala.

Zaluzhny decidiu testar sua capacidade de lançar uma ofensiva contra os russos não apenas para manter o território, mas para reconquistá-lo. Também queria exibir as reformas em andamento nas Forças Armadas. O objetivo, explicou, era ajudar as forças ucranianas a reagirem às surpresas no campo de batalha, comunicando-se e apoiando umas às outras, em vez de apenas esperar ordens superiores. Com essa finalidade, as Forças Armadas precisavam desarraigar a estrutura de comando deixada pelo Exército Vermelho, no qual todas as decisões importantes eram tomadas em Moscou e transmitidas. Zaluzhny tinha consciência da necessidade de abandonar esse sistema. Ao responder às mudanças no campo de batalha, argumentou, os oficiais precisam de liberdade e confiança para tomar decisões próprias. Os norte-americanos e outros aliados ocidentais passaram anos defendendo essas reformas, o que teria aproximado a Ucrânia dos padrões da aliança da Otan. Mas a resistência dos generais em Kiev foi radical. Todos os grupos mais antigos se desenvolveram dentro das Forças Armadas soviéticas, e encaravam as mudanças como uma ameaça à sua autoridade e à disciplina junto às fileiras. "O trabalho foi muito difícil", lembrava-se Zaluzhny, referindo-se àquele período. "Todo o sistema de controle soviético teve que ser derrubado."

Quando Zelensky assumiu o cargo, ele estava, na melhor das hipóteses, ciente dessas reformas, e Zaluzhny tentou não sobrecarregar o presidente com muitos detalhes. "É um hábito meu", disse Zaluzhny. "Minha esposa muitas vezes me repreende por isso. Ela diz que é como se eu tivesse três maneiras de explicar algo: uma para pessoas normais, outra para pessoas que têm uma ideia do assunto, e uma terceira para imbecis." Na plataforma de observação, o general percebia que as nuances dos treinamentos eram difíceis para Zelensky acompanhar pelos binóculos. As manobras demoravam a se desenvolver, e o gabinete do presidente, que havia convidado um grupo de repórteres para cobrir o treinamento, parecia esperar assistir a uma apresentação melhor. Conselheiros militares norte-americanos e europeus também compareceram e lotaram a plataforma ao lado da equipe do presidente. Para tornar o evento um pouco mais dramático, pediram a Zaluzhny que incluísse uma alteração de última hora ao programa – uma demonstração do míssil Javelin. Com relutância, ele concordou.

O Javelin, arma norte-americana, cujo preço quase chegava a um quarto de milhão de dólares por tiro, deveria simbolizar o apoio dos Estados Unidos à Ucrânia. Durante anos, a administração Barack Obama tinha se recusado a fornecer esses caça-tanques, temendo que houvesse uma escalada contra os russos. Porém, em 2017, no governo Donald Trump, os Estados Unidos finalmente enviaram alguns projéteis à Ucrânia. Pareciam grandes bazucas de alta tecnologia, com um sistema de orientação tão avançado que um soldado poderia, de acordo com o material promocional, "disparar e relaxar". Mas o slogan era enganador. Não eram armas fáceis de usar, e poucos ucranianos tinham sido treinados para utilizá-las. Zaluzhny sentia o nervosismo de colocá-las em ação. "Não era minha ideia", disse-me ele. "E não funcionou." Quando o fuzileiro fez a pontaria e deu o comando no computador para disparar, nada aconteceu. A plataforma de observação ficou em silêncio. O foguete foi um fracasso. Ou talvez o soldado não tivesse sido treinado para usá-lo. Em todo caso, Zelensky e o restante do grupo olharam para Zaluzhny.

"Então baixaram a cabeça, se viraram e se afastaram." O incidente eclipsou o que tinha sido um bom desempenho dos soldados, os quais tinham feito o melhor possível sob o calor intenso. Naquela tarde, quando o treinamento terminou, a comitiva presidencial desceu da plataforma de observação e se dirigiu ao refeitório onde foi servido o almoço: trigo-sarraceno e fricassê de frango. O silêncio foi pior que qualquer reprimenda a Zaluzhny. "Para mim significava: 'Você não é bom, arrume sua bagagem e desapareça.'" Ele tinha certeza de que seria para sempre conhecido no gabinete presidencial como "aquele que fracassou ao utilizar os mísseis defeituosos".

A história, que ele contou sem ressentimentos, uma piada do passado distante, parecia ilustrar uma frustração comum em sua experiência de comandante. Zaluzhny deixava claro que políticos e generais são parceiros desajeitados. Raramente se entendem, e se dão melhor quando ficam fora do caminho um do outro. Zaluzhny considerava Zelensky a personificação do Estado, e respeitava a coragem e a liderança do presidente no começo da invasão. "Ele é o comandante supremo, e para mim isso é um símbolo." Mas os militares agiam melhor sob o comando de profissionais, e não era razoável tentar ensinar o presidente a comandar as Forças Armadas. "Ele não precisa entender de assuntos militares, nem de assuntos de medicina ou de construção de pontes", disse Zaluzhny.

Conforme a invasão se aproximava, o gabinete do presidente ficou mais envolvido com a reação militar. Solicitaram que Zaluzhny evitasse alarmar o público, e ele logo deixou de pedir permissão para adotar medidas que considerava necessárias, como descolar as tropas em exercícios militares na neve. Não informava o presidente sobre detalhes de seus preparativos para a guerra. Além da necessidade de sigilo, o general receava que Zelensky e sua equipe interferissem e atrapalhassem os planos, talvez como fizeram durante o treinamento em 2020.

No início da invasão, o relacionamento entre eles funcionou melhor a partir do momento em que Zelensky se ateve às suas especialidades – comunicação de massa e relações exteriores, convencendo aliados a fornecer as armas de que a Ucrânia precisava. Mas, uma vez superada a situação inicial de pânico em Kiev, e após os russos se retirarem, Zelensky tornou-se mais confiante. Estabeleceu as próprias prioridades militares, que nem sempre estavam alinhadas com as do general. Logo o racha entre os dois homens ficou mais evidente, e eles começaram a se estranhar.

Aproximando-se o final de junho, algumas semanas depois da minha entrevista com Zaluzhny, os Estados Unidos entregaram ao general uma nova arma poderosa às forças sob seu comando. Os Sistemas de Foguetes de Artilharia de Alta Mobilidade (High Mobility Artillery Rocket Systems – Himars) expandiriam muito o alcance e a ambição dos militares ucranianos e influenciariam o equilíbrio de forças na guerra. Montados na carroceria dos caminhões do Exército dos Estados Unidos, esses foguetes tinham uma carga útil limitada, mas uma precisão notável. Conseguiam atingir um carro estacionado ou um banheiro químico a centenas de quilômetros de distância. Nada no arsenal russo se comparava ao Himars.

Quando combinadas com novas informações de satélites militares dos Estados Unidos, essas armas podiam espalhar o pânico entre as forças russas, atingindo quartéis, centros de comando e depósitos de combustível e de munição bem atrás das linhas de frente. "Os satélites nos permitem ver o que o inimigo está escondendo", afirmou Oleksiy Reznikov, ministro da Defesa. "Os Himars nos permitem destruir o que escondem." O primeiro ataque relatado com essa arma na Ucrânia matou quarenta soldados russos no fim de junho. Geralmente desferidos na calada da noite, esses ataques logo se tornaram rotineiros e marcaram um novo nível de envolvimento dos Estados Unidos na guerra. Os norte-americanos agora forneciam a localização precisa dos alvos russos e as armas de longo alcance para destruí-los. Os ucranianos só precisavam apontar e atirar.

Para o presidente Joe Biden, foi difícil concordar com esse arranjo. Ele pretendia evitar uma escalada que poderia envolver as forças da Otan num conflito direto com soldados russos, e, consequentemente, semanas de debate e disputas na Casa Branca foram necessárias para convencê-lo de que a importância de entregar Himars à Ucrânia superava os riscos. O general Milley atuou como mediador nessas discussões, solicitando que Biden aprovasse as entregas o mais rápido possível, ao mesmo tempo que pedia aos ucranianos mais paciência. A lista de pedidos de armas dos ucranianos muitas vezes parecia fantasiosa, e Biden lhes dizia que fossem realistas quanto às suas demandas. Pedir demasiado à Casa Branca só iria sobrecarregar o relacionamento.

Mas para Zelensky foi difícil se conter. Durante um telefonema em 15 de junho, cerca de duas semanas depois que os Estados Unidos anunciaram a decisão de enviar o Himars para a Ucrânia, Zelensky mal terminara de expressar seus agradecimentos a Biden e fez mais pedidos, acenando com uma lista de armas que ainda não tinham lhes fornecido. Supõe-se que Biden tenha perdido a paciência com Zelensky.[2] Tinha acabado de aprovar outro pacote de ajuda militar para a Ucrânia no valor de um bilhão de dólares, o maior desde a invasão e, em vez de fazer uma pausa para reconhecer a generosidade norte-americana, o líder ucraniano continuou a pressionar, esperando mais. Numa reunião com repórteres, um diplomata dos Estados Unidos queixou-se de que Zelensky mostrou menos consideração por Biden do que por outros líderes, como Boris Johnson, primeiro-ministro britânico, cujo governo fornecia muito menos ajuda.

No contexto da guerra, tais tensões eram irrelevantes e não levavam a uma ruptura duradoura entre Kiev e Washington. Ambos os lados estavam empenhados em derrotar os russos. No decorrer do mês de julho, mísseis guiados caíram sobre bases e quartéis russos, postos de comando e depósitos de munição. O objetivo era enfraquecer as defesas dos ocupantes em todo o sul e leste da Ucrânia. A liderança em Kiev celebrou, lançando provocações nas redes sociais. Quando anoitecia em Kiev, o Ministério da Defesa muitas vezes liberava uma declaração: "É hora de Himars." Andriy Yermak gostava de anunciar os ataques postando o emoji de um foguete em seu feed no Twitter.

Os foguetes voavam em ambas as direções, e à medida que aumentavam as perdas russas no leste os comandantes daquele país descarregavam a raiva contra civis inocentes. Em 14 de julho, um míssil de cruzeiro disparado de um submarino russo no mar Negro atingiu o centro de Vinnytsia, capital regional no centro da Ucrânia, matando pelo menos 28 pessoas e ferindo mais de 200. Entre as vítimas estava uma menina de 4 anos chamada Liza Dmitrieva, morta quando sua mãe a empurrava pela calçada num carrinho. Imagens de seu corpo se espalharam nas redes sociais naquele dia e, à noite, chegaram ao escritório de Olena Zelenska no segundo andar do complexo presidencial. Ela estava ocupada preparando uma visita a Washington, e decidiu levar a história de Liza.

Já que seu marido não podia viajar para o exterior, Olena percebeu que seu papel mais valioso na administração seria de uma defensora no cenário mundial, não apenas de Zelensky, mas de todas as vítimas ucranianas da invasão. Ela ainda se preocupava que algum passo em falso pudesse envergonhar e afetar a posição do país perante o mundo, mas o medo de passar vergonha tinha passado. "A guerra acabou com essa possibilidade", disse-me. "Não tenho mais medo de mim mesma." Por razões de segurança, ela e sua equipe embarcaram num voo comercial, na esperança de se misturar com as multidões de viajantes. Porém, durante uma escala, a companhia aérea anunciou que o voo seguinte estava lotado, e Olena e sua equipe teriam de aguardar o próximo voo no dia seguinte. "Não podíamos fazer tumulto", ela lembrou. "Não havíamos anunciado a visita antes. Não era permitido." A equipe de segurança de Olena aceitou que sua assistente informasse aos funcionários da companhia aérea que uma das passageiras era a primeira-dama da Ucrânia, um país em guerra, e que ela estava a caminho de uma visita ao presidente Biden. Três passageiros adicionais foram então autorizados a embarcar no voo: Olena, seu guarda-costas e um de seus assistentes. A partir daquele momento, tudo correu bem, ela disse, "como as peças que se encaixam num quebra-cabeça".

Olena chegou à Casa Branca. Jill Biden deixou de lado a pompa com uma série de gestos – um abraço, um toque encorajador – que fizeram Olena sentir que estava visitando amigos. Foi a primeira vez que um presidente dos Estados Unidos recebia a primeira-dama de outro país no Salão Oval. Mais tarde, naquele dia, ela foi convidada para discursar numa sessão conjunta do Congresso, outra novidade para uma primeira-dama estrangeira. O discurso tinha levado horas para ser redigido, em consulta com Zelensky e os diplomatas mais experientes da Ucrânia, que a incentivaram a abolir os temas esperados do discurso de primeira-dama e fazer pleno uso da oportunidade. "Talvez eu quisesse falar de flores e bebês", ela brincou. "Mas não."

Ela passou metade da vida redigindo piadas para o marido. Agora precisaria fazer um discurso que ao mesmo tempo canalizasse a nova *persona* por ele adotada; um discurso sobre a guerra e todos os seus horrores, sobre a tentativa russa de aniquilar o país e sobre as armas de que necessitavam para se manter vivos. Enquanto lia o discurso no avião e em seu quarto de hotel em Washington, vários trechos a fizeram chorar, especialmente quando contou a história de Liza. Mas, quando chegou o momento de falar, sua postura foi impecável. Com imagens projetadas numa tela atrás de si, Olena falou a respeito das crianças que foram mortas ou perderam membros do corpo quando atingidas por bombas russas; sobre uma família morta a tiros por soldados russos quando estava em seu carro, tentando escapar. Daí em diante ela começou a pedir ajuda, com toda a franqueza que o mundo tinha se acostumado a esperar de seu marido. "Estou pedindo armas", afirmou ela. "Estou pedindo sistemas de defesa aérea para que foguetes não matem crianças em seus carrinhos."

A iluminação intensa no palco dificultava a sua visão do público, mas ela percebeu a reação dos parlamentares nas primeiras filas quando se levantaram para aplaudir e subiram ao palco para cumprimentá-la. "Vi lágrimas nos olhos daqueles homens respeitáveis, com suas gravatas e ternos caros", disse-me ela. "E não estavam fingindo." Quando ela voltou para Kiev, seus amigos e colegas da rua Bankova disseram que o discurso tinha sido um triunfo. Apenas Zelensky se conteve, como se ainda não tivesse chegado a hora de avaliar a viagem a Washington. "Ele me agradeceu em termos bastante secos", disse Olena. "Bom, parece que tudo correu bem."

A reação de Zelensky não dizia respeito à atuação da esposa em Washington. O discurso de Olena abrangeu cada uma das observações e mensagens que eles haviam elaborado juntos. Mas o presidente e a equipe tinham decidido na metade do verão que sua estratégia diplomática estava prestes a se esgotar. Os apelos aos valores que partilhava com o Ocidente, à indignação do mundo diante das atrocidades russas, tinham ido tão longe quanto possível para garantir a aquisição de armas e apoio financeiro.

Alguns líderes europeus, tais como o primeiro-ministro Viktor Orban, da Hungria, argumentaram que a ajuda militar à Ucrânia estava alimentando o conflito em vez de resolvê-lo. "Os ucranianos não sairão vitoriosos", falou Orban num discurso no final de julho.[3] Os russos, acrescentou, tinham um "domínio assimétrico" que nenhuma infusão de armas ocidentais poderia superar. Diante de tais pontos de vista influenciando os membros da Otan, Zelensky percebeu que a melhor maneira de enfrentar a situação seria demonstrar a capacidade da Ucrânia de vencer, expulsar os russos e recuperar o território que eles haviam ocupado. "Pode parecer sarcástico", disse-me o presidente, "mas todos querem estar do lado do vencedor. Claro que é verdade que os Estados Unidos apoiam a Ucrânia por causa dos valores que compartilhamos, mas esse apoio começa a enfraquecer quando não veem resultado".

E o resultado não poderia ser outro: um contra-ataque. Trabalhando com seus aliados mais próximos na Otan, o general Zaluzhny e os demais comandantes ponderaram uma lista de alternativas, levando em conta o que poderia dar certo ou errado. Numa série de jogos de guerra virtuais, fizeram a modelagem de diferentes linhas de ataque e como funcionariam no campo de batalha, além de quais armas precisariam para romper a linha defensiva russa. No começo de julho, os Himars foram lançados em postos de comando russos e depósitos de munição, e Zelensky e sua comitiva pareciam bastante confiantes no equilíbrio de forças para anunciar uma ofensiva. Segundo eles, seu objetivo era liberar o sul da Ucrânia, e estimularam os civis a evacuar a área.

O general Zaluzhny, que estava no comando da operação, queria agir com cautela, estocar armas e preparar as forças militares para uma investida rumo ao sul, algo que quebrasse a espinha dorsal da ocupação russa. Ele pretendia libertar as cidades de Kherson e Melitopol antes de fazer uma incursão mais profunda por toda a fronteira da Crimeia. A missão, argumentou, exigiria sigilo e planejamento minucioso, mas o gabinete do presidente queria agir depressa. Os dados dos satélites dos Estados Unidos indicavam que as posições russas eram mais fracas na extremidade oposta da frente de batalha, no nordeste, em torno da cidade de Kharkiv. Os russos haviam deslocado muitas forças para longe daquela área, depois que Zelensky começou a alertar que haveria uma ofensiva iminente no sul. Mas Zaluzhny resistiu à tentação de atacar a região de Kharkiv. Ainda que a área fosse um alvo mais fácil, para o general seu valor estratégico era menor em comparação ao que esperava da ofensiva. Também se preocupava com a dificuldade de manter as regiões do nordeste, que fazem fronteira com a Rússia. "O problema com Kharkiv é que, se avançarmos até a fronteira, o que faremos depois? Ficaremos expostos", disse o coronel Noskov. "Podem nos alvejar do outro lado da fronteira."

Como os ucranianos responderiam? Revidariam o ataque? Prosseguiriam com uma incursão na própria Rússia? Suas mãos estavam atadas. Como condição para fornecer armas avançadas à Ucrânia, os Estados Unidos insistiam que esse tipo de sistema não deveria ser usado para atacar território russo. Em torno de Kharkiv, o general Zaluzhny não seria capaz de repetir as táticas vitoriosas da Batalha de Kiev, já que os invasores não precisariam prolongar suas linhas de abastecimento e deixá-las expostas. Poderiam esmagar posições ucranianas, atacando posições no lado russo da fronteira, tornando difícil para a Ucrânia manter qualquer território que pudesse libertar no nordeste.

Zaluzhny, portanto, continuou a se concentrar na operação no sul, e tudo indicava que podia contar com o apoio dos aliados ocidentais da Ucrânia. Em vez de enviar uma estratégia falsa para os norte-americanos, como ele havia feito antes da invasão em fevereiro, Zaluzhny e sua equipe compartilharam seus planos para uma contraofensiva com o general Milley e outros comandantes veteranos dos Estados Unidos e da Europa. "Nossos parceiros manifestaram o desejo de participar dessa campanha bem-sucedida", afirmou Oleksiy Reznikov, ministro da Defesa. "Eles disseram: 'Deem-nos uma explicação de como pretendem atacar, e nós diremos qual ajuda podemos fornecer, quais armas podem ser eficazes.'"

Os Himars, com capacidade de atingir bases russas e depósitos de munição muito atrás das linhas inimigas, demonstraram ser críticos na preparação para a contraofensiva. Um dos principais alvos era a ponte Antonovsky, uma linha de abastecimento vital para as forças russas no sul. Até o final de julho, ataques de precisão abriram um número suficiente de buracos na ponte, tornando-a intransponível e forçando os russos a recorrer a pontes flutuantes e balsas para entregar comida e munição às tropas na ocupação de Kherson. Reznikov disse-me que o objetivo desses ataques era isolar as forças russas ao longo da frente sul e preparar o terreno para um cerco. Mesmo assim, os ucranianos ainda não tinham decidido qual seria o plano de ataque. "Estávamos avaliando nossas opções", disse Reznikov. "Vamos conseguir? Teremos tempo suficiente para angariar recursos?"

O debate se intensificou à medida que o avanço russo chegou a Donbas, forçando os ucranianos a ceder mais território. No início de julho, os invasores ganharam o controle completo da região oriental de Luhansk. O Kremlin considerou o feito uma grande vitória, e Vladimir Putin concedeu medalhas aos comandantes envolvidos na ofensiva. Disse-lhes que descansassem um pouco e se preparassem para mais avanços em Donbas. Esses contratempos preocuparam o general Zaluzhny, e as demandas por armas se tornaram mais prementes em seus telefonemas diários com o presidente. "Ele quer saber quando vamos receber a munição", falou Noskov, que participou dessas chamadas. "Pessoas morrem todos os dias. Os soldados não podem revidar, então se retiram. E acabamos perdendo território. Onde estão os canhões? Onde estão os projéteis? Onde está a munição? O presidente fica exaltado e desliga o telefone. E é isso."

Embora o suprimento de Himars e outras armas avançadas do Ocidente tenha melhorado a posição da Ucrânia, houve demora até chegar à frente de batalha, e seus números eram insuficientes para responder aos ataques implacáveis. Os russos continuavam a lançar até 60 mil projéteis por dia. Ao longo da linha de frente, que se estendia por mais de 2 mil quilômetros, dispunham de um número suficiente de canhões para colocá-los a distância de algumas centenas de metros entre si, enquanto a Ucrânia tinha condições de posicionar cada um a quilômetros de distância. O general Zaluzhny fez o que pôde para preencher as lacunas. Pediu ao presidente e ao Ministério da Defesa que adquirissem mais estoques de armas da era soviética em vez de esperar pelo kit mais sofisticado da Otan. Na primavera, Zaluzhny até criou sua própria fundação de caridade para ajudar a pagar por essas armas. "As necessidades do Exército na luta nesta guerra são colossais", escreveu o general em seu apelo público para doações ao fundo.

O gabinete do presidente encarava a iniciativa com desconfiança. Zelensky e a equipe tinham a missão de solicitar dinheiro e armas aos doadores estrangeiros. Por que o chefe das Forças Armadas teria decidido começar a arrecadar fundos por conta própria? Já não teria encargos suficientes? Para alguns funcionários da rua Bankova, parecia um sinal das ambições políticas de Zaluzhny, e o general concordou em se distanciar desses esforços depois que Zelensky criou uma fundação independente, a United 24, para ajudar a angariar fundos para os militares. Além desse incidente, o público não viu sinais das tensões crescentes entre o presidente e seu comandante militar superior. Ambos continuaram a insistir na solidez de seu relacionamento. Mas, em particular, o general enfrentava pressão crescente para mostrar resultados a partir dos recursos de que dispunha. Quando Zelensky e seus assessores tentaram apressar o início da contraofensiva, Zaluzhny perguntou: "Com o quê?" Noskov completou durante um jantar, em meados de agosto: "Temos cem canhões com defeito, sendo consertados. Com o que ele deve atacar? E se partir para a ofensiva e acabar perdendo em algum lugar? Dirão que ele falhou."

Mas o tempo estava se esgotando. À medida que os russos realocavam as forças para defender o sul, a Ucrânia precisava concentrar mais e mais tropas e armas para o avanço nessa direção, atrasando ainda mais o ataque. No final do verão, o presidente recusou-se a esperar mais. Se as condições não fossem adequadas para um avanço no sul, Zelensky queria atacar o nordeste, onde a Ucrânia poderia demonstrar capacidade de pressionar os russos e expulsá-los. Numa série de reuniões para discutir estratégia, ele pediu aos seus principais generais que lançassem o ataque na direção de Kharkiv. Zaluzhny se recusou. "Ele queria atacar não onde fosse possível", disse Noskov, "mas onde fosse necessário."

À medida que o debate se arrastava, o presidente procurou formas mais agressivas de mostrar a capacidade de ataque da Ucrânia. Os resultados ultrapassaram a zona de guerra, chegando a uma frente clandestina onde os ucranianos poderiam causar danos substanciais aos russos usando as armas modestas de que dispunham. O homem encarregado da estratégia era o general mais jovem da Ucrânia, Kyrylo Budanov, de 37 anos, comandante do serviço de inteligência militar conhecido como GUR. Oficial das forças especiais que tinha se tornado espião, Budanov era uma figura dramática, e aparecia frequentemente na televisão com ameaças vagas e dando sombrios indícios sobre seus planos. "Temos matado russos", ele disse certa vez, vangloriando-se, "e vamos continuar matando russos em qualquer parte da face da Terra, até a vitória completa da Ucrânia."[4] Budanov, cuja confiança chegava a ser messiânica, não era do tipo de contradizer o presidente ou alertá-lo quanto a uma decisão. Como ele colocou em outra entrevista, "não há limites. Não há nada que não possamos alcançar".[5] Prometeu caçar e "eliminar fisicamente" os perpetradores do massacre de Bucha, e disse que lhe dava satisfação ouvir a propaganda russa dizer que ele era um terrorista. Seu assistente declarou mais tarde, em entrevista a um jornal alemão, que os agentes da GUR estavam planejando assassinar Putin e uma longa lista de seus tenentes, incluindo os chefes do complexo industrial militar russo.

O trabalho útil da GUR tornou-se objeto de especulação fervorosa, o que rendeu a Budanov uma espécie de culto na Ucrânia. Nos primeiros meses da invasão, explosões e incêndios muitas vezes arrasaram pontos militares russos e depósitos de combustível nas regiões mais próximas da Ucrânia, e as autoridades russas culparam ataques de drones ou sabotadores ucranianos por esses incidentes. Em abril, pelo menos duas vezes, helicópteros em baixa altitude sobrevoaram a fronteira e atingiram alvos na região russa de Belgorod. A Ucrânia negou a responsabilidade desses ataques, e o Kremlin se inclinava a minimizá-los para evitar constrangimentos. No final do verão, quando o presidente Zelensky e sua equipe ficaram impacientes em função do início de uma grande contraofensiva, esses ataques secretos se tornaram mais ousados e dramáticos. Avançaram pelo território russo, enquanto negativas oficiais de responsabilidade da parte de Kiev esmoreciam e eram normalmente acompanhadas de uma piscadela e um sorriso malicioso.[6]

Oleksiy Arestovych, ex-oficial da GUR e conselheiro de Zelensky no início da invasão, mencionou alguns desses ataques quando nos encontramos no início de agosto. Então ele se inclinou para trás em sua cadeira, olhou para o meu gravador de áudio e só com o movimento dos lábios proferiu as palavras em russo: "Éramos nós." Estávamos sentados no nosso local habitual no lobby do Intercontinental, em frente à rua da praça da Independência. Alguns meses antes, o lugar estava cheio de estrangeiros. As redes de notícias globais reservavam andares inteiros naquela primavera para fazer transmissões ao vivo, direto das sacadas. Agora a maioria deles tinha ido embora. O lobby estava vazio, e Arestovych sentou-se diante de uma mesa no ambiente pouco iluminado, enquanto o guarda-costas acomodou-se num sofá próximo. Uma pessoa que estava no bar, uma jovem, aproximou-se da mesa e pediu para tirar uma foto com ele. "Estou tentando impressionar meu filho adolescente", disse a mulher. "Ele observa você o tempo todo."

As instruções regulares que Arestovych forneceu do pódio presidencial e através dos canais oficiais de mídia social fizeram dele uma figura conhecida durante a primavera. Era difícil para ele andar pelas ruas de Kiev sem ser importunado por transeuntes e fãs. Suas extensas e divagantes palestras sobre as condições na frente de batalha e sobre o estado de espírito na rua Bankova costumavam atrair milhões de espectadores. Mas seu acesso ao presidente tinha decrescido no final do verão. O que restara do círculo interno de Zelensky criticava Arestovych por ser um exibicionista, como se essa não fosse, desde o início, a razão pela qual eles o convidaram para a sua equipe. "Raramente nos vemos hoje em dia", disse ele sobre Zelensky.

Do mesmo modo que muitos dos antigos moradores do bunker, Arestovych muitas vezes sentia saudades daquelas noites subterrâneas. Sentia falta do companheirismo, da proximidade com o presidente. "Naquela época", disse Arestovych, entristecido, "nossos quartos eram compartilhados. Conversávamos como se fôssemos colegas de quarto, escovávamos os dentes um ao lado do outro, comíamos juntos." Ele ainda observava de perto o caráter de Zelensky, e as mudanças nele surpreenderam Arestovych. "Ele costumava ter um ar leve. Movimentos rápidos, decisões rápidas, muita conversa, piadas. Agora é tudo armadura", disse Arestovych, fazendo a melhor imitação de um brutamontes – mandíbula para a frente, olhos apertados. Para frisar o que estava afirmando, ele pegou o celular e tocou num alerta de notícia recente. Eram imagens de uma explosão remota. "Crimeia", disse ele. "Agora mesmo." Muito além das linhas inimigas, os ucranianos tinham bombardeado uma base aérea russa repleta de caças. Pelo menos oito foram destruídos. Grandes bolas de fogo e nuvens de fumaça encheram os céus da Crimeia enquanto turistas russos fugiam das praias. Para Putin, foi uma humilhação. A Crimeia simbolizava a sua reivindicação ao império, e agora estava sendo atacada. "Este é o novo Zelensky", disse Arestovych. "Ele não está de brincadeira."

Pagamos a conta e fomos até a praça de São Miguel, onde a estátua da princesa Olga estava cercada de sacos de areia em meio a uma exibição de veículos russos destruídos, troféus de batalha cobertos de grafites: *Putin é um babaca! Glória às Forças Armadas da Ucrânia!* Na calçada, Arestovych se ofereceu para me dar uma carona. O local para onde eu ia ficava no caminho, e o motorista aguardava num Mercedes branco, com o banco traseiro abastecido de chaveiros e abridores de garrafas com o nome de Arestovych. Ele me deu algumas lembranças impressas com frases famosas de suas transmissões ao vivo. Uma simplesmente dizia "duas a três semanas", sua previsão notória de quanto tempo faltava para a vitória da Ucrânia. Sentado no banco de trás do carro, ele voltou às imagens da Crimeia em seu celular: turistas em fuga, fumaça bruxuleando. "Eles vão atacar Kiev agora", disse ele, sem fôlego. "Putin não vai deixar barato."

O comentário ficou na minha cabeça, e durante dias parecia que as sirenes de ataque aéreo uivavam com persistência na minha janela. Na verdade, a previsão estava errada. A Ucrânia continuou atacando alvos militares russos distantes do front, e os russos não davam uma resposta clara, nada que se igualasse ao espetáculo daqueles ataques recentes. Um deles destruiu um enorme estoque de munição russa e uma subestação elétrica na Crimeia, danificando a linha ferroviária que a Rússia usava para abastecer as forças no sul. Zelensky deixou claro que os ataques tinham sido apenas o começo. Em seu discurso noturno após o primeiro ataque na Crimeia, ele disse que a guerra só terminaria depois que a Ucrânia retomasse toda a península. "Jamais vamos desistir", afirmou ele. No gabinete do presidente, os assessores assistiram às filmagens das explosões e se parabenizaram, trocando tapinhas nas costas. Cerca de uma semana depois, uma base militar russa em Belgorod pegou fogo. Em seguida, um drone atingiu a sede terrestre da frota do mar Negro na Crimeia ocupada, enviando outra torre de fumaça para o céu. A cada ataque, a exaltação em Kiev era seguida por uma pontada de medo. A resposta russa parecia inevitável.

Em 20 de agosto, quatro dias antes da data para a celebração do Dia da Independência na Ucrânia, uma bomba atingiu um carro mais perto da corte imperial de Putin do que em qualquer outro ataque desde o começo da invasão. A vítima desse ataque foi Darya Dugina, ativista de extrema direita e fã de carteirinha da guerra, destaque recente nos canais de propaganda do Kremlin. Seu pai, o ideólogo neoimperialista Alexander Dugin, foi creditado com a construção da estrutura intelectual das tentativas de a Rússia conquistar a Ucrânia. Ele invocara os militares russos: deveriam golpear a Ucrânia com toda força. "Matem, matem, matem!", ele gritou num vídeo para seus seguidores em 2014. A bomba que matou sua filha mudou o clima entre as elites de Moscou, pelo menos por um tempo. A guerra na Ucrânia agora era percebida mais perto de casa. No momento da explosão, era Dugin quem supostamente deveria estar no carro, voltando para casa depois de uma conferência com nacionalistas russos a que ele tinha assistido com a filha. Em vez disso, ela estava dirigindo na cidade, sozinha, e a explosão matou-a instantaneamente. Em imagens mostradas na TV estatal russa, Dugin ficou perto dos destroços, suas mãos apoiando a cabeça, enquanto bombeiros chegavam para apagar as chamas ao redor do corpo de sua filha. "Nossos corações não estão somente sedentos de vingança", escreveu Dugin logo após o ataque. "A vitória é tudo que precisamos. Minha filha sacrificou sua vida no altar da vitória."

Para o Kremlin, a jovem propagandista era mártir, e Putin concedeu-lhe uma honra póstuma, a Ordem da Coragem. Os serviços de segurança russos alegaram que ela foi assassinada sob ordens de Kiev, e as fontes de inteligência dos Estados Unidos confirmaram mais tarde ao *New York Times* que era verdade.[7] Mas Zelensky e seu governo negaram qualquer envolvimento. Eles perceberam que a Rússia poderia usar o incidente para justificar novos ataques. "Devemos estar cientes de que, esta semana, a Rússia pode agir de modo particularmente desagradável, particularmente cruel", afirmou Zelensky após a explosão. "Assim é o nosso inimigo."[8] Ele observou que os ataques com mísseis contra civis ucranianos nunca pararam, nem uma vez desde o início da invasão. Na semana anterior, um foguete atingira um lar para idosos em Kharkiv, matando sete pessoas e ferindo outras dezesseis, incluindo uma criança. Mesmo segundo os padrões horríveis desses bombardeios, a ameaça de um ataque russo ao Dia da Independência deixou muitos aliados de Zelensky tensos.

Em 22 de agosto, dois dias antes do feriado, o Departamento de Estado dos Estados Unidos pediu aos norte-americanos em território ucraniano que deixassem o país por qualquer meio disponível, citando um risco maior de ataques russos contra alvos civis. Na rua Bankova, a guarda presidencial proibiu temporariamente os visitantes não essenciais do complexo – e eu também não pude entrar. "Não querem ninguém no prédio agora", falou um funcionário, pedindo para transferirmos nossa reunião naquela tarde para um café nos arredores. Os avisos vieram da inteligência dos Estados Unidos, disse ele, e havia "90% de possibilidade de um ataque de míssil em Kiev no dia seguinte". Esperava-se que o alvo principal fosse o gabinete do presidente. "Quando os norte-americanos nos dão avisos, não os ignoramos mais", afirmou o funcionário. "Aprendemos nossa lição."

O presidente, porém, ignorou as advertências. Enquanto os guardas pediam ao pessoal da rua Bankova que deixasse o prédio naquela manhã, Zelensky encheu sua agenda com eventos públicos. Seu porta-voz me convidou para uma reunião ao ar livre, a um quarteirão do complexo presidencial, na praça em frente ao Parlamento, bem dentro do raio de explosão do esperado ataque. Ao sol, aguardando o porta-voz, o único alento veio de uma trincheira que os soldados tinham cavado no início da invasão, no gramado ao lado do Parlamento. Tinha aproximadamente 1,5 metro de profundidade, reforçada com sacos de areia, e com extensão suficiente para todos os repórteres e assessores presidenciais entrarem se as bombas começassem a cair. Seria preciso? Aquelas instruções eram necessárias?

O cenário, pelo menos, parecia projetado para sinalizar que Zelensky não se intimidava. Mas ele ainda precisava provar algo? Ninguém poderia acusá-lo de se esconder ou se retrair diante da ameaça russa. Ele havia mostrado ao mundo sua resistência ao perigo. Sua necessidade de demonstrar coragem agora parecia um fim em si mesma. Por qual outro motivo ele viria a esse lugar no dia em que o risco era tão óbvio, os avisos de inteligência tão específicos? Não era apenas a sua vida em jogo. O presidente da Polônia, Andrzej Duda, juntou-se a Zelensky para o relato ao sol. Uma dúzia de jornalistas e pelo menos a mesma quantidade de soldados se reuniram à comitiva do presidente. Um dos repórteres levantou a mão e perguntou sobre a ameaça de um ataque de mísseis no local em que estávamos. "Acho que todo mundo teme a morte", disse Zelensky com indiferença. "Ninguém quer morrer. Mas ninguém tem medo da Rússia, e esse é o sinal mais importante."

21. Contra-ataque

Após meses de debate, preparação e planejamento, a contraofensiva ucraniana começou no início de setembro, não no sul, como o general Zaluzhny insistira, mas no nordeste, em torno de Kharkiv. O presidente conseguiu o que queria. Tendo deixado que o comando militar lidasse com o combate alguns meses antes, agora sentia-se seguro quanto às suas próprias habilidades de comandante em chefe para criticar a estratégia militar. Afinal, Zelensky decidiu ignorar o chefe das Forças Armadas e ordenar que a operação prosseguisse. Ao fazê-lo, confiou no segundo oficial de mais alto escalão da Ucrânia, o general de brigada Oleksandr Syrskyi, para liderar o ataque do nordeste.

Magro e estoico, com uma testa alta e postura rígida que lhe davam a impressão de estar sempre em guarda, Syrskyi tinha sido figura fundamental na defesa de Kiev em março. Antes da invasão, o presidente o considerou candidato para liderar as Forças Armadas da Ucrânia, mas escolheu o mais jovem e carismático Zaluzhny. Agora, aos 57 anos, Syrskyi tinha a chance de comandar a maior contraofensiva da guerra. Ele não decepcionou: em 6 de setembro, as forças terrestres sob seu comando esmagaram as linhas russas em torno de Kharkiv e nos dias seguintes retomaram centenas de cidades e vilarejos. Em alguns desses locais, os moradores relataram que soldados russos abandonavam as armas, vestiam roupas civis e tentavam fugir em carros e bicicletas roubadas. A derrota abriu outro buraco na imagem de que a Rússia desfrutava de potência militar. O Ministério da Defesa em Moscou foi forçado a anunciar "um esforço organizado para retroceder e deslocar tropas"[1] para longe do campo de batalha nas proximidades de Kharkiv, um artifício retórico que mal deu conta de compensar a vergonha da retirada.

Apenas uma semana após a ofensiva de Kharkiv, enquanto Syrskyi e suas tropas ainda empurravam os russos para o leste, tentando cercar os que permaneceram, o presidente Zelensky fez uma visita à cidade libertada de Izyum, que tinha servido de base crítica para a logística inimiga. Sua equipe de segurança analisou em total sigilo os trechos mais perigosos da viagem. As explosões continuavam a ecoar a distância quando Zelensky pediu um minuto de silêncio na praça central de Izyum, honrando os soldados mortos na contraofensiva. Durante toda a cerimônia e a maior parte da visita, o general Syrskyi permaneceu ao seu lado, e os rumores se espalharam pelas fileiras de que ele logo seria promovido ao principal posto militar do país.

Não se sabia o paradeiro do general Zaluzhny quando foram exibidas na Telemaratona as imagens das cidades libertadas ao redor de Kharkiv. Ele estava de volta ao seu centro de comando, coordenando o ataque ao longo da frente sul, que progrediu num ritmo excruciante e com inúmeras perdas. Alguns de seus assessores e aliados continuariam por muito tempo a reclamar que a ofensiva do nordeste liderada pelo general Syrskyi, apesar de seu valor inquestionável quanto a território e moral, tinha sido prematura. Alguns argumentaram que a ofensiva enfraqueceu a investida simultânea ao longo da frente sul, deixando mais inacessível o maior prêmio, ou seja, a Crimeia. Na rua Bankova ninguém duvidava de que o presidente estava certo ao ordenar o ataque na direção de Kharkiv, e Zaluzhny tinha errado em resistir.

Ao retornar a Kiev em meados de setembro, Zelensky e sua equipe começaram a capitalizar seu sucesso no campo de batalha com um novo impulso para a ajuda militar. "A marcha é muito importante agora", disse o presidente num de seus discursos noturnos naquela ocasião. "A marcha em prol da Ucrânia deve corresponder à marcha do nosso avanço."[2] Oleksiy Reznikov, ministro da Defesa, agora achava mais fácil garantir armas mais sofisticadas do Ocidente. Dois dias após o início da ofensiva de Kharkiv, a Casa Branca notificou o Congresso de sua intenção de direcionar mais 2,2 bilhões de dólares para "investimentos de longo prazo"[3] na defesa contra a Rússia, elevando para além de 15 bilhões de dólares o valor total do auxílio militar oferecido pelos Estados Unidos à Ucrânia durante o governo Biden. Nos seis meses seguintes, esse valor dobraria, já que os aliados de Zelensky entenderam que a assistência externa não se limitava a prolongar a guerra, permitindo que a Ucrânia resistisse um pouco além. Isso acelerou a aproximação da derrota da Rússia, que naquele momento começou a parecer o resultado de maior probabilidade da guerra. "Em termos psicológicos, faz parte de nosso modelo de sobrevivência ficar ao lado do vencedor", disse-me Reznikov alguns dias após Zelensky hastear a bandeira sobre Izyum. "Hoje estamos revelando ao mundo a resposta à pergunta principal: é possível derrotar os russos? Bem, é possível. E eu ainda acrescentaria: é necessário!"

O sucesso da contraofensiva foi um choque e um escândalo para os comentaristas em Moscou. A retórica oficial da TV estatal russa, que sustentava que a "operação militar especial" de Putin estava sendo realizada conforme planejada para a vitória, começou a parecer insustentável até mesmo para os propagandistas leais ao Kremlin. "Nos últimos dias, recebemos um golpe psicológico muito doloroso", um deles admitiu num programa durante o avanço ucraniano.[4] A princípio, o presidente Putin tentou ignorar o desastre. Enquanto suas tropas abandonavam as armas e fugiam, ele comemorou o aniversário de Moscou no dia 10 de setembro, durante a inauguração de uma roda-gigante num parque da cidade. Naquele mesmo fim de semana, o motor da roda quebrou, deixando algumas dezenas de pessoas penduradas no ar – uma imagem perfeita da disfunção russa.

Mesmo antes da contraofensiva ucraniana, generais russos e militares mais agressivos instaram Putin a começar o recrutamento de homens capacitados para as Forças Armadas. A força invasora de cerca de 200 mil soldados tinha sido tão mutilada desde fevereiro que não poderia manter o território ocupado pela Rússia, muito menos avançar. Durante meses, o Kremlin minimizou a necessidade de um recrutamento militar. No início da invasão, Putin prometeu, num discurso televisionado, que nenhum recruta seria enviado para lutar na Ucrânia. Contudo, em 21 de setembro, duas semanas depois que as defesas russas foram derrubadas em Kharkiv, ele quebrou a promessa convocando 300 mil soldados adicionais, na primeira mobilização de forças militares da Rússia desde a Segunda Guerra Mundial. O discurso de Putin naquele dia incluiu mais uma ameaça ao uso de armas nucleares. Só que, dessa vez, ele sentiu a necessidade de acrescentar: "Isso não é um blefe."

Poucos dias depois, Putin anunciou a intenção de anexar quatro regiões do leste e do sul da Ucrânia. "Quero que as autoridades de Kiev e seus verdadeiros mestres no Ocidente me ouçam, que todos se lembrem", disse ele num discurso no Kremlin. "As pessoas que vivem em Luhansk e Donetsk, Kherson e Zaporizhzhia estão se tornando nossos cidadãos. Para sempre."[5] No seu rosto, a declaração era ridícula. As tropas russas não controlavam totalmente as regiões que Putin agora reivindicava como suas. Nas áreas que haviam ocupado, funcionários leais ao Kremlin estavam sendo mortos a torto e a direito. Um deles foi envenenado com um agente nervoso durante o jantar e precisou de evacuação médica para a Rússia. Outro foi morto a tiros nas ruas de Kherson. O corpo de um terceiro teria sido encontrado no chão de sua casa naquela cidade, com a namorada a seu lado, quase morta e jorrando sangue de um ferimento de faca no pescoço. No total, agentes ucranianos realizaram mais de uma dúzia de ataques a funcionários apoiados pela Rússia nessas regiões, com carros-bomba entre os métodos preferidos.[6]

Quando Putin anunciou a anexação dessas regiões, Zelensky disparou contra a frente diplomática. Escreveu um pedido oficial, naquele dia, para a Ucrânia se juntar à aliança da Otan. O documento não teve efeito imediato; a Otan ainda não tinha a intenção de aceitar a Ucrânia como membro. Mas o gesto deixou claro que Zelensky não aceitaria mais a neutralidade ucraniana como uma concessão aos russos em troca da paz. Naquele mesmo dia, reforçou a mensagem por meio do Decreto Presidencial nº 679, que descartou quaisquer outras negociações com Putin.[7] "Para o nosso país, hoje, ele é a imagem unificada de um terrorista", disse Zelensky mais tarde sobre essa decisão. "O que há para conversar com ele?"[8]

Ainda assim, qualquer rancor que Zelensky sentisse por Putin naqueles momentos não o cegava. No posto avançado estratégico de Lyman, milhares de soldados russos foram cercados na época por forças ucranianas. O cerco se assemelhava a um dos episódios mais sangrentos da guerra, o Caldeirão de Ilovaisk, quando centenas de soldados ucranianos foram massacrados no verão de 2014, enquanto tentavam se retirar de um cerco russo.[9] Oito anos depois, os papéis se inverteram: as Forças Armadas da Ucrânia tiveram a chance de retribuir o ato de barbárie. Zelensky se sentiu tentado. "Não estou dizendo que não haja desejo de vingança. Todos nós temos esse sentimento de ódio por esses soldados. Não vou mentir. Odiamos todos eles", ele me contou mais tarde, referindo-se ao ocorrido. "A guerra nos obriga a tomar as decisões mais difíceis, e os russos fizeram uma escolha vergonhosa quando abateram aqueles meninos, sem piedade. Agora éramos nós os vencedores, e não alvejamos os russos pelas costas. Dissemos-lhes para se renderem, e muitos deles o fizeram, um número razoável."

Se o Kremlin viu nessas palavras um sinal de fraqueza em Kiev, Zelensky logo os corrigiu. Pouco antes do nascer do sol, no dia 8 de outubro – um dia após o septuagésimo aniversário de Putin –, um caminhão de entrega cheio de explosivos cruzou a ponte da Crimeia, o único caminho para trens e trânsito de carros até o continente. A explosão, causada às 6h07, causou danos catastróficos. Dois vãos da ponte colapsaram água abaixo, e o impacto foi tão forte que rompeu os vagões-cisternas que atravessavam naquele momento e inflamou o combustível. O fogo se alastrava enquanto moradores da Crimeia, apavorados, faziam fila do outro lado da ponte, tentando fugir. Durante a invasão, a ponte tinha servido de linha de abastecimento vital para as forças russas envolvidas na invasão da Ucrânia, o que a tornou o principal alvo para as forças de operações especiais ucranianas. O valor simbólico da ponte tornou o ataque ainda mais dramático. Em sua cerimônia de inauguração, em 2018, Putin chamou a construção da ponte de "milagre". Foi uma conquista coroada pelo seu projeto imperial na Ucrânia. Agora, perante os olhos do mundo, os ucranianos a explodiram.[10]

O ataque deixou Putin enfurecido, e suas táticas ficaram mais selvagens quando chegaram os dias mais frios do outono. No dia da explosão, ele nomeou um novo comandante para liderar as forças russas na Ucrânia, o general Sergei Surovikin, um criminoso de guerra que avançara nas fileiras de Putin por mais de duas décadas, mesclando lealdade com crueldade sem limites. A página mais sombria de sua carreira militar aconteceu na Síria, onde comandou a campanha aérea russa em 2017. Sob suas ordens, bombardeiros e caças atacaram sistematicamente áreas civis para quebrar sua resistência ao regime aliado do Kremlin em Damasco. Em agradecimento, Putin colocou a cobiçada medalha Herói da Rússia no peito de Surovikin em dezembro, enquanto a mídia estatal russa começou a se referir a ele admiravelmente como "General Armageddon".

Cinco anos depois, na Ucrânia, ele desencadeou as táticas russas que havia aperfeiçoado em Idlib e Aleppo. Mais uma vez, em flagrante violação das leis da guerra, aviões russos começaram a lançar mísseis contra a infraestrutura civil – usinas de energia, subestações elétricas e serviços públicos que forneciam aquecimento para residências urbanas. O objetivo aparente era congelar e aterrorizar os ucranianos, criando outra onda de refugiados que alcançaria as fronteiras da União Europeia nos primeiros dias do inverno. Na rua Bankova, a reação inicial foi de inquietação, quando as luzes dentro dos escritórios do complexo presidencial começaram a piscar, os radiadores ficaram frios e as torneiras nos banheiros secaram.

Aparentemente, Zelensky não se intimidou. No final de outubro, estava gravando um discurso no pátio, do lado de fora de seu gabinete, quando janelas e postes de luz atrás dele escureceram. Pelo menos quarenta mísseis de cruzeiro e dezesseis drones atingiram as maiores cidades da Ucrânia na semana anterior. Os ataques, principalmente direcionados à rede elétrica, deixaram mais de um milhão de lares ucranianos sem energia e forçaram o governo a começar a racionar as concessionárias quando o inverno se instalou. O presidente ainda assim pedia mais audácia. No chão ao lado dele estavam os restos de um drone de combate iraniano, Shahed-136, o tipo que a Rússia usou para realizar sua última onda de ataques. O som peculiar que eles faziam quando caíam do céu, como de uma motoneta acelerando, logo se tornou um símbolo para uma nova fase da guerra – um grito de morte que fazia os ucranianos acordarem no escuro e se perguntarem se suas casas estavam prestes a ser atingidas. Observando uma dessas máquinas, Zelensky constatou que aquela forma de violência não era novidade. A Rússia tinha realizado 4,5 mil ataques de mísseis e 8 mil bombardeios desde o início da invasão. "Não seremos derrotados por bombardeios", disse ele. "Para nós, o som de foguetes inimigos em nossos céus não é tão assustador quanto ouvir o hino do inimigo em nossa terra. Não temos medo do escuro. Os tempos mais sombrios para nós não são aqueles em que falta luz, mas aqueles em que falta liberdade."[11]

No início de setembro, apenas um canal de negociações permaneceu ativo e produtivo entre o gabinete de Zelensky e os russos – aquele relacionado aos prisioneiros de guerra. Quase mil homens tinham retornado à Ucrânia até então, e os esforços para trazer mais ucranianos prosseguiram discretamente durante os piores dias da guerra, quando surgiam relatos de atrocidades e bombardeios de civis. "O presidente estabeleceu a meta de trazer todos de volta o mais rápido possível", disse Andriy Yermak, que supervisionou as negociações. Mesmo que isso significasse trocar russos suspeitos de crimes de guerra, Zelensky insistiu que eles continuassem a fazer a troca. A tarefa poderia ser angustiante, pois os lados em conflito analisavam listas de nomes e o valor relativo de cada prisioneiro. A assinatura definitiva, que cabia ao lado russo, às vezes chegava até Putin, que poderia cancelar uma troca que tinha sido acertada meses antes. "Essas trocas estavam sempre no limite", afirmou Yermak. "Sempre por um fio."

A negociação mais ambiciosa coincidiu com a contraofensiva e quase se desfez por causa dela. Os ucranianos, mesmo enquanto avançavam pelas linhas inimigas e deixavam as estradas e campos ao redor de Kharkiv cobertos de corpos de soldados russos, deram continuidade às manobras para a libertação de seus prisioneiros mais valiosos na Rússia. A lista incluía centenas dos últimos defensores de Mariupol, que se renderam em meados de maio. Durante meses, os russos ameaçaram encenar um julgamento dos oficiais capturados em Azovstal, e Zelensky temia que isso terminasse na execução pública desses homens. Em vez disso, os prisioneiros continuaram retidos durante o verão, espancados sistematicamente, famintos e torturados numa série de campos de detenção superlotados. No final de julho, uma explosão no campo russo, em Olenivka, uma cidade ocupada em Donbas, matou 53 prisioneiros de guerra e feriu pelo menos 75 outros, o que tornou mais urgentes os esforços ucranianos para trazer os demais de volta para casa.

A moeda de troca mais preciosa de Zelensky acabou sendo seu antigo rival, Viktor Medvedchuk. Ele foi mantido pelos ucranianos em local secreto durante cerca de cinco meses após sua captura. Não tinha valor estratégico óbvio para os russos. Qualquer esperança realista de instalar Medvedchuk no lugar de Zelensky havia sido abandonada em março, junto à missão de capturar Kiev. Seu partido político foi banido, seus canais de TV fechados. Mas Putin ainda tratava Medvedchuk como um amigo, e os russos estavam dispostos a negociar qualquer um por sua liberdade. No início de setembro, até concordaram em libertar os comandantes do Regimento Azov, cuja captura na usina de aço em Mariupol tinha sido uma das poucas vitórias demonstráveis de Moscou na guerra, e a mais valiosa em termos de propaganda. Na TV estatal russa, o Regimento Azov foi representado como um grupo de satanistas e neonazistas. Quando Putin falou sobre a "desnazificação" da Ucrânia, ele quis dizer, em primeiro lugar, a aniquilação do Regimento Azov. Mas Putin estava disposto a enviá-los para casa em troca de Medvedchuk.

Por volta do amanhecer de 21 de setembro, Yermak recebeu uma mensagem da GUR, serviço de inteligência militar da Ucrânia. A troca havia começado. Eles tinham levado Medvedchuk através da fronteira para a Polônia, onde ele esperou num aeródromo para ser levado até Moscou. Os cinco reféns mais valiosos para a Rússia, incluindo Denys Prokopenko, comandante do Regimento Azov, logo desembarcaram em Ancara, a capital turca. Durante toda a manhã, Yermak observou seu celular, esperando por atualizações. Ele sabia que o ataque ucraniano em torno de Kharkiv havia enfurecido Putin, assim como o cerco das forças russas perto de Lyman. O discurso de Putin anunciando a mobilização de 300 mil recrutas russos foi ao ar enquanto a troca de prisioneiros estava em curso, e Yermak temia que o Kremlin pudesse puxar a tomada a qualquer momento. Horas se passaram até que os enviados ucranianos – Kyrylo Budanov, o chefe da GUR, e Denys Monastyrsky, ministro do Interior – exigiram ver os prisioneiros a bordo do avião que os levara para Ancara. Na foto que enviaram para a rua Bankova, os prisioneiros tinham aparência miserável, seus uniformes cobrindo corpos esquálidos, as bocas amordaçadas com fita adesiva. Mas estavam vivos, e Yermak logo deu a notícia ao mundo nas redes sociais: "Nossos heróis estão livres." No total, os russos libertaram 215 prisioneiros, incluindo 108 membros do Regimento Azov, em troca de 55 prisioneiros mantidos na Ucrânia – entre os quais Medvedchuk.

A notícia provocou outra onda de indignação entre os especialistas russos voltados para questões militares. Nos dias que se seguiram, protestos contra o recrutamento militar eclodiram em toda a Rússia, enquanto comentaristas externavam toda a sua irritação com a libertação dos comandantes Azov.

Tendo acontecido logo após a perda da região de Kharkiv e o cerco das forças russas em Lyman, esse último desastre parecia excessivo para os cães de guerra em Moscou. Igor Girkin, ex-oficial de inteligência que liderou a incursão da Rússia em Donbas em 2014, chamou de "pura estupidez" e sabotagem a troca de prisioneiros. "Você sabe o que isso parece?", ele escreveu. "Parece que saíram e chamaram pessoas para 'defender as terras russas', e então deram uma cagada nas cabeças daqueles que responderam ao chamado."[12]

Em toda a Ucrânia, as pessoas celebravam a troca de prisioneiros como um triunfo que ajudaria a manter o otimismo nos dias mais sombrios do inverno. Na Rússia, fez Putin parecer fraco, desonesto quanto às suas motivações e indiferente aos sacrifícios dos militares russos, enquanto Zelensky mostrou dedicação às suas tropas e capacidade de agir melhor que os russos na mesa de negociações. Parecia que a guerra tinha mudado de rumo. Durante meses, a fachada da prefeitura de Kiev foi coberta com uma placa que dizia: "Liberdade para os defensores de Mariupol." Milhares ainda estavam em cativeiro russo. Mas Zelensky cumpriu sua promessa de salvar a vida de seus comandantes, e centenas de ucranianos logo voltariam para casa em trocas de prisioneiros supervisionadas por Yermak. Até os críticos do presidente aplaudiram o feito, e quando a poeira baixou nos campos de batalha em Kharkiv a decisão dele de dar continuidade àquela ofensiva agora parecia sensata. A vitória inicial da Ucrânia na batalha de Kiev ainda era considerada por muitos observadores um milagre militar. Mas a Batalha de Kharkiv demonstrou que a Ucrânia, equipada com armas e inteligência fornecidas pelo Ocidente, poderia se defender contra as Forças Armadas russas e potencialmente derrotá-las.

Ainda assim, nas divisões superiores das Forças Armadas, o aplauso não era geral. Oficiais da reserva continuavam a reclamar que Zelensky e sua equipe haviam desviado recursos da frente sul, atrasando o importante avanço em direção à Crimeia. Alguns consideraram que o papel do general Syrskyi na liderança da ofensiva em torno de Kharkiv foi um ato de carreirismo e insubordinação. O gabinete presidencial parecia estar preparando Syrskyi para assumir o comando total das Forças Armadas, organizando entrevistas para ele e dando-lhe tempo de sobra na Telemaratona. O general

Zaluzhny, por outro lado, foi mantido fora de vista, proibido de viajar para as linhas de frente ou interagir livremente com os soldados em público. Seu ajudante, o coronel Noskov, também ficou sob pressão. O gabinete do presidente pediu a Zaluzhny que o demitisse, e o serviço de contrainteligência da Ucrânia submeteu Noskov a um interrogatório e teste de polígrafo. Os agentes perguntaram ao coronel sobre seus laços com os adversários políticos de Zelensky e as agências de inteligência russas. Nenhuma acusação foi apresentada, mas todo o escrutínio levou-o a uma discrição ainda maior. Noskov não apareceu mais ao lado de Zaluzhny durante as reuniões gerais ou videochamadas com o presidente. "Eu me afastei, saí de cena", disse-me ele.

Quando lhe perguntaram sobre sua relação com Zaluzhny, o presidente continuou a negar qualquer intenção de demitir seu comandante. Mas o conflito entre eles não era mistério entre militares e assessores próximos de Zelensky. Yuriy Tyra, velho amigo do presidente, soube do assunto por soldados quando entregava suprimentos e fazia shows na frente de batalha. Tyra estava na estrada, para encenar outro show de comédia em Donbas, quando passei na casa dele numa noite em novembro. Depois da última onda de ataques de mísseis russos à capital, a eletricidade e o serviço de telefonia celular tinham sido cortados em todo o bairro onde Tyra morava, e o barulho do seu gerador a diesel abafou o som das minhas batidas no portão durante vinte minutos, até que ele finalmente apareceu e me convidou a entrar na sua garagem bagunçada. No local havia pilhas de caixotes com primeiros socorros, caixas de ferramentas, cinzeiros transbordando de pontas de cigarro. Lá dentro havia uma ambulância quebrada, aguardando conserto, e certificados de gratidão e louvor de várias unidades militares forravam as paredes. Os mais antigos datavam da época dos espetáculos de comédia que Tyra ajudou a organizar para Zelensky na zona de guerra em 2014, os quais ajudaram a convencê-lo a concorrer à presidência. Parecia que uma vida inteira tinha se passado, disse Tyra. Naquela época, os soldados iam ao encontro de Zelensky para abraçá-lo e tentavam carregá-lo nos ombros. Agora as tropas respeitavam sua decisão de fincar o pé e levar o país à guerra. Mas os rumores de seu desentendimento com o general Zaluzhny deixaram os oficiais em dúvida quanto às intenções do presidente, e isso colocou Tyra numa posição desconfortável. "As pessoas continuam me perguntando: você está com o presidente ou com Zaluzhny?", disse ele. "Ou um, ou outro."

Nessa competição de popularidade, Zelensky não tinha vantagem, digamos; não entre homens e mulheres que lutavam na zona de guerra. Lá, disse Tyra, o general desfrutava de um nível de admiração que nenhum político poderia esperar. Para os criadores de imagem da rua Bankova, "o mais assustador é que os jovens apoiam Zaluzhny. Os melhores e mais inteligentes são favoráveis a ele". O gabinete do presidente quase nada podia fazer. Tentar demitir o general ou cortar suas asas não seria boa estratégia, disse Tyra, porque os militares se insurgiriam para defender seu comandante. "O pior pode vir quando a guerra passar", afirmou Tyra. "Escreva o que estou dizendo. Vai dar uma merda imensa em cima do fato de que a guerra poderia ter sido evitada, se perdemos muitos homens." Tais debates seriam superficiais enquanto as batalhas se desenrolassem na Ucrânia. Eventualmente, as pessoas começariam a exigir respostas. "As luzes vão se acender", disse Tyra. "E os cães vão começar a latir."

[illegible] [illegible] [illegible]. As pessoas em geral me perguntam se [illegible] com Zhukov? [illegible] "Quando [illegible] Nessa competição de [illegible] de Zhukov, não tinha vantagens de [illegible], não [illegible] que tiveram [illegible] de guerra. [illegible] o general desconfiava de um [illegible] que, nenhum [illegible] poderia esperar. Para os [illegible] de [illegible] da [illegible], mais [illegible] que os jovens [illegible] inteligentes [illegible] o presidente, mesmo nada podia fazer. Todos [illegible] general ou contra [illegible] boa estratégia, disse [illegible] os militares se [illegible] para defender [illegible] [illegible] quando [illegible] passar [illegible]. "Escreva [illegible]. Vai dar uma medalha [illegible] do lado de uma guerra poderia [illegible] muito [illegible]. Tais [illegible] [illegible] batalhas [illegible] [illegible] a [illegible] resposta. As [illegible] [illegible]."

22. Libertação

No início de novembro, Jake Sullivan, conselheiro de segurança nacional da Casa Branca, chegou à estação ferroviária central em Kiev e, com o comboio blindado, seguiu para a rua Bankova a fim de visitar o presidente Zelensky. Não foi de mãos vazias. Uma remessa de drones, mísseis ar-terra e tanques soviéticos recuperados faziam parte do pacote de ajuda de 400 milhões de dólares anunciado durante a sua visita, elevando o valor estimado da assistência norte-americana para mais de 25 bilhões de dólares desde o início da invasão.[1] Em Washington, a administração Biden não sabia durante quanto tempo poderia manter o ritmo do fornecimento de suprimentos. As eleições de meio de mandato ocorreriam nos Estados Unidos na semana seguinte, e os republicanos estavam prestes a reconquistar o controle do Congresso. Seu líder na Câmara, Kevin McCarthy, avisara à Ucrânia que o país não receberia um "cheque em branco" para estender a guerra para sempre. Não somente nos Estados Unidos, mas em grande parte da Europa os líderes políticos tinham começado a se perguntar quando a luta terminaria, como Zelensky poderia ser persuadido a negociar com Putin, e se a sua confiança na habilidade da Ucrânia para vencer tinha ofuscado sua visão quanto à capacidade do Ocidente de ajudá-lo.

O Decreto nº 679, que ele baixou um mês antes, preocupou alguns de seus aliados ocidentais. Em resposta ao Kremlin, que proclamou a anexação de quatro regiões ucranianas, Zelensky proibiu formalmente qualquer conversa com Vladimir Putin. "Ele não sabe o que é dignidade e honestidade", disse Zelensky. "Portanto, estamos prontos para um diálogo com a Rússia, mas com outro presidente da Rússia."[2] A declaração, reforçada por uma ordem do Conselho de Segurança e Defesa Nacional, fechou as vias diplomáticas que muitos aliados da Ucrânia ainda queriam seguir. No meio do outono, eles começaram a pedir a Zelensky que abrisse mais espaço em sua retórica para possibilitar a negociação do final da guerra. No dia da chegada de Sullivan, os ministros das Relações Exteriores das sete democracias mais ricas do mundo emitiram um parecer conjunto que sugeria a Zelensky manter "prontidão para uma paz justa".[3] Sullivan usou a expressão "paz justa" em sua reunião com o presidente e os assessores, e pressionou-os a considerar o que esse conceito de paz exigiria.

Zelensky não queria falar sobre a questão. Durante os primeiros meses da invasão, mesmo após as atrocidades em Bucha, acreditava que Putin poderia alegar que esconderam dele os crimes praticados pelos soldados russos. Tais ilusões se foram. Depois do sucesso no campo de batalha na região de Kharkiv, o presidente pretendia continuar usando as forças militares para expulsar os russos. No seu entendimento, a ideia de "paz justa" não seria aceitável para os atuais governantes da Rússia. Para deter a guerra, precisariam retirar seus soldados de todo o território que haviam ocupado na Ucrânia, incluindo a Crimeia, e concordar com a punição de todos os responsáveis por crimes de guerra contra a Ucrânia. Putin e seus generais nunca aceitariam esses termos; assim, Zelensky não via base para conduzir negociações de paz. De qualquer modo, não se podia confiar que os russos cumprissem alguma promessa feita à mesa das negociações. Mesmo que alegassem estar interessados no cessar-fogo, seus mísseis seriam lançados sobre cidades pacíficas e seus escritórios de alistamento se encheriam de novos recrutas.

"Eles continuam a recrutar pessoas para enviá-las à morte", disse Zelensky num discurso televisionado na noite de seu encontro com Sullivan.[4] Numa aparente concessão ao convidado, o presidente incluiu a expressão "paz justa" nos comentários naquela noite. Mas encerrou com um lembrete do tipo de paz que imaginava. "Temos em mente cada canto do nosso país", falou Zelensky. "Libertaremos todas as nossas cidades e vilarejos, não importa como os ocupantes planejem prolongar sua permanência em solo ucraniano. A Ucrânia será livre. E toda a nossa fronteira será restaurada."

Poucos dias depois, as Forças Armadas da Ucrânia deram um grande passo em direção a esse objetivo. A contraofensiva na frente sul avançou aos trancos e barrancos no decorrer do verão e início do outono, seguindo o roteiro que o general Zaluzhny traçou em consulta com aliados do Ocidente. Mediante grande perda de soldados, os ucranianos recuperaram o controle de cidades e vilarejos na fronteira norte da região de Kherson. Enquanto isso, usavam sistemas de artilharia avançada para atacar as linhas de abastecimento russas na extensão do rio Dnipro. Zelensky celebrou esses ataques com uma espécie de maldosa satisfação. "Nossos ínfimos inimigos vão morrer", afirmou ele com um sorriso depois de um ataque bem-sucedido no início de novembro, "assim como o orvalho seca ao sol, assim como nas travessias do rio russo sob os ataques de nossos Himars."[5]

Àquela altura, as posições russas em torno de Kherson começaram a demonstrar que eram indefensáveis até mesmo no entendimento de seus comandantes em Moscou. Eles logo decidiram se retirar. Num vídeo exibido na TV estatal russa, Sergei Surovikin, mais conhecido como General Armageddon, fez o anúncio de pé diante de um mapa do campo de batalha, com uma ponteira na mão. Explicou que as forças russas na cidade de Kherson corriam o risco de ficar "totalmente isoladas" e precisavam recuar. "Eu entendo que esta é uma decisão muito difícil", disse Surovikin. "Ao mesmo tempo, vamos salvar o que é mais importante – a vida de nossos soldados."[6]

A declaração parecia boa demais para ser verdadeira. Zelensky e seus conselheiros acharam que se tratava de uma armadilha, provavelmente destinada a afastar as forças ucranianas da frente sul ou atraí-las para uma emboscada. Kherson era a única capital regional que os russos tinham conseguido tomar desde o início da invasão. Pouco mais de um mês tinha se passado desde que Putin declarara que Kherson faria parte da Rússia para sempre. Ele ameaçou usar todos os recursos militares, incluindo armas nucleares, para defender essa região da Ucrânia como se fosse sua. Agora Zelensky expôs o blefe russo diante dos olhos do mundo – e seria essa a resposta de Putin? Ele iria reunir suas forças e deixá-las escapar? Ninguém na rua Bankova acreditava. "O inimigo não nos dá nada de presente", disse Zelensky naquela noite, instando seu povo a manter as emoções sob controle.[7]

Entretanto, dois dias depois, quando as Forças Armadas da Ucrânia se mudaram para Kherson e hastearam a bandeira nacional no centro da cidade, celebrações eclodiram em todo o país. Se a retirada russa de Kiev encheu os ucranianos de alívio e resiliência, e a libertação da região de Kharkiv lhes deu uma sensação realista de esperança, agora algo novo tinha acontecido – prova clara de que a Ucrânia poderia colocar os russos de joelhos. O centro de Kiev fervilhou naquela noite, com os carros buzinando em comemoração e pessoas agitando a bandeira nacional nas ruas. Uma regra tácita contra a folia pública foi mantida durante os primeiros meses de guerra em Kiev. Seria impróprio comemorar enquanto outras cidades queimavam. Mas esse tabu foi quebrado com a libertação de Kherson. Um dos conselheiros de Zelensky convidou-me para ir a uma discoteca naquela noite, não muito longe da rua Bankova. No bar, encontramos uma dupla de drag queens cantando num karaokê para animar a multidão. No início foram discretas, mas, aos poucos, tornaram-se cada vez mais efusivas após alguns tragos. Os presentes também liberaram o peso da guerra e começaram a dançar e cantar, agora sem medo de agourar sua sobrevivência.

Para alguns, sem dúvida, a tristeza foi mais difícil de afastar do que para outros, e o medo do que aconteceria no inverno pairava sobre a conversa dos fumantes do lado de fora. Surgiu um rumor de que o Irã tinha entregado drones e mísseis balísticos mais potentes aos russos. As pessoas se perguntavam quantos acabariam congelados em consequência dos ataques à rede elétrica e aos sistemas de aquecimento central. Os que residiam em prédios altos começaram a deixar mantimentos e água nos elevadores para qualquer pessoa que ficasse presa durante um apagão. No entanto, a estratégia russa estava falhando. Nenhuma grande leva de refugiados havia deixado as cidades enquanto o inverno se aproximava. Em vez disso, mais pessoas regressavam do exílio, ansiosas para absorver a sensação de triunfo no ar. No bar, isso era palpável. "Ucrânia sou eu!" cantou a multidão dentro da sala de karaokê. "Nós somos a Ucrânia!"

O convite enviado pelo gabinete presidencial chegou no dia seguinte. *Prepare-se para uma viagem*, o assessor me escreveu numa mensagem de texto, *e leve uma escova de dentes*.[8] Ele não deu detalhes do destino ou como chegaríamos lá, mas não foi difícil adivinhar. Conforme o que Zelensky tinha revelado sobre si mesmo desde a invasão, era óbvio que ele queria chegar a Kherson o mais rápido possível. Até o instante da nossa partida na noite seguinte, os guarda-costas pediram-lhe que esperasse. Os russos tinham destruído a infraestrutura da cidade, deixando-a sem água, energia e aquecimento. Os arredores ainda estavam repletos de minas terrestres. Os prédios do governo foram equipados com cabos detonadores. Na estrada para Kherson, uma explosão derrubou uma ponte, tornando-a intransponível. Também se suspeitava de que os russos ao fugir deixaram agentes e sabotadores que poderiam tentar atacar o comboio presidencial, assassinar Zelensky ou levá-lo como refém. Não haveria condições de garantir sua segurança na praça central, onde multidões se reuniam para celebrar a libertação de Kherson. O local era alvo fácil da artilharia russa, e um míssil hipersônico disparado do mar Negro levaria no máximo alguns minutos para chegar. "Minha equipe de segurança era 100% contra isso", disse o presidente sobre a viagem. "A meu ver, é um pouco imprudente."

Então por que se arriscar? O objetivo russo no início da invasão era matar ou capturar Zelensky e enfraquecer seu governo. Por que dar a eles a chance de atacar quando estavam mais revoltados e humilhados? A razão óbvia tinha a ver com a guerra de informações. Ao entrar na cidade que Putin ainda reivindicava como sua, o líder da Ucrânia abriria um buraco nas narrativas de conquista e glória imperial que a propaganda russa vinha utilizando havia meses para justificar a guerra. A visita de Zelensky aprofundaria o constrangimento da retirada russa e fortaleceria a vontade ucraniana de avançar durante o inverno. Isso degradaria a credibilidade das ameaças nucleares de Putin, enfraquecendo assim a última reivindicação que a Rússia tinha de ser uma superpotência global.

No entanto, não foram essas as razões que ele me deu para a viagem. "São as pessoas", disse Zelensky. "Faz nove meses que estão sob ocupação, sem luz, sem nada. Sim, tiveram dois dias de euforia pelo seu regresso à Ucrânia. Mas aqueles dois dias se foram." Logo se avistaria o longo caminho para a reconstrução, e muitos deles iam querer um retorno à normalidade muito mais rápido do que o Estado poderia providenciar. "Vão cair em depressão, e vai ser difícil", disse Zelensky. "No meu entendimento, é meu dever ir lá e mostrar-lhes que a Ucrânia está de volta, que os apoia. Talvez isso lhes dê impulso suficiente para suportar a situação por mais alguns dias. Mas não tenho certeza. Não me iludo."

*

Nosso ponto de encontro naquela noite de domingo foi o local de sempre, em frente ao corpo de bombeiros, uma parte do centro de Kiev que sofreu um apagão quando o fotógrafo e eu chegamos. O brilho das velas piscava nas janelas dos apartamentos, e as pessoas passeavam com os cães de estimação valendo-se de lanternas de celulares para iluminar as calçadas. Mesmo o mercado central estava às escuras, embora os comerciantes ainda vendessem frutas e queijo frescos, picles e toucinho à luz de lanternas elétricas. Quando passamos por eles, estávamos com nossos coletes à prova de bala e capacetes, e paramos para comprar comida para a viagem. *Tragam lanches*, tinha advertido um dos assessores de Zelensky numa mensagem de texto. *Essas viagens podem ser bem desorganizadas.*

Nada parecia improvisado quando a caminhonete preta chegou para nos pegar – como combinado, às 19h30 – e nos levar aos postos militares de controle. Passados quase nove meses, e após dezenas de visitas, os guardas já nos pareciam familiares, assim como os edifícios do complexo presidencial, embora o apagão lhes conferisse uma aparência assombrada. Os soldados olharam para fora das fortificações escondidas entre as árvores, e fachos de lanterna piscaram nas janelas do gabinete de Zelensky no quarto andar. "Está com os seus documentos?", perguntou um dos guardas enquanto me examinava. "Bom, porque assim saberemos o que escrever na sua lápide se você cair atrás do comboio." A piada fez seus companheiros caírem na gargalhada.

No momento em que nosso comboio se afastou do complexo, as ruas tinham esvaziado, permitindo-nos passar tranquilamente pelo centro da cidade. O toque de recolher militar só entraria em vigor duas horas mais tarde, mas somente os corajosos se arriscavam a dirigir pelo centro da cidade quando os sinais de trânsito ficavam apagados devido à falta de energia. Perto da estação de trem, viramos em algumas vias secundárias, esburacadas, e seguimos devagar até que um grupo de soldados apareceu à luz dos faróis. Atrás deles, no meio de pilhas de material de construção, havia alguns vagões de trem ociosos ao lado de um terreno industrial. A única luz provinha das portas abertas de um vagão-dormitório, onde um atendente sorria, trajando o uniforme da companhia ferroviária estatal. Os assessores e funcionários de Zelensky jamais tinham visto repórteres no trem presidencial, e a novidade os divertia. O único pedido era que não tirássemos fotos ou publicássemos detalhes que permitissem identificar o carro particular de Zelensky. "É o nosso único meio de transporte", explicou um deles. "Se os russos o encontrarem, será um alvo."

Naquela noite, a viagem de trem levou nove horas para percorrer a Ucrânia de norte a sul. De manhã cedo, quando nos aproximamos da cidade de Mykolaiv, a névoa distante das janelas voltadas para o leste envolvia as árvores como se fosse gaze. No lado oposto do trem, o sol nascia e projetava listras cor-de-rosa que se estendiam sobre a terra preta e úmida, faixas contínuas de solo agrícola ucraniano, em grande parte destroçado aleatoriamente pelos explosivos da artilharia. A primeira imagem da guerra apareceu numa localidade rural, onde algumas dezenas de soldados trabalhavam nos trilhos, descarregando tanques nas plataformas. As máquinas, que deviam ser antigas, pareciam relíquias da Segunda Guerra Mundial, enquanto os soldados faziam lembrar meninos compenetrados, vagando pelas torres de tiro.

O trem logo parou num lote empoeirado cercado de garagens e bangalôs. Algumas dezenas de soldados das tropas de elite ficaram parados enquanto descíamos e corríamos para um comboio de caminhonetes. "Bom dia", eu disse a um dos militares. "Vai depressa", foi a resposta. Levamos cerca de uma hora para chegar à cidade libertada, inacessível ao tráfego ferroviário, obrigando outros carros a desviar para o acostamento. Em determinado ponto, encontramos um caminhão de reboque usando um guindaste para remover um veículo militar para fora da estrada, suspendendo no ar o esqueleto carbonizado e enferrujado do veículo. Nosso motorista parou para aguardar os funcionários terminarem o trabalho, mas uma voz impaciente ecoou no rádio. "Vá em frente", disse em russo. "Não temos tempo."

Perto da borda da região de Kherson, uma ponte desmoronada nos forçou a sair da rodovia e entrar no leito seco do rio, logo abaixo. Naquele ponto, os rastreadores usavam detectores de metal para localizar minas terrestres e projéteis não detonados. "Veja só", disse a voz no rádio do motorista, "destruíram uma ambulância." A carcaça se misturava aos destroços da ponte, deformada e enegrecida, irreconhecível. Ao longo de vários quilômetros, vimos placas e construções que haviam sido destruídas por projéteis, granadas e estilhaços, e o motivo logo se tornou óbvio. Estávamos passando pela infame zona de morte em torno de Chornobaivka, perto do aeroporto que serve Kherson. Esse foi o local onde o avanço inimigo no sul havia sido interrompido. Dezenas de veículos destroçados das forças inimigas ficaram nos campos próximos, fazendo lembrar brinquedos velhos abandonados no terreno arenoso. Vários meses tinham se passado desde a luta mais ferrenha naquela região, mas os corvos ainda sobrevoavam a área dos destroços, procurando carne no meio dos ossos humanos.

Ninguém informou os residentes de Kherson que o presidente estava a caminho para uma visita. A notícia de sua chegada era segredo de Estado mesmo entre os oficiais militares lotados na área. Ainda assim, antes do meio-dia, as medidas de segurança em torno da praça central evidenciaram que algo dramático estava prestes a acontecer. Durante dois dias, multidões encheram a praça para celebrar a libertação de Kherson, desenhando "Vs" de vitória nos edifícios e tirando fotos ao lado de soldados ucranianos que perambulavam, atordoados. Agora a polícia tinha isolado a área, permitindo que somente algumas dezenas de espectadores ficassem na extremidade oeste da praça, perto do cinema. No lado oposto, em frente ao quartel-general do governo regional, fileiras de soldados estavam em prontidão, com rifles pendurados nos ombros. Alguns altos funcionários de Kiev aguardavam nas proximidades, abraçando-se e tirando selfies na frente dos grafites nos edifícios: "Glória às Forças Armadas da Ucrânia! Glória aos heróis!" Uma das assessoras de Zelensky, Dasha Zarivna, que tinha sido criada em Kherson, continha o choro ao ver as bandeiras ucranianas tremulando sobre a praça. "Tive medo de nunca mais ver este lugar", disse-me ela. "E aqui estamos."

A primeira explosão ocorreu alguns minutos depois, e todos ficaram imóveis, olhando para o céu para ver o projétil cair. Em seguida veio outra explosão. Possivelmente mais próxima que a primeira, a onda sônica se chocava contra os edifícios. Alguém informou que devia ser fogo de artilharia, embora isso mais parecesse um palpite otimista. Os russos tinham recuado para a margem esquerda do rio Dnipro, que agora marcava a linha de frente a cerca de 1,5 quilômetro de distância. As explosões continuaram a repercutir, mas Zelensky, de pé e esperando ao lado de seu Land Cruiser, aparentemente não se abalava. Ele se recusou, como de costume, a usar capacete ou colete à prova de bala. Na extremidade da praça, os soldados instalaram um terminal de internet Starlink, conectando a antena parabólica a um gerador a diesel. Quando viu o terminal, o presidente pegou o celular e pediu a senha do wi-fi. A maioria dos indivíduos ao seu redor estava armada com rifles de assalto. Mas para ele o celular era sua arma, o modelo mais recente de iPhone, que Zelensky usou para travar a maior guerra terrestre da Era da Informação.

Logo chegaram os ônibus das redes de notícia, e dezenas de repórteres correram para a praça para montar uma fileira de câmeras. Zelensky não prolongou a cerimônia, evitando irritar seus guardas por se expor demais ao ataque dos canhões russos. Mais tarde, informariam ao presidente que, num ponto acima da cabeça dele, numa altitude que impedia nossa percepção, um drone de reconhecimento inimigo mantinha vigilância, alimentando imagens para as tropas russas do outro lado do rio. O drone captou a imagem de Zelensky erguendo a bandeira ucraniana sobre a praça e entoando o hino nacional, com a mão no peito. Também registrou quando ele se dirigiu à massa de câmeras de televisão para responder a algumas perguntas dos repórteres. O primeiro foi direto ao ponto: "A vitória em Kherson marcava o início do fim da guerra?" Zelensky repetiu a pergunta, lentamente, para as câmeras, ganhando tempo para responder.

A exemplo das vitórias anteriores no campo de batalha, a de Kherson fez com que muitos dos aliados de Zelensky se perguntassem se havia chegado o momento de a Ucrânia retomar o processo de paz, desta vez a partir de uma posição mais forte. Os russos pareciam dispostos a sentar-se à mesa de negociações. Mesmo que seus aviões de guerra continuassem bombardeando alvos em toda a Ucrânia e destruindo a infraestrutura civil, a retórica tinha mudado. Putin parou de chamar as autoridades em Kiev de "viciados em drogas" e "neonazistas", e preferencialmente chamava-os, no final de outubro, de "parceiros ucranianos",[9] algo que ele não dizia desde muito antes da invasão. No mesmo dia, um dos comandantes mais experientes de Putin emitiu uma declaração notável louvando o líder da Ucrânia. "Embora Zelensky seja o presidente de um país hostil à Rússia neste momento, ele ainda é um cara forte, confiante, pragmático e simpático", disse o senhor da guerra russo Yevgeny Prigozhin, líder do grupo mercenário Wagner.[10]

A aparente mudança de tom não coincidiu com os contínuos atos de barbárie da Rússia. A força mercenária de Prigozhin começou a executar desertores de suas próprias fileiras com golpes de marreta na cabeça. Em toda a região libertada de Kharkiv, os investigadores de crimes de guerra descobriram evidências de atrocidades generalizadas da parte dos russos, incluindo valas comuns, campos de triagem e câmaras de tortura. A despeito do que a televisão russa afirmava, a decisão de deixar Kherson não tinha sido um gesto de boa vontade das forças russas, mas um ato de autopreservação. Ainda assim, muitos no Ocidente preferiram ver esse gesto como uma oportunidade para a paz. Até o general Mark Milley, um dos apoiadores mais influentes da Ucrânia em Washington, começou a pedir a Zelensky e sua equipe que retomassem o processo de paz. "Quando há uma oportunidade de negociar, quando a paz pode ser alcançada, aproveitem! Aproveitem o momento", disse Milley num discurso em Nova York, em 9 de novembro, dia em que os russos anunciaram a retirada de Kherson.[11]

Para demonstrar seu ponto de vista, Milley citou o exemplo da Primeira Guerra Mundial, quando milhões morreram nas trincheiras da Europa enquanto durante anos as linhas de frente mudavam de um lado para o outro. Segundo a estimativa de Milley, o número de soldados mortos na Ucrânia desde fevereiro já havia superado 100 mil de cada lado da guerra. Os líderes europeus concordavam com essa estimativa, embora os ucranianos continuassem a esconder do público o número real de vítimas. O único número oficial de mortos foi informado em agosto pelo general Zaluzhny, que afirmou que a Ucrânia tinha perdido 9 mil soldados – uma subestimação grosseira. Zaluzhny, em resposta à observação de Milley sobre a oportunidade de paz, emitiu uma declaração excepcionalmente mordaz em sua página no Facebook. "Nosso objetivo é libertar todas as terras ucranianas da ocupação russa", escreveu o general. "Não vamos nos deter nesse caminho em nenhuma circunstância. Os militares ucranianos não aceitarão quaisquer negociações, acordos ou decisões de compromisso. Há apenas uma condição para as negociações: a Rússia deve renunciar a todos os territórios capturados."[12]

Zelensky concordava. Por que parar quando a situação era favorável? A Crimeia ficava aproximadamente a 100 quilômetros da praça central em

Kherson. As Forças Armadas da Ucrânia poderiam alcançá-la em poucos dias, desde que Zelensky convencesse o Ocidente a fornecer armas suficientes para romper as defesas russas. "Será o início do fim da guerra?", indagou o presidente aos repórteres na praça. "Vejam o nosso forte Exército. Estamos, passo a passo, chegando ao nosso país, a todos os territórios temporariamente ocupados." Então veio outra pergunta do meio do grupo: "O que virá depois?" Zelensky respondeu com um sorriso: "Não será Moscou. Não estamos interessados em territórios de outro país. Estamos interessados apenas na desocupação do nosso país, do nosso território." Além disso, acrescentou ele, não teria nexo negociar com um inimigo que fala de paz enquanto bombardeia civis. "Não acreditamos na Rússia", disse Zelensky. "Eles estão enganando o mundo inteiro. É por isso que avançamos."

Naquele momento, um grito irrompeu à esquerda do presidente – "Glória à Ucrânia!" – e a resposta foi um coro, principalmente de vozes femininas: "Glória aos heróis!" Zelensky olhou naquela direção e, para inquietação de seus guardas, foi cumprimentar a multidão de centenas de cidadãos, que foram ao seu encontro. Os repórteres correram por trás, envolvendo o presidente num cerco sem saída que os guardas de segurança não conseguiam controlar. O olhar de um deles era de pavor enquanto examinava os rostos na multidão em busca de ameaças. Zelensky sorriu e acenou. "Como vão vocês?" perguntou aos apoiadores. "Tudo bem?"

Da praça central de Kherson, o comboio nos levou a um posto de comando subterrâneo, onde Zelensky deveria encontrar os oficiais encarregados da frente sul. A instalação estava escondida sob uma antiga fábrica, cheia de detritos e vidro quebrado. Para chegar à entrada, Zelensky desceu até uma porta de metal pesado, muito parecida com a que ele usava todos os dias em Kiev para acessar suas instalações em tempos de guerra. Fora isso, o local não se assemelhava ao seu refúgio bem-equipado. No final das escadas, um corredor escuro que passava por uma lavanderia nos levou até um espaço repleto de beliches dos soldados. Ninguém bateu continência ou saudou o comandante em chefe visitante, e ninguém passou a manhã fazendo faxina nas dependências, onde teias de aranha cheias de moscas cobriam as paredes, atrás dos vasos sanitários. A maioria dos oficiais estava em seus quartos quando chegamos, olhando para as telas dos celulares e digitando. Um dos soldados continuou a cochilar por um tempo, depois se sentou na cama, vestiu a calça do uniforme por cima das ceroulas e voltou ao trabalho. Passando por ele, Zelensky foi até o refeitório, onde o almoço foi servido em tigelas de plástico e a bebida em copos de papel: arroz com ragu e sopa de salsicha com pão dormido. Se tivesse escolha, Zelensky mais tarde me disse, ele sempre daria preferência a ser considerado um igual por seus soldados, não seu potentado, e a ausência de formalidade não era para ele sinal de desrespeito. Isso incentivava os soldados a falar livremente sobre os horrores que presenciaram e as lutas que Kherson ainda tinha de enfrentar.

A cidade havia sido libertada, mas continuou a ser um alvo para os russos. Muitos agentes ficaram para trás e contavam com aliados suficientes entre a população local. As forças de segurança ucranianas agora precisavam rastrear e interrogar aqueles que haviam concordado em trabalhar para as forças de ocupação. Muitos trabalhadores das companhias de água e energia, e ainda policiais e burocratas tinham permanecido em seus postos para manter a cidade funcionando sob o controle russo. Alguns professores e administradores locais mantiveram as escolas abertas durante a ocupação. No primeiro mês da invasão, Zelensky assinou uma lei impondo punição rigorosa àqueles que colaboraram com os ocupantes, sendo que os piores infratores foram condenados à prisão perpétua por traição. O presidente não estava disposto a ser complacente com aqueles que considerava traidores: "Eles vivem entre nós, em apartamentos, em porões, entre os civis, e temos que expô-los, porque representam um grande risco."

Enquanto os generais se concentravam na tarefa de expulsar os russos, Zelensky contava com outra dimensão da guerra. Durante meses, prometeu libertar cada quilômetro quadrado da Ucrânia, incluindo toda a região de Donbas e a Crimeia. Como político, ele sentiu que a vitória militar nessas regiões marcaria o início de uma luta muito mais dura. Seria da sua competência governar as terras que a Ucrânia tomasse de volta dos invasores, e isso exigiria conquistar as pessoas que viviam lá. Em Kherson talvez não fosse tão difícil. A ocupação durou oito meses, não o suficiente para os russos quebrarem a resistência popular. Os residentes continuaram a desafiar os ocupantes por meio de desobediência civil, protestos públicos e, em alguns casos, ataques violentos e assassinatos. Quando as forças ucranianas retornaram a Kherson, a maioria das pessoas as acolheu, em alguns casos correndo para abraçar os soldados e chorando de alegria. Mas Zelensky não esperava o mesmo acolhimento em todas as regiões que prometeu libertar, muito menos nas partes ocupadas do leste da Ucrânia. "Eu precisaria falar com eles", disse o presidente, "supondo que essas pessoas estejam prontas para ouvir."

No início de seu mandato, ele cruzou as linhas de frente e tentou apelar às forças militares, oferecendo pagamentos de pensão e serviços do governo, abrindo estradas para que saíssem das áreas ocupadas em Donbas e visitassem o resto da Ucrânia. Agora suspeitava de que fosse tarde demais. As crianças dessas regiões aprenderam a ver Kiev como o inimigo, e os homens tinham sido recrutados para lutar ao lado dos russos. Quando a ocupação começou, em 2014, os soldados que hoje combatiam em Donbas eram meninos de 10 anos, e desde então viram as forças ucranianas lançarem bombas em sua direção, matando seus amigos e destruindo cidades. "Eles também estão morrendo", afirmou Zelensky. "E quando seus corpos retornarem a suas casas, eles escutarão: 'Olhe o que os ucranianos fizeram!'" Fazê-los abraçar a Ucrânia como sua terra natal exigiria um esforço que Zelensky mal podia avaliar. "Precisaríamos mudar a atitude dessas pessoas, para lhes mostrar que estamos nos encontrando no meio do caminho", disse ele. "Teríamos que sair da nossa própria zona de conforto e dizer: 'Donbas, pode nos ouvir?' Talvez não ouçam. E perguntar não é o suficiente. Precisamos agir, nos aproximar deles."

Se alguns se recusassem a aceitar o retorno da autoridade ucraniana ou a acreditar nas boas intenções da liderança em Kiev, no seu entendimento seria errado culpá-los ou puni-los. "Para mim não seria traição", falou ele. "É passividade. A Ucrânia tem que agir para romper os canais de informação." Ele queria interromper o fluxo de propaganda russa nessas regiões e substituir pela sua própria propaganda. "Mas a experiência mostra que, enquanto não estivermos lá, não poderemos ter êxito. Não poderemos nos aproximar deles."

Após os últimos avanços da Ucrânia no sul, não se esperava que as linhas de frente se deslocassem muito até o início do inverno, mas o presidente não queria que os soldados morressem de frio. No refeitório, ele acabou de comer e caminhou até o outro lado do bunker, onde vários oficiais preparavam um sumário sobre as condições na frente de batalha. Todos tiveram que deixar os celulares perto da porta da sala de conferências. No interior, um novo mapa de batalha pendurado na parede mostrava como os invasores tinham se posicionado atrás de dois obstáculos perigosos, que agora pretendiam usar como escudos. Partindo do oeste, os ucranianos precisariam atravessar as águas do Dnipro sob uma provável saraivada de artilharia e metralhadoras. Se viessem do norte, encontrariam a maior usina nuclear da Ucrânia, que os russos haviam ocupado no início de março. Os reatores da usina estavam agora na linha de frente, e Zelensky entendia que avançar em torno dessa área seria arriscar uma catástrofe nuclear. Ele teve de considerar o que os russos fariam com aqueles reatores, quando chegasse a hora de bater em retirada. Teriam sido programados para explodir? Em caso de fusão na central, até onde iriam as consequências?

Tais perguntas, para Zelensky, não eram mais estranhas. Fazia meses que estavam em sua mente, e ele tinha aprendido a estruturar seus pensamentos quanto aos dilemas que em tempos normais o teriam sobrecarregado. Sua primeira pergunta, geralmente relacionada a vidas humanas, era: quantos homens perderíamos se seguíssemos esse caminho? Com a decisão de avançar contra Kherson, aconteceu o mesmo. "Poderíamos ter avançado para Kherson mais cedo, com maior força", disse ele. "Mas nos conscientizamos de que muita gente teria morrido. É por isso que foi escolhida uma tática diferente, e graças a Deus funcionou. Não acho que tenha sido uma estratégia genial de nossa parte. Foi o triunfo do bom senso, o triunfo da sabedoria sobre a pressa e a ambição."

O pôr do sol estava próximo quando chegamos ao trem do presidente. A locomotiva parou a determinada distância da estação mais próxima, e os vagões já estavam aquecidos e prontos para partir. A viagem de volta a Kiev levaria pelo menos nove horas. Depois de um dia inteiro de reuniões, relatórios e cerimônias, o presidente teve tempo de sobra para começar a jornada com um intervalo para desanuviar a cabeça. Mas preferia não deixar lacunas em sua agenda. Assim que o trem partiu, seu assessor me conduziu ao vagão particular, e passamos por vários outros vagões nos quais viajavam guardas de segurança e funcionários. Num compartimento, Andriy Yermak, sentado na cama, gritava ao telefone devido à recepção falha, tentando esclarecer uma questão urgente com o secretário-geral das Nações Unidas. Finalmente, na entrada dos aposentos de Zelensky, um segurança me revistou e colou uma fita azul sobre as lentes da câmera do meu celular. O quarto atrás dele tinha o luxo característico de um hotel de alto padrão – painéis de madeira, luz suave e luminárias douradas que faziam o espaço minúsculo parecer ainda mais apertado, quase sem ar. A ideia que eu fazia de um centro de comando de alta tecnologia sobre rodas foi frustrada. O presidente, vestido com o blusão cáqui habitual, sentou-se à pequena mesa de reuniões, com uma xícara de café, um emaranhado de documentos na frente dele, cortinas fechadas em todas as janelas e, à esquerda, um sofá estreito encostado contra a parede.

Quando me sentei diante de Zelensky, ele pegou um livro de bolso e olhou. Era sobre a vida de Hitler e Stálin durante a Segunda Guerra Mundial, um estudo comparativo dos dois tiranos que mais atormentaram a Ucrânia. Zelensky ainda não tivera tempo de ler a obra. "Na minha profissão, o volume de documentos empurra toda a literatura para o lado", disse ele. Mas tais livros de história e biografia eram, havia muito tempo, seus companheiros de viagem. Desde o começo da invasão, ele tinha lido sobre a vida de Winston Churchill, figura histórica a quem era comparado, algo que ele não apreciava.

"As pessoas dizem coisas diferentes sobre Churchill", observou Zelensky, deixando claro que não o admirava no que dizia respeito ao seu histórico de imperialista. Preferiria ser comparado a outras figuras da época de Churchill, como George Orwell, um dos escritores favoritos de Zelensky, ou ao grande comediante que satirizava Hitler durante o Holocausto. "Eu invoquei o exemplo de Charlie Chaplin", disse Zelensky, "do modo como ele usou a arma da informação durante a Segunda Guerra Mundial para lutar contra o fascismo. Havia essas pessoas, esses artistas que ajudaram a sociedade", afirmou ele. "E sua influência era muitas vezes mais forte do que a artilharia." Esse é o tipo de influência que Zelensky queria imitar, e o panteão ao qual queria se unir.

À medida que o trem se afastava das regiões da linha de frente e ganhava um pouco de velocidade, ficou evidente que os objetivos que tinha para sua liderança em tempos de guerra iam muito além de qualquer vitória no campo de batalha. Desejava mudar a maneira como os ucranianos entendiam o papel da nação diante do mundo, seu futuro e os traumas do passado. Durante a maior parte de sua vida, ele disse, "eu não tinha ódio dentro de mim". Acreditava na capacidade humana de se autocorrigir, punir os maus e defender os bons. Mesmo em se tratando de suas avaliações da história, Zelensky cresceu acreditando que a União Soviética merecia respeito e admiração. A União Soviética tinha reunido dezenas de culturas e nações, aproveitando sua diversidade e nutrindo seus talentos para produzir algumas das maiores conquistas da história da ciência e das artes. Nenhum desses sentimentos sobreviveu à guerra, Zelensky me disse. "Agora eu sinto repulsa por tudo que diz respeito ao passado."

Mais de uma vez em nossas conversas ele mencionou os ritos funerários de Josef Stálin, cuja morte em 1953 mergulhou a União Soviética em paroxismos de luto. Durante o cortejo público pela Praça Vermelha com o cadáver de Stálin, "as pessoas se pisotearam, empurraram idosos e crianças que atravessavam seu caminho, apenas para espiar o governante que as havia deixado", falou Zelensky em abril, quando conversamos em seu escritório no 55º dia da invasão. Seis meses depois, retornando de Kherson, ele recuperou mentalmente aquelas cenas. "Aquela gente se comprimia", disse-me no trem, "somente para ver o corpo de Stálin, somente para tocar aquele pedaço de escória que pisoteou toda a Ucrânia."

O que atraiu Zelensky àquelas imagens – o rosto de cera e o braço flácido do generalíssimo em seu caixão, as multidões chorando por ele perto dos muros do Kremlin – foi o feitiço que a União Soviética lançou sobre seu povo, a maneira como a propaganda os convenceu de que o diabo era um santo. Na guerra atual, a Ucrânia lutava contra um conjunto semelhante de ilusões, e Zelensky entendia que seria difícil derrotar os russos não só por causa de seu arsenal, mas pelo poder das mentiras de Putin. "Fico perplexo diante da força dessa informação, de ver como é doentia", afirmou ele. "O mais assustador é que o povo russo não consegue enxergar. Com base nas reações que temos visto, eles nos desejam a morte, querem que nossos filhos morram." A essa altura da guerra, as pesquisas vinham mostrando que a maioria dos russos era favorável a ela, e Zelensky compreendeu que era sua missão quebrar esse feitiço, subverter as narrativas que as pessoas consumiam através da televisão. Isso ajudava a explicar por que tinha sido para ele uma obsessão fechar os canais de propaganda da Rússia na Ucrânia antes de a invasão começar – e por que Putin reagiu com tanta fúria.

Guerras são travadas na mente de homens e mulheres muito antes de o tiroteio começar, e Zelensky, o showman que virou presidente, operava sob tal premissa. Ele conhecia o poder e o perigo da persuasão, e sabia que muito antes de os tanques russos cruzarem as fronteiras da Ucrânia o Kremlin tinha travado sua guerra através da propaganda, procurando convencer qualquer um que fala a língua russa de que a Ucrânia não existe, seus líderes são nazistas ressuscitados e disfarçados, servindo aos objetivos escusos do Ocidente contra a Rússia. A loucura dessas noções não os impediu de agir. Quando a invasão começou, o controle do Estado sobre a informação na Rússia permitiu que Putin continuasse enviando milhares de jovens para matar e morrer na Ucrânia sem que houvesse qualquer reação negativa das famílias, dos cidadãos russos.

No caso de Stálin tinha acontecido o mesmo, disse Zelensky. Através da censura e propaganda soviéticas, o Kremlin escapou da responsabilidade pelo assassinato de milhões de ucranianos durante o confisco forçado de suas colheitas na década de 1930, o genocídio conhecido como Holodomor. Mais tarde, ao longo de gerações, o povo soviético não teve ciência desses crimes. Todas as evidências foram enterradas, as testemunhas reprimidas. Zelensky foi informado dos detalhes da fome quando estava no ensino médio, na década de 1990, anos após o colapso da União Soviética. Só mais tarde, durante sua presidência, ele reconheceu que isso fazia parte do padrão. Primeiro Holodomor, depois o Holocausto e a Segunda Guerra Mundial, e então duas gerações de opressão soviética. "Essas tragédias aconteceram uma após a outra", disse ele. "Um golpe terrível se seguia ao outro."

Perguntei se essa história, de alguma forma, tinha fortalecido a Ucrânia em termos de nação, contribuindo para sua determinação em enfrentar a guerra atual. A pergunta me rendeu um olhar frio. "Algumas pessoas podem dizer que nos fortaleceu. Mas penso que tirou muito da capacidade de desenvolvimento da Ucrânia. Foi um golpe após o outro, do tipo mais difícil. Como isso pode nos fortalecer? As pessoas mal sobreviveram. A fome as aniquilou, aniquilou suas mentes, e é claro que isso deixa um rastro." Agora era a vez de sua geração enfrentar o próximo golpe de um invasor estrangeiro. Em vez de Stálin e Hitler, agora era Putin tentando dobrar a vontade deles, privando-os de aquecimento e luz, minando sua capacidade de colher alimentos ou pensar além da sobrevivência. A próxima geração de ucranianos, incluindo o próprio filho de Zelensky, cresceria aprendendo sobre instrumentos bélicos em vez de trabalhar pela própria prosperidade. Durante uma visita recente, Zelensky viu o filho, de uniforme, opinando, aos 9 anos, sobre os tipos de armas que os militares precisavam.

O objetivo de sua presidência, continuou Zelensky, seria encerrar esse ciclo, encerrar o padrão de opressão que ele não conseguiu reconhecer quando era mais jovem, e seu plano não dependia somente de armas. "Não quero pesar quem tem mais tanques e exércitos", disse ele. A Rússia é uma superpotência nuclear. Não importa quantas vezes suas forças se retirem das cidades ucranianas, elas ainda podem se reagrupar, recuar e tentar novamente. "Estamos lidando com um Estado poderoso que é patologicamente contrário a deixar a Ucrânia existir", disse Zelensky. "Eles veem a democracia e a liberdade da Ucrânia como um risco à sua própria sobrevivência." A única maneira de derrotar um inimigo desses – não apenas obter uma trégua temporária, mas vencer – é fazer os ucranianos acreditarem que sua liberdade vale os sacrifícios da guerra, e convencer o resto do mundo democrático a puxar a Ucrânia na outra direção, em direção à soberania, independência e paz. Seria essa a contribuição de Zelensky. Ele já havia convencido Estados Unidos e Europa a fornecer armas suficientes à Ucrânia para que tomasse impulso na guerra. Mas seu apelo mais profundo era que os aliados fornecessem mais que suporte material para alcançar vitórias. Em seus discursos, ele os advertia, repetidamente, de que a perda da liberdade numa nação corrói a liberdade do resto do mundo. "Se eles nos destruírem", disse-me ele no trem, "o sol vai ficar mais fraco para vocês."

Àquela altura, estávamos quase a meio caminho de Kiev, e o presidente tinha apenas algumas horas para descansar e se preparar para o próximo item da agenda. Por volta das 3 horas da manhã, horário de Kiev, ele deveria fazer um discurso na cúpula do G20 em Bali, onde os líderes das nações mais ricas do mundo iam se reunir para discutir uma lista de situações de crise. A guerra na Ucrânia encabeçava a agenda. A Rússia, apesar do status de membro fundador do grupo e um dos mais influentes, teve sua delegação ostracizada em Bali. O ministro das Relações Exteriores, Sergei Lavrov, decidiu voltar para o país mais cedo, atitude que sinalizou o sucesso da estratégia de Zelensky contra os russos. A Ucrânia nem sequer era membro do G20, mas o presidente podia esperar a atenção arrebatadora dos líderes quando ele telefonasse da sua capital. "Os russos precisam entender que não haverá perdão. Não terão a aceitação do mundo", disse-me quando nos despedimos.

Era quase meia-noite quando as luzes de Kiev surgiram nas janelas. Próximo à estação central, o vagão do presidente parou ao lado de um vão, junto a uma parede de concreto. Do outro lado do vão, um comboio esperava para levá-lo de volta ao gabinete. Seu discurso estava pronto. Ele mesmo havia escrito a maior parte, elaborando a mensagem que queria enviar. Seria um chamado para as nações menores do mundo, aquelas que não têm armas nucleares ou exércitos colossais, para que trabalhassem juntas e quebrassem os ciclos de violência impostos por seus colonizadores. Poucas horas antes do amanhecer, Zelensky ocupou seu assento na Sala de Planejamento, o tridente brilhando na parede logo atrás, e olhou para a câmera posicionada do lado oposto da sala.

"Saudações", disse ele, "à maioria do mundo, que está conosco."

Epílogo

Meu encontro seguinte com Zelensky aconteceu do outro lado do mundo. Alguns dias antes do Natal, ele fez uma visita de surpresa a Washington, sua primeira viagem ao exterior desde o início da invasão. Um dos assessores de Zelensky, por meio de uma mensagem de texto enviada naquela mesma manhã, avisou-me para me deslocar do Brooklyn, onde eu estava, até Washington, e lá chegar antes que o avião presidencial tocasse o solo. Ao contrário da primeira-dama, o presidente não viajava em voos comerciais.[1] A Casa Branca enviou um jato da Força Aérea dos Estados Unidos para buscar Zelensky no leste da Polônia. Sob escolta de uma aeronave de reconhecimento da Otan e um caça F-15 Eagle, o jato levou-o até a base aérea de Andrews. De lá, Zelensky seguiu o mesmo trajeto anteriormente percorrido pela esposa, comparecendo, primeiramente, ao Salão Oval, onde se encontrou com Joe e Jill Biden antes de discursar diante de uma sessão conjunta do Congresso. Vimo-nos de relance e trocamos apenas um aceno de cabeça quando ele atravessava os corredores do Capitólio.

Talvez um jeito de olhar lembrasse o jovem Zelensky dos tempos dos shows de comédia, em Kryvyi Rih, e ainda animava o semblante dele naquele dia. Mas não pude vê-lo bem enquanto ele percorria o corredor da Câmara dos Deputados. O gingar despreocupado, característico dos tempos da juventude, não sobrevivera ao impacto da invasão. O caminhar agora parecia pesado, os ombros estavam enrijecidos, fazendo lembrar um buldogue que parte para uma briga. Vestindo o já conhecido moletom verde--oliva, declarou na bancada do Congresso que a Ucrânia havia vencido a parte mais importante da guerra. “Derrotamos a Rússia na batalha das mentes", afirmou ele. Não apenas das mentes dos ucranianos, mas também dos cidadãos de todas as nações que antes temiam a Rússia e viviam sob a influência da propaganda daquele país. "A tirania russa perdeu o controle sobre nós, e jamais voltará a influenciar as nossas mentes."

Na Ucrânia, contudo, a luta para defender vidas e territórios estava longe de terminar. O epicentro da batalha pela região de Donbas mudou-se para Bakhmut, cidade visitada por Zelensky um dia antes da viagem a Washington. "Cada centímetro daquela terra está encharcado de sangue", disse ele aos parlamentares norte-americanos. (O comandante russo, Yevgeny Prigozhin, integrante do grupo mercenário Wagner, mais tarde admitiria ter perdido cerca de 20 mil combatentes na batalha pela cidade, cuja população pré-guerra somava pouco mais do que 70 mil habitantes.) Para defender Bakhmut, Zelensky precisava de mais artilharia, bem como tanques, caças e mísseis antiaéreos, equipamento que os EUA e seus aliados recusavam-se a fornecer. Estes ainda não haviam superado o medo que sentiam de uma escalada russa. No intuito de ajudá-los a livrar-se de tal receio, Zelensky presenteou-os com uma bandeira de batalha pertencente às tropas sediadas em Bakhmut, e cujo tecido estampava mensagens de esperança e resiliência. "Que esta bandeira fique com as senhoras e os senhores", disse, dirigindo-se ao plenário. "Esta bandeira é um símbolo da nossa vitória nesta guerra."

Observando da galeria, contei treze ovações de pé, mas a incidência dos aplausos era tamanha que me forçou a desistir da contagem. Mais tarde, um senador me disse que, em suas três décadas de permanência no Capitólio, não se lembrava de qualquer outra ocasião em que um líder estrangeiro fosse recebido com tanta admiração. Alguns republicanos de direita e devotos de Donald Trump recusaram-se a se levantar ou aplaudir Zelensky, mas os votos para apoiá-lo foram bipartidários e avassaladores ao longo do ano. O Congresso aprovou um total de 113 bilhões de dólares em ajuda à Ucrânia em 2022, incluindo 67 bilhões de dólares para gastos com defesa. (Como medida de comparação, diga-se que a escala média de toda a economia da Ucrânia foi inferior a 200 bilhões de dólares nos anos anteriores.) O maior pacote de ajuda norte-americano concedido em uma única votação, no valor de 40 bilhões de dólares, foi aprovado na câmara por 368 votos contra 57, e no Senado por 86 a 11. A ajuda concedeu à Ucrânia cerca de 7 bilhões de dólares a mais do que a Casa Branca havia solicitado. "É suficiente?" perguntou Zelensky, em seu discurso diante do congresso. "Sinceramente, na verdade, não."

Para alguns dos presentes no plenário, essa frase provocou risadas. Outros reviraram os olhos diante do atrevimento de Zelensky. Ele prosseguiu por mais alguns minutos, concluindo com um floreio que se tornou uma espécie de cartão de visita de sua oratória. Invocou um episódio da história da própria plateia. Em 1777, na Batalha de Saratoga, os norte-americanos obtiveram uma vitória crucial contra os britânicos durante a guerra pela independência. Em breve a Ucrânia faria o mesmo em Bakhmut, disse Zelensky, mas precisava de ajuda. "Nós resistimos, lutamos e haveremos de vencer porque estamos unidos – a Ucrânia, os Estados Unidos e todo o mundo livre." A câmara mais uma vez irrompeu em aplausos, com os parlamentares vibrando e bradando *Slava Ukrainy!* – Glória para a Ucrânia!

Terminado o discurso, o presidente não se demorou muito tempo em Washington. Naquela mesma noite embarcou no avião, acompanhado pela equipe. Fiquei para trás. Era hora de parar de coletar material para este livro e concentrar-me na escrita. A guerra não havia terminado. Longe disso. Tampouco surgira à distância alguma luz ou solução. Mas, a meu ver, o homem no centro de tudo aquilo havia completado sua transformação e se tornado o líder em tempo de guerra que ele continuaria a ser. Havia demonstrado que suas habilidades de showman eram tão valiosas na guerra quanto a expertise tática de seus generais. Eles precisavam uns dos outros, e Zelensky os ajudou por meio da força dos seus apelos enunciados em todos os palcos políticos do mundo; pela maneira de convencer e inspirar seus pares no Ocidente, levando-os a enxergar a guerra como se fosse deles; e por meio de uma maratona diplomática que durou centenas de dias e desgastou a relutância daqueles que ainda temiam a Rússia. Zelensky jamais deu o menor indício de estar com medo, embora ele e sua família tivessem muito a temer.

No tempo em que passei ao lado dele, desde a campanha em 2019, e a seguir, durante o primeiro ano da guerra, não pude focalizar cada aspecto de sua personalidade. Alguns permaneceram indistintos, e outros me preocuparam, especialmente quando eu me perguntava o que seria da Ucrânia sob a liderança de Zelensky após a guerra. Uma das provas mais importantes para ele e sua administração poderá ocorrer depois de mais algumas vitórias importantes no campo de batalha, ou de algum impasse demorado nas linhas de frente, quando uma grande quantidade de ucranianos talvez entenda que a guerra esteja estabilizada, e permita às autoridades suspenderem os toques de recolher, restituírem aos homens o direito de ir e vir, permitirem que o parlamento retome as funções normais e, suponho, o que será especialmente difícil para Zelensky, acabarem com a Telemaratona e liberarem a ação da mídia. Sem dúvida, as condições da frente de batalha hão de orientar tais decisões, mas é provável que haja desacordo entre o gabinete do presidente e o parlamento, e ainda entre o Estado e o povo, quanto ao momento certo para o regresso à vida em uma democracia constitucional, com eleições regulares e liberdade de imprensa. Não sei como Zelensky vai lidar com essa transição difícil, se terá sabedoria e moderação para renunciar aos poderes extraordinários que lhe foram concedidos sob a lei marcial, ou se irá, a exemplo de tantos líderes ao longo da história, descobrir que tal poder é viciante.

Quando conversamos sobre essas questões as respostas dele ajudaram a amenizar meu receio de que depois da guerra o capítulo seguinte da história da Ucrânia possa ser o da autocracia. Zelensky demonstrou estar ciente do julgamento da história e cauteloso diante dos grandes encômios recebidos de várias organizações internacionais. Certa vez, no final do primeiro verão em plena guerra, o diretor do serviço de correios da Ucrânia levou o esboço de um novo selo postal até o gabinete de Zelensky, no quarto andar do complexo, e ofereceu-se para lançar o selo antes do Dia da Independência, em agosto. A estampa exibia o rosto de Zelensky, em amarelo e azul, garboso e imponente, com armas de guerra retratadas no fundo. Zelensky fez uma careta e fechou a pasta ao ver o esboço. "Não é o momento", disse ele, "de iniciar um culto à personalidade."[2]

A modéstia, com certeza, jamais foi característica sua, mas ele demonstrou bom senso suficiente para evitar a autopromoção. Zelensky e sua equipe também mostraram respeito pela atuação dos jornalistas independentes, a ponto de me deixarem fazer meu trabalho na rua Bankova sem a imposição de condições prévias. Quando terminei uma primeira versão deste livro, no verão de 2023, a guerra estava em andamento, e ninguém sabia como seria a vitória da Ucrânia, caso o fato se concretizasse. O general Zaluzhny foi um dos que me alertaram que a guerra, na realidade, jamais acabaria. "Sabendo o que sei, em primeira mão, sobre os russos, posso afirmar que a nossa vitória não será definitiva", disse ele. "A nossa vitória será uma oportunidade para tomar fôlego e nos prepararmos para a próxima guerra."

Oito anos de combates em Donbas convenceram Zaluzhny de que a Rússia nunca deixaria de ser uma ameaça, e ele queria que todos os ucranianos encarassem tal realidade e se preparassem para um estado permanente de vigilância, bem como um ciclo interminável de conflito com a potência nuclear vizinha. As forças armadas sob seu comando já haviam chegado a esse entendimento, e o restante da sociedade rapidamente se conscientizava da questão, sobretudo depois das atrocidades testemunhadas em Bucha e outras cidades libertadas. "Agora sabemos que, se recuarmos um quilômetro, esse quilômetro ficará coberto de sangue", disse-me Zaluzhny. Em se tratando de um inimigo como esse, acrescentou, "não basta morrer pelo seu país. Também é preciso matar".

Alguns referiam-se ao general como o tipo de líder de que a futura Ucrânia precisaria. E Zelensky chegou a considerar a demissão do comandante por ele próprio selecionado.[3] Contudo, no início de 2023, aparentemente, Zaluzhny resolveu suas diferenças com o presidente. Concordou em dispensar dois assessores que vinham cuidando da sua imagem política. Depois dos avanços em Kharkiv e Kherson, ele e o presidente voltaram a atenção para a contraofensiva mais ampla, imaginada pelo próprio Zaluzhny: um ataque planejado em vários estágios, destinado a isolar a Crimeia das linhas de abastecimento russas que se estendiam através de Donbas, passando por Mariupol. O presidente não deu indicações de apressar os preparativos para tal ofensiva, que começou no início de junho de 2023. Quando, durante o verão, a investida não concretizou o avanço esperado, Zelensky e Zaluzhny uniram-se em torno de um plano para levar a guerra ao solo do inimigo, empregando ataques de drones contra Moscou e outros alvos distantes da frente de batalha. Em algumas questões os dois discordaram, como quanto ao momento de recuar da armadilha mortal de Bakhmut. O general, percebendo que a cidade não podia mais ser defendida, queria retirar as tropas algumas semanas antes do que o presidente determinara ao insistir na prorrogação da luta, principalmente com o propósito de desgastar as forças russas e mantê-las longe de outras áreas da frente. Para Zelensky, Bakhmut era também um símbolo de obstinação, e ele venceu o debate sobre a necessidade de continuar defendendo as ruínas da cidade, apesar do custo tremendamente elevado. De modo geral, Zelensky continuou a desempenhar um papel bem maior quanto às decisões estratégicas em comparação ao início da invasão. Mas o presidente ainda manteve o foco no que fazia de melhor: angariar apoio, elevar o espírito, manter a Ucrânia no centro das atenções e garantir suprimentos de armas e ajuda financeira.

A persistência demonstrada por Zelensky em tais esforços haveria de irritar seus aliados, mesmo os mais próximos. Ben Wallace, ministro da Defesa britânico, repreendeu Zelensky durante uma reunião da Otan, em julho de 2023. "As pessoas querem ver gratidão", disse ele. "Não somos a Amazon."[4] O Reino Unido já havia transferido para a Ucrânia tantos veículos de remoção de minas que "creio não ter sobrado nenhum", disse Wallace. Tais advertências pouco alteraram o tom de Zelensky. No final, foi Wallace, e não Zelensky, quem sentiu a necessidade de se desculpar por se exceder com seus comentários, enquanto dinheiro e equipamentos continuaram a fluir do Ocidente para a Ucrânia. Apesar de quase um ano de atrasos e recusas, os EUA começaram, no segundo ano da guerra, a oferecer a Zelensky o que ele mais precisava, expandindo enormemente a gama de armas disponibilizadas para as Forças Armadas da Ucrânia.

O anúncio oficial sobre a provisão de tanques norte-americanos e alemães caiu no dia do 45º aniversário de Zelensky, em 25 de janeiro de 2023. Naquela noite, a esposa postou uma mensagem inusitada para ele nas redes sociais. "Muitas vezes me perguntam se você mudou ao longo deste ano", escreveu ela. "E sempre respondo: ele não mudou. Ele é o mesmo. O mesmo cara que conheci quando tínhamos dezessete anos." Mas não era verdade, admitiu ela. "Algo mudou: você sorri muito menos agora." Ela desejou a ele mais motivos para sorrir e pediu algo em troca. "Quero sorrir com você para sempre. Dê-me a oportunidade!"

Não foi a primeira vez que ela fez um apelo público pela atenção dele, e dessa vez ele a escutou. Quando a guerra entrou no segundo ano, o presidente e a esposa começaram a aparecer juntos com mais frequência e a demonstrar mais carinho um pelo outro em tais ocasiões. Tragédias frequentemente os aproximavam, e os uniam no luto, como no dia terrível em que receberam a notícia da morte de um amigo. Denys Monastyrsky, ministro do Interior, morreu em um acidente de helicóptero, em um subúrbio de Kiev, em 18 de janeiro de 2023, junto a seis assessores de alto escalão e outros membros da equipe. Monastyrsky estava ao lado de Zelensky, antes do amanhecer, no dia da invasão, e foi um dos homens mais corajosos que conheci enquanto trabalhava neste livro. Nem o presidente nem a primeira-dama conseguiram conter as lágrimas quando tentaram confortar os entes queridos de Monastyrsky, no enterro. "Que no dia de hoje todos nós tenhamos o mesmo sentimento", disse Zelensky em um vídeo naquela noite, "que possamos sentir a perda de tantas pessoas brilhantes em tempos de guerra."

Daqui a alguns anos, quando a Ucrânia relembrar os horrores dessa guerra, o verdadeiro custo talvez fique evidenciado, supondo-se que um dia o Estado concorde em tornar público o número de baixas. Dezoito meses depois da invasão, a perda estimada de vidas estava na casa das centenas de milhares, entre as quais as legiões de homens e mulheres, médicos e DJs, professores e lojistas, gente de todos os setores da sociedade, gente que se dispôs a ajudar na defesa do país que amava. Zelensky, em nossas conversas, nunca falou sobre tais pessoas em termos chauvinistas. Nunca se referiu a elas como uma grande massa que pereceu por um propósito maior. Referia-se àquela gente como indivíduos, e a tristeza era visível em seu semblante.

Certa vez, quando conversamos sobre o que ele pensava acerca dos custos da guerra, Zelensky pediu-me que imaginasse um pai sentado à mesa, diante do porta-retrato contendo a foto de um filho que não voltou da frente de batalha, ou de uma filha morta durante um ataque de mísseis. "Isso não inspira o pai", afirmou ele. "Para ele, significa uma grande tragédia... Esse é o preço." Zelensky deteve-se por um momento, tentando encontrar algum sentido ou propósito para a imagem que ele próprio tinha sugerido. Por fim, disse: "Acho que a Ucrânia tem uma grande oportunidade de ganhar o respeito do mundo, ganhar autonomia em relação à influência russa." Para honrar a memória daqueles que morreram, ele estava determinado a não perder tal oportunidade, a despeito do tempo que isso demorasse ou da dificuldade da luta. "É isso o que me motiva", falou ele. E não os aplausos e a admiração, a fama advinda do cargo, nem mesmo o respeito e a adoração de milhões de pessoas na Ucrânia. Zelensky já contava com tudo isso em sua vida anterior, quando era o showman. Agora ele buscava algo diferente. Estava resolvido a romper um ciclo de opressão imperial iniciado havia várias gerações, antes de ele nascer. Era esse seu objetivo agora, e fazia muito tempo que tinha superado o medo ao trilhar o caminho que o levava a tal objetivo. "Mais tarde seremos julgados", ele me disse. "Não terminei esta ação, grande e importante para o nosso país. Ainda não."

Agradecimentos

A história não é escrita pelos vencedores. É escrita pelas testemunhas, e elas merecem mais crédito por este livro do que eu. Centenas delas aceitaram conversar comigo no decorrer de minhas reportagens na Ucrânia, algumas em ocasiões múltiplas e durante muitas horas, e sou profundamente grato a todas essas pessoas por me confiarem as histórias que compõem a base deste livro. Muitas dessas entrevistas são citadas ao longo destas páginas. Mas seria necessário um volume maior do que este para listar os nomes e as contribuições de todos os ucranianos corajosos que me inspiraram, me impeliram e compartilharam comigo sua fé inabalável numa Ucrânia livre, pacífica e próspera. A todos ofereço meu eterno agradecimento e admiração.

Nos meses que se seguiram à invasão russa, minha possibilidade de visitar o complexo presidencial em Kiev não dependeu apenas do convite do presidente Zelensky. Não havia um passe que me desse pleno acesso ao local e livre trânsito. Diariamente no complexo governamental era preciso que um integrante da equipe do presidente supervisionasse minha visita e me conduzisse pelos cordões de segurança. Por tais esforços e pela paciência e generosidade em me ajudar a realizar as reportagens quero agradecer a Andriy Yermak, Dasha Zarivna, Serhiy Nikiforov, Mykhailo Podolyak, Serhiy Leshchenko, Iryna Pobedonostseva, Andriy Smyrnov, Kyrylo Tymoshenko, Tetiana Gayduchenko, Oleh Gavrysh e tantos outros membros do conselho presidencial e da equipe de segurança que me receberam na rua Bankova. Lesia Chervinska, no Ministério do Interior, Iryna Zolotar, no Ministério da Defesa, e Oleksiy Noskov, no Estado-Maior, também envidaram esforços para facilitar minhas conversas com membros-chave do gabinete do presidente e outras fontes importantes. Meus agradecimentos também a Sergiy Kyslytsya, embaixador da Ucrânia nas Nações Unidas, que generosamente me convidou para conversar enquanto eu estava em Nova York e aprofundou meu entendimento da diplomacia ucraniana em tempos de guerra.

Nos primeiros dois anos do mandato de Zelensky, Iuliia Mendel, em seu papel de porta-voz da presidência, ajudou-me a organizar reuniões, viagens e entrevistas com o presidente, e agradeço-lhe por isso e pela franqueza e cordialidade de nossas conversas. Na campanha de 2019, Olha Rudenko foi meu principal ponto de contato com Zelensky, e estou em dívida com ela por ter me concedido acesso a ele e à equipe naquela primavera.

Na William Morrow tive o privilégio de trabalhar com Mauro DiPreta, que acreditou neste livro e supervisionou sua elaboração, do início ao fim. Também sou grato à publisher da William Morrow, Liate Stehlik, e ao restante da equipe do Morrow Group e da HarperCollins por terem tratado este projeto com tamanho zelo e profissionalismo. Quanto a outros cuidados relacionados à edição, confiei em Mark Morrow, cujos *insights* e reflexões valiosos guiaram o livro desde o primeiro rascunho até a versão final. Meu agente literário, Todd Shuster (nenhum parentesco, pelo menos que saibamos), fez um trabalho brilhante conduzindo este projeto desde sua concepção até a publicação. Meu agradecimento a ele e à equipe da Aevitas, especialmente Vanessa Kerr, Allison Warren, Lauren Liebow, Erin Files e Jack Haug, pelo apoio.

Sinceros agradecimentos também aos meus editores, colegas e a todos da equipe da revista *Time*, que me ofereceram o apoio e o incentivo de que eu necessitava para escrever este livro, sobretudo Massimo Calabresi, mas também Marc e Lynne Benioff, Edward Felsenthal, Sam Jacobs, Alex Altman, Karl Vick, Vera Bergengruen, W. J. Hennigan, Brian Bennett, Lucas Wittmann e muitos outros membros do estafe da revista que contribuíram para nossa cobertura na Ucrânia e na Rússia ao longo dos anos.

Enquanto trabalhava no livro, contei com a ajuda de Natalia Goncharova e Yuliia Tkach na realização da pesquisa, colegas que também ajudaram na apuração dos fatos, assim como Barbara Maddux. Minha gratidão a elas.

Meu agradecimento e respeito aos fotógrafos que viajaram e trabalharam comigo na Ucrânia, principalmente Maxim Dondyuk, a quem tenho orgulho de chamar de amigo desde que nos conhecemos no Maidan, em 2014; Anastasia Taylor-Lind, que me acompanhou nos bastidores com Zelensky em 2019; e Alexander Chekmenev, que bateu algumas das fotos mais icônicas do presidente, em 2022.

Quanto às mais profundas dívidas de gratidão, devo-as à minha família, a saber, minha avó, meus pais, meu irmão e minha esposa, Marie, que me conheceu durante os dias terríveis de 2014, quando começou a guerra na Ucrânia, e ficou ao meu lado desde então. Este livro pertence, por direito, a ela e à nossa filha. Juntas, elas me incentivaram durante minhas ausências do lar, em 2022, e durante muitos e longos dias que passei diante da escrivaninha. Obrigado.

Notas sobre as fontes

Minhas principais fontes para escrever este livro constam de entrevistas com participantes nos eventos descritos, em particular as cinco conversas que conduzi com Volodymyr Zelensky, entre a primavera de 2019 e o outono de 2022. A maioria das entrevistas aparece citada diretamente no texto. Nesses casos, não as documentei nas notas a seguir.

Ao longo da pesquisa que realizei para elaborar este livro, recorri ao trabalho intrépido dos meus colegas de área, especialmente Sevgil Musaieva e sua equipe do *Ukrainska Pravda*; às redações da Agência de notícias RBC-Ucrânia, do *Kyiv Post*, e do *Kyiv Independent*; aos serviços ucranianos da BBC e da Rádio Europa Livre/Rádio Liberdade e muitos outros. Aprendi muitíssimo com a cobertura da guerra feita pela mídia internacional por meio da Associated Press, do jornal *The Washington Post*, do *Wall Street Journal*, do jornal *The New York Times*, do jornal *The Guardian*, da CNN, do jornal *Bild*, da revista *Der Spiegel* e outros. Diversos livros aprofundaram minha compreensão da história da Ucrânia e dos embates com a Rússia, sobretudo aqueles de autoria de Catherine Belton, Iuliia Mendel, Christopher Miller, Serhii Plokhy, Serhii Rudenko, Shaun Walker, Joshua Yaffa e Mikhail Zygar.

As notas a seguir indicam as fontes que utilizei para citações específicas e outros materiais, principalmente nos casos em que as fontes não estejam evidentes no texto.

Prólogo

1. Olha Rudenko informou-me sobre a ameaça de bomba nos bastidores do Palácio de Ucrânia em 13 de março de 2019. Roman Nedzelsky, que era o administrador-geral das dependências na ocasião, descreveu esses eventos para mim em entrevista realizada em 28 de junho de 2022, incluindo a reação da polícia e a decisão tomada em consulta com Zelensky para não cancelar o show. Alguns meios de comunicação ucranianos noticiaram a ameaça de bomba no dia seguinte, incluindo Strana.ua, que citou fontes policiais.
2. Zelensky fez esta declaração no episódio de uma série documental sobre ele e seu grupo, Studio Kvartal 95, a qual o grupo produziu e postou no YouTube, em 12 de outubro de 2014, com o título *Квартал и его команда* (Kvartal e sua equipe).

1. Amanhecer

1. As descrições da residência presidencial em Koncha-Zaspa são baseadas em fotografias que me foram enviadas pelo gabinete da primeira-dama Olena Zelenska, bem como em imagens mais antigas publicadas pela agência de notícias Unian e outros meios de comunicação ucranianos que visitaram a propriedade.
2. O jornalista investigativo Mykhailo Tkach, então trabalhando para a Rádio Europa Livre/Rádio Liberdade, foi o primeiro a informar, em julho de 2020, que o presidente Zelensky se mudara para Koncha-Zaspa com a família.
3. Entrevista de Zelensky à agência de notícias RBC-Ucrânia, em 18 de abril de 2019.
4. Entrevista de Zelensky à agência de notícias Politico Europe, em 6 de outubro de 2020, cuja transcrição foi publicada no site da presidência.
5. O personagem de Zelensky na estreia da série *Servo do Povo*.
6. As descrições da família do presidente às vésperas da invasão e suas reações ao evento são extraídas de minhas entrevistas com Olena Zelenska.
7. As descrições da ida de Zelensky para o trabalho no primeiro dia da invasão são baseadas em minhas visitas a Koncha-Zaspa e ao complexo localizado na rua Bankova, bem como em minhas entrevistas com o presidente e membros do seu governo, sobretudo Denys Monastyrsky.
8. Oleksiy Danilov, secretário do Conselho Nacional de Segurança e Defesa da Ucrânia, forneceu detalhes sobre a escala da invasão e sobre a resposta dele próprio à investida.
9. O número estimado de tropas e veículos militares envolvidos na tentativa inicial da Rússia de atacar Kiev pelo norte é proveniente de uma entrevista

do tenente-general Oleksandr Pavlyuk, primeiro vice-ministro da Defesa, à RBC-Ucrânia, publicada em 11 de abril de 2023.

10. Entrevista de Zelensky a John Simpson, da BBC, transmitida no primeiro aniversário da invasão.
11. Declaração de guerra feita por Vladimir Putin, conforme publicada no site do Kremlin, em 24 de fevereiro de 2022.
12. Entrevista de Oleksiy Danilov ao *Ukrainska Pravda*, publicada em 5 de setembro de 2022, como parte da reconstrução feita pelo *Pravda* das primeiras horas da invasão e dos dias que a antecederam.
13. A dimensão estimada das forças de ambos os lados da invasão foi extraída de um relatório elaborado pelo Parlamento Europeu, publicado em março de 2022, sob o título "A Guerra da Rússia na Ucrânia: Equilíbrio de Poderio Militar".
14. Entrevista de Zelensky ao jornal *The Washington Post*, publicada em 16 de agosto de 2022.
15. O relato do telefonema de Zelensky com o presidente Emmanuel Macron na manhã da invasão é retirado da filmagem da respectiva ligação exibida no documentário realizado em 2022, intitulado *Un président, l'Europe et la guerre*, dirigido por Guy Lagache.
16. O relato do telefonema de Andriy Yermak com Dmitry Kozak foi extraído da entrevista de Yermak ao jornal *The Washington Post*, publicada em 24 de agosto de 2022, e corresponde a parte da reconstrução da invasão feita pelo jornal.
17. Os detalhes da saída da família de Zelensky de Kiev foram extraídos de minhas entrevistas com três funcionários envolvidos no processo de evacuação, os quais concordaram em falar sobre o assunto sob condição de anonimato.

2. O alvo

1. O relato da evacuação do presidente para o bunker foi extraído de minhas entrevistas com cinco membros do gabinete que estavam com ele naquele dia. Alguns detalhes adicionais sobre comodidades no interior do bunker foram fornecidos por funcionários que ajudaram a prepará-lo ou que lá residiram com Zelensky, mais tarde, no decorrer da invasão.
2. Entrevista de Davyd Arakhamia ao jornal *The Washington Post*, publicada em 24 de fevereiro de 2023, corresponde a parte da história oral da invasão registrada pelo jornal.
3. Os esforços para proteger o complexo presidencial foram-me descritos por diversos funcionários que testemunharam os eventos ou deles participaram.

4. Andriy Smyrnov, ao descrever a destruição dos servidores do tribunal, mostrou-me fotos dos danos, a fim de confirmar o relato.
5. A queima de documentos sensíveis no pátio do Ministério da Defesa foi-me descrita por dois funcionários do Estado-Maior que a testemunharam; um deles mostrou-me fotos das valas de incineração. Esses funcionários e outros também mencionaram os tiros disparados das torres de Manhattan City contra o complexo do Ministério da Defesa. Durante uma visita ao local verifiquei a existência de danos que se coadunavam com os relatos, inclusive no Ministério de Infraestrutura, prédio vizinho.
6. Os detalhes da viagem do diretor da CIA, William Burns, a Kiev em janeiro de 2022 foram amplamente divulgados pela mídia nos EUA, notadamente pelo jornal *The Washington Post*, pelo *Wall Street Journal* e pela rede de notícias CNN.
7. Entrevista de Zelensky ao jornal *The Washington Post*, publicada em 16 de agosto de 2022.
8. Os detalhes da batalha pela ocupação do aeroporto em Hostomel foram extraídos parcialmente do relatório da agência de notícias RBC-Ucrânia visando à reconstrução desses eventos, publicado em 3 de abril de 2023.
9. As reações do presidente a esses acontecimentos foram-me relatadas por Mykhailo Podolyak, Denys Monastyrsky e outros participantes.
10. Detalhes da participação de Zelensky na cúpula da União Europeia, em 24 de fevereiro de 2022, são em parte extraídos da cobertura do evento pela agência de notícias Politico Europe e pelo jornal *The Washington Post*.
11. A declaração de Zelensky aos líderes da União Europeia durante o encontro foi inicialmente noticiada pelo *Financial Times* e pelo site de notícias Axios. Foi posteriormente confirmada para mim, com detalhes adicionais, por Andriy Sybiha e outros assessores de Zelensky.
12. Declaração de Zelensky feita na sala de imprensa e publicada no site da presidência, em 25 de fevereiro de 2022.
13. A mensagem de Monastyrsky para sua família foi recuperada do celular, em 18 de janeiro de 2023, cerca de onze meses depois que ele morreu em um acidente de helicóptero, perto de Kiev. Sua esposa, Zhanna Monastyrska, compartilhou a gravação comigo, e minha citação é autorizada por ela.
14. O vídeo de Zelensky e seus assessores foi postado nas redes sociais do presidente em 25 de fevereiro de 2022.

3. Cidade de bandidos

1. O relato do tempo em que a primeira-dama Olena Zelenska se refugiou com os filhos baseia-se em minhas conversas com ela, com detalhes adicionais obtidos em entrevistas dela a outros jornalistas, principalmente Shaun Walker, do jornal *The Guardian*.
2. Entrevista de Zelensky ao jornalista ucraniano Dmitry Gordon, para seu programa *Visiting Dmitry Gordon*, exibido pela primeira vez em dezembro de 2018.
3. Detalhes das atividades das gangues em Kryvyi Rih nas décadas de 1980 e 1990 decorrem das minhas entrevistas com Olena Zelenska e de uma reportagem sobre o tema feita pelo jornalista ucraniano Samuil Proskuryakov, publicada em Zaborona, em 15 de setembro de 2020.
4. O relato da história familiar e da infância de Zelensky foi extraído de minhas entrevistas com ele, com detalhes adicionais obtidos de duas entrevistas, uma a Dmitry Gordon, em dezembro de 2018, e outra ao jornal *Times of Israel*, em janeiro de 2020.
5. As citações sobre a infância de Zelensky neste parágrafo resultam de uma entrevista a Dmitry Gordon, exibida em dezembro de 2018.
6. Entrevista de Oleksandr Zelensky à rede TSN, da Ucrânia, apresentada em documentário sobre Zelensky que foi ao ar na mesma emissora no dia da posse, 20 de maio de 2019.
7. Oleksandr Pikalov relembrou seu primeiro encontro com Zelensky em entrevista para o documentário *Pozaochi*, transmitido pela Inter TV, da Ucrânia, em 2011.
8. O relato de Zelensky sobre a recusa de seu pai em deixá-lo viajar para Israel foi divulgado em sua entrevista no programa *Visiting Dmitry Gordon*, exibido em dezembro de 2018.
9. Entrevista de Zelensky no documentário *Pozaochi*, exibido em 2011.
10. Entrevista de Olena Zelenska a Shaun Walker, do jornal *The Guardian*, publicada em 18 de junho de 2022.
11. O comentário de Zelensky surge no mesmo episódio citado acima da série de documentários intitulada *Kvartal and Its Team*.
12. No livro *War and Punishment*, publicado em 2023, Mikhail Zygar cita o esquete apresentado pela trupe de Zelensky, em 20 de outubro de 2002, durante uma competição da *KVN* contra um time de Moscou (p. 213).
13. Um personagem ucraniano interpretado por Zelensky pronunciou esta fala durante um show da *KVN* reunindo celebridades em 11 de novembro de 2001,

conforme atestado por um vídeo de duas horas, contendo a totalidade da apresentação, postado em KVNbest.ru, a página de fãs da *KVN*.

4. "Sr. Zeleny"

1. Zelensky relembrou sua saída da liga principal da *KVN*, em Moscou, durante a entrevista transmitida no programa *Visiting Dmitry Gordon* em 2018.
2. Oleksandr Zelensky descreveu sua atitude em relação às ambições profissionais do filho em entrevista no documentário *Pozaochi*, transmitido pela Inter TV da Ucrânia em 2011.
3. Gleb Pavlovsky, que serviu como conselheiro político do Kremlin no início dos anos 2000, é citado descrevendo a Revolução Laranja nestes termos, no livro de Serhiy Plokhy intitulado *The Russo-Ukrainian War* (p. 83).
4. Na entrevista durante o programa de Dmitry Gordon, em 2018, Zelensky afirmou que seus pais votaram no partido de Yanukovych.
5. Zelensky e seus colegas comediantes apresentaram esta canção satírica no primeiro episódio de *Evening Kvartal*, exibido em 2005.
6. A mãe de Zelensky, Rymma, relembrou sua reação à sátira política apresentada pelo filho, em entrevista para a série de documentários sobre o Studio Kvartal 95, intitulada *Kvartal and Its Team*, produzida pelo estúdio em 2014.
7. Detalhes da fortuna de Zelensky e do uso de contas bancárias no exterior foram amplamente divulgados pela mídia ucraniana e internacional, principalmente pela agência de notícias RBC-Ucrânia e pelo *Ukrainska Pravda*, bem como pelo consórcio de meios de comunicação que publicou o vazamento de registros financeiros conhecido como Pandora Papers, em 2021.
8. Comentários de Zelensky sobre sua fortuna pessoal neste parágrafo foram extraídos de sua entrevista, em 2018, ao programa *Visiting Dmitry Gordon*.
9. A resposta de Zelensky à publicação de seus dados financeiros como parte do vazamento dos chamados Pandora Papers ocorreu em sua entrevista concedida ao canal de notícias ICTV, da Ucrânia, em 17 de outubro de 2021.
10. O relato de Zelensky sobre suas tensões com a liderança da Inter TV e as supostas tentativas de Yanukovych de cooptá-lo com 100 milhões de dólares ocorreu em sua entrevista de 2018 no programa *Visiting Dmitry Gordon*.
11. Os detalhes das eleições de 2010 na Ucrânia foram extraídos da minha cobertura daquela corrida presidencial para a Associated Press, em Kiev.
12. A alegação de que Yanukovych e seus aliados desviaram 100 bilhões de dólares da Ucrânia durante seu mandato presidencial ocorreu em entrevista do

procurador-geral da Ucrânia, Oleh Makhnitsky, à agência de notícias Reuters, publicada em 30 de abril de 2014.

13. Minha entrevista com Yanukovych e a cobertura relacionada à sua presidência foram publicadas na revista *Time* em junho de 2012.

5. Anexação

1. O relato da Revolução da Dignidade e suas consequências é baseado em minhas reportagens sobre o cenário desses acontecimentos, publicadas em uma série de artigos na revista *Time*, em 2014.
2. A contagem total de baixas ocorridas durante a revolução consta do livro de Serhii Plokhy, *The Russo-Ukrainian War* (p. 97).
3. Coletiva de imprensa concedida por Zelensky em dezembro de 2013, promovendo o lançamento do filme *Love in the Big City 3*.
4. No livro de sua autoria, intitulado *Zelensky: A Biography*, publicado em 2022, Serhii Rudenko descreve a polêmica em torno da piada sobre cassetetes policiais sendo usados para gerar eletricidade (p. 83).
5. Yevhen Koshovy descreveu as atitudes da trupe acerca da revolução durante nossa entrevista, realizada em Kiev, em junho de 2022.
6. Oleksandr Polishchuk descreveu a ocupação russa da Crimeia durante nossa entrevista, realizada em Kiev, em junho de 2022, quando ele servia como vice-ministro da Defesa da Ucrânia.
7. O relato da minha entrevista com Sergei Aksyonov, realizada na sede por ele ocupada na Crimeia, constou pela primeira vez de artigo da revista *Time*, em março de 2014.
8. Discurso de Putin publicado no site do Kremlin em 18 de março de 2014.
9. As citações nesta seção remetem à participação de Zelensky no telejornal da rede TSN, em 1º de março de 2014.
10. Coletiva de imprensa concedida por Zelensky no complexo presidencial, em Kiev, em 3 de março de 2022.

6. Batalha de Kiev

1. O relato dos primeiros dias de Zelensky no bunker é baseado em minhas entrevistas com ele e com membros de sua equipe, bem como em minhas próprias observações no interior do complexo presidencial durante a invasão.
2. O relato sobre o posto de comando militar onde o general Valery Zaluzhny residiu e trabalhou nos primeiros dias da invasão baseia-se em entrevistas

concedidas por ele e por membros de sua equipe, bem como em fotos a mim exibidas das instalações.

3. Serhii Plokhy detalha a ocupação da usina de Chernobyl no livro *The Russo--Ukrainian War* (p. 158-159).
4. A pesquisa Eurobarometer sobre a opinião pública na Europa foi publicada em 5 de maio de 2022, por meio de um comunicado de imprensa expedido pela Comissão Europeia intitulado "Eurobarometer: Europeans Approve EU's Response to the War in Ukraine".
5. A pesquisa Reuters/Ipsos sobre a opinião pública dos EUA acerca da invasão foi publicada pela agência de notícias Reuters em 4 de março de 2022.
6. Discurso do chanceler alemão Olaf Scholz publicado no site da chancelaria, em 27 de fevereiro de 2022.
7. Discurso de Zelensky à nação publicado no site da presidência, em 25 de fevereiro de 2022.
8. Discurso de Zelensky à nação publicado no site da presidência, em 27 de fevereiro de 2022.
9. O relato da primeira rodada de negociações em Belarus baseia-se nas minhas entrevistas com Arakhamia e outros mediadores ucranianos.
10. Uma cópia das propostas ucranianas nas negociações de paz chegou ao conhecimento da jornalista russa independente Farida Rustamova, que as publicou em seu boletim informativo *Faridaily*, em 22 de março de 2022, sob o título "Ukraine's 10-point Plan".
11. Alguns dos detalhes da batalha pela ocupação do aeroporto em Hostomel foram extraídos com base na reconstrução dos eventos elaborada pela agência de notícias RBC-Ucrânia e publicada em 3 de abril de 2023.
12. Palavras do general Vladimir Shamanov em entrevista concedida à jornalista russa Oksana Kravtsova, postada no YouTube em 22 de maio de 2022.
13. Entrevista de Oleksiy Reznikov concedida ao jornalista ucraniano Dmytro Komarov, para um episódio de sua série de documentários intitulada *Year. Offscreen* sobre a invasão, postada no YouTube em 5 de maio de 2023.
14. Estimativas independentes das baixas russas ocorridas nas primeiras semanas da invasão resultam de várias fontes, desde agências de inteligência dos EUA até grupos de reflexão. Baseei-me na análise minuciosa desses números realizada por Andrew Roth, do jornal *The Guardian*, publicada em 22 de março de 2022, sob o título "How Many Russian Soldiers Have Died in the War in Ukraine?".
15. Paul Ronzheimer, do jornal alemão *Bild*, compareceu à coletiva televisionada de imprensa concedida por Zelensky, 3 de março de 2022, e mais tarde des-

creveu-me em detalhes o evento. O jornal *The New York Times* publicou um relato da entrevista naquele dia, por Andrew Kramer, sob o título "Behind Sandbags, Ukraine's Leader Meets de Media".

7. O bunker

1. O relato da reação da rua Bankova à ocupação russa da usina nuclear em Enerhodar, em 4 de março de 2022, é baseado em minhas entrevistas com vários assessores e conselheiros seniores de Zelensky, incluindo Andriy Yermak, Kyrylo Tymoshenko e Serhiy Leshchenko.
2. Entrevista concedida por Zelensky a Dmytro Komarov para o primeiro episódio da série *Year. Offscreen*, lançada em 28 de abril de 2023.
3. O investimento do Estado no Telekanal Rada foi-me descrito por um dos correspondentes da emissora, Maxim Zborowsky, que mais tarde se tornou um dos principais âncoras da Telemaratona "United News".
4. A influência exercida na Telemaratona pelo gabinete do presidente foi descrita para mim pelo assessor sênior de Zelensky, Kyrylo Tymoshenko, que supervisionou a Telemaratona.
5. Isobel Koshiw escreveu para o jornal *The Guardian* sobre as origens e programação da Telemaratona, em reportagem publicada em 25 de maio de 2022, sob o título "'Death to the Enemy': Ukraine's News Channels Unite to Cover War".
6. O consumo de álcool no bunker presidencial foi-me descrito por vários de seus residentes. Mykhailo Podolyak, assessor sênior do presidente, também discorreu sobre a questão durante um evento público do qual participei, em Kiev, em 11 de agosto de 2022.
7. A balada de guerra, intitulada "Ukranian Fury", foi escrita e interpretada pela cantora Khrystyna Soloviy e postada em 7 de março de 2022 em sua conta no YouTube, onde teve milhões de visualizações.
8. O detalhe sobre legisladores que receberam armas de fogo no dia da invasão foi relatado por Roman Kravets e Roman Romaniuk, ambos do *Ukrainska Pravda*, em sua reconstrução dos acontecimentos do dia, publicado em 5 de setembro de 2022.
9. Imagens do diário do menino foram postadas na conta do Facebook de um residente de Mariupol, Evgeny Sosnovsky, em 3 de maio de 2022. As imagens foram amplamente compartilhadas on-line e comentadas nos meios de comunicação ucranianos e internacionais, incluindo a Rádio Europa Livre/Rádio Liberdade, que localizou o menino e o identificou como Yegor Kravtsov, de 8 anos de idade, em nota publicada em 22 de junho de 2022.

8. Tábula rasa

1. Entrevista televisionada concedida por Zelensky no *Snidanok*, programa matinal que foi ao ar na rede de televisão 1+1 em agosto de 2014. A história do encontro dele com um soldado em Donbas que tinha dificuldade para falar também consta daquela entrevista.
2. Putin fez os comentários sobre *Novorossiya* em 17 de abril de 2014, durante o programa em que telespectadores podiam formular perguntas por telefone. Um vídeo e uma transcrição do material estão disponíveis no site do Kremlin.
3. Discurso de Putin no Kremlin, em 18 de março de 2014, conforme publicado no site do Kremlin.
4. Pesquisas realizadas em fevereiro de 2014 pelo Instituto Internacional de Sociologia de Kiev e pela Fundação de Iniciativas Democráticas Kucheriv, conforme citadas pelo Pew Research Center, apontaram pouco entusiasmo na Ucrânia pela ideia de se unir à Rússia. Mesmo no leste da Ucrânia, apenas cerca de 26% dos pesquisados apoiavam a ideia.
5. Os confrontos em Odesa, incluindo o incêndio na Sede dos Sindicatos, que matou pelo menos 42 pessoas, foram abordados em reportagem da BBC publicada em 6 de maio de 2014, sob o título "How Did Odessa's Fire Happen?".
6. Minha cobertura da propagação do separatismo russo e da guerra que se seguiu no leste da Ucrânia constou de uma série de comunicados na revista *Time*, na primavera e no verão de 2014.
7. Zelensky filmou paródias de noticiários ao lado da praça Vermelha, em Moscou, para o longevo programa *Chisto News*, em maio de 2014.
8. Zelensky descreveu sua saída da Rússia em 2014, bem como o rompimento de suas relações pessoais e profissionais em Moscou, durante a entrevista concedida em 2018 no programa *Visiting Dmitry Gordon*, na qual também falou sobre o impacto financeiro em seus negócios decorrente da perda do mercado russo e a sua recusa em aceitar convites para se apresentar na Rússia após a anexação da Crimeia.
9. Os primeiros shows de Zelensky na zona de guerra foram amplamente cobertos na mídia ucraniana, em agosto de 2014, incluindo uma reportagem que foi ao ar na rede TSN.
10. Zelensky cantou a música, intitulada "Amo a Minha Pátria", durante suas viagens à zona de guerra, em 2014, e a canção passou a incorporar o repertório básico do Studio Kvartal 95 nos anos que se seguiram.
11. Entrevista de Zelensky no programa matinal *Snidanok*, que o convidou para falar sobre sua viagem à frente de batalha, em agosto de 2014.

12. A cena em que o personagem de Zelensky devaneia sobre a derrubada do parlamento ucraniano é mostrada na segunda temporada, episódio oito, de *Servo do Povo*.
13. Coletiva de imprensa concedida por Zelensky, em dezembro de 2013, promovendo o lançamento do filme *Love in the Big City 3*.
14. O registro de um novo partido político denominado Servo do Povo foi informado pelo jornal *Ukrainska Pravda*m, em 4 de dezembro de 2017.
15. Um vídeo do discurso inflamado de Ihor Kolomoysky foi veiculado no canal ucraniano do YouTube, mantido pela Rádio Europa Livre/Rádio Liberdade, em 19 de março de 2015.
16. Detalhes do relacionamento de Zelensky com Kolomoysky foram publicados no artigo que escrevi sobre as eleições presidenciais ucranianas, publicado pela revista *Time*, em 28 de março de 2019.
17. Uma pesquisa de âmbito nacional publicada pelo Rating Group, importante órgão de pesquisas ucraniano, em 25 de setembro de 2018, posicionou Zelensky em segundo lugar entre os potenciais candidatos para presidente, com 7,8% de apoio, em comparação com o índice de 6,8% para o presidente que então ocupava o cargo, e 13,2% para Yulia Tymoshenko.

9. O favorito

1. O escândalo de corrupção envolvendo o suposto contrabando e venda de equipamento militar russo na Ucrânia emergiu de um relatório investigativo produzido pelo veículo de comunicação ucraniano Bihus.info e publicado em 25 de fevereiro de 2019, sob o título "Army. Friends. Dough".
2. O serviço ucraniano da BBC cobriu o escândalo envolvendo gravações feitas pelo veterano promotor da anticorrupção, Nazar Kholodnitsky, em um relatório detalhado publicado em 4 de abril de 2018.
3. Discurso proferido por Petro Poroshenko, durante a Conferência de Segurança em Munique, em 16 de fevereiro de 2018.
4. Numa postagem nas redes sociais durante a Conferência de Segurança em Munique no dia 17 de fevereiro de 2018, o ministro das Relações Exteriores da Ucrânia, Pavlo Klimkin, pareceu atribuir a culpa do cancelamento das negociações de paz, naquele dia, com a Rússia, "à delegação alemã", depois que o ministro das Relações Exteriores alemão, Sigmar Gabriel, mediador-chave nas negociações, retornou a Berlim com o propósito de conceder uma coletiva de imprensa sobre a libertação do jornalista alemão Deniz Yücel, que estivera detido numa prisão turca.

5. A rodada seguinte de negociações de paz no chamado Formato Normandia, envolvendo os ministros das Relações Exteriores da Rússia, Ucrânia, Alemanha e França, foi realizada em Berlim, no dia 11 de junho de 2018.
6. Zelensky anunciou numa postagem nas redes sociais, em 13 de março de 2019, mais de três meses após o início da campanha presidencial, que as filmagens da terceira e última temporada de *Servo do Povo* haviam terminado.
7. O parlamento da Ucrânia, o Verkhovna Rada, aprovou alterações na legislação anticorrupção, em 17 de outubro de 2019, cumprindo uma promessa de campanha feita por Zelensky visando a autorizar o pagamento de recompensas a indivíduos que delatassem funcionários corruptos.
8. O Instituto Gallup publicou os resultados de sua pesquisa internacional a respeito da confiança dos povos em seus respectivos governos, em 21 de março de 2019, sob o título "World-Low 9% of Ukrainians Confident in Government".
9. Minha entrevista com Yulia Tymoshenko surgiu pela primeira vez em artigo publicado na revista *Time*, em 28 de março de 2019, sob o título "She Was Next in Line to Be the President. He Plays One on TV. Who Will Win Ukraine's Election?".
10. A terceira temporada de *Servo do Povo* estreou em 27 de março de 2019, conforme relatado pelo serviço ucraniano da BBC. O primeiro turno das eleições presidenciais ocorreu quatro dias depois, no domingo, 31 de março.
11. De acordo com os resultados publicados pela Comissão Central Eleitoral da Ucrânia, Zelensky recebeu 89% dos votos em Luhansk e 87% em Donetsk. No segundo turno, ele só perdeu na região oeste de Lviv, onde Poroshenko obteve 63% dos votos.

10. Não confie em ninguém

1. Setenta e nove por cento dos entrevistados expressaram confiança em Zelensky, segundo pesquisa publicada em setembro de 2019 pelo Centro Razumkov, importante órgão de pesquisas da Ucrânia.
2. Sessenta e cinco por cento dos entrevistados afirmaram que a primeira coisa que o presidente deveria fazer para aumentar a confiança da população na sua pessoa seria "acabar com a guerra em Donbas", de acordo com um pesquisa realizada, em junho de 2019, pelo Rating Group.
3. Zelensky fez a observação enquanto mostrava seu gabinete a um grupo de jornalistas. O serviço de língua russa da Deutsche Welle postou um vídeo da visita em seu canal no YouTube, em 21 de junho de 2019.

4. Interfax-Ukraine foi um dos vários meios de comunicação ucranianos que reportaram o caso da declaração de rendimentos de Zelensky, em 20 de maio de 2019, dia de sua posse.
5. A agência Reuters relatou a questão do preço abaixo do mercado que foi pago pela família Zelensky por sua propriedade na Crimeia, em 1º de maio de 2019, sob o título "Exclusive: Wife of President-elect of Ukraine Got Penthouse Bargain from Tycoon".
6. Entrevista concedida por Olena Zelenska no *Snidanok*, programa matinal da rede de televisão 1+1, postada no site da emissora, em 25 de novembro de 2019.
7. O conteúdo da conversa telefônica de Rudy Giuliani com Yermak foi revelado pela primeira vez em minha reportagem para a revista *Time*, em 9 de fevereiro de 2021. A CNN posteriormente transmitiu uma gravação parcial da chamada.
8. A Casa Branca divulgou, em 24 de setembro de 2019, uma transcrição da chamada entre Trump e Zelensky.
9. Minha entrevista com Yermak surgiu pela primeira vez na revista *Time*, em 10 de dezembro de 2019.
10. A entrevista de Zelensky foi publicada na revista *Time*, em 2 de dezembro de 2019. Além de mim, o presidente convidou três jornalistas de alguns dos principais periódicos europeus: o *Le Monde*, da França; a revista *Der Spiegel*, da Alemanha; e a *Gazeta Wyborcza*, da Polônia.

11. O cemitério

1. Minha reportagem, diretamente de Bucha, foi divulgada pela primeira vez na revista *Time*, em 13 de abril de 2022.
2. Um breve vídeo do enterro em massa realizado no cemitério constou da página do Facebook de um residente de Bucha, Mykola Krivenok, em 12 de março de 2022. O padre Andriy Halavin confirmou a autenticidade do vídeo.
3. Diversas investigações sobre as atrocidades russas cometidas em Bucha foram divulgadas na mídia internacional nos meses seguintes. Em 3 de novembro de 2022, a Associated Press publicou uma reportagem com o título "Crime Scene: Bucha. How Russian Soldiers Ran a 'Cleansing' Operation in the Ukrainian City". Em 22 de dezembro de 2022, o jornal *The New York Times* publicou uma reportagem intitulada "Caught on Camera, Traced by Telephone: The Russian Military Unit that Killed Dozens in Bucha".
4. O número de baixas publicado pelo jornal russo *Komsomolskaya Pravda*, e rapidamente excluído, foi revelado pelo jornal *The Guardian* em artigo publi-

cado em 22 de março de 2022 sob o título "How Many Russian Soldiers Have Died in Ukraine?".

5. A Associated Press publicou o número de corpos encontrados na área de Bucha em reportagem de 11 de agosto de 2022, citando autoridades municipais.
6. Zelensky fez a observação sobre o diabo numa coletiva de imprensa concedida em 24 de fevereiro de 2023, marcando o primeiro aniversário da invasão.
7. O Institute for the Study of War, *think tank* com sede nos EUA, estimou em sua avaliação do campo de batalha divulgada em 24 de agosto de 2022, que os russos haviam perdido cerca de 45 mil quilômetros quadrados de território na Ucrânia desde 21 de março, o que seria uma área maior que a Dinamarca.
8. Discurso de Zelensky diante do Conselho de Segurança da ONU, conforme publicado no site da presidência, em 5 de abril de 2022.
9. Tomasz Grodzki, presidente do Senado da Polônia, postou a comparação bíblica com Bucha e outros subúrbios de Kiev em uma postagem nas redes sociais, em 14 de abril de 2022.
10. Zelensky falou longamente sobre as negociações de paz durante uma entrevista com um grupo de jornalistas russos independentes, em 27 de março de 2022, conforme noticiado no site da presidência.
11. Alexander Fomin, o negociador russo, fez esta declaração aos repórteres, em Istambul, 29 de março de 2022, conforme relatado pela agência de notícias russa Interfax.
12. Oleksiy Danilov, falando ao jornal *The Washington Post*, em reportagem publicada em 22 de fevereiro de 2023, relembrou os detalhes do jantar de Zelensky com seus assessores um dia depois de o presidente ter visitado Bucha pela primeira vez.
13. Zelensky fez esta declaração em 5 de abril de 2022 a jornalistas ucranianos, conforme publicado no site da presidência.
14. Meu relato sobre a visita de Ursula von der Leyen à Ucrânia surgiu pela primeira vez na revista *Time*, em 28 de abril de 2022, sob o título "Inside Volodymyr Zelensky's World".
15. Entrevista de Zelensky a Paul Ronzheimer, do jornal alemão *Bild*, foi publicada em 8 de abril de 2022.

12. O cavalo de Troia

1. Comentário de Putin na sessão plenária do Fórum Econômico Internacional, em São Petersburgo, em 7 de junho de 2019, conforme relatado no site do Kremlin.

2. Dados do Fundo Monetário Internacional mostraram que a economia da Ucrânia encolheu pela metade entre 2013 e 2015, e estava longe de se recuperar em 2019.
3. Hromadske prestou informações sobre a retirada das tropas no início do mandato de Zelensky em artigo publicado em 27 de junho de 2019, sob o título "Ukraine's War-Torn Stanytsia Luhanska Sees Separation of Forces".
4. A Organização para Segurança e Cooperação na Europa confirmou que a retirada foi parte da sua missão de monitorização no leste da Ucrânia, em um relatório pontual publicado em 30 de junho de 2019.
5. O embaixador dos EUA, William Taylor, disse-me que em 2019 deu este conselho a Zelensky. David Ignatius, em uma coluna do jornal *The Washington Post* publicada em 30 de novembro de 2021, também cita Taylor dando este conselho a Zelensky.
6. Zelensky fez esta observação em um de seus vídeos postado no YouTube, em 17 de julho de 2019.
7. A agência de notícias Unian cobriu a morte de quatro fuzileiros navais ucranianos e o telefonema subsequente entre Putin e Zelensky, em um relatório publicado em 7 de agosto de 2019.
8. O jornal *The New York Times*, em matéria publicada em 7 de setembro de 2019, foi um dos vários meios de comunicação que cobriam a troca de prisioneiros.
9. A Deutsche Welle informou a libertação dos três navios da marinha ucraniana pela Rússia em matéria publicada em 18 de novembro de 2019.
10. Poroshenko descreveu seus planos de paz em nossa entrevista para um artigo publicado na revista *Time*, em 12 de junho de 2014, sob o título: "Petro Poroshenko: Man in the Middle", que também inclui meu relato sobre os confrontos em Donbas naquela primavera.
11. Discurso de Biden ao parlamento ucraniano, proferido em 9 de dezembro de 2015, está disponível nos arquivos da Casa Branca.
12. Foram realizadas pesquisas de opinião pública nas regiões ocupadas de Donbas, em 2019, pelo Centro de Estudos Internacionais e da Europa Oriental, em Berlim, cuja diretora, Gwendolyn Sasse, descreveu os resultados e a metodologia empregada num relatório publicado em 14 de outubro de 2019, no site *The Conversation*.
13. Entrevista de Zelensky concedida a mim e a três jornalistas europeus, em 30 de novembro de 2019.
14. A coletiva de imprensa concedida por Zelensky, anunciando seus planos para a implementação do acordo de Minsk, ocorreu em Kiev, em 1º de outubro de 2019.

15. Entrevista de Zelensky concedida a mim e a três jornalistas europeus, em 30 de novembro de 2019.
16. A reportagem do jornal *The New York Times* sobre a obstinação demonstrada por Zelensky em Paris foi publicada em 9 de dezembro de 2019 sob o título "In First Meeting with Putin, Zelensky Plays to a Draw Despite a Bad Hand".
17. O parlamento da Ucrânia, o Verkhovna Rada, aprovou uma lei em 12 de dezembro de 2019, estendendo por um ano os termos da "autonomia local" temporária nas regiões ocupadas do Donbas, e Zelensky ratificou-a na semana seguinte para "promover a resolução pacífica da situação" em tais regiões, de acordo com declaração publicada no site da presidência em 18 de dezembro de 2019.
18. A Deutsche Welle informou a resolução da disputa financeira da Ucrânia com a Rússia em artigo publicado em 21 de dezembro de 2019, sob o título "Gazprom to Pay US$ 2,9 Billion in New Ukraine Gas Deal".
19. A agência Reuters informou o novo período de cinco anos do contrato de gás, em 30 de dezembro de 2019, sob o título "Russia and Ukraine Clinch Final Gas Deal on Gas Transit to Europe".
20. Hromadske relatou, em 5 de fevereiro de 2022, o arquivamento de um projeto de lei pelo parlamento que permitiria o pagamento de pensões nas regiões ocupadas de Donbas.
21. A votação parlamentar sobre as eleições em Donbas foi relatada no site da Verkhovna Rada em 15 de julho de 2020, e um vídeo completo da sessão plenária foi postado no canal YouTube da Telekanal Rada. O texto completo da lei, registrada sob o nº 795-IX e assinada pelo presidente da Câmara, Dmytro Razumkov, foi também publicado no site do parlamento.
22. Durante nossa entrevista realizada em 14 de novembro de 2022, Zelensky falou-me do seu fracasso, em 2019 e 2020, quanto a arquitetar uma paz duradoura em Donbas.

13. O príncipe das trevas

1. Entre os muitos meios de comunicação que relataram o papel desempenhado por Viktor Medvedchuk na campanha oficial contra os dissidentes soviéticos consta o jornal *The New York Times*, que escreveu em um perfil, em 2015: "Acredita-se que o papel dele desempenhado na repressão soviética aos dissidentes antes das Olimpíadas de 1980 tenha contribuído para a morte do poeta ucraniano e ativista de direitos humanos, Vasyl Stus." Medvedchuk, que serviu como advogado apontado pelo sistema para defender Stus, há muito nega ter auxiliado as autoridades na perseguição a Stus.

2. Minha reportagem sobre a relação entre Putin e Medvedchuk e o papel dessa mesma relação na invasão da Ucrânia surgiu pela primeira vez na revista *Time*, em 2 de fevereiro de 2022, sob o título "The Untold Story of the Ukraine Crisis".
3. O canal russo LifeNews transmitiu em julho de 2012 um vídeo da visita de Putin à residência da família de Medvedchuk, situada na Crimeia. O vídeo foi então retransmitido em vários canais de TV ucranianos.
4. O serviço ucraniano da Rádio Europa Livre/Rádio Liberdade publicou, em 21 de fevereiro de 2017, uma investigação detalhada do papel de Medvedchuk no comércio de energia.
5. O jornalista e escritor Mikhail Zygar comunicou o isolamento de Putin em Valdai em artigo para o jornal *The New York Times* publicado em 10 de março de 2022, intitulado "How Vladimir Putin Lost Interest in the Present".
6. As plantas baixas e outros detalhes da propriedade de Putin em Valdai foram publicados em 15 de abril de 2021 pela Anti-Corruption Foundation, um grupo ativista dirigido pelo dissidente Alexei Navalny.
7. Zelensky fez este comentário em uma postagem em seu canal oficial do Telegram, em 7 de outubro de 2020.
8. Em pesquisa publicada em 20 de outubro de 2020, o Rating Group constatou que 16,7% daqueles que tinham a intenção de participar das eleições pretendiam votar no partido Servo do Povo, de Zelensky.
9. De acordo com estatísticas publicadas pelo Worldometer, o número de mortos por Covid-19 na Ucrânia atingiu 15 mil em meados de dezembro de 2020. O escritório do Alto-Comissariado da ONU para Direitos Humanos estimou que o número total de mortos na guerra em Donbas, de 2014 a 2021, foi entre 14.200 e 14.400 pessoas, de acordo com um relatório publicado em janeiro de 2022.
10. A Pfizer e a BioNTech, sendo esta última uma empresa alemã, anunciaram em 9 de novembro de 2020 que sua vacina era eficaz contra Covid-19.
11. Zelensky fez a declaração em entrevista televisionada concedida à emissora alemã ZDF, em 13 de outubro de 2022.
12. Em vídeo postado em seu canal no YouTube em 5 de junho de 2020, o veículo de comunicação ucraniano Censor.net relatou em detalhes o modo como o canal de TV de Kolomoysky passou a criticar Zelensky.
13. A pesquisa do Rating Group publicada em 23 de dezembro de 2020 constatou que os índices de aprovação do presidente haviam caído constantemente desde aquela primavera, sendo que no fim do ano 65% dos entrevistados afirmaram que desaprovavam a administração central.

14. A Interfax-Ucrânia informou em 28 de dezembro de 2020 que o partido de Medvedchuk havia ultrapassado o partido de Zelensky nas pesquisas, citando duas pesquisas independentes realizadas à época.
15. Razumkov recebeu-me para uma entrevista em seu escritório na Verkhovna Rada em 6 de outubro de 2021, um dia antes de a maioria no parlamento votar para removê-lo de sua posição como presidente da Câmara.
16. Zelensky falou-me a respeito de sua oposição legal a Medvedchuk durante uma entrevista em 9 de abril de 2021.
17. O porta-voz da União Europeia para Assuntos Estrangeiros e Política de Segurança, Peter Stano, fez tal declaração à Interfax-Ucrânia, em 3 de fevereiro de 2021, um dia após a imposição das sanções contra os canais de TV pertencentes a Medvedchuk.
18. A declaração da Embaixada dos EUA em Kiev, em resposta às sanções contra os bens de Medvedchuk, foi postada no Twitter, em 20 de fevereiro de 2021.
19. Reunião com altos funcionários do Departamento de Estado, na primavera de 2021.
20. A declaração de Putin em resposta às sanções foi relatada pela agência TASS e por outros meios de comunicação estatais russos, em 17 de fevereiro de 2021.
21. As sanções contra Medvedchuk e a esposa foram impostas por meio do Decreto nº 64/2021, publicado no site da presidência em 19 de fevereiro de 2021, e assinado por Oleksiy Danilov, secretário do Conselho de Segurança e Defesa Nacional do Ucrânia.
22. A declaração que anunciou os repentinos exercícios militares russos foi revelada pelo menos por dois sites do Ministério da Defesa, na manhã de 21 de fevereiro de 2021 – Structure.mil.ru e Function.mil.ru – e retransmitida por vários veículos de comunicação e blogs na Rússia e em Belarus. Um dos poucos sites ucranianos de notícias que captaram o anúncio foi NV.ua, que publicou uma reportagem sobre o assunto naquela mesma noite, citando o serviço de imprensa do Ministério da Defesa russo.

14. Bem-vindo ao Ragnarok

1. O lema do Centro de Remoção de Minas Explosivas 2641 – "Errar não é uma opção" – foi mostrado, em inglês, num banner na página do referido centro no Facebook (www.facebook.com/deminingcenter2641), na época da batalha ocorrida nas proximidades de Shumy.
2. O relato do fogo cruzado em Shumy baseia-se na minha visita ao local e em entrevistas com militares envolvidos na investigação oficial do incidente,

incluindo o general Ruslan Khomchak, que supervisionou o trabalho. Uma versão mais curta do relato foi veiculada pela primeira vez pela revista *Time*, em 12 de abril de 2021.

3. A declaração de Zelensky foi postada em sua conta oficial do Telegram, em 26 de março de 2021, e foi citada em relatórios da agência Interfax-Ucrânia e outros meios de comunicação.
4. O discurso do general Khomchak perante uma sessão extraordinária do parlamento e o debate que se seguiu foram divulgados no site do Verkhovna Rada, em 30 de março de 2021.
5. Em uma pesquisa publicada em 16 de março de 2021 pelo Centro Razumkov, 63% dos entrevistados expressaram desconfiança em Zelensky.
6. O telefonema de Zelensky com Biden ocorreu em 2 de abril de 2021, de acordo com uma postagem no site da Casa Branca.
7. Os comentários de Zelensky feitos durante a ligação com Jens Stoltenberg foram relatados pela agência Reuters em 6 de abril de 2021, citando uma declaração presidencial.
8. A declaração do porta-voz do Kremlin, Dmitry Peskov, aos repórteres foi publicada em artigo do jornal *The Guardian* em 6 de abril de 2021.
9. A agência de notícias RBC-Ucrânia relatou, em 16 de março de 2021, que o apoio de Zelensky nas pesquisas havia aumentado alguns pontos, alcançando o índice de 25%, com base em uma enquete levada a termo pelo Centro Razumkov.
10. Um relato da minha viagem com Zelensky à região de Donbas surgiu pela primeira vez na revista *Time*, em 12 de abril de 2021.
11. Igor Bezler, o comandante separatista conhecido como Demônio, gabou-se das execuções, em entrevista concedida a Shaun Walker, do jornal *The Guardian*, publicada em 29 de julho de 2014.
12. Um relato do meu encontro com o lutador russo conhecido como Babay surgiu pela primeira vez em uma nota na revista *Time*, em 23 de abril de 2014.

15. Atirar para matar

1. O relato da nomeação do general Zaluzhny constou pela primeira vez do perfil por mim publicado na revista *Time*, em 26 de setembro de 2022, redigido em colaboração com minha colega Vera Bergengruen.
2. O general Zaluzhny fez seu primeiro discurso público na função de comandante em chefe das Forças Armadas em 22 de agosto de 2021, durante um fórum militar, "Ukraine 30. Defenders". O discurso foi transmitido ao vivo no YouTube.

3. A observação de Zelensky sobre a tradição de paradas militares constou de um breve vídeo, em sua página no Facebook, em 9 de julho de 2019.
4. O discurso de Zelensky no desfile do Dia da Independência foi postado no site da presidência, junto a um vídeo da parada militar, em 24 de agosto de 2021.
5. Os comentários de Zaluzhny durante a reunião a portas fechadas constaram de relatos dos participantes, incluindo uma postagem no Facebook feita pelo porta-voz do Ministério da Defesa, Oleksiy Hodzenko, em 28 de setembro de 2021.
6. Os comentários de Zelensky durante a cerimônia de assinatura realizada com o engenheiro turco Haluk Bayraktar foram divulgados no site da presidência, em 29 de setembro de 2021.
7. Eado Hecht, "Drones in the Nagorno-Karabakh War: Analyzing the Data", *Military Strategy Magazine*, volume 7, número 4, inverno de 2022, p. 31-37.
8. O jornal *Kyiv Post* prestou informações sobre a primeira utilização do Bayraktar TB2 pela Ucrânia, em meio ao combate pela região de Donbas, em matéria publicada em 27 de outubro de 2021, incluindo um vídeo aéreo do ataque, material produzido pelo Estado-Maior General das Forças Armadas da Ucrânia.
9. Os comentários do porta-voz do Kremlin, Dmitry Peskov, sobre o ataque de drones foram relatados pela agência Reuters, em 27 de outubro de 2021.
10. O comentário de Zelensky sobre o ataque com drones foi divulgado no site da presidência, em 29 de outubro de 2021.
11. O secretário de Estado dos EUA, Antony Blinken, encontrou-se com Zelensky, em 2 de novembro de 2021, em uma conferência sobre questões climáticas, em Glasgow, na Escócia, e alertou-o sobre a probabilidade de uma invasão, segundo comentários de Blinken ao jornal *The Washington Post*, publicados em 16 de agosto de 2022. As autoridades ucranianas que receberam o alerta à época disseram-me que os norte-americanos estimavam a chance de uma invasão como algo entre 75 e 80%.
12. O vice-ministro das Relações Exteriores da Rússia, Sergei Ryabkov, fez esta declaração em entrevista concedida à agência de notícias estatal TASS, publicada em 9 de janeiro de 2022.
13. Esta observação de um alto funcionário da administração Biden veio a público pela primeira vez na reportagem de capa da revista *Time*, publicada em 2 de fevereiro de 2022 e elaborada com a assistência de meus colegas em Washington, Brian Bennett, W. J. Hennigan e Nik Popli.
14. A agência Reuters informou, em 14 de fevereiro de 2022, que os preços do petróleo haviam atingido uma alta em sete anos, na ordem de quase 100 dólares por barril, devido aos receios de uma invasão russa à Ucrânia.

15. No início de dezembro, 20% dos entrevistados em uma pesquisa de abrangência nacional disseram que estavam dispostos a votar em Zelensky para presidente, uma queda diante dos 23% registrados em junho, de acordo com pesquisa publicada pelo Instituto Internacional de Sociologia de Kiev.
16. Quase metade dos entrevistados (49,5%) afirmara que o caso contra Poroshenko configurava um ato de perseguição política, em pesquisa realizada nos dias 20 e 21 de janeiro, pelo Instituto Internacional de Sociologia de Kiev, e publicada em seu respectivo site.
17. Zelensky comentou sobre as acusações contra Poroshenko durante uma coletiva de imprensa realizada em 21 de dezembro de 2021, cujo vídeo foi postado no canal do YouTube da NV.ua.
18. Carl Bildt, antigo primeiro-ministro da Suécia, condenou as acusações contra Poroshenko, considerando-as "claramente políticas" e "extremamente prejudiciais" à coesão da Ucrânia, de acordo com uma postagem em suas redes sociais, em 17 de janeiro de 2022.
19. Esta declaração foi feita durante uma coletiva de imprensa concedida por Zelensky à mídia estrangeira, em 28 de janeiro de 2022, conforme relatado pela agência Reuters e no site da presidência.

16. A nevasca

1. O Estado-Maior anunciou o início oficial dos exercícios Blizzard-2022, em 8 de fevereiro de 2022, por meio de comunicado em suas contas nas redes sociais.
2. O ministro da Defesa, Oleksiy Reznikov, anunciou a chegada de 1.300 toneladas de ajuda militar dos EUA, em comunicado nas redes sociais, em 11 de fevereiro de 2022.
3. O canal Sky News relatou, em 20 de janeiro de 2022, o "aumento silencioso, mas notável" da ajuda militar britânica à Ucrânia, incluindo 2 mil mísseis antitanques.
4. Os comentários de Reznikov no parlamento chegaram às manchetes em todo o mundo, inclusive por meio da Associated Press, em 25 de janeiro de 2022.
5. A mensagem de vídeo gravada por Zelensky e postada no site da presidência foi ridicularizada, em 24 de janeiro de 2022, em reportagem contundente transmitida pelo Canal 5, rede de propriedade de Petro Poroshenko.
6. O slogan "Mantenha a calma e visite a Ucrânia" surgiu em 27 de janeiro de 2022, no site do Conselho Nacional de Turismo.
7. O famoso discurso de Putin na conferência em Munique ocorreu em 10 de fevereiro de 2007 e foi publicado no site do Kremlin.

8. O discurso completo de Zelensky pode ser encontrado em vídeo postado no site da presidência, em 19 de fevereiro de 2022.
9. Zelensky respondeu ao comentário de Biden sobre "incursões menores", em comunicado publicado nas redes sociais, em 20 de janeiro de 2022.
10. O discurso de Putin surgiu no site do Kremlin, em 21 de fevereiro de 2022.
11. O discurso de Zelensky foi postado no site da presidência pouco antes das três horas da manhã, em 22 de fevereiro de 2022.
12. Zelensky fez esta declaração em entrevista ao jornal *The Washington Post*, publicada em 16 de agosto de 2022.
13. O anúncio feito por Danilov acerca de um estado de emergência foi transmitido ao vivo da sala de reuniões da presidência, em 23 de fevereiro de 2022.
14. O discurso de Zelensky dirigido à nação russa foi veiculado no site da presidência na véspera da invasão.

17. Batalha de Donbas

1. A investigação realizada pela Associated Press sobre o ataque aéreo russo ao teatro em Mariupol, publicada em 4 de maio de 2022, estimou que a investida matou seiscentas pessoas, no interior e no exterior do prédio.
2. Eduard Basurin, porta-voz dos combatentes separatistas pró-Rússia, em Donetsk, pareceu apelar à utilização de armas químicas em Azovstal, durante uma entrevista concedida à televisão estatal russa, de acordo com reportagem publicada, em 12 de abril de 2022, pelo jornal *Kyiv Post*.
3. Putin expediu a ordem para isolar Azovstal durante uma reunião com seu ministro da Defesa, cujo vídeo foi publicado no site do Kremlin, em 21 de abril de 2022.
4. O general Zaluzhny relembrou sua conversa com a mãe do piloto morto em entrevista concedida ao jornalista Dmytro Komarov, como parte da série *Year. Offscreen*, que foi ao ar em 12 de maio de 2023.
5. Zelensky anunciou o início da batalha por Donbas, em discurso proferido em 18 de abril de 2022, cujo vídeo foi postado na página site presidencial.
6. A fala de Zelensky foi postada no site da presidência, em 19 de abril de 2022.
7. O Instituto para o Estudo da Guerra relatou, em uma avaliação do campo de batalha publicada em seu site, em 14 de maio de 2022, que 485 soldados teriam sido mortos e oitenta peças de equipamento militar destruídas sob fogo ucraniano, enquanto os russos tentavam atravessar a ponte Siversky Donets alguns dias antes.

8. A estimativa de baixas, segundo Zelensky, sobre a batalha de Donbas – entre sessenta e uma centena de soldados ucranianos mortos por dia, além de cerca de quinhentos feridos – constou de entrevista concedida à emissora Newsmax, em 31 de maio de 2022.

18. Na superfície

1. Lloyd Austin falou, em 25 de abril de 2022, a um grupo de jornalistas, que teriam sido solicitados a não divulgar sua localização exata, no leste da Polônia.
2. Antony Blinken fez o comentário na mesma transmissão televisionada, em 25 de abril de 2022, ao lado do secretário Austin.
3. O general Mark Milley fez a observação em 3 de maio de 2022, durante depoimento ao Subcomitê de Dotações de Defesa, do Senado dos EUA.
4. Zelensky descreveu seu guarda-roupa para Dmytro Komarov durante uma visita aos seus aposentos, no quarto andar do complexo presidencial. A visita foi mostrada em um episódio da série de documentários *Year. Offscreen*, em 24 de fevereiro de 2023.
5. A carta de Ilya Yashin foi publicada na revista *Time*, em 10 de fevereiro de 2023, sob o título "A Message to the World from Inside a Russian Prison".
6. Repórteres do canal ucraniano Slidstvo.info entraram na mansão de Medvedchuk e divulgaram uma reportagem em vídeo sobre o local, em 13 de março de 2022.
7. A lembrança de Jill Biden ao conhecer a primeira-dama da Ucrânia constou de artigo publicado na revista *Time*, em 13 de abril de 2023.
8. Um perfil de Olena Zelenska publicado no jornal *The Guardian*, em 18 de junho de 2022, mostra uma foto de um de seus encontros passageiros com o marido nos corredores do complexo presidencial.
9. Olena Zelenska e o presidente concederam uma entrevista conjunta ao programa *Piers Morgan Uncensored* que foi postada no canal do YouTube mantido pelo programa, em 27 de julho de 2022.

19. O retorno da política

1. O relato da viagem de trem de Zelensky ao sul da Ucrânia baseia-se em minhas entrevistas com vários dos participantes, bem como na minha experiência durante viagem com o presidente alguns meses depois, no mesmo trem, até a frente sul.

2. Entrevista de Denys Prokopenko ao jornal *Ukrainska Pravda* foi publicada em 8 de maio de 2022.
3. O jornal *Ukrainska Pravda* informou sobre a pesquisa secreta encomendada pelo gabinete do presidente, em artigo publicado em 21 de abril de 2022, sob o título "Politics in a time of War: How Zelensky Destroys Competitors".
4. Os índices de aprovação de Zelensky eram de 93%, em 1º de março de 2022, de acordo com pesquisas do Rating Group.
5. Pelo menos três canais de televisão – Espresso, Pryamiy e Canal 5 – foram retirados do ar, em abril de 2022, conforme cartas abertas enviadas à época pelos respectivos canais ao gabinete presidencial.
6. Arakhamia fez a observação em 22 de agosto de 2022, durante o fórum para ex-combatentes "Defensores. Convocação", que acompanhei no auditório localizado embaixo do Monumento à Pátria naquele dia. Um vídeo completo do fórum foi divulgado posteriormente no canal do YouTube do Ministério de Assuntos de Ex-Combatentes.
7. Um relato da minha entrevista com Olena Zelenska surgiu pela primeira vez na revista *Time*, em 7 de julho de 2022.
8. Zelensky fez o comentário sobre a revogação dos passaportes de Kolomoysky e Gennady Korban durante uma cerimônia pública da qual participei, em 28 de julho de 2022, no Palácio Mariyinsky, em Kiev.
9. Oleksiy Arestovych fez o comentário sobre o fracasso em explodir a ponte Chonhar, em entrevista ao vivo, concedida em 9 de maio de 2022, conforme relatado pela agência de notícias Unian e outros meios de comunicação.
10. Zelensky fez críticas a Savik Shuster, um dos principais jornalistas da Ucrânia, durante uma reunião televisionada, em 26 de novembro de 2021, conforme relatado pela agência Unian e outros meios de comunicação.

20. Dia da Independência

1. Um relato da minha entrevista com o general Zaluzhny constou de um artigo na revista *Time*, em 26 de setembro de 2022, escrito em colaboração com Vera Bergengruen.
2. A NBC News informou, em 31 de outubro de 2022, que Biden havia perdido a paciência com Zelensky durante o telefonema do mês de junho. A notícia citava quatro pessoas que tinham conhecimento da ligação.
3. Viktor Orban proferiu este discurso em 23 de julho, durante uma visita à Romênia, conforme relatado pela Rádio Europa Livre/Rádio Liberdade e outros meios de comunicação.

4. Kyrylo Budanov fez a observação em entrevista concedida ao site Yahoo News, publicada em 6 de maio de 2023.
5. Budanov em entrevista televisionada e concedida a Dmytro Komarov para um episódio da série de documentários *Year. Offscreen*, exibida em 19 de maio de 2023.
6. Vadym Skibitsky, vice-chefe da agência de inteligência militar GUR, falou ao jornal alemão *Welt*, em entrevista publicada em 25 de maio de 2023, sobre os planos de assassinato elaborados pela agência.
7. O jornal *The New York Times*, citando autoridades norte-americanas não identificadas, informou, em 5 de outubro de 2022, que as agências de inteligência dos EUA acreditavam que "setores do governo ucraniano" ordenaram o assassinato de Darya Dugina.
8. Zelensky emitiu este aviso em seu discurso noturno, em vídeo, em 21 de agosto de 2022, ou seja, três dias antes do Dia da Independência.

21. Contra-ataque

1. O Ministério da Defesa da Rússia anunciou a retirada da região de Kharkiv, em comunicado de 10 de setembro de 2022, conforme relatado pela agência Interfax e outros meios de comunicação.
2. O apelo de Zelensky por mais ajuda militar em meio à ofensiva de Kharkiv constou de vídeo postado no site da presidência, em 19 de setembro de 2022.
3. A administração Biden anunciou a ajuda militar adicional à Ucrânia em comunicado publicado no site do Departamento de Estado em 8 de setembro de 2022.
4. O consultor político Alexander Kazakov fez a observação durante um *talk show* transmitido pela NTV russa e postado no site do canal, em 9 de setembro de 2022.
5. Discurso de Putin acerca da anexação, publicado no site do Kremlin, em 30 de setembro de 2022.
6. O jornal *Moscow Times* noticiou os assassinatos de funcionários que contavam com apoio da Rússia em territórios ocupados, em artigo publicado em 1º de setembro de 2022.
7. O Decreto número 679 foi publicado no site da presidência, em 30 de setembro de 2022.
8. Zelensky rejeitou a ideia de negociações com Putin em entrevista concedida à emissora alemã ZDF, exibida em 12 de outubro de 2022.
9. Mykhailo Podolyak comparou o cerco das tropas russas em Lyman ao cerco, oito anos antes, das forças ucranianas em Ilovaisk, em postagem feita em

uma rede social, em 30 de setembro de 2022, comentando sobre o massacre em Ilovaisk: “A Rússia faltou com sua palavra. A coluna foi atingida. Hoje [a Rússia] terá que pedir para sair de Lyman.”

10. O jornal *The New York Times*, em 17 de novembro de 2022, publicou uma reconstrução detalhada do bombardeio da ponte da Crimeia, ocorrido no mês anterior.
11. O discurso de Zelensky ao lado do drone iraniano foi mostrado em vídeo e postado no canal do presidente no YouTube, em 27 de outubro de 2022.
12. Igor Girkin emitiu críticas à troca de prisioneiros em postagem veiculada em seu canal no Telegram, em 22 de setembro de 2022.

22. Libertação

1. A Embaixada dos EUA em Kiev anunciou o pacote adicional de ajuda militar em declaração postada em seu site, em 4 de novembro de 2022, durante a visita de Jake Sullivan.
2. As observações de Zelensky sobre Putin constaram do relatório da agência Reuters, de 4 de outubro de 2022, dia em que a proibição imposta por Zelensky às negociações com Putin entrou em vigor.
3. A declaração do Grupo dos Sete foi divulgada no site do Departamento de Estado dos EUA, em 4 de novembro de 2022.
4. O discurso de Zelensky após seu encontro com Sullivan foi divulgado no canal presidencial do YouTube, na noite de 4 de novembro de 2022.
5. Os comentários de Zelensky constaram de um discurso gravado em vídeo e postado no canal presidencial no YouTube, em 9 de novembro de 2022.
6. A declaração de Sergei Surovikin sobre a retirada de Kherson foi divulgada por vários veículos de propaganda russos, em 9 de novembro de 2022.
7. A resposta cautelosa de Zelensky à retirada foi divulgada em vídeo no canal presidencial no YouTube, em 9 de novembro de 2022.
8. Um relato da minha viagem com Zelensky a Kherson constou da revista *Time*, em 7 de dezembro de 2022.
9. Putin fez a observação num encontro com a mídia russa realizado em Sochi, em 31 de outubro de 2022, conforme relatado no site do Kremlin.
10. Yevgeny Prigozhin fez tais comentários em elogio a Zelensky em declaração a repórteres, postada na página de mídia social da empresa de bufê de Vkontakte, Concord, em 31 de outubro de 2022, conforme relatado por Moskovsky Komsomolets e meios de comunicação russos.

11. O general Milley solicitou negociações durante uma visita ao Economic Club, em Nova York, em 9 de setembro de 2022, conforme relatado pela estação NPR e publicado no canal do Economic Club, no YouTube.
12. A resposta do general Zaluzhny aos apelos para negociações com a Rússia consta de nota sobre seu telefonema com o general Milley, postada na página oficial do general ucraniano no Facebook, em 14 de novembro de 2022.

Epílogo

1. A BBC informou sobre o método de viagem de Zelensky aos EUA em artigo publicado em 23 de dezembro de 2022, sob o título "How Did President Zelensky Get to Washington?".
2. Ihor Smelyansky, diretor do serviço de correios da Ucrânia, relatou-me este incidente em entrevista.
3. O jornal *Bild* informou sobre a desavença entre Zelensky e Zaluzhny em relação à estratégia a ser adotada em Bakhmut em artigo publicado, em 6 de março de 2023, sob o título "Selenskyj streitet mit wichtigstem General!" ("Zelensky briga com General mais importante!").
4. Os comentários de Ben Wallace foram divulgados pelo jornal *The New York Times*, em 12 de julho de 2023.

Índice

C

D

Este livro foi composto na tipografia Minion Pro,
em corpo 11/15, e impresso em
papel off-white no Sistema Cameron da
Divisão Gráfica da Distribuidora Record.